EL SUEÑO DE LA HISTORIA

colección andanzas

Libros de Jorge Edwards
en Tusquets Editores

ANDANZAS
Adiós Poeta...
Persona non grata
Fantasmas de carne y hueso
El origen del mundo
El museo de cera

JORGE EDWARDS

EL SUEÑO DE LA HISTORIA

1.ª edición: abril 2000

Diseño de la colección: Guillemot-Navares

Tusquets Editores, S.A. - Cesare Cantù, 8 - 08023 Barcelona
ISBN: 84-8310-133-5
Depósito legal: B. 15.123-2000
Fotocomposición: Foinsa - Passatge Gaiolà, 13-15 - 08013 Barcelona
Impreso sobre papel Offset-F Crudo de Papelera del Leizarán, S.A.
Liberdúplex, S.L. - Constitución, 19 - 08014 Barcelona
Impreso en España

Índice

Primera parte. El hijo pródigo 11

Segunda parte. La ciudad de los conventos 127

Tercera parte. Te amo y te perdono... 229

Epílogo. La isla de las ratas 341

¡Oh! ¡Qué tiempos serán aquellos! ¡Qué oscuridad! ¡Qué temor! ¡Qué tentación! ¡Qué peligro!

Manuel de Lacunza, *La Venida del Mesías en Gloria y Majestad*

Primera parte
El hijo pródigo

I

'tis bitter cold,
And I am sick at heart.

Hamlet

Había vuelto después de más de nueve años, alrededor de diez, ahora no quería sacar la cuenta, y la impresión, aunque se había preparado bien (eso creía, por lo menos), era mucho más fuerte de lo que se había imaginado, más difícil de tragar. Y más enredada. Cuando el avión empezó a cruzar la cordillera tapada de nieve, con aristas filudas, dientes y espolones, crestas de polvillo blanco, se quedó mudo, y después, cuando bajaba sobre el territorio montañoso y él veía las primeras vacas, los pastizales desteñidos, los cobertizos, los zanjones y las pozas del invierno, un camión destartalado, en miniatura, en medio de un vapor general, de una neblina vaga, sintió perplejidad, desazón, y hasta una sensación de miedo. Era malo, se dijo, comenzar con miedo, y desde antes de tocar tierra, pero no había manera de evitarlo. Unos minutos más tarde, mientras el aparato carreteaba por la losa del aeropuerto, cerca de galpones míseros, divisó caras torvas, mestizas, con los cascos hundidos en la frente, con las metralletas preparadas, y notó el silencio de los demás pasajeros, el de una pareja de ingleses, el de un funcionario de alguna parte, el de una familia española. Hasta los niños, asustados, habían dejado de hablar y de dar gritos y miraban con fijeza. Los soldados estaban desplegados por todas partes, alrededor de aviones anticuados, panzudos, con la pintura sucia, de containers olvidados en el suelo, en las gradas que conducían al recinto de la policía. Él entregó su pasaporte con un temblor enteramente absurdo, como si sus papeles fueran falsificados, y el funcionario anotó varias cosas en el teclado de un computador. El artefacto, pesado y lento, apelaba, parecía, a una base de datos remota. Me van a devolver a España, se decía él, o van a meterme a una sala de tortura y me van a romper los cojones, por curioso, ¡por imbécil! Cuando lo dejaron pasar, al fin, y la cinta mecánica empezó a moverse, notó a hombrecitos de traje oscuro, de pelo corto, que miraban de reojo y enseguida clavaban la vista en los zapatos, en los maletines de mano, en cajas y en estuches grandes y llenos de inscripciones. Había visto a los mismos hombrecitos en otras partes, en La Habana, en el aeropuerto de Praga, en Varsovia, y se hizo preguntas más bien confusas. Aunque ya fuera demasiado tarde para hacerse preguntas.

Su regreso es muy arriesgado, le había dicho una persona en Madrid, alguien a quien acababa de conocer y que había pasado, decía, por la experiencia de la guerra y de los primeros años de la posguerra. Él, ahora, mirando los diversos letreros, escritos en un idioma reconocible, aunque algo extraño, y las caras agolpadas al otro lado de la salida, que daban la impresión de estar ahí desde hacía semanas, desde hacía meses enteros, se acordaba. Y se preguntaba quién le había mandado venir a meterse aquí. Porque el país, al fin y al cabo, no tenía nada que ver con el de su memoria, era otro, y él también. ¿Entonces? Nina, su hermana, había tratado de tranquilizarlo por el teléfono, hacía dos noches, cuando el plazo estaba a punto de cumplirse, y él se había reído. Ahora pensaba, en cambio, que la cosa no era para reírse.

–Te traje a Ignacio chico –le dijo Nina, después de darle un beso más bien seco, un poco rápido, nervioso, de acuerdo con un estilo que recordó de golpe–, porque habría sido muy capaz de no venir a esperar a su padre, el pánfilo, y también vino, ¡mira qué simpatía!, Alberto Alcócer, el Cachalote.

¡El Cachalote Alcócer! El nombre no le produjo menos asombro que los picos nevados. Miró el techo provisional, porque todo en ese aeropuerto parecía provisional, con palpitaciones, y más allá, detrás de las caras agolpadas, un sol débil, y los primeros arbolitos, las primeras plantas, y el primero de una sucesión infinita de perros vagos, de quiltros con la lengua afuera. Ignacio chico, el Nacho, había pegado un tremendo estirón, y tenía una pelusa mal afeitada encima del labio superior. Abrió los brazos de grandulón como de costado, con una sonrisa medio guardada, y cuando él, con su torpeza de siempre, quiso darle un beso en la mejilla, retiró la cara. No supo si era una reacción personal o una manera de ser general, algo que formaba parte del territorio. ¡Como los quiltros! No lo supo y se quedó con la duda. En cuanto al Cachalote Alcócer, avanzó desde los arbolitos, desde las plantas recién regadas, balanceando el cuerpo ancho y torpe, haciendo movimientos bruscos, sincopados, con los brazos, como si recibieran pequeñas descargas eléctricas, y riéndose, diciendo cosas que no se entendían bien, o que él no entendía. Él tuvo una memoria de alaridos, de labios sanguinolentos, de overoles rotos. ¡Cachalote!, exclamó, y se abrazaron con fuerza y con algo de extrañeza. Porque era extraño, en realidad, sorprendente, imprevisible. Nina siempre había tenido ideas que lo dejaban desarmado. Descolocado.

Media hora después, el pequeño cortejo bajaba del Toyota de su hermana y del Mercedes Benz del Cachalote y entraba a la casa paterna, que estaba igual que siempre, aunque un poco más desvencijada, con muebles, cuadros, alfombras que se le habían olvidado, aparte de que la Palmira, la vieja empleada de los tiempos de su madre, también se había muerto, y su ausencia se notaba. Su padre estaba al fondo, en su asiento de siempre, frente a un jardín que se había puesto mucho más frondoso, a las hojas secas, a la casucha del jardinero con sus tablones desfondados. Tenía las piernas envueltas en una manta escocesa y la cabeza, por las razones que le había alcanzado a explicar Nina en el trayecto, cubierta de vendajes. A pesar de eso se puso de pie, tirando lejos el chal, y él vio, entonces, que tenía la cara, debajo de las vendas, llena de hematomas profundos, como un espectro. ¡Te llamaré Hamlet, Rey, Padre!, murmuró él, pero no quiso reconocer que estaba emocionado, conmovido hasta el tuétano. Su padre, a todo esto, medio sordo, lo saludaba a gritos, dándole palmotazos ligeros, porque nunca, se acordó él en ese instante, le había gustado que lo tocaran o lo abrazaran. Le ofrecía, en medio de los saludos, un whisky, o un gin con tónica, o una cervecita de Puerto Montt, muy buena, y unas aceitunas del valle de Azapa, unos quesillos con ají verde y aceite de oliva. No mandó matar un cordero, pensó él, porque en su jardín no pastaban corderos. Y dejó bien en claro, al poco rato, que no estaba para preguntas complicadas, metafísicas o semimetafísicas. Es decir, que tampoco estaba. Ni él, ni nadie. Los muertos tenían que enterrar a sus muertos. Lo importante era que se ubicara, que se ubicara pronto, y que se pusiera, «que te pongai a trabajar». Porque el país, ¡por suerte!, no tenía nada que ver con lo que él había conocido antes. ¡Con el de antes de su desaparición! Ahora, sin comunistas, sin los chascones y los espantajos de antes, estaba lleno, comentó, haciendo figuras con las manos, de oportunidades fabulosas.

–¡Todo un programa! –comentó el Cachalote, riéndose, escupiendo saliva, tartamudeando, porque era bastante tartamudo cuando se ponía nervioso, eso lo recordaba de los años del colegio, y se ponía nervioso, además, con relativa frecuencia.

–No creo que el programa le guste tanto –opinó Nina, Marianina, su hermana de tantas historias, de años tan largos.

¡Qué le iba a gustar! No se había vuelto a Chile para eso. Todo lo contrario. Si había sido el pródigo, el vagabundo, el desordenado, tenía todo el propósito de perseverar. Con ayuda de la diosa Fortuna. ¡Y de las leyes de la herencia! Miró al Cachalote, que había abandonado los estudios y se había dedicado a la lucrativa profesión de hombre de negocios, de platas. Y prefirió no preguntarle que cómo lo trataba la dictadura. Suponía que bien, y tuvo miedo de que demasiado bien. Su padre, por su lado, hizo un gesto de rechazo y hasta de rabia, de protesta en el aire. Como en tiempos pasados.

Él, por su lado, no se imaginó, a pesar de las explicaciones de Nina, que lo habían dejado tan malherido, tan a mal traer, y comprendió de inmediato que no quería entrar en ningún detalle. Si alguien se acercaba a terreno escabroso, agitaba la mano y exigía que cambiaran de tema. A pesar de que había reconocido al ladrón, como le había dicho Nina, o precisamente por eso. Lo cual era un enigma un poco extraño. Y estaba obsesionado, en cambio, por la idea de levantar toda clase de rejas de protección, y hacerse de un par de pistolas nuevas, porque tenía una muy antigua, que él recordaba de viajes al campo en la infancia, y hasta de un fusil ametralladora.

–Está loco de remate –masculló, cuando salió a la calle a despedir al Cachalote, a Nina y a Ignacio chico, porque él iba a quedarse, por lo menos durante los primeros días, en la casa del viejo. Y el Nacho, entonces, Ignacio chico, que había estado todo el tiempo callado, pero que lo miraba de reojo, con ojos que relampagueaban y a la vez con disimulo, intervino. Estalló, mejor dicho.

–¡Todos estamos locos!

Él se quedó mirando los automóviles que partían, pensativo. Caminó hasta la orilla del río Mapocho, miró las aguas turbias, que habían arrastrado cadáveres, y volvió. A la mañana siguiente, a primera hora, bajó a recoger los diarios, descalzo, y regresó corriendo a su cama. Estudió la sección de avisos económicos, seleccionó cinco o seis ofertas de arriendos en pleno centro de Santiago y se puso en acción. No te apures, le recomendó su hermana por el teléfono: tienes casa, comida, ropa limpia. Podía quedarse con «el papá», así dijo, todo el tiempo que se le antojara. ¡Qué perspectiva!, pensó él. No sabía bien de qué se escapaba, pero quería escaparse cuanto antes. Y el centro de la ciudad, tal como él lo recordaba, con su mugre, su chimuchina, sus adoquines viejos, incluso con los jubilados y los mendigos de la Plaza de Armas, con los lustrabotas que golpeaban sus escobillas como si fueran timbales y con las vendedoras de boletos de lotería, con los quiltros quillotanos que correteaban y escarbaban por todas partes, y hasta con sus lisiados, sus lloronas, y el loco que daba saltos anunciando la venida del Mesías, con todo eso, y con lo que se escondía detrás de todo eso, lo fascinaba, le encantaba. Me deja, declaró, con la boca abierta, sin respiración, conmovido. Y añadió: Tú sabes, Marianina, que no soy una persona normal.

Ella, por supuesto, lo sabía. Si no lo sabía ella, ¡quién lo sabía! Y decidió cortar la conversación. Todo era diferente, después de tantas cosas, y todo empezaba a parecer lo mismo. Al final de la mañana encontró un departamento viejo, más o menos desvencijado, un poco maloliente, con amplio espacio, en un quinto piso de la Plaza de Armas, encima del Portal Fernández Concha, de los portales de siempre, un sueño probablemente absurdo, un capricho, y no dudó un segundo. Había pertenecido a un anciano profesor de la Universidad, un miembro de la Academia de la Historia, ratón de biblioteca, grafómano furibundo, erudito de cosas menudas y absurdas, y parecía lleno de papelotes, de expedientes, de colecciones de revistas desaparecidas, de libros raros. ¡Esto es lo mío!, murmuró, recibiendo una mirada oblicua del albacea del dueño difunto, y si su hermana, pensó, lo hubiera escuchado, habría dicho que había vuelto mucho peor que antes. El vestíbulo y el salón tenían unos cuantos cuadros de formato grande, que daban la impresión de haberse llenado de humo, entre ellos, un paisaje romántico de Antonio Smith donde se veía un torrente, una casucha, unas montañas, una tempestad en formación en la línea incierta del horizonte, y muebles pesados, coloniales o de la España de los primeros Borbones, muebles que parecían embarcaciones, o catafalcos, o ambas cosas.

–¡Me embarco! –exclamó, y el albacea lo miró con extrañeza, con ojillos por los que desfilaban preguntas. Porque él, como albacea, lo tenía en oferta, sí, pero no estaba para enredos, para inquilinos sospechosos. ¿Por qué, por ejemplo, había estado tanto tiempo viviendo afuera, y por qué se le ocurría volver ahora? Como usted sabe, dijo, don Arturo, el León, residió detrás de los balcones vecinos, los del lado del Oriente, y arengó desde ahí a las masas, y don Jorge, con su bufanda, con sus piedras duras, etcétera. Ahora bien, ¿usted? ¿Qué busca usted? Cuestiones no formuladas, y que él no se dio el trabajo de responder. El Cachalote Alcócer, cuando él le contó, se limitó a reírse, con ese movimiento epileptoide que adquirían sus hombros y sus brazos, y lanzó un poco de espuma por entre los dientes, en la manera de los patios del colegio. En la vieja manera, contra un fondo de aullidos y de patadas.

Él se despidió del Cachalote, bajó a la calle y pasó en taxi a buscar sus maletas a la mansión del barrio alto. ¡Adiós al barrio alto! Don Ignacio descansaba en su dormitorio y él salió con sus maletas sin hacer ruido, con riesgo, se dijo, de que el viejo escuchara pisadas furtivas y lo confundiera con algún asaltante. Llegó a su madriguera del centro, subió las maletas a trastabillones, rechazando las ofertas de ayuda de un hippy alcohólico y de un hombre grueso, tiznado, de piernas peludas, vestido de mujer; preparó la cama desconocida, hundida en el centro por la huella del historiador difunto, y se metió tiritando, con un poco de repugnancia, hasta con miedo, adentro. La oscuridad empezaba a caer en la habitación espaciosa, de techo alto, y él dejó que avanzara lentamente, sin prender luces, contemplando la Plaza iluminada, con su agitación vespertina, nueva y antigua, sorprendente siempre, desde la sombra. Encendió más tarde una lámpara en el corredor, una ampolleta en las últimas, que parpadeaba, y abrió una puerta que no llevaba, parecía, a ninguna parte. Con ayuda de un fósforo, porque esta ampolleta, que colgaba de un cordón, sí que se había quemado, distinguió una pieza estrecha, rectangular, rodeada de estanterías de madera tosca, donde había un asombroso hacinamiento de papeles, archivadores, carpetas polvorientas, algunos anuarios y prontuarios encuadernados, altos de fichas anotadas con caligrafía de pata de mosca. También había archivadores con cuentas de teléfono y con recibos de contribuciones, porque el dueño había tenido la evidente manía de conservarlo todo. Él, en la penumbra, aprovechando la luz parpadeante del corredor, trató de descifrar una escritura y un lenguaje bastante extraños. Eran las fojas originales de un proceso de nulidad de matrimonio llevado ante su Señoría Ilustrísima, el Señor Obispo de la ciudad de Santiago de Nueva Extremadura, hacia fines del mil setecientos. Otra carpeta guardaba el diario manuscrito de un viaje a Bolivia emprendido a mediados del siglo XIX, en los tiempos del dictador Melgarejo, por un joven diplomático chileno. El dictador llevaba a su amante a una recepción en palacio, de vestido largo, pero con un recorte en la parte de atrás del vestido y sin calzones, y le ordenaba a sus ministros y generales que desfilaran y le besaran el culo. También encontró apuntes sobre trajes y sobre festejos, además de recetas, escritas por manos de abuelas o de monjas, de empanadas de horno, de humitas, de caldillo de congrio, de ponderaciones, suspiros y tortas de mil hojas. Se sacudió las manos llenas de polvo, se puso de pie con una sensación de mareo, como si la presión arterial le hubiera subido, y cerró la puerta con el mayor cuidado. Para no molestar, pensó, a los fantasmas.

En la noche, como a las diez, lo llamó el albacea, el representante del muerto, y él tuvo miedo de que quisiera deshacer el contrato.

–¡Cómo se le ocurre! –exclamó el albacea–. Ya he averiguado sobre usted. Creo que el departamento estará en buenas manos. Pero lo llamaba por otra cosa.

Lo llamaba para hablarle, precisamente, de aquel desván lleno de porquerías. Si él lo necesitaba para guardar sus objetos personales, no había ningún problema en que lo tirara todo a la basura.

–Yo no he tenido tiempo de hacerlo, pero usted, ¡no se haga el menor escrúpulo!

–A mí –respondió él–, me sobra el espacio. Y me encantan, además, los papeles y los expedientes antiguos.

–¡Qué afición más rara! –dijo el albacea, y lo dijo con una risita remota, como de ultratumba, como si su lugar estuviera en aquel desván y no en alguna oficina de las cercanías.

–Yo le depositaré su cheque el primero de cada mes –dijo él, y al otro lado se escuchó un carraspeo, una tos, una despedida confusa.

Él se sobó las manos con gran entusiasmo. Pensó, en su euforia, llamar a Mariana o al Cachalote, pero comprendió que sería un llamado absurdo. En cuanto a Cristina, su ex mujer, la madre de Ignacio chico, ni hablar. Habría querido llamarla, tenía que reconocer, desde el minuto mismo de su llegada, pero el estado actual de sus relaciones con ella imponía una espera, una reserva. Lo que ella más odiaba en él, lo que la había llevado al divorcio, como ella misma decía, más que su amor por otro, eran estos caprichos, estas «pajas». Bajó, pues, en el inquietante ascensor de su nuevo domicilio, una jaula de rejas que temblaba como si fuera a desarmarse. En un boliche del Portal, el primero que encontró a mano, devoró dos *hot dogs* seguidos untados con todas las salsas, todas las mostazas, todas las mayonesas de este mundo, acompañados de una jarra de cerveza monumental. En las mesas de los lados la gente hablaba en voces bajas, que contrastaban con el griterío de sus años de estudiante, y había parejas de hombres de pelo corto en los rincones. No se sabía quiénes eran «sapos», término que acababa de conocer, y quiénes eran personas comunes y corrientes, y la duda creaba un soplo difuso de paranoia, una sensación difícil de explicar. De la oscuridad de la Plaza parecía que salía humo, y las patinadoras (palabra de su tiempo que tendía, en cambio, a caer en desuso), gordas, descaderadas, de blusas de raso lila y labios pintados como puertas, se paseaban entre los monolitos y llamaban a los automovilistas con gestos procaces. El barrio, decididamente, se dijo él, me encanta. Para esto sí que valía la pena venirse. No para lo que mi hermanita se imagina. Subió, con miedo de que la jaula del ascensor cayera al abismo, entró a su maravilloso desván, su antesala del pasado, del paraíso perdido, quizás del presente infierno, y se llevó un atado cualquiera de papeles, escogido al azar, a la mesa del repostero. Había olor a polvo, a polilla, a posible caca de ratones. Colocó encima de la mesa una lámpara de velador y apagó las luces del resto de la casa. El toque de queda sobrevino muy pronto. Lo notó por la repentina desaparición de los automóviles en la calle, por el silencio profundo, en el que caían gotas, partículas de suciedad y de niebla amalgamadas. Hacia las dos de la madrugada, o hacia las dos y media, en una noche que se había vuelto planetaria, con la Vía Láctea y la Cruz del Sur encima de su balcón, él estaba enfrascado en las celebraciones de la llegada a Santiago de Nueva Extremadura de un nuevo gobernador y capitán general. La semana de festejos era larga, variada, pagana y católica, con aspectos infantiles, con uno que otro rasgo indio. Había tropas que desfilaban debajo de arcos triunfales, procesiones del Cristo de Mayo, bendiciones, acciones de gracias, además de carreras con chivateos y de uno que otro son de trutruca. Desde un balcón de su palacio de piedra rojiza y enrejados de Valladolid, el gobernador recién instalado arrojaba monedas livianas, piezas que eran llevadas por el viento, a los niños y a los mendigos. Ordenaba, después, que sacaran de los sótanos de la Real Audiencia, situados en una esquina, frente a la calle de la Ceniza, a diez o doce encarcelados por delitos menores. Al cabo de una larga mañana de juegos, competencias de palo ensebado, destrezas que culminarían a media tarde con una fiesta de toros rejoneados por mocetones araucanos, los señores principales pasaban a la sala de un banquete que había sido encargado a las Monjas Rosas. Las monjitas habían trabajado durante alrededor de tres meses. Y todo lo que habían colocado encima de la mesa de sólida encina, sobre un mantel de hilo portugués, era de mazapán: los limones amarillos, los panes que parecían recién salidos del horno, las servilletas dobladas, las flores del centro, hasta los floreros. Sólo faltaba que lo fueran las sillas, y algunos de los señores fiscales, de los notarios, de los curas y sotacuras.

–¿De mazapán?

–Sí, de mazapán: de pasta de azúcar y de almendras.

–¡Qué asco!

Cuando el gobernador trataba de ponerse la servilleta, la pasta se le deshacía y le ensuciaba el traje de terciopelo negro y encajes de oro. El hombre no sabía si debía reírse, o qué debía, y tenía la sensación molesta de que los lugareños ya se lo habían madrugado. ¿En qué colonia me habré metido?, suponemos que pensaba. ¿En qué berenjenales? ¿No sería todo, incluso los árboles de la Plaza, y hasta la nieve de la cordillera, la cordillera misma, de mazapán, de pastaflora? Nos imaginamos, detrás de los ojos de las cerraduras, el revoloteo de las monjitas excitadas, coloradas por las emociones del día, y vemos la sonrisa del obispo, Su Ilustrísima, quien estaba en el secreto, desde luego, y era un mundano, un bromista, un aficionado a contar historias y a reírse a carcajadas, un lector de versos y de relatos profanos, amigo de la familia Rojas, y de don José Perfecto, el fiscal, y de los Infante. Los papeles indican, en otro lado, que fue aquel mismo obispo, el de nariz larga y ojos capotudos, indirectos, el que contrató a un ingeniero militar y arquitecto romano, de nombre Joaquín Toesca y Ricci, para que viajara hasta Santiago y terminara las obras de la Catedral, que al paso que andaban no iban a terminarse nunca. Mencionaban también los papeles a la niña tan bonita con que se había casado el arquitecto a los dos o tres años de su llegada a Chile. La Manuelita Fernández de Rebolledo y Pando, así la mentaban, era española por el lado de los abuelos paternos, y sospechosa de algo, medio bruja, medio india, por el lado de la madre. Era eso, o algo parecido, lo que se podía colegir, por lo menos. Y que al arquitecto, al romano extraviado en esta provincia remota, lo había hecho sufrir. Y hasta morir. Aun cuando no todas las versiones coincidían.

II

Soñó que su cabeza era una torta redonda, de carne con mazapán, una coraza comestible, y que un sujeto monstruoso, un energúmeno hambriento, trataba de sacarle un pedazo con una cuchara de estaño. Él se defendía como loco, dando alaridos, hasta que lo despertó la campanilla del teléfono. Era su padre, con la voz muy alterada, y le insistía en que tratara de conseguirle, con sus amistades (¿qué amistades?), un buen fusil ametralladora.

–¿Un fusil ametralladora?

Sí, decía, y le explicaba que había de marcas y procedencias muy diversas, y él quería uno lo más liviano y lo más fácil de manejar que fuera posible. Porque si llegaba otro asaltante nocturno, había que reaccionar, disparar rápido, ¡pif!, ¡paf!, ¡pum!, gritaba por el teléfono.

Él, francamente alarmado, con la sensación de que había salido de una pesadilla para ingresar en otra, trató de tranquilizarlo, y colgó el fono sin haberlo conseguido. Las sábanas, a todo esto, se habían puesto frías. Quería meterse en sus papeles de nuevo, y organizarse para narrar alguna de las historias, porque no era otra cosa, después de todo, que un narrador, pero para eso necesitaba descansar bien: los efectos del viaje y del encuentro todavía le pesaban, y el llamado de su padre, para más remate, le había jodido la mañana. Llamó en ese momento la secretaria del Cachalote, una voz muy atenta, bien educada, y le anunció que don Alberto pensaba pasar por su casa a la una en punto.

–¿Para qué?

–No sé. Me parece que piensa llevarlo a un almuerzo en el Club.

–¡Un almuerzo en el Club!

El Cachalote tocó el timbre a la una en punto, entró, y comentó con su entonación zetosa, salivosa, que vivía en una cueva grande, un poco fétida, con olor a meado de gato.

–Pero el cuadro de Smith no está mal –concedió–, y la vista de los árboles de la Plaza. A pesar de la mugre de los balcones. ¡Mugre de siglos!

Él terminó de ponerse una corbata, silbando, sin hacer mayores preguntas acerca del almuerzo. Salieron a la galería y comprobaron que al fondo había un tenor, probablemente aficionado, aunque quizás, para colmo, profesional, y que en ese minuto se entretenía en hacer gárgaras con un aria de Rossini.

–Nunca me han molestado los cantantes –dijo él, mientras abría las puertas de rejas de la jaula del ascensor.

–Y jamás te han molestado las putas, si es por eso.

–¡Jamás de los jamases!

Salieron a la calle, al gentío del Portal, muertos de la risa, y caminaron por Ahumada hacia el sur muy alegres, mientras el Cachalote saludaba a medio mundo y él comprobaba que ya no conocía a nadie, salvo que algunos lo miraban con detención, como si empezaran a reconocerlo, a preguntarse si era el comunista ese, el traidor ese, y si había o no había que denunciarlo. Al entrar al edificio del Club, en la relativa penumbra, bajo la gran claraboya, entre tapices más bien raídos, mármoles amarillentos, cuadros parecidos a los de su departamento, también intervenidos por el humo, tuvo la sensación de que había caído en una trampa.

–¿Adónde me traes, Cachalote? –alcanzó a preguntar.

Supo, entonces, que se trataba de un almuerzo habitual y ritual, de caballeros adictos al régimen, personas vestidas de gris o de azul marino, de cuello y corbata, entre los que no faltaba algún militar en tenida de civil, en retiro e incluso en servicio activo, y algún agregado de algo, algún embajador de América Latina. Él era, dedujo pronto, el invitado de honor, pero no sabía en qué calidad: si como recuperado, como hijo pródigo, como enemigo de muestra. Hubo un período de inspección inicial, de miradas, de olfateo, de sonrisas discretas o bromas un tanto bruscas, whisky en mano, aparte de cinco o seis encuentros con conocidos antiguos, incluso un par de compañeros de colegio, y pasaron enseguida a un comedor redondo, con una pesada lámpara de lágrimas encima del arreglo floral de centro de mesa y altos cortinajes de color azul oscuro. Los techos renegridos del barrio bajo de Santiago se veían lejos, desenfocados. El Cachalote hizo una breve presentación suya. Como viejo amigo, como buen observador de la realidad, como persona que llegaba de otra parte, con otras visiones y otras ideas en la cabeza. Terminó el Cachalote de hablar, se colocó la servilleta, probó el vino, y a él, ahora, le hicieron preguntas directas, le tiraron la lengua lo más que se podía, examinándolo de nuevo, con menos disimulo que al principio, y algunos parecían comunicarse en voz baja, con caras hundidas en los platos, que todavía era, más que seguro, un comunista, un resentido de mierda, a pesar de ser hijo de don Fulano y de la difunta doña Fulana, hermano de la Nina tanto y tanto y cuñado de Manolo, uno de los capos de la Confederación de la Producción y del Comercio. Le preguntaron después, con cierta insistencia, con un tono que podía ser de ansiedad disimulada, y ya que llegaba de Europa, por la opinión de los europeos con respecto al Chile militar, pregunta no muy fácil de responder en aquel sitio, en aquella mesa redonda y rodeada de cortinajes solemnes, aunque bastante desteñidos. Él contestó como pudo, y quedó con la impresión de que no había dejado contento a nadie. Al final, a la hora de los postres, alguien, un hombre corpulento y pálido, de modales suaves, peinado a la gomina, cuello blanco duro, personaje que parecía salir de una película de los años treinta o cuarenta, un mayordomo engominado que se escabullía por el fondo de un salón inglés durante una secuencia de terror, anunció que se proponía hacer una aclaración, y que pensaba hacerla, sobre todo, en atención a él, el invitado del día, puesto que sin duda, por el hecho de haber vivido fuera durante todos estos años, estaba mal informado. Se produjo un silencio, y el personaje, con dedos pálidos, fofos, se arregló el nudo de la corbata. Cuando los soldados, comenzó, y él casi le preguntó qué soldados, pero se abstuvo a tiempo, practicaban un allanamiento en las torres de San Borja, en el departamento de un dignatario del allendismo, en los primeros días, y no dijo en los primeros días de qué, era una noche de intenso frío, de cero grados, o de menos que cero, y por ese motivo, para calentarse, hicieron fuego en la calle con algunos libros de su biblioteca, de la biblioteca del allendista: ediciones baratas de Moscú, de La Habana, de Corea del Norte, traducciones macarrónicas de los discursos completos de Kim Il Sung, ¡ya saben ustedes! Libros que en ese entonces se repartían a camionadas y que no leía nadie. Pues bien, dio la mala pata de que pasaran en ese momento por la Alameda, dijo, dos periodistas del *New York Times,* y circuló por el mundo entero la noticia de que en Chile quemaban libros, como en la Alemania de Hitler.

Hubo un silencio más bien prolongado, algunas sonrisas contenidas, una que otra cara grave, y el Cachalote, de pronto, ante el asombro de todos, con sus zetas y sus labios gruesos húmedos, exclamó:

–¡Así que era porque tenían frío!

La concurrencia, aunque compacta, alineada, concorde, también tenía su diversidad, sus matices. Algunos se rieron abiertamente, otros mantuvieron la más completa seriedad, más de uno se quedó perplejo, y él observó que los diplomáticos extranjeros intercambiaban miradas y se tapaban la cara. Media hora más tarde, al bajar las escalinatas gastadas del Club, el Cachalote se reía a carcajadas, con sacudidas de una intensidad peligrosa, seguido por algunos de los miembros del almuerzo ritual. Otros, en la misma escalinata, bajaban deprisa, para alejarse pronto del grupo, y movían la cabeza. La gente agolpada en un paradero cercano de buses veía el tropel bullicioso, insólito, y miraba para otro lado, con expresiones de susto. Hacia las cinco y media, o las seis ya pasadas, el grupo se encontraba en un recinto que tenía un vago aspecto de bar andaluz: azulejos en los muros, grandes maceteros con plantas, afiches de corridas de toros de los años cincuenta. Surgió de repente, después de varias rondas de whisky muy cargado, el tema del asesinato en pleno centro de Washington de un ex ministro de la Unidad Popular y de su secretaria norteamericana.

–¿A ti qué te pareció? –le preguntaron a boca de jarro, y él sintió que su whisky se le atragantaba. Hasta aquí no más llegamos, pensó, y dijo, con la lengua un poco estropajosa, lanzándose al vacío:

–Me pareció una brutalidad sin nombre.

En la mesa, donde el Cachalote llevaba la voz cantante y quedaban seis o siete comensales del almuerzo, además de un caballero mayor, de cutis tumefacto y suavizado, parecía, por un toque de polvos, uno que se había añadido al grupo más tarde, se notaron gestos de molestia, de reserva, de preocupación, e incluso, había que reconocerlo, una cara o una cara y media comprensivas. El caballero mayor, el que acababa de incorporarse al grupo, todo vestido en tonos beige y amarillos, con buenas telas de procedencia inglesa, y que había colocado en una percha un sombrero de *tweed* con plumilla verde, sombrero de cazador de patos en alguna otra secuencia inglesa, dijo lo que sigue:

–¡Bien muerto, pero mal mata'o!

Él, el historiador aficionado y narrador en proyecto, ya había bebido tres whiskies dobles. Terminó de beber el cuarto, doble, o triple, y se puso de pie con algo de vacilación.

–Veo que prefieres irte –murmuró el Cachalote.

–Prefiero –confirmó él.

Salió a la calle con la sensación absurda de que podrían

detenerlo en la primera esquina. En el camino a la Plaza de Armas se asomó a un bar de épocas anteriores, un cuchitril subterráneo, oscuro, que no prometía nada bueno, y se encontró con un amigo de viejos tiempos, un hombronazo barbudo, bastante mayor, Pancho Costamagna, conocido como narrador de historias del sur, de la Patagonia, de cacerías de ballenas y de lobos marinos. El hombre lo reconoció con cierta dificultad, después de años y décadas enteras. Entonces le palmoteó la espalda con una mano pesada, que lo hizo tambalearse. Lo miró, enseguida, a los ojos, con una mirada intensa y a la vez remota, casi mitológica, y le dijo con su vozarrón de mar, que también tenía un dejo de predicador evangélico, se te ha puesto, con los años, ¡viejito!, una cara más noble, más serena, en vista de lo cual, y en celebración del encuentro fortuito, lo invitó a beber un whisky de la mejor marca de Escocia. Él no se había adherido recién a la cultura del whisky, como tantos otros, en esta ciudad de arribistas y de chupamedias, de maricones, ¡cuando no de asesinos!, bramó, con voz de trueno, mientras sus tres o cuatro acompañantes miraban para otros lados, sino que ya lo bebía en los canales del sur, en los años treinta, y no de vulgares botellas, sino de unos maravillosos barrilitos de cinco galones, que habían llegado por la ruta del Cabo de Hornos y que llevaban la procedencia, el nombre de la casa destiladora, el año, escritos a mano en una etiqueta cualquiera, con tinta china. Dicho esto, entregados estos detalles, Pancho Costamagna pareció celebrar los azares de la vida, y las bellezas de la naturaleza, y sus insondables misterios, con euforia juvenil, si no infantil, con ojos emocionados, exaltados.

–¡Qué bien! –dijo–. ¡Qué bien me siento! –y sus acompañantes golpearon con las manos el mesón gastado y celebraron.

–Y tú, ¿quién eres? –preguntó uno de ellos, uno chico, grueso, de grandes quiscas que habían sido negras retintas y se habían puesto entrecanas.

–Yo soy –dijo– un hijo pródigo arrepentido.

El de las quiscas puso la cara de lado, como para saber qué sentido y hasta qué sonido tenía esa respuesta. Él, pródigo arrepentido, narrador en ciernes, bebió el whisky que le había convidado Pancho y quedó con la lengua más trabada que antes, con los ojos como faroles. A pesar de eso, a punta de abrazos, apretones de mano, forcejeos, consiguió zafarse de Pancho y de sus amigos y llegar a puerto en la Plaza de Armas. Ya la oscuridad avanzaba. Bajaba una brisa fría de la cordillera. El Portal era una corte de los milagros llena de movimientos, de gritos, de calderas humeantes, de pirámides de empanadas, sopaipillas, pequenes. Él introdujo la llave después de largos ensayos, en una película, esta vez, se dijo, de Carlitos Chaplín, o de Buster Keaton. Casi se cayó de bruces cuando se abrió la puerta, y se encontró al otro lado con la cara atónita, quince o veinte años más vieja, de la Filomena, la antigua empleada de la familia, que su hermana había quedado de contratarle y que a él se le había borrado de la cabeza. ¡Igualito que siempre!, pareció decir la Filomena, y él la besó en una mejilla, le dijo que se alegraba mucho de verla, y anunció que necesitaba irse a dormir una siestecita. Antes de apagar la lámpara amarilla de su velador, abrió uno de los libros del desván. Leyó que la Manuelita Fernández de Rebolledo, la joven mujer del arquitecto Joaquín Toesca, saltaba como una gata las murallas del convento de las Agustinas, donde el arquitecto celoso la tenía encerrada, para correr a entregarse a sus excesos libidinosos. La historia como insidia, tartamudeó él: como forma de la chismografía. Más adelante, la misma crónica agregaba: «para juntarse con sus amasios». ¡Amasios! En su borrachera probó la palabra, la paladeó. La lengua colonial tenía un sabor y una consistencia extraños: mezcla de blandura, dulzura, calor, intención. Una ambigüedad, destinada, quizás, a engañar a los poderes represivos, y más bien que engañarlos, esquivarlos, sacarles la vuelta. En las primeras décadas del siglo siguiente, alguien, un exiliado español ilustre, al escuchar hablar en París al joven chileno Vicente Pérez Rosales, diría que sus palabras tenían olor a piña. Las de los tiempos de la Manuelita tenían olor a tortillas al rescoldo, a sábanas tibias, a cenizas en el fondo de los braseros. Amasios, amados, amantes. Nos salva el amor, se dijo él, y también nos salva, nos salvaba, y nos seguirá salvando, la naturaleza. Apagó la luz y se hundió en las sábanas, sin vencer del todo la repugnancia con que lo había hecho el día anterior. Con un poco menos de repugnancia. Paladeó, ahora, el aire, no una palabra, y se dijo que la habitación estaba pasada a whisky, y que la Nina lo sabría por la Filomena. ¡Qué le vamos a hacer!, suspiró. Permaneció con los ojos abiertos en la oscuridad, pensativo, observando los reflejos de las luces de la Plaza de Armas en guirnaldas de yeso saltado. ¡Amasios!, repetía, en un estado parecido al éxtasis, con la boca entreabierta: ¡Amasios!

III

Despertó de su siesta como a las cinco de la mañana, con la boca pastosa, con el cuerpo cortado. Se había dormido con la palabra «amasios» y ahora la recordó y vio que tenía el grueso libraco encima de la cama. ¿Para esto se había venido a meter a Chile, para estas cosas, para estas rarezas? Quizás, y se dijo que la explicación, después de todo, no era tan desdeñable. Había regresado para recoger un hilo, para reanudar un diálogo. Para no vivir desconectado, como pieza suelta, o, para hablar en chileno, como bola huacha. Llegó a la conclusión, por otro lado, de que los papeles del historiador decían bastante, pero no lo suficiente, y que había que salir. De lo contrario, se habría hundido: habría regresado a la ciudad y a la Plaza, a las cercanías de la familia, al mundo extraño del Cachalote, pero también al estado fetal, y a la nada. Partió, pues, el lunes siguiente, al edificio del Archivo Nacional, donde le recomendaron que hablara con una persona, una señora de mediana edad, de anteojos gruesos, de uñas barnizadas, que entendía de esos asuntos. Le dijo que era el ex marido de Cristina, porque era Cristina, a quien había visto, por fin, en su departamento de la calle Santa Lucía, la que le había facilitado la conexión; le explicó de qué se trataba, y la señora de anteojos gruesos se puso en acción de inmediato. No encontró mucho en esa primera mañana, pero encontró más de algo, y comprobó que los legajos de la Real Audiencia, y los de Varios, y los de algunos personajes del siglo XIX, estaban llenos de ricos filones inexplorados. ¡Llenos! Ahora bien, parecía que Toesca le había escrito una carta a un tío suyo, obispo en las inmediaciones de Roma, y que éste, ¿tío por el lado paterno, o por el lado de la madre, por lo Ricci, por la ciudad de Siena?, le había escrito, a su vez, al obispo de la ciudad de Santiago de Chile, Manuel de Alday y Aspe. Parecía casi inverosímil, pero así constaba. ¿Cómo se había conocido el obispo de los arrabales romanos, Toesca, o Ricci, con Alday, vasco de origen, pero nacido en el sur del remoto Reino de Chile, en la muy noble e ilustre urbe de Concepción? El mundo era todavía más pequeño entonces que ahora: más vasto, pero más pequeño. Alday, en cualquier caso, es un nombre bien conocido en la historia chilena: hombre de carácter fuerte, de reflexión, de formación intelectual sólida. A la vez, hombre de acción. Los papeles dicen que era enemigo declarado de las ramadas, las instalaciones provisionales de los días de fiesta, donde se bailaba cueca y se vendía chicha y aguardiente, y que degeneraban entonces, igual que ahora, en borracheras colectivas y peleas a cuchillazo limpio. ¡Bien por Alday! Él también es poco aficionado a los excesos masivos, por folclóricos que sean. Fue uno de sus motivos de inadaptación en sus años de militancia. Su mujer, Cristina, era capaz de sacar un pañuelo y bailar un pie de cueca, con sus ancas sólidas, sus pantorrillas robustas. Él no, por ningún motivo. Le gustaba mirar desde la orilla, pero siempre tenía miedo de que lo invitaran al baile y de que le insistieran. El obispo Alday también se opuso con gran energía, según algunos, a la instalación de un teatro en el centro de la ciudad, detalle que a él, en cambio, le pareció poco simpático. Y cuentan que predicaba con notable elocuencia contra los atrevidos escotes y los brazos desnudos de las señoras de Santiago. A pesar de todo esto, era un gran aficionado a los libros, los religiosos y los profanos, los de enseñanza y los de mera diversión, y un entusiasta de los progresos materiales de la Colonia, aparte de conversador ameno, de humor socarrón. El Narrador cree, como ya hemos visto, que estuvo en el banquete del mazapán. Que contribuyó, con su espíritu bromista, a inventarlo. Pero nosotros, por razones de cronología, tenemos dudas. Un retrato contemporáneo, pintado en Lima, muestra al obispo con las comisuras de los labios rebajadas, entre la sorpresa y la burla, y con la mano izquierda apoyada en un grueso volumen de Decretales. ¿Qué serán los Decretales? La mirada es incisiva y oblicua, como si mirara con la mayor atención, pero de costado, por encima de las cabezas de los demás, algo que los demás no ven. ¿Hombre de la Ilustración, a su personal y particular manera? Al Narrador le gusta mucho la idea. Hasta sospecha que don Manuel podría ser, a pesar de su odio al desorden populachero, o más bien por eso mismo, un obispo ateo, miembro secreto de la masonería. Pero el Narrador, aquí, ¿o nosotros en el lugar suyo?, opta por suspender el juicio. No quiere gastar pólvora en gallinazos, en conjeturas inútiles, y nosotros lo entendemos. Su tema, en este momento, y todavía no sabe muy bien por qué motivo, es Toesca, Joaquín, probablemente Gioacchino, Toesca y Ricci, no Alday, y de repente se pregunta si no será la Manuelita Fernández de Rebolledo. ¡O él mismo! «Soy yo, soy Borges», murmura, recordando una línea que le gusta más que otras, una culminación, y se ríe, o más bien se sonríe, ya que es hombre de risas muy ocasionales y de sonrisas frecuentes. Como Alday, quizás, y a diferencia de Toesca, el pálido, el sombrío, quien, a veces, en determinadas circunstancias, cuando bebe unos buenos potrillos de chicha o de vino tinto, por ejemplo, al final de jornadas agotadoras, suele contar historias de color subido, en su lenguaje torpe, y desternillarse de la risa.

Alday se entusiasmó, sin duda, con la idea de que viniera un verdadero arquitecto, el primero en la historia de la Colonia, a poner fin a los trabajos de la Catedral, que se habían arrastrado durante tantos años y que daban la impresión, debido a los terremotos, a las inundaciones, a los desastres de todo orden, de que no se terminarían nunca. Es probable que Jáuregui, el anciano gobernador, haya dicho que también deseaba encargarle alguna obra. En consecuencia, podemos suponer que el arquitecto e ingeniero militar, hombre de cara fina, dentro de su palidez un tanto enigmática, de unos treinta y tantos años de edad, fue agasajado con un entusiasmo muy de provincia, llevado de una casa a otra, de un sarao y un picholeo a otro, en los primeros días de su llegada. Conoció en poco tiempo a la gente principal, la que le llamó la atención, pensamos, por su acento cantarín, como quien diría deshuesado, por su humor medio disparatado, ruidoso, confianzudo, por su inagotable gula, por el buen declive con que tragaba mostos, mistelas, aguardientes, y pronto consiguió una casa en el costado sur del edificio que le tocaría llevar a buen término: una construcción de adobe, de tablas, de tejas, con un huerto envidiable, con gallinas, gansos, conejos y hasta un par de cerdos, que aquí llamaban «chanchos», con un canal, en la línea del fondo, de aguas tranquilas, bastante profundas, pellizcadas por los mosquitos y los matapiojos, y con tres higueras frondosas, amén de dos árboles que producían unos frutos extraños, retorcidos, de piel rugosa, que los habitantes del lugar devoraban a toda hora, incluso con la cáscara, y que designaban con el nombre de paltas. Paltas, repitió, porque la palabra debió de parecerle curiosa, con un sonido cómico, y pronunciada con su acento italiano, más cómico todavía. Contó en los salones del gobernador, de los oidores de la Real Audiencia, de algunos hacendados ricos, descendientes de los encomenderos de hacía dos siglos, historias de su vida antes de emprender el viaje, de su infancia en los alrededores de la Plaza de España en Roma, de sus estudios en Milán y en Barcelona, de sus desvelos y sinsabores junto al arquitecto oficial de la corte de Carlos III, el caprichoso maestro Sabatini, Mariscal, explicó, Caballero de Calatrava, porque no había medalla, título, pergamino que no pidiera, sin descansar hasta conseguirlo. Pronto comprobó, sin embargo, que sus interlocutores criollos, al cabo de poco rato, dejaban de atender a las historias de Madrid, de Cádiz, de

Roma y Milán, del resto del mundo. Sólo se interesaban, parecía, en habladurías de portones adentro, en chismes y pelambres locales, en los signos del Apocalipsis, que no todos, pero sí algunos, y entre ellos Ignacio Andía y Varela, el forjador de rejas, el escultor de sus edificios en ciernes, veían por todas partes, en las inclemencias del clima y en la corrupción secreta de las costumbres, y en los alfajores y los dulces que hacían las monjas de San Estanislao, amén de las excursiones a un lugar que se hallaba en los confines de la ciudad, hacia la cordillera, en la parte donde antes se dividía el río Mapocho en dos brazos, y que los criollos, con su irresistible tendencia al uso de los diminutivos, llamaban las Cajitas de Agua.

Extraño, se dijo Toesca (y se dijo, o se diría, de paso, el Narrador), y se preguntó, Toesca, más de una vez, suponemos, en qué lugar se había metido, en qué hoyo de este mundo, por escapar de las molestias y las humillaciones del mundo de allá, y a veces tuvo miedo, más que seguro, y con más que justificadas razones, de no volver a salir nunca. Hubo fiestas en la Plaza, llamada en aquellos años Plaza Mayor o Plaza del Rey, dos o tres semanas después de su llegada, y el Narrador se imagina que vio a los indios montados a caballo y que corrían toros con lanzas, como dicen las crónicas que se toreaba en Santiago en aquel entonces. Semidesnudos, con lienzos rojos o negros amarrados a la cabeza, los mapuches cabalgaban en pelo, y manejaban los caballos con unas riendas de cordel grueso que les pasaban por adentro del hocico. Lo hacían con destreza singular, como si aquella habilidad fuera un modo de burlarse de los blancos, que habían aparecido un buen día por los valles del norte montados en aquellos animales nunca vistos. Cuando el toro ya estaba malherido, los mocetones de pieles cobrizas daban un salto, se sentaban a horcajadas en el lomo sanguinolento y lo agarraban por los cuernos. El animal moribundo bramaba, en medio del griterío ensordecedor, aullidos que acá, supo, llamaban chivateo, y al final doblaba las patas. Toesca miraría el espectáculo desde lejos, con horror, renovando sus preguntas, y de repente vería a un indio que volaba por el aire, despaturrado, y después quedaba ensartado en los cuernos del toro. Cuando él pasara por ahí una hora más tarde, el indio agonizaría, lívido, con ojos vidriosos, sin nadie que lo socorriera, con los intestinos repartidos por el suelo.

Más tarde, en la casa de un comerciante rico, escuchó, escucharía, a dos señoras que habían visto la corrida desde un balcón, tomando aloja y comiendo dulcecitos. Una sería partidaria de darle los sacramentos al pobre mapuche. La otra no, para qué, si recién había llegado del sur, de las tolderías, y ni siquiera lo habían alcanzado a bautizar. Habría negritas atareadas, con faldas rojas y turbantes de todos colores, que repartirían bandejas con cuadraditos y con yemitas de dulce, pedazos de charqui, vasos de mistela o de aloja de Culén; señoronas gruesas y bigotudas, de papada triple, sentadas en una tarima, con las piernas cruzadas como orientales, sobre cojines de tonos vivos, fumando grandes cigarros negros, malolientes. Llevarían, las señoronas, escotes rebajados, y exhibirían sus pechos exuberantes, sus robustos hombros, sus grandes brazos ajamonados. Muchas mirarían al arquitecto romano con expresiones maliciosas: después harían comentarios picarescos, o decididamente obscenos, escondidas detrás de sus abanicos de carey, y se doblarían de la risa. No es imposible que Toesca haya conocido a Manuela Fernández de Rebolledo en aquellas reuniones, en las primeras semanas de su llegada, y que haya esperado alrededor de tres años para casarse con ella. Manuelita no tendría en aquellos días más de catorce, o quince recién cumplidos, pero era, se sabe, muy desarrollada para su edad, alta, de cuerpo perfecto, piel de color de leche, ojos llenos de chispa y que de repente se nublaban. Es posible que haya saltado a la tarima, ¿como una gata?, porque sí, porque no podía quedarse dos segundos tranquila, y que le haya arrebatado el cigarro a cualquiera de las señoras. Que haya aspirado una bocanada de humo a todo lo que daba y se haya puesto pálida como un papel. Que se haya aferrado del brazo del italiano, el signore Tuesca, o Toesca, para no caerse al suelo. Siempre, de niña y de grande, de chiquilla y de mujer madura, si es que alguna vez fue madura, tuvo gestos súbitos, desaforados, desorbitados, que ella misma no sabía explicar.

–¿Cómo te chiamas? –le preguntaría él, a lo mejor.

–Manuelita. Manuelita Fernández.

La Fernández, como solía nombrarse a sí misma, con buen instinto de creación de su personaje. Como firmó, incluso, ya veremos, algunas de sus cartas. En otras palabras, hemos encontrado otra vez a la Fernández, a la Manuelita, pero antes de su primera etapa de conventos. Antes de escalar paredes como gata en celo. En la plenitud de su adolescencia. Bella y desprevenida. Y dando muestras evidentes de aquello que alguno de sus contemporáneos describiría más tarde, por escrito, como su «genio bivo». Misiá Clara Pando, su madre, mujer baja, nudosa, de piel más oscura, medio bizca, se acercaría con la lengua afuera.

–No le haga caso, señor architecto. No deje que lo moleste.

Él, sonriente, contestaría que no lo molestaba en absoluto. Es molto bella, señora, y molto simpática. A don José Antonio, que se pasaba todo el santo día razonando y protestando, no le diría una palabra, pero le contaría el incidente, en cambio, a Ignacio Andía y Varela, el escultor, y él, el picapiedras, gigante bonachón, de movimientos de oso y manos descomunales, no se extrañaría en lo más mínimo.

–Es un verdadero demonio –diría–, un diablillo con faldas. Pero hay que reconocer que es preciosa.

–¿Sabe? He pensado lo siguiente. La voy a esperar un poco, y después me voy a casar con ella. Usted me podría ayudar.

A Varela le sorprendería, desde luego, la decisión del italiano recién llegado, y la petición de ayuda, tan brusca, tan fuera de las costumbres. Él mismo se había enamorado de la Manuelita, creemos, cuando ella había cumplido los doce años, o los trece, pero después había preferido esperar a Josefa, la Pepita, su hermana menor, más reposada, menos peligrosa. Me conozco, había murmurado. Sabía que la inquietud, la incertidumbre, los celos, el miedo, lo destruirían. El Narrador, a todo esto, también se sorprende. Le gusta la prudencia de Varela, pero se queda con la boca abierta frente a la pasión del arquitecto, persona que calcula, que se repliega, que sabe callar, y que después, sin embargo, cierra los ojos y se lanza al vacío. Tendrá que pagar las consecuencias todo el resto de su vida, se dice el Narrador. Pero otros, por dudar, por vacilar, por no poder escoger, por limitarse a contemplar y por vivir en forma vicaria, también pagan. Estira, entonces, los brazos, y da un ruidoso bostezo. Mañana, sin falta, piensa, voy a visitar a Cristina. Porque ya basta. Y le voy a proponer que nos reconciliemos. Le voy a decir que tiro la esponja, que lo olvido todo, que doblo la página. Tiene miedo de llegar a su departamento de Santa Lucía, frente al cerro, y de encontrarse con una concurrencia de intelectuales, de políticos de izquierda y de extrema izquierda, de feministas furibundas, de profesores expulsados de sus cátedras, con sus historias de torturados y desaparecidos, sus horrores. Pero llamará de todos modos. Y pondrá, piensa, sus cartas encima de la mesa. Porque hay momentos en que está fascinado, inspirado, seguro de todo, y otros en que duda, y en que ni siquiera se puede aguantar a sí mismo. Voy, dice, y marca los números, y cuando sale la voz al otro lado, un poco terca, un poco cansada, áspera, la duda reaparece.

IV

Dos o tres días después. Misiá Clara dijo de repente:

–¡Interesante el italiano!

–¿El italiano?

–El de las tarimas. El que agarraste del brazo.

–¡Ah! –dijo ella–. Es que me había mareado con el puro.

–Sí. Pero, ¿pa' qué lo agarraste?

–Pa' no caerme, mamita.

–Pa' no caerte...

Iban a una casa que estaba cerca de los Teatinos, por la Cañada Baja, a visitar a una señora. Misiá Clara quería venderle un vestido que había inventado y cosido entero ella misma, en una pieza secreta del tercer patio, pero no se podía saber.

–¿Por qué, mamita?

–Porque una señora de mi posición no puede andar vendiendo vestidos.

Después dijo que José, «tu papi», andaba mal, perseguido por deudas, y que había preferido esconderse.

–¿Por eso no llega a la casa, entonces?

–Por eso.

–¡Ah!

A ella se le había borrado de la cabeza el italiano. Había ido a misa de doce a San Francisco, el domingo, y había visto al Negrito, al que le decían el Negrito, cerca de uno de los altares de los lados. Estaba mirando los artesonados del techo, de brazos cruzados, distraído. Fue entonces cuando la divisó a ella. Ella estaba en compañía de misiá Clara, de la Pepita, y de la chola que les había llevado los cojines para hincarse. Sintió un sobresalto, una emoción que la clavaba en las baldosas. Sin el menor disimulo, el Negrito retrocedió unos pasos y la miró con la boca abierta.

–¡Qué sinvergüenza! –mascculló misiá Clara, y le ordenó que se hincara y que rezara. La Manuelita se hincó y se puso a rezar, colorada como un tomate, pero lo miró varias veces, por el lado del misal, por debajo del pelo, y el Negrito le sonreía.

Supo después que se llamaba Goycoolea, Juan Joseph, y que había entrado a estudiar, justamente, en el taller del maestro de arquitectura. Tres o cuatro meses más tarde se encontró al lado suyo en unas fiestas de la Plaza, frente a un grupo de indios que tocaban quenas, trutrucas, tambores, y a unas indias que parecía que lloriqueaban cuando cantaban, como si alguien se les hubiera muerto.

–Ya sé cómo te llamas –le dijo él.

–Y yo también sé cómo te llamas tú –le dijo ella.

Él, mientras los indios se desgañitaban y mientras pasaban por delante unos jinetes en pelo, le tomó una mano, la miró con tremenda intensidad, con ojos que relampagueaban, y le dijo que la quería. A ella se le nubló la vista. Sintió pánico y corrió hasta su casa sin parar. En el fondo del huerto abrazó a la Palmira, la tonta, sin decirle por qué, lanzando suspiros profundos.

–¿Qué le pasa, Manuelita? –preguntaba la Palmira, y ella contestaba que nada.

Después de eso se encontraban en la iglesia, en las procesiones, en los juegos, y no se quitaban los ojos. A veces él conseguía acercarse y preguntarle que cómo estaba.

–¿Me has echado de menos? –preguntaba.

–Sí –respondía ella–. ¿Y tú?

Una tarde ella caminaba sola, misiá Clara había partido a vender unos almácigos a una Quinta de arriba, de más allá del cerro, y lo encontró frente a una casa.

–Entra –le dijo él–. Ésta es la casa de la Luchita, mi hermana mayor, que ya se casó el año pasado. Vamos a mirar las plantaciones, las esparragueras, los tomates nuevos.

Ella miró para adentro con un poco de miedo, pero con ganas de entrar.

–¡Entra! –insistió él.

En el fondo, detrás de unas higueras, cerca de las zarzamoras, se acariciaron y después se dieron besos en la boca, en el cuello, en todos lados, como locos.

–¡Ay! –dijo ella–. ¡Negrito mío! ¡Me da mucho susto!

Él le sacó los pechos de adentro del corpiño y le mordisqueó los pezones, mientras la Manuelita cerraba los ojos y se lamentaba con suavidad.

–Suéltame –le pedía–, ¡por favor!

En ese momento apareció la Luchita en la oscuridad, entre los arbustos, porque ya había caído la tarde, y les dijo, niños, la Manuelita tiene que volver a su casa.

–Sí –dijo ella–. Si mi mamita me pilla, me mata.

La Luchita sonrió y le dio unas palmadas cariñosas en la cabeza.

–¡Corre! –le dijo, y la empujó un poco por la espalda.

Dos o tres semanas más tarde, misiá Clara dijo que tenía que hablarle de algo muy serio.

–¿A mí?

–Sí –dijo misiá Clara–. A ti.

Misiá Clara le explicó que el italiano, el señor Tuesca, estaba interesado en casarse con ella, contigo, y a ti te conviene mucho...

–Pero yo no lo quiero, mamita –dijo la Manuela, y bajó la cabeza–: Quiero a otro.

–Ya se te pasará –replicó misiá Clara.

–¡No se me va a pasar!

Misiá Clara le preguntó, entonces, si quería ver a su padre, a don José, en las celdas del segundo piso de la Real Audiencia, las que destinaban a los caballeros extraviados. ¿Quería que la familia mendigara, o cayera todavía más bajo? Manuelita no pudo contestar. Sólo pudo llorar a mares, moviendo la cabeza. Al italiano, dijo misiá Clara, aparte de los trabajos de la Catedral, que le daban dos pesos fuertes al día, ¡cada día!, le habían encargado, ahora, que construyera una Casa de Moneda, un palacio de varios pisos, de piedra pura, con balconería de lujo, con un escudo real que iba a ser esculpido por Ignacio Varela.

–¡Te dai' cuenta!

Manuelita movía la cabeza como una desesperada.

–Vas a ser una de las señoras principales de todo el Reino.

–¡Yo no quiero, mamita!

–¡Chiquilla lesa! ¡Tenís que querer, no más! La calentura por ese Negro se te va a pasar, ¿y después qué?

–Prefiero morirme –dijo ella.

–¡Ya! –exclamó misiá Clara, y le pellizcó una oreja, la empujó a salir al jardín a tomar un poco de aire. Después le advirtió a la Pepita que iban a tener que turnarse para vigilarla. No dejarla ni de día ni de noche, ni a sol ni a sombra. Porque era tan bonita, ¡un sol!, pero tan porfiá, y no fuera a ser que fuera a desgraciarse.

Pepita, conmovida, con los ojos húmedos, acariciaba el pelo de azabache de su hermana mayor.

–Yo tampoco quiero mucho a Ignacio –le decía–. Lo encuentro demasiado grandote, y suda demasiado. Pero es muy güena persona. Y me voy a casar, igual, con él.

–Yo voy a subir a la cumbre de un cerro –contestaba ella, mirando hacia las montañas–, y me voy a tirar por un barranco. O me voy a vestir de gitana y voy a desaparecer con mi Negrito, rumbo al norte.

–¿Y de qué van a vivir? ¿Van a comer yerba?

–Ojalá vuelva luego mi papá –dijo un día–, y me salve.

–Ojalá –respondió la Pepita, mirando a su hermana con cara de lástima, con ternura, como si los papeles se hubieran invertido, como si la Manuelita hubiera pasado a ser la hermana menor–. Pero no creo.

Misiá Clara contó, después, que ellas, por lo Fernández

de Rebolledo, eran descendientes de condes y marqueses de las Españas, ¡qué se habían creído!, y no podían andar botadas por ahí, de pordioseras, con el papá mirando la Plaza del Rey desde atrás de las rejas, ¡y todo por un pellejo!, cuando el italiano, además, con sus trajes negros, con su facha, era un príncipe. Y no pedía un centavo de dote. Y le daba su aval a José, a don José, que andaba en apuros porque era de pata en quincha y se gastaba todo en las ramadas, escuchando a las de Petorca, bailando, empinando el codo.

–Sí, mamita. Pero...

–¡No hay pero que valga! –vociferó misiá Clara, con los brazos en jarra, con relámpagos que partían de las nubes de sus ojos.

V

Fue a visitar a su padre una tarde que estaba solo, tranquilo, con todas sus vendas, pero con los moretones ya suavizados por el paso de los días, y él le habló. Lo hizo con relativa calma, con ánimo pensativo, mirando los arbustos. Le contó lo suficiente como para que él pudiera imaginarse lo que había sucedido. Le dijo que despertó, esa noche, medio agitado, bañado en transpiración, y sintió que había alguien en la oscuridad. Alguien, dijo, estaba respirando en la oscuridad. Al comienzo quiso prender la luz, pero después le dio miedo. La persona que respiraba en la oscuridad podía ser peligrosa. Su pistola, la de siempre, con su funda de cuero gastado por los años, estaba lejos, en uno de los cajones del closet, el del fondo, y habría tenido que cruzar todo el dormitorio para agarrarla. A todo esto, era bastante tarde, más de las tres, cerca de las cuatro. Hora de toque de queda, como lo indicaba el silencio de la calle. Su última hora, quizás, pensó, y en pleno toque. Pero la respiración, la sombra, en ese momento, se alejó. Tuvo la sensación de que había salido de la pieza. Le pareció saber quién era, además, a pesar de que no podía estar seguro. Ni de eso, ni de nada. Si eres tú, te voy a matar, o tú vas a matarme a mí. Se levantó, entonces, buscó las zapatillas de dormir en la oscuridad, con los pies fríos, y se puso la bata. Salió hasta el corredor de afuera, el que desemboca en la escalera, y prendió la luz. ¿Por qué no sacó la pistola antes? ¿Quería que lo matara de una vez por todas, en lugar de matarlo? Él, el ladrón, estaba al otro lado de la escalera, cerca de las piezas del fondo, y no sabía para dónde cortar. Si yo hubiera estado durmiendo en la casa, se dijo él, es decir, el hijo de don Ignacio, el Narrador, me habría asomado y el ladrón me habría disparado a quemarropa. No habría contado el cuento. Pero estaba todavía en Madrid, en vísperas de su viaje. Pensando que se despedía del mundo, sí, pero no todavía de la vida. De lo que el mundo era o parecía que era, allá. El viejo, entonces, abrió la boca para preguntarle, ¿qué hacís aquí, vos?, y el otro levantó los brazos, como un pajarraco, y le pegó el primer culatazo con su pistola grande, dada de baja del ejército. ¡Roto desgracia'o!, alcanzó a gritar, ¡sinvergüenza!, pero no está seguro. Calcula que las palabras, tal como las dice ahora, cuando le cuenta en el jardín ya oscuro, en voz baja, con la cara llena de vendajes, no le salían. El otro, ¿el que había trabajado con usted?, el viejo no responde nada, pero tampoco niega, levantó los brazos de nuevo, con cara de loco, de rabia homicida, la misma que tenía, que debía de haberle visto cuando lo echó de la casa, por ladrón, y él, ahí, después del golpe en el cráneo, en medio de la sangre caliente que le bajaba por entre los ojos, que le entraba en la boca, pudo sacar la voz, al fin, y gritar a todo lo que daba. Parecía que el gusto viscoso de la sangre le hubiera abierto los pulmones, o fueron ideas suyas. El caso es que gritó a toda fuerza, pidiendo auxilio, a sabiendas de que la Leontina, la muy puta, la culpable, no haría nada. Volvió a sentir el golpe de la culata, que me estremeció, dijo, abriendo los ojos, toda la caja del cráneo, que me sacudió los huesos de todo el cuerpo, y grité como un barraco, manoteando, preguntándome si podría resistir, o si la bestia, salida de no se sabía dónde, me aniquilaría. ¡Bestia!, le dijo: ¡Bestia inmunda!, mientras el pecho se le hinchaba como si fuera a reventar, y vio, entonces, que el otro bajaba por la escalera, con los pies chuecos, más asustado, ahora, que él, con la pistola en la mano izquierda, porque era zurdo, y hasta se acuerda de sus zapatos sucios, de suelas carcomidas, y pegó un tiro que se incrustó en la cubierta de cristal de un grabado, una escena del Reino de Siam, con palanquines y elefantes, a pocos centímetros de su brazo izquierdo, anda a verlo, dice, quedó con el cristal quebrado y la bala incrustada en el papel, y otro, al llegar al descanso de la escala, que sintió silbar encima de su frente y se clavó en el techo. Él, en ese instante, ya lo sabía todo. Sabía que se había salvado por un pelo, y pensaba que en el futuro tendría que defenderse con dientes y uñas, como gato de espaldas. Porque el ladrón volvería, protegido por el toque, con su pase libre, su pistola dada de baja, o, quizás, en servicio, y se vengaría. Y cuando el Narrador insistía, después, en que lo secara en la capacha, porque no podía ser otro, Eligio, el mozo que había tenido la extraña ocurrencia de contratar, poco después del golpe, en el casino de un Regimiento, porque en aquellos días sólo le daban confianza los milicos, el viejo, don Ignacio, lo paró en seco. ¡Mocoso leso!, pareció pensar, como en los tiempos anteriores. Si hubieras llegado un par de días antes a Chile, y hubieras estado durmiendo en la casa, ¡te mata de un viaje!

El Narrador se cansó de insistir. Vio pasar a la Leontina por entre los arbustos, cambiando de lugar la manguera del riego, y le dijo a su padre en voz baja: ¡Échala! Sí, contestó su padre, la voy a echar. Pero no le des más vueltas al asunto. Consígueme un par de buenas pistolas, y si puedes, con tus amigos de por ahí, un fusil ametralladora. Él miró a su padre, y el viejo, con sus vendas y sus cicatrices, los hematomas que iban poniéndose amarillos, hizo un gesto de impotencia, como diciendo: ¿qué puedo hacer yo? Era, al fin y al cabo, su castigo. Había escogido a ese hombre porque tenía todo el aspecto de pertenecer a los servicios de Seguridad, por eso, no por otra razón, y ahora, ya ves. Voy a defenderme a balazos. ¡No me queda otra!

La bestia, Eligio, era un hombre más bien flaco, de estatura mediana, de pasos cortos y rápidos, pelado al rape, y había participado, seguro, en las cosas más negras, había formado parte, quizás, de los encapuchados del Estadio Nacional, había despachado a más de uno de un tiro en la nuca. Cuando le robó los billetes en dólares, que guardaba en un cajón del closet, detrás de los calcetines, y lo despidió con viento fresco, alcanzó a pensar: capaz que vuelva y me mate, por venganza. En lo cual no se equivocó mucho. Y después comprendió que se había entendido con la Leontina, con la puta de la Leontina, y cometió el error de no echarla también con viento fresco. Lo que sucedía, pensó el Narrador, era que la Leontina, en momentos especiales, cuando hacía mucho calor y el viejo no podía dormir, cuando estaba con la televisión puesta después de la medianoche, con el Festival de Viña, por ejemplo, a todo forro, entraba con el delantal medio desabrochado, y debajo no tenía nada. ¡Leontina!, y ella, entonces: Ya, don Ignacio, quédese tranquilo. Cierre los ojos. Trate de dormir. ¡Así! Como un niño bueno. Y después, a la mañana siguiente, a vista y paciencia suya, sacaba del cajón de los calcetines uno de los billetes gordos. ¿Está bien?, preguntaba, con sus ojos extraños, de reborde oscuro, y él, ¿qué le iba a contestar? Sí, Leontina, le decía: Está bien.

Y su hijo, el extraño, el aficionado a la tinta, que había tenido la ocurrencia de volver ahora, ¡qué sabía! Y la Mariana, la Nina, con sus curas, ¡para qué decir! Eran mal pensados, y sospechaban algo, y les encantaba la idea de quedarse con todo. Por eso tenían tanto miedo de sus devaneos, de sus salidas, de lo que llamaban sus amistades raras.

–Pero yo –replicaba el viejo, furioso–, me voy a atrincherar, y me voy a defender a tiro limpio. ¿Qué dices? ¿Que estoy loco? A lo mejor, y ¡viva!, y pásame una copa de champaña con frutas.

–¿Para qué?

–Pues, ¡pa' qué va a ser! ¡Pa' celebrar!

No había nada que celebrar, desde luego, pero el viejo era así, contradictorio, y algo eufórico, rasgos que con la edad y con los culatazos en la cabeza se le habían acentuado. Le había dado, pues, por brindar, y por rodearse de enrejados, y de alarmas electrónicas, y por armarse hasta los dientes. Como un caballero atrabiliario de los tiempos que corrían. Porque las alimañas habían salido de sus madrigueras, de noche, y andaban sueltas.

–Una pistola automática, o un fusil ametralladora, pero de tamaño chico, manejable –murmuraba, poniendo la boca en forma de tubo para absorber una de las frutillas empapadas en champaña–, es lo más práctico de todo. La mejor manera. ¿O crees que voy a dejar que me hagan papilla? ¡Pschtt! ¡Que ni se lo sueñen!

VI

Tal como se convino con don José y sobre todo con misiá Clara, que tenía la sartén por el mango y que terminó de convencer a la Manuelita, dijeron, con un par de gritos y con algunos coscachos, y con la promesa difusa, contaron las malas lenguas, de que le permitiría juntarse a escondidas, de cuando en cuando, con el Negro Goycoolea, el matrimonio tuvo lugar a comienzos del año siguiente, el año de gracia de 1783, que un poco más tarde, a causa de la avenida grande del río Mapocho, fue conocido como año de calamidades, y se celebró en la iglesia vieja de Santa Ana, donde fue bendecido por su párroco, don Antonio Díaz. Toesca ya estaba cerca de terminar los planos de la Casa de Moneda. Después de la primera visita del terreno, había emprendido un combate singular, nunca visto en estas tierras de componendas, para encontrar un sitio salubre, no infiltrado por siglos de basura y de aguas pantanosas.

Entregó los planos definitivos, bien calculados y trazados de su propia mano, tres semanas exactas después de su matrimonio. ¡Qué tipo!, exclamó don José, ¡qué fiera! Se había colocado una capa, don José, un antifaz, una nariz de goma, y pensaba partir a la Chimba en esa facha. Así tenía que ser, respondió misiá Clara, mirándolo de alto a bajo. Si te casabas con un hombre mayor, era pa' que trabajara y cumpliera, pa' que ganara y juntara, no para que anduviera haciendo de payaso. ¡Como vos! (echando chispas), y don José, acostumbrado, salió a la carrera, sin despedirse.

A mediados del mes de abril, cuando apenas llevaba

Toesca treinta y cinco días de casado, le ordenaron que viajara a Lima. Había que someter los planos a la aprobación del virrey y de las autoridades superiores. Volvió de palacio, donde había recibido esta orden perentoria, y encontró a la Manuelita sentada debajo de los paltos, cerca de la zarzamora del fondo, no muy lejos del galpón donde trabajaban los discípulos (Goycoolea, el Negro, entre ellos). Parecía absorta, dedicada a contemplar el revoloteo de los picaflores, que se quedaban parados en el aire, chupando el néctar. Bebía, ella, por su lado, sorbos de aloja, porque era un otoño extraño, más caluroso que lo normal, con el aire pesado, y andaban anunciando por ahí toda clase de cataclismos. Escuchó que su marido, el signore Toesca, partía de viaje, y siguió mirando los picaflores, sorbiendo aloja, abanicándose con un abanico de carey.

–¿No dices nada?

–¿Y qué quiere que diga, señor?

–¿Por qué me tratas de señor?

–Porque usted es mi señor, p'us.

Y si los señores de más arriba lo mandaban a Lima, tenía que ir, nomás. Él se preparó en cuestión de horas, con intensidad, con cuidado, sin olvidar el menor detalle, de acuerdo con su manera (tan extraña, decían todos), y partió a Valparaíso a caballo, por el camino de carretas. Lo acompañaba Juan Peralta, uno de los ayudantes de albañiles, pero desde el puerto seguiría viaje solo. Llevaba los planos en carpetas grandes, y, como siempre, el libraco de un tal Vitruvio, además de los dibujos de los ángeles de piedra, y los de un par de hornos de metales, y uno del fondo del huerto de su casa, con un perro, un gato, y la sombra de ella entre los arbustos y las manchas de las flores, cerca de los talleres: un perfil borroso. Desde Valparaíso le mandó una carta contando que estaba listo para embarcarse al Callao en un barco francés y que pensaba volver dentro de un par de meses. Si Dios lo quería. Le pedía que se cuidara, que se arropara en las tardes, y le mandaba saludos a misiá Clara, a don José, a la Pepita y a Ignacio, también a don José Antonio y la Merceditas, si es que se los encontraba por ahí. En Santiago, el calor, bajo un cielo fijo, continuó durante días. Después, una tarde, hubo un remezón muy fuerte, largo, con cara de terremoto, que cuarteó las paredes de las casas, la suya, en el costado de la Catedral, y la de misiá Clara, más al sur, y trizó algunas tejas y algunos tinajones de greda. Los remezones siguieron durante dos días, sin parar, acompañados de ruidos subterráneos, de ladridos lastimeros, de rebuznos, de oraciones de mujeres que se golpeaban el pecho y pedían a gritos el perdón de sus pecados. Al tercer día aparecieron nubarrones enormes, que confirmaron los decires de alguna gente, Ignacio, entre ellos, y la Pepita, sobre el Día del Fin, y en las montañas de la costa se divisaron relámpagos acompañados de un trueno seco, un arrastrar de peñascos.

–Primero tendría que venir un diluvio –explicó Ignacio, quien ya le había regalado un anillo de oro grueso a la Pepita y estaba en estado de permanente éxtasis, fuera de este mundo, dedicado a esculpir ángeles todo el santo día–, y después habrá una lluvia de hostias muy blancas, todas consagradas, y que tendrán en el centro una gota de la sangre de Jesucristo.

–¿Cómo lo sabe? –preguntó la Manuelita.

–Porque mi primo jesuita, el que ahora está en Italia, estudió el asunto a fondo, y me ha hecho llegar algunos de sus papeles para que los copie y los reparta.

A la mañana siguiente empezaron a caer goterones gruesos, espaciados, y en la tarde llovía en forma torrencial, sin parar, como si se hubieran abierto las esclusas del cielo. Llovió toda la noche y todo el día siguiente, y al mediodía del día que siguió dijeron que el río había crecido mucho y que un poco más arriba de las Cajitas de Agua había empezado a salirse de su cauce. Ella entró a la cocina y se encontró con Goycoolea, Juan Joseph, que había llegado a tomarse una limonada caliente. P'al frío. Él le clavó los ojos negros, brillantes, y ella sintió que las venas se le habían encrespado.

Después se encontró con misiá Clara en uno de los corredores y le dijo: ¡Ay, mamita!, con los ojos desencajados. Se quedó encerrada en la casa, mientras la lluvia no cesaba, pensando casi todo el tiempo en Juan Joseph, en dónde se guarecería de tanta agua, que a veces se convertía en granizo y hasta en cascotes de hielo. Al quinto o al sexto día oyó voces en la puerta de calle, en un minuto en que el temporal había amainado, y llegó un vejete del vecindario, un militar que tenía los bigotes retorcidos para arriba en forma de tirabuzón, y contó que las aguas bajaban en remolinos, bramando, y que arrastraban animales muertos, techos de casas, troncos enteros de árboles. Goycoolea, que pasaba por ahí y había entrado detrás del vejete, agregó que el Mapocho, ahora, estaba cubriendo los arcos del Puente de Cal y Canto. Otra persona, desde todavía más atrás, comentó que los tajamares se habían roto en la curva de Quinta Alegre, por el Oriente, en un lugar donde las aguas golpeaban, dijo, «a toda juerza», no hallando «p'a dónde ganarse», y un hombre flaco y medio tartamudo, con la lengua enredada en una baba espesa, a quien la Manuelita había visto en las naves laterales de Santa Ana y en las de la Recoleta, informó que las huertas de la Cañadilla estaban inundadas: habían partido huasos a caballo para sacar a lazo a los que se habían quedado atrapados.

–Vamos a ver la inundación –le dijo Goycoolea a la Manuelita, al oído, y ella respondió: güeno, vamos, y se fue a buscar una manta gruesa, de Castilla. Salieron a mirar el Puente por la parte del sur, y ella daba saltos por entre los claros, las piedras, los tablones, levantándose las faldas y embarrándose hasta más arriba de las rodillas, haciéndose la sorda frente a las tallas y los piropos de los carreteleros atascados, de los gañanes, diciéndole a Goycoolea: ¡No les hagai caso! Consiguieron subirse a un peñasco, a pesar de que estaba atestado de mirones, y vieron un techo de tablas y restos de coirón que flotaba a la deriva. Encima, moviendo las patas para mantener el equilibrio, había un gallo mojado, desplumado, y un par de gallinas castellanas, y unos gansos que se habían atorado, que no graznaban, que sólo miraban con ojos duros, y unos jotes que piaban y lanzaban alaridos raros, como si tuvieran el pescuezo herido. El techo quedó aplastado debajo de uno de los arcos del Puente y las aguas enseguida se lo tragaron: la Manuelita alcanzó a divisar el revoloteo de una de las gallinas cuando se ahogaba y se aferró de un brazo de Juan Joseph.

–¡Tengo miedo! –dijo, creyendo que el fin, como lo había anunciado Ignacio Varela, se acercaba, y él le dijo que no tuviera miedo de nada. Él estaba ahí, Manuelita, ¡pa' cuidarte!

El Narrador supone, puesto que no hay muchos detalles, aun cuando la imagen del techo de tablones con las aves que lanzaban graznidos cluecos, de pesadilla, figura en una de las crónicas recogidas por el historiador difunto. Supone, y se imagina, después, que Juan Joseph, de regreso en la casa de Toesca y la Manuelita, empapado hasta la médula de los huesos, tomó un baño de tina caliente, y que una de las negritas le frotó la espalda con una esponja, mientras doña Manuela esperaba afuera y le contaba la avenida del río a su madre, que se había ido a vivir con ella durante la ausencia de Toesca en Lima. Después del baño de tina le dieron sopa de coliflores en un plato de estaño, hirviendo, y un escabeche de conejo de chuparse los dedos, y tres huevos fritos con prietas requemadas, rellenas de sangre espesa, seguidos por un pedazote de torta de mil hojas que él, Juan Joseph (nombre que otras crónicas escribían como Juan Josef), regó con aguardiente puro, ante los gritos de sorpresa de la Manuelita y las sonrisas complacientes, cómplices, de misiá Clara. Como estaba cubierto con mantas de la casa, puesto que su ropa se había empapado, quedó entendido que dormiría en una de las habitaciones del fondo. Ella miró a misiá Clara y misiá Clara miró para otro lado. ¡Ay, mamita!, susurró, sin voz alguna. La chicoca coja, la Herminda, caminó hacia el fondo con un cargamento de sábanas y frazadas. Otra, una de las negritas, llevó un calentador de bronce, lleno de brasas al rojo vivo, para la cama, y le encargaron, además, que preparara un brasero.

–Y ponle la botella de aguardiente en el velador –ordenó la vieja, cuyos ojos no veían casi nada, pero que lo organizaba todo con la visión de adentro y con la ayuda de algunas sombras, algunas luces difusas.

La Manuelita, entonces, sin decir una palabra, se colocó una blusa negra, escotada, y se impregnó los labios con tintura roja. Se puso los zarcillos de azabache, largos, filamentosos, que la fascinaban, pero que no se ponía casi nunca, y se desanudó las dos trenzas, dejando que el pelo oscuro, sedoso, se derramara sobre los hombros. Se miró en el espejo y se asombró, porque parecía otra persona, una persona que ni ella conocía, y tomó una palmatoria con una vela.

Mientras se interna por el corredor, en camino a las habitaciones del fondo de la casa, iluminada por la vela que temblequea, el Narrador se soba las manos, como si el frío de la noche de lluvia se le hubiera contagiado. Por su lado, metido adentro de la cama, sudando de calor, Juan Josef, el Negrito, está en espera.

–Vine a ver si te faltaba algo –dice ella.

Él le quita la palmatoria con suavidad, la pone encima del velador, apaga la vela de un golpe y la hace sentarse al lado suyo. La habitación sólo queda iluminada por el resplandor rojizo del brasero. Él, entonces, le toma una mano y se la besa con intensidad. Después lleva esa mano y la pone en su pecho desnudo, en el sitio del corazón. La Manuelita se inclina con lentitud, mirando un reflejo cambiante en la pared gruesa, encalada, y Juan Joseph la besa en la boca. Después aprieta un poco su mano y la arrastra hacia abajo. Deja la mano suelta, y la Manuelita no la retira. Juan Josef le desabrocha entonces la blusa negra. El tamborileo de la lluvia en el techo, acompañado de rayos ocasionales y de truenos lejanos, es de una monotonía incesante. En medio del diluvio universal, misiá Clara, encerrada en su dormitorio, reza, y sabe que la Manuelita ha pasado para el fondo de la casa, y está segura de que es el diluvio del fin, y de que los grandes amores serán perdonados por el Cristo de la Misericordia. La habitación rojiza, con sus resplandores cambiantes reflejados en las paredes, cálida, es una isla, una cápsula extraviada en el espacio.

Y también, se dice el Narrador, en el tiempo.

VII

En las primeras horas del amanecer, de un modo que a la Manuelita le pareció milagroso, y que la señora Clara, por motivos diferentes, también encontró cuestión de milagro, la lluvia paró por completo. Paró así, de repente. Las oraciones de los vecinos, las súplicas de las beatas y de las monjas, las misas de tres curas, seguidas de procesiones alrededor de las iglesias, de exposiciones de imágenes, de invocaciones, habían sido escuchadas. Antes de las nueve se asomó por las cumbres nevadas un sol radiante, que arrojó una luz y un calor de redención sobre los escombros, el desastre descomunal, los movimientos de las ratas por entre la basura y los patacones de barro. Juan Josef, que no creía en milagros (como el mayorazgo Rojas, como el propio Toesca, como más de algún otro, sin excluir, quizás, al mismo obispo), se rió y se encogió de hombros.

–Mejor me voy –dijo.

–¿Tenís miedo? –preguntó ella, y él respondió que no, pero ella le miró la cara y pensó que sí tenía. Toesca llegó ocho o diez días más tarde, lleno de papeles y de dibujos, un poco pálido, de buen ánimo, hablando el español mejor que antes, puesto que había tenido que discutir mucho con los del Perú, y a las dos horas, cuando la carreta con sus bultos todavía estaba parada un par de cuadras al sur, en un callejón, con los bueyes desuncidos para que descansaran y se defendieran mejor de los tábanos, ya lo habían mandado llamar del palacio de gobierno. Ojalá que no le digan nada, pensó ella, aun cuando era difícil que alguien no le dijera: Juan Josef había seguido apareciendo en las noches, después de averiguar si él todavía no había llegado, colándose por entre las rejas de la calle para deslizarse hasta la habitación del fondo. Ella, en su dormitorio, lo esperaba. Apenas veía pasar la sombra por el jardín, tomaba la palmatoria y corría a encontrarlo. Cuando pasaba cerca de la puerta de misiá Clara, notaba con el rabillo del ojo que había luz en las rendijas. Igual seguía su camino, golpeaba en la puerta del fondo con suavidad, con el corazón desbocado, y entraba.

Toesca, a todo esto, a pesar de que recién había llegado del Callao y de Valparaíso, partió al taller, el galpón del fondo del huerto, a buscar su cartapacio, sus planos y documentos más importantes. Hojeó a la carrera el Vitruvio, sin recordar si dedicaba alguna página a los aguaceros, a las inundaciones, a la protección de las ciudades contra los ríos. La vieja Eufemia, la empleada que ayudaba en la cocina y barría el taller y las piezas del último patio, le preguntó si buscaba algo.

–Mire en esa pieza –le dijo, a pesar de que Toesca no le había respondido, y mostró con un dedo curvo, ganchudo, la habitación donde la Manuelita y Goycoolea habían empezado a encontrarse desde la noche del 15 al 16 de junio, es decir, desde la última jornada de aquello que ya todos conocían como la avenida grande del Mapocho, la más grande del siglo y de muchos siglos. La Anunciadora, según Ignacio Varela, y según, también, misiá Clara y algunos otros.

Toesca no supo cómo reaccionar. Le hizo un gesto brusco a la vieja. Enseguida, descompuesto, ¿por qué tenía que ponerse así?, ¿por qué temblaba tanto?, se asomó al cuarto del fondo. No había nada: un vaso con un clavel rojo medio marchito encima del velador; una colcha tejida, bastante arrugada, tirada sobre la cama; un pesado sillón de balancín, en un ángulo donde el muro estaba carcomido por la humedad, por manchas verdes y amarillas, con el enjuncado roto. ¡Nada!

Tuvo una larga conversación con sus ayudantes principales y con un par de alarifes. Llegó a la conclusión de que las arcas de la Capitanía General estaban vacías, y de que los primeros intentos de conseguir ayuda de los vecinos principales habían sido un fracaso rotundo. ¡Estos fregados no soltaban prenda ni aunque bajara el Mesías en toda su gloria! Dijo, entonces, él, que necesitaba unos veinte o treinta presidiarios, por lo menos, aparte de algún alarife de confianza, y que para comenzar la tarea le bastaba con unos cinco mil estacones de cinco varas de largo cada uno. El gobernador dio órdenes de que fueran a buscar las estacas en los huertos de los alrededores, a prorrata de cada propiedad, dijeran lo que dijeran los dueños, y se quejó, acto seguido, de sus dolores de barriga, que no le dejaban dar pestañada. Sirvieron chocolate en grandes tazones de porcelana, con abundancia de churros recién hechos, bien calientes, pero el gobernador, con su cara de sufrimiento, sólo pudo probar un agüita de boldo. Uno de los ayudantes dijo que ya había visto a las monjitas del Carmen Bajo paseando y conversando, riéndose, por los huertos de la Recoleta, felices de haberse salvado de las aguas, calzadas, algunas de ellas, con zapatones que les habían prestado los padrecitos. Los huasos brutos las habían agarrado de mala manera, y ellas habían creído que iban a morir ahogadas, pero ya todo, gracias a la misericordia divina, había pasado.

Él bebió la mitad de su tazón y declaró que pondría manos a la obra de inmediato. Era poco aficionado a las sobremesas, al dicharacheo, y las lentitudes, las vaguedades, las ambigüedades criollas, solían sacarlo de quicio. Pero ya se había metido en esto, y, como decían los lugareños, tenía que apechugar. Fue, pues, a explicarles a los hombres la forma y el tamaño de las estacas que necesitaba para levantar las estacadas más urgentes. El Narrador se imagina que pensaba, que quizás pensaría: ¿y para esto estudié tanto? Pero la verdad es que la idea de construir una ciudad, la cabecera de todo un reino, desde los fundamentos más elementales, desde el barro primordial, allá en el fin del mundo, enseñándole a la gente a levantar estacas y a cocer ladrillos, no le disgustaba. Sentía, en cierto modo, que los tiempos antiguos habían vuelto. ¡Que Roma no se había levantado en un solo día! Pasó, por lo tanto, al patio nauseabundo de la cárcel para seleccionar a los presos, porque ya conocía a los mejores con motivo de los trabajos de la Catedral. ¡Yo, patroncito, maestrito!, gritaban, con las bocas sin dientes, con las manos donde faltaban dedos. Llegó a su casa después de las diez de la noche, comió un poco de pan recién salido del horno de barro, un queso rancio de cabra, unas rodajas de cebolla con aceite, y se tumbó a dormir. Trabajó todos los días que siguieron desde las siete de la mañana hasta bien entrada la noche. Cuando salía de la casa, Manuelita bostezaba, medio dormida, y cuando regresaba ya estaba roncando con suavidad, con la boca abierta. Una noche llegó un par de horas antes de lo habitual, quizás por qué, ¿por ver a Manuelita, por estar con ella, por sospechar algo?, y percibió un silencio extraño: la sensación de una espera, quizás de una ausencia. Caminó hasta la habitación del fondo, la que le había señalado la vieja Eufemia con su dedo de gancho, y adivinó que había alguien adentro. No supo si la puerta estaba con llave, pero no quiso golpear ni tratar de abrirla. Tampoco quiso buscar el grueso manojo de llaves que se guardaba en un cajón del repostero. ¿Por qué no quiso? ¿Y por qué no intentó abrir? El Narrador se hace la pregunta, y sabe que no tiene respuesta. O sabe que Toesca, su personaje, su invención, no la tiene, o no la tenía en ese momento: una respuesta clara. Se lo imagina clavado en la oscuridad, cerca de los barrotes de la ventana, escuchando un rumor, un suspiro, o un silencio de respiración retenida. En la condición humillante de un espía en su propia casa. Había viento en las ramas pesadas de los árboles de la casa vecina, la del oficial del Regimiento, y de repente caían goterones de lluvia, como si el diluvio de hacía pocas semanas se fuera a reanudar, como si el fin, de nuevo, se estuviera acercando. Avanzó un poco más, sin hacer ruido, y trató de mirar por entre los postigos cerrados. Vislumbró una luz como de vela colocada en el suelo de tierra apisonada, cosa extraña, y alcanzó a percibir, o le pareció, un sonido, una sombra. Podían ser ideas suyas. ¿Por qué, en ese caso, para salir de la duda, no llegaba hasta la puerta, simplemente, y la abría? ¿Porque no se atrevía? Pensaría, suponemos, en la extrañeza de estar ahí, un espía o algo peor: un ratero (en su propia casa). O un degenerado. Y miraría para atrás, por encima del hombro, temiendo que la Eufemia, o la chica tonta de las piezas, o la chicoca coja, la Herminia, o misiá Clara, con sus ojos de bruja cegata, lo estuvieran, a su vez, espiando. Retrocedió en la punta de los pies, en su vestimenta de cuervo, paños negros, hebillas plateadas, entre las sombras y las luces de una luna casi llena, pero oculta por nubarrones, por presagios, y entró al comedor. Habían colocado grandes alcachofas en los tres puestos, el de misiá Clara, el de la Manuelita y el suyo, y en un platón de peltre, al centro, un montón de piñones, de avellanas, de nueces. También había una alcuza con aceite y un jarro de greda lleno de chacolí frío. La Manuelita, se dijo, ya no necesita que misiá Clara le haga compañía en las noches de aguacero. Y se dijo, después, que todavía no era tiempo de espárragos, y que cuánto faltaría. Crujió la puerta pesada y la Manuelita entró, un poco desencajada, más ojerosa que de costumbre, más ausente, y, por eso mismo, muy tranquila, hundida en su sueño, en sus ocurrencias, en su manera caprichosa.

–¿Dónde estabas?

–Y usté, ¿cómo que llegó tan temprano?

–Sí, pero tú...

–Había salido a caminar por los huertos vecinos. Me había baja'o un sofoco.

Suponemos que Toesca no había escuchado nunca la palabra sofoco, y que la descartó, y que le preguntó, enseguida, con voz incierta, como si se estuviera asomando a no se sabe qué, ¿a una sima?, si no era ella la que estaba encerrada hacía poco rato en la pieza del fondo, y con quién.

–¿En la pieza del fondo?

–Sí –insistió él–, en la del fondo –pero ella, en lugar de contestarle, salió al corredor y se puso a llamar a gritos:

–¡Mamita, ven a comer!

Entonces, cada día más arrugada y más chica, con los ojos más velados, un verdadero engendro de las tinieblas, apareció misiá Clara detrás de su hija, que tenía la cabellera negra desparramada encima de los hombros de nieve, y cuyos ojos, más hermosos que nunca, se habrá dicho Toesca (pensamos), lanzaban chispazos, relámpagos más bien sombríos.

–¡Bah! –mascculló misiá Clara–. No sabía que Toesca ya había llegado.

Porque así lo trataban, ella y su hija: de Toesca, o, a veces, lo que era peor, de Tuesca.

–Sí –declaró él–, llegué. Y la Manuelita ya no tiene necesidad de que usted la siga cuidando.

–¿Y quién la va a cuidar, entonces?

–Yo me encargaré de eso.

La madre y la hija (calcula el Narrador) se miraron, se sentaron en sus respectivas sillas de palo, a cada lado de Toesca, que ocupaba la cabecera de la mesa, y se persignaron. El arquitecto se habrá echado para atrás en el respaldo de cuero reseco, un sillón frailero que había traído de Lima, y las habrá observado rezar en voz baja antes de ponerse a comer: la Manuelita, su mujer, extraviada, y la otra, su suegra, la bruja, enferma de rabia, soñando con clavarle un alfiler y vaciarle los ojos. A pesar de que era ella la que los había casado. Para salvar a don José, para rescatar a toda la familia, por lo que fuera. Pero así es el mundo, se diría a sí mismo, con lucidez, con no poca tristeza, así son las cosas.

VIII

En su habitación oscura, con los papeles repartidos encima de la cama, el Narrador se hunde en las sábanas, como un náufrago, y cierra los ojos. Después de un rato se viste, le dice a la Filomena que no lo espere a comer en la noche, y sale. El tenor que vive al fondo del corredor está cantando que se las pela, y se escuchan voces, risas alegres, tintineo de copas. Él toma un taxi destartalado en la esquina de Estado con Merced y le indica la dirección de su padre. Lo encuentra sentado en la terraza, en la luz declinante del atardecer, con las manos apoyadas en su bastón de madera, con la cabeza más vendada que nunca, con cara de fiera. A su alrededor parece que han crecido las rejas protectoras, terminadas en puntas de lanza, los garfios, los cerrojos, las defensas de toda clase. Encima de una mesa tiene dos pistolas cargadas. Si alguien asomara la cabeza por encima del muro del jardín, sería recibido a balazo limpio. Y si el viejo, don Ignacio, estuviera en posesión de un fusil ametralladora, como lo ha pedido con insistencia, recibiría, el asomado, el intruso, unas cuantas ráfagas mortales.

–¡Tenga cuidado! –suplica él.

–Tengo muchísimo cuidado –contesta don Ignacio.

En la noche llega un amigo de juventud del viejo, un arquitecto de origen italiano, ¡como Toesca!, pero que no se interesa para nada en historias pasadas, en sutilezas improductivas. Practica, por el contrario, lo que llaman en Chile «estilo francés», imitación remota de los hoteles particulares del París de los siglos XVIII y XIX, y se enriqueció construyendo mansiones para los ricos y, sobre todo, para los nuevos ricos, mansiones que en su día brotaron como las callampas en las planicies y las lomas del barrio alto. Llega con su señora, una mujer dulce, rubia, de ojos candorosos, la antítesis de doña Manuela Fernández de Rebolledo, o, si es por eso, de doña Catalina de los Ríos y Lisperguer, más conocida desde los primeros tiempos coloniales como la Quintrala. Se entabla una conversación larga, más bien evasiva, en vista, sin duda, de la presencia del hijo de don Ignacio, más sospechoso de rojo que de pródigo, en especial en los tiempos que corren, y el hijo, vale decir, el Narrador, en un momento determinado, y ya no sabe muy bien por qué, a causa, quizás, de aquella pasada por Madrid para tomar el avión a Chile, menciona a los nuevos reyes españoles, monarcas constitucionales y que facilitan, al parecer, el paso a una situación, a una palabra que no se atreve, cobarde, a pronunciar. Escucha, entonces, un ruido a su lado, un resoplido, un golpe de bastón en las baldosas, y observa, con asombro, que el arquitecto, con gran esfuerzo, porque es alto y cojo, y además se encuentra en el filo de los ochenta, y está, por añadidura, hundido en un asiento bajo, se pone de pie, se endereza, con la vista clavada en los arreboles finales del crepúsculo, y, en la culminación de todo este complicado desplazamiento, estira su largo brazo derecho en un apasionado saludo nazi. Su mujer, acostumbrada, sin duda, a reacciones de esta naturaleza, lo mira con expresión preocupada, e inicia un gesto apaciguador con una mano blanca, bien cuidada, de uñas pintadas de color de rosa, de anillo de brillantes. Don Ignacio continúa impertérrito, rumiando su furia, examinando con la mirada las rejas y las pistolas, indiferente a las extravagancias de su amigo de juventud. ¿En qué mundo me he venido a meter?, murmura para sí el Narrador, y se le ocurre que Toesca, en oportunidades muy diversas, habrá mascullado algo bastante parecido. Él, ahora, lejos de Toesca, en la segunda mitad del siglo XX, en una parte de la ciudad que antes, no demasiado tiempo antes, era campo puro, pastizales incultos, espera un rato prudente. Contempla la desaparición detrás de los cerros del poniente de los últimos resplandores rojizos. Piensa en celdas subterráneas, en alaridos sofocados, en pequeñas horcas colocadas en fila y separadas por cortinillas verdes, y se pone de pie.

–¿No te quedas a comer? –le pregunta su padre.

–No puedo –responde, y la verdad es que no puede, no puede en forma literal: el esófago se le ha comprimido, el estómago se le ha encogido, la boca se le ha puesto seca.

Regresa al centro de la ciudad a pie, para ejercitar los músculos y descargar tensiones, y entra a uno de los boliches de los aledaños de la Plaza. El ruido, la suciedad, la fealdad mezquina de todo el sector, los carteles con ampolletas quemadas, le producen un curioso efecto sedante: la sensación de una evasión necesaria, de un anonimato protegido. Vacila, va a pedir una cerveza, acompañada, quizás, de un sándwich cuyo nombre le parece divertido, una «gorda dinámica», pero enseguida se arrepiente y le ruega a la mesonera, mijita, una gordita de mirada cariñosa, dinámica, también, para decir lo menos, que le cambie la cerveza por el whisky de una botella rugosa, antigua, que divisa en la estantería.

–Con hielo, y con una gota de agua mineral.

La gordita, riéndose, le coloca una sola gota.

–Tres o cuatro gotas –corrige él, y también se ríe.

Cuando va en la mitad del segundo whisky, se dirige a la exuberante mesonera, digna, le parece, de una página de Cervantes, o más bien, con más modestia, de don Eduardo Barrios, o hasta de Gatica Martínez, en un tono más personal, más sugestivo. ¿No se acerca, acaso, la hora del toque de queda? ¿No es peligroso para ella volver sola en la noche a un barrio lejano? ¿No le gustaría, en cambio, compartir un whisky con él, frente a una chimenea encendida, con la mayor de las calmas?

–Sí –responde ella, con una mirada franca–, me gustaría. Pero no puedo.

–¿Por qué? –y le toma un dedo, y ella, la gordita, la mesonera sonrosada, pechugona, permisiva (aun cuando ha lanzado una mirada en dirección al administrador), deja que se lo acaricie.

–Porque soy casada. Y mi marido me está esperando.

–¿Y otro día, entonces?

–No sé –responde ella–. Creo que no –y vuelve a mirar con ojos entre enojados y risueños, ojos, piensa el Narrador, que rechazan menos que las palabras, pese a que también colocan una barrera invisible, alguna clase de límite. Descubre entonces que ya estuvo en esa misma fuente de soda durante las exploraciones de su segundo o tercer día en la (ahora) extraña ciudad, y se acuerda de que encima de la puerta de entrada lleva el nombre, Dante, escrito con luces rojizas, pero, murmura, más que un infierno, es un purgatorio de materiales frágiles: maderas prensadas pintadas de amarillo, iluminadas por tubos fluorescentes, y un pescado rancio abandonado a su suerte en una vitrina, entre ensaladas mustias y limones resecos. Ella, la rellenita, por el contrario, nada de rancia, fresca, juvenil, es una Beatriz hacendosa, de corazón de alcachofa tibia, que sabe escuchar los requiebros de los parroquianos sin hacerse problemas excesivos. Sería cuestión, a lo mejor, de insistir, se dice el Narrador, y le pregunta si no se llama, por casualidad, Beatriz.

–Me llamo Gladys. Pero soy casada –responde ella, y mueve la cabeza con una expresión esquiva, insinuante, sonriente, que a él le parece encantadora, que se hace la ilusión de no haber encontrado nunca, en ninguna otra parte. ¡Cosas, se dice, moviendo la cabeza, de la noche, cosas del centro neblinoso, rumoroso, disperso, en los minutos que anteceden al toque de queda con su inmovilidad, con su inquietante y a menudo espeluznante silencio!

IX

El Narrador ya se había encontrado con la figura secundaria, o que le pareció secundaria en un comienzo, y más bien borrosa, aparte de escurridiza, de don José Antonio de Rojas, el mayorazgo, el heredero de la hacienda de Polpaico, hombre de libros, según se podía inferir de los primeros papeles consultados, de curiosidades científicas, de ideas avanzadas para su tiempo. Una tarde partió a las calles de Santiago en busca de nuevos datos. Pensó que la tarea le tomaría un par de días, y al final le tomó semanas, entre librerías de viejo, conversaciones con especialistas de la época, o supuestos especialistas, lectura de legajos en dos o tres archivos, voluptuosidades que nunca le habían fallado y que serían, pensó, las últimas en fallarle, y encontró, al fin, más de alguna cosa: capítulos en mamotretos diversos, menciones frecuentes, además de un tesoro inexplorado de cartas inéditas. Cartas quejumbrosas, por lo general, y pedigüeñas, aunque escritas en un lenguaje criollo, chispeante, de ritmos quebrados, de respiración anhelosa, entrecortada, que no carecía de gracia. Mucho se temía el Narrador, después de adentrarse un poco en su investigación, que Rojas hubiera pertenecido a la especie de los chilenos que hacen carrera en la vida quejándose. Pidiendo y lloriqueando. Sufriendo humillaciones reales o imaginarias y pasando, en seguido, en un imaginario platillo de peltre, la cuenta. Militante ilustre, desde luego, de aquella institución que alguien bautizó alguna vez como Partido de los Sentidos. En importante medida, precursor y fundador. Un susceptible de cuidado, que caminaba sobre alfileres, que pasaba con facilidad de la suma cortesía, de un afecto pegajoso, a la furia más destemplada. Suponía que los funcionarios madrileños le miraban los pómulos, las cejas, las aletas de la nariz, el color de la piel, para ver si habría por ahí alguna gota de sangre mapuche, y gritaba para sí, solo, como energúmeno: ¡Godos cabrones! ¡Godos del carajo! Había trabajado en la corte virreinal de Lima, llevado desde Santiago por el virrey Joaquín de Amat y Junient, y el largo, intrincado, dudoso juicio de residencia al término del mandato del virrey, quien se había tomado algunas libertades no permitidas, que había mantenido queridas demasiado caras, que no había respetado siempre las normas en uso, la obligatoria hipocresía, lo había manchado con algunas salpicaduras. Se dijo que el joven Rojas había hecho ventas perfectamente inútiles, incluso fuleras (¿se utilizaba ya esa palabra?), a los indios del interior, pelucas francesas, cuentas de vidrio, carretonadas de biblias en latín, y que las ventas susodichas se habían perfeccionado con el apoyo de algunos dragones armados hasta los dientes, dragones y armamentos que sólo habían necesitado actuar por presencia. Se murmuró, asimismo, que en operaciones de legalidad discutible había sido cómplice de Amat, y testaferro suyo, y palo blanco. ¡Cabrones, gritaba, hijos de puta!, sofocado por la rabia, y después se vestía con sus mejores galas, sus calzas de seda, sus chalecos bordados en hilo de oro, y asistía a una ceremonia: a la inauguración, por ejemplo, de una escalera o de un jardín diseñado por los italianos de Carlos III, a esas extravagancias, ocasiones en las cuales sonreía, o se inclinaba con bisagras bien lubricadas, y esperaba, después, devorado por la ansiedad, una indicación, una seña cualquiera, un saludo amable. Lo que deseaba, lo que constituía su más sentida aspiración, lo había solicitado de palabra y por escrito, con majadería infinita, con ayuda de favores, de promesas, de misivas incontables, de audiencias abreviadas, o postergadas, o denegadas, a lo largo de años: un título de nobleza para su señor padre, el dueño de la antigua encomienda y depósito de cal, servidor incondicional de la

Corona, un título modestito (puesto que el inconfundible diminutivo criollo ya reinaba en aquellos años), el vizcondado de Polpaico o de Tiltil, el condado de Tagua Tagua, de Los Pequenes, de lo que Su Cesárea Majestad dispusiera. Y ahora, desde hacía un tiempo, aspiraba también a otra cosa: a la revocación de la orden de traslado de Chile a Cádiz de don José Perfecto de Salas, chileno ilustre, de larga familia, que también había caído en desgracia a la sombra del virrey Amat, y con una de cuyas hijas, con la dulce Mercedes, la Merceditas, deseaba casarse. La rabia, la impaciencia, el resentimiento de don José Antonio, el mayorazgo, subían de punto, y parecía que la sordera de los demás aumentaba en dimensiones directamente proporcionales.

¡Somos españoles de segunda clase!, pudo aullar en alguna oportunidad, de repente, sin que viniera a cuento, esto es, como decimos ahora y hemos dicho antes, fuera de tiesto, y el cura gordote, a quien había invitado a comer orejas de cerdo con ajos tiernos y alubiones, se manchó la sotana, asustado, y tuvo que ponerse sal gruesa para quitarse la mancha. El cura prometería, ensartando con el tenedor el último de los alubiones, como prometían todos, y se enjuagaría la boca con el vinillo un poco ácido de Valdepeñas, y se iría, después, echando eructos, sofocado y desmemoriado. ¡Por aquellas callejuelas de los infiernos!

Llegamos a la conclusión de que don José Antonio, al terminar su periplo europeo, su residencia de casi una década en Madrid, que le había costado mucho dinero y muchos trabajos, además de las primeras canas, tuvo que admitir, con lágrimas de ira, que su fracaso había sido rotundo. Los funcionarios lo habían tramitado sin piedad, en cada peldaño de la administración, a veces con palabras amables, otras veces con directa grosería, y al final del recorrido habían levantado un muro entre él y ellos. ¿Usted, quién es usted? En eso consistía en aquellos años, quizás, y en eso consiste todavía, por lo que se ha podido colegir, la condición colonial: en la sordera como sistema. Él salía de paseo, amargado, con un dolor que le calaba los huesos y le penetraba hasta el alma, paranoico, planeando venganzas, y al regreso, pasada la medianoche, anotaba en su diario, parecido por momentos al diario posterior en algunas décadas de don Leandro Fernández de Moratín: «Visita a casa de A. Osc. A Ros. T. C.». La «A» era por una Antonia; «osc» por ósculo; «Ros.» por Rosita; «T» por teta; «C» por culo. Le había dado un beso a la tal Rosita y después le había tocado las tetas y el culo. ¡Por lo muy menos! Y la indicación del costo, junto con la del almuerzo de oreja y alubiones, figuraba en otro lado, en un cuadernillo de cuentas. La expansión nocturna, sin embargo, no conseguía apaciguarlo. Ser americano, para don José Antonio, era un motivo de insatisfacción permanente, de melancolía profunda. ¡Qué desgracia más terrible!, exclamaba: ¡Qué castigo! Y soñaba, entonces, con huertos, con espumantes vasos de chicha de maíz o de aloja de Culén, con la brisa juguetona de los atardeceres, en la que siempre se enredaba algún abejorro, alguna mariposa de alas intensamente amarillas, algún picaflor extraviado, y con las frutillas perfumadas de Huechuraba, de Polpaico, de Limache, que se maceraban en grandes jarrones de vino tinto, bajo una sonrisa tierna, desvaída por los efectos del tiempo y del espacio.

El hombre, el americano en Madrid, cierra, pues, los puños, lanzando maldiciones a los campanarios, a los carricoches, a los jumentos que bajan por la cuesta embarrada del Manzanares. Semanas después, reconfortado, reconciliado, reponiéndose de la enfermedad que le había provocado la Villa y Corte, lo encontramos en las maravillosas tiendas de aparatos científicos alineadas en una calle del centro de Londres. ¡Esto sí que es civilización!, se dice a sí mismo, saboreando, a lo mejor, un cigarro puro llegado desde la isla de Cuba: ¡esto sí que es cultura!, satisfacción, reconciliación consigo mismo, éxtasis parecidos a los de un amigo del Narrador, español de Valencia, al entrar a las tiendas eróticas del barrio londinense del Soho y encontrarse con máquinas y aparatos, pares de bolas de marfil, vibradores, consoladores, cuya precisión no era menos bella ni menos exacta. En las tiendas de dos siglos más atrás, entre instrumentos de medición y máquinas de bronce, probetas, espirales, y con la ayuda de vendedores prudentes (tan prudentes como las educadas vendedoras de cinturones de cuero negro con púas de acero), que tratarían de entender su francés más bien rudimentario, su latín un tanto macarrónico, don José Antonio se sentiría justificado, fortalecido en sus convicciones sobre la Ciencia, sobre la Razón, convicciones que siempre vacilaban, que siempre parecían amenazadas en la España del Santo Oficio y de sus hogueras, y terminaría, dicen, después de complicados cálculos, intuyendo que su decisión formaba ya parte de su venganza, por adquirir un ingenio mecánico que servía para producir electricidad. En la tienda, con la ayuda de un andaluz que salieron a buscar a la casa vecina y que se acordaba poco, en verdad, de su lengua materna, le enseñaron a montar y a desmontar la máquina, a hacerla funcionar, a provocar un chisporroteo que sería capaz, en un futuro cercano, de poner grandes armazones en movimiento, de iluminar edificios y hasta ciudades completas durante noches enteras.

En París, que conocía por libros y por estampas, nos imaginamos que percibió una atmósfera encrespada, rara, como si el chisporroteo de su máquina flotara en el aire, y no sólo en el aire, ¡adentro de las cabezas de la gente! Porque muchas de las personas que encontró en esa enorme ciudad le parecieron alteradas, enloquecidas, razonantes hasta un punto enfermizo, a diferencia de los flemáticos ingleses y de los bovinos holandeses. Entre el gentío del Palais Royal en un atardecer de comienzos de verano, en los jardines, bajo las arcadas, mujeres descocadas, jóvenes petimetres, tenderos y tinterillos panzudos, divisó a un grupo heterogéneo, un par de obreros, un muchachón boquiabierto, una verdulera, una señora de sociedad, opinante, enfática, parecida a señoras que el Narrador conoció en el Chile de los años cincuenta, pendientes todos de los labios de un personaje vestido de carpintero, de artesano, con una especie de turbante en la cabeza, y que hablaba en voz baja, cubriéndose la cara, como si la emisión de cada frase le costara un esfuerzo extraordinario, o como si tuviera mucho miedo de los oídos indiscretos. Les contaba historias de otra persona, un filósofo como él, decía, y de sus nuevas ideas sobre la naturaleza y la sociedad, y de la afectación dominante, de los cortesanos devotos e hipócritas, ciegos a los resplandores que comenzaban a vislumbrarse en el horizonte. Si les cuento de dónde vengo, pensaría don José Antonio, van a creer que soy el buen salvaje en persona, y se extrañarán de que ande vestido como el más perfecto de los civilizados, con una corbata de plastrón un poco excesiva y una levita de color gris perla. ¿Y sus plumas, dónde las ha dejado usted, Monsieur le Bon Sauvage? ¿Y de dónde salió con una piel tan blanquiñosa? ¿No será usted un impostor, un falso americano, un indio demasiado europeo? A todo esto, ante las sonrisas de la señora de sociedad y la aprobación entusiasta de la verdulera, el personaje vestido de artesano, filósofo él mismo, sin la menor duda, sostuvo que los guisos cocidos eran más sabrosos, más humanos, más democráticos que los asados. ¿Por qué? Porque lo retenían, lo aprovechaban, lo fusionaban todo en la intimidad igualitaria de las ollas, lo caro y lo barato, la carne de primera, y hasta los huesos, los pellejos, las sobras. Pasaban las cabalgatas de la aristocracia, seguidas de sus jaurías, por encima de los sembrados de los campesinos pobres, destruyendo el trabajo de meses, pero las ollas profundas y humeantes perduraban y proveían.

–El vapor de las ollas –preguntó la señora de sociedad–, ¿no pertenece a los dominios de la brujería, del diablo?

–¡Cuentos de beatas! –explotó el artesano filósofo–: El vapor de la olla familiar y popular pertenece al Reino de la Justicia.

¿Qué tendrá que ver, se preguntaría don José Antonio,

la Justicia con los garbanzos, con las orejas de chancho? Sólo en París se podían escuchar aquellas novedades, aquellas construcciones brillantes y paradójicas. En el París de entonces, podemos agregar, y en el de ahora, o en el de un poco antes, en el de la década gloriosa de los sesenta, puesto que ahora, después de tantas cosas, de tantas apariciones y tantas desapariciones...

Llegó de vuelta a Madrid y ya no hizo el menor amago de insistir en sus cartas, en sus antesalas infernales y sus zalamerías inútiles. «Fabio», recitaría en las escaleras del oriente de la Plaza Mayor, «las esperanzas cortesanas...». La corte era una enfermedad que se irradiaba por toda la Península, y había que suprimirla de alguna manera. Paseó durante dos o tres semanas, sin rumbo, por calles donde había caído una lápida de calor, y suponemos que visitaría en alguna de esas noches, para combatir, por lo menos, el insomnio, la casa de la Antonia. Le contaron, quizás, que la Rosita, la de la «C» y la «T» de la anotación de su diario, se había muerto de un mal que nadie había sabido atajar, una especie de infección que se le había enquistado en la circulación sanguínea. Él bajó hasta Cádiz y emprendió el viaje de regreso a su lejana provincia, con la sangre también envenenada, aunque de otra manera. Llevaría la máquina portentosa en cajas de madera bien barnizada, recubiertas de terciopelo verde en el interior, y se regocijaría de antemano imaginando el asombro de los santiaguinos cuando la hiciera funcionar.

–Mucho mejor llevar este invento –le dijo a un compañero de travesía, un pecoso bajo de estatura, preguntón, intruso, pero que sabía contar chistes divertidos–, que un título de nobleza del carajo.

Declaró después, con pasión singular, que los títulos había que suprimirlos de raíz, y tuvo la impresión de que el pecoso recibía su declaración con indiferencia. El viaje por mar, a través del Cabo de Hornos, de cuyas montañas de agua creyó que no se escaparía nadie, fue mucho más largo de lo que se había imaginado, y en Santiago, mientras desembalaba las cajas y ordenaba las articulaciones de bronce, las poleas, las tuberías, los espirales cincelados, le contaron que un francés medio loco, que había llegado a la Colonia en los tiempos de su partida a Europa, había inventado, entre otros artefactos curiosos, una máquina para levantar agua.

–¡Me interesa mucho! –gritó él, dando un salto de alegría, y pensando que en Madrid, debido, quizás, al calor, al sudor, a las sotanas sucias, a la cercanía excesiva del Trono con sus dorados llenos de saltaduras, no se interesaban en nada. Mandó recados de toda clase, recados urgentes, y dos franceses llegaron a visitarlo a su casa a los cuatro o cinco días, sin aviso previo. Uno era el inventor de la máquina de levantar agua: un sujeto alto, flaco, expansivo, de mirada intensa, con grandes pelos que le salían de los huecos de la nariz, y que despedía un olor vago a gas de los interiores de la tierra o a plantas podridas. El otro, bajo, calvo, de modales suaves, más bien rechoncho, era hombre de libros, de teorías, de reflexiones más bien complicadas. El primero inventaba artefactos y su mayor aspiración era venderlos a buen precio. El segundo, a pesar de su apariencia pacífica, a pesar, incluso, de su buen diente, era un revolucionario obstinado, que no descansaría mientras no consiguiera cambiar el mundo de raíz. Don José Antonio, de cuya biblioteca conocemos el inventario, les mostró, sin duda, libros encuadernados como misales, con tapas interiores y primeras páginas de catecismos cristianos, y que más adentro tenían traducciones al español de *El espíritu de las leyes,* del señor de Montesquieu, o de *La nueva Heloísa,* de Juan Jacobo Rousseau, o de algunas cartas del Barón de Holbach. Literatura subversiva, que habría podido ser entregada a las hogueras de la Inquisición, pero sucedía que los delegados en Chile de aquella institución temible, los miembros de las llamadas Juntas de Aduana, lejos de los poderes centrales, bebían mostos cabezones, dormitaban mucho, vigilaban poco, y los pavos se les iban. El pavo gordinflón, el de maneras delicadas y palabras suaves, Antonio José de nombre, miró con aire de inteligencia al otro, el de aureola gaseosa y levemente pútrida, que se llamaba Antonio a secas. Ellos sabían de esas cosas, y estaban gratamente sorprendidos, para decir lo menos.

–Tres Antonios –dijo en su mal castellano el flaco, que tenía una voz extrañamente gangosa, como si la lengua se le enredara en flatulencias, en oquedades húmedas.

–¿Y usted –preguntó el franchute bajo, el que se llamaba Antonio José, sobándose las manos rechonchas, sonrosadas–, se interesa en el cambio?

–¿Yo? ¡Por supuesto!

El gordinflón se encargó de explicarle que no se trataría de un cambio cualquiera, que no se fuera a creer, sino de un cambio profundo, radical, silbó, y que haría añicos las instituciones del pasado. El comienzo del fin del Imperio español y de sus iniquidades. Pero realizado, eso sí, de un modo pacífico.

–Sin sangre. O con el menor derramamiento de sangre que sea posible.

El Narrador supone, porque le ha tocado conocer a muchos José Antonios de Rojas, que el José Antonio nuestro, en esta etapa de la conversación, miraría las vigas del techo de su casa, muy bien decoradas, por cierto, llenas de arabescos amarillentos y verdosos, y que tragaría saliva, mientras le bajaba por la espalda una sensación de frío. Pero el francés rechoncho, impertérrito, terminaba de hablar y lanzaba una mirada rápida a los objetos de valor de aquella casa: cucharones, gallos, pescados, mates de plata maciza, alineados en vitrinas; exuberantes marcos de pan de oro y espejuelos, tan exuberantes, que las figuras centrales, arcángeles o comendadores, en lugar de verse realzadas, desaparecían.

–Comenzaremos –explicó el gordito, con su voz melosa–, por escribirle al rey de España. Una carta muy cortés, redactada en términos respetuosos, haciéndole ver que las colonias de América ya están maduras para gobernarse solas y sugiriéndole que las entregue por su propia y real decisión a sus habitantes. Pasará a la historia, le diremos, como un rey justo, y evitará un derramamiento de sangre inútil.

El rey, que ni siquiera conocía a este país de vista, que debía de ubicarlo en el mapa con dificultad, sería reemplazado por autoridades nacionales y elegidas por el pueblo.

–Por sufragio universal –corroboró el alto, el de voz gangosa.

–O sea, ¿ustedes querrían –preguntó don José Antonio–, que voten todos?

–¡Todos! –confirmó Antonio José, con su tono suave, casi femenino, pero en el fondo terco, implacable–: ¡Hasta los indios!

–¡Los indios!

Don José Antonio carraspeó, inquieto, cruzando las piernas, y tuvo la sensación de que los ojos de los dos Antonios franceses lo clavaban como a un insecto en un insectario.

–¿Y por qué los indios?

–Porque se repartirá la tierra entre los que la trabajan –recitó el flaco–, y se decretará la más completa libertad de comercio. ¡El monopolio actual es una estafa, un robo a mano armada!

Él le hizo un gesto para que bajara el tono de voz. ¡Las paredes escuchaban! Sobrevino, entonces, supone el Narrador, un silencio más o menos prolongado. Es muy probable que a don José Antonio, debido al calor, a la sensación de encierro, al miedo de los oídos indiscretos, le haya costado respirar. Los testimonios de su tiempo nos permiten suponer que tenía cierta tendencia al asma, además de un temperamento susceptible, un natural asustadizo.

–Las tierras suyas, querido amigo Rojas, serán respetadas –dijo el francés flaco–. No tenga miedo. Yo me refería a las tierras de la corona, y a las de los curas, y a las de los que sigan aferrados al bando realista.

Los dos franceses, el alto, gangoso, y el gordinflón de modales suaves, se levantaron, de repente, se despidieron en forma brusca, como si les hubiera bajado un miedo súbito, y se fueron. Él le preguntó a una de las negritas de la cocina si no había visto a gente rara en la calle.

–Naide, señó –contestó ella.

Los gabachos volvieron varias veces, después de anunciarse con papelitos de redacción incierta, con otros signos misteriosos, y él los recibió siempre con amabilidad, con alfajores, empolvados y mistela, cosas que hacían brillar los ojos de los franchutes, pero con sentimientos mezclados, con algo de antipatía y hasta de franca alarma, de angustia. Ellos traían un compromiso que él no había buscado, que ni siquiera se había imaginado, pero que no tenía fuerzas para ahuyentar. Llegaban como un destino que se le había impuesto, algo que soplaba desde atrás y desde muy lejos, un viento del siglo. «Pasen», decía él, y se inclinaba, y sonreía con pocas ganas. Se acordaba de los burócratas de Madrid, y de los delegados del Santo Oficio, que también solían tener modales suaves, o voces gangosas, lenguas trabadas.

–Se acerca el instante –dijo un día el franchute gordo, con la boca llena de pasteles, levantando la vista y mirando a don José Antonio a los ojos de una manera desusada–, de pasar a la acción.

–¿Cómo? –preguntó él, e intuyó que ahora ya le tocaría pagar. Por su imprudencia, por su atolondramiento. Y que el pago no sería poca cosa.

–Le proponemos que vaya usted, ahora, a nuestra humilde morada...

–Ahí –explicó el otro–, le enseñaremos algunos papeles y algunos planes. A ver si se decide de una vez por todas.

–Le insisto –añadió el de la voz suave–, en que sus tierras no serán tocadas. Sólo las de la Corona.

–¡Y las de los curas! –vociferó el flaco, mientras él le hacía señas frenéticas para que bajara el tono.

X

Estaban hablando de cosas difíciles, la conversación había tomado un giro peligroso, frente a las ventanas que daban al cerro, entre el Narrador, que había llegado de visita, su ex mujer, Cristina, e Ignacio chico, y prefirieron cambiar de tema, al menos por un momento. Cristina, como de costumbre, había preparado un pisco sauer con pisco barato y lo había colocado encima de una bandeja, entre vasos de colores chillones y rodajas primorosamente cortadas, aunque más bien tristonas, de salame. Tan comunista, pensó el Narrador, como solía pensar muchas veces, y tan pequeño burguesa. El joven Ignacio, que parecía escapar, merodear por otros lados, probó el pisco, puso cara de asco, ya que no tenía, a diferencia de sus padres y hasta de su abuelo paterno, la menor inclinación alcohólica, y acto seguido, paseando por el salón, aquello que en Chile, en cierto Chile, llaman el «living», y mirando los pimientos frondosos, las araucarias altas, esbeltas, las torrecillas de ladrillo del Santa Lucía, el campanario neogótico que había mandado levantar don Benjamín, les contó que había decidido salir a desfilar con sus compañeros de curso el próximo primero de mayo, dentro de una semana y media.

–¿Por qué? –preguntó el Narrador. Miró a Cristina, que ya le había contado algo, no mucho, porque no le gustaba tocar el tema, de su paso por el purgatorio, es decir, por las casas reservadas de la DINA, las llamadas discotecas, y no encontró en ella, a pesar de lo que habría podido esperarse de su instinto maternal, apoyo alguno. ¡Qué yegua!, se dijo, y pasó a explicar, entonces, que la manifestación había sido prohibida en forma terminante y amenazante.

–Por eso mismo he decidido ir –interrumpió Ignacio chico, y Cristina hizo un gesto extraño, como si espantara moscas imaginarias, y probó el pisco que acababa de preparar y que era exactamente igual a los de siempre.

–El primero de mayo es una fiesta obrera –alegó el Narrador–. No es de los estudiantes.

–Sí –concordó Ignacio chico–. Pero nosotros vamos a salir, justamente, para ayudar a los obreros.

–¿Y tú crees –preguntó–, que vas a poder ayudarlos en algo?

–Espero que sí –respondió el joven.

El diálogo entre el Narrador y su hijo, entre Ignacio Segundo, pongamos, e Ignacio chico o el Nacho, uno de los primeros intercambios reales, concretos, que se había producido después del regreso del padre, sólo llegó hasta ahí. Ni la alarma del padre, ni la obstinación ciega y juvenil del hijo, habrían permitido que llegara más lejos. El joven tenía, dijo, que juntarse con unos amigos para estudiar una prueba, y se despidió. Sin ostentación de ruptura, pero sin amenidad. Cerrando la puerta exterior con un golpe seco.

–¿Por qué no dijiste algo? –preguntó él, o habrá preguntado, suponemos, irritado consigo mismo, rabioso con ella, con su ex mujer, y creemos que ella le habrá respondido con irritación parecida, sorbiendo la espuma de su vaso, que no había manera de intervenir, que no fuera ingenuo: lo mejor, o lo único posible, era condescender, y tratar de orientar, sin que se notara por ningún motivo la mano que orientaba, lo cual era lo más difícil de esta tierra.

–Se ve que no conoces a tu propio hijo.

–¿Y sabes lo que le puede pasar si cae preso?

–Por supuesto que lo sé. Lo sé mucho mejor que tú. Y él también lo sabe. Pero un militante auténtico, un hombre de lucha, podría llegar a convencerlo. Tú, ¡jamás!

–Yo, ¿jamás?

–¡Jamás! ¡Jamás de los jamases!

Ella se puso de pie. Se arregló un mechón de pelo en el que habían salido algunas canas. Se sacó una pelusa de la falda. Estiró los labios en forma de trompa. Entró a la cocina y al poco rato regresó. Eso, en cualquier caso, es lo que nos imaginamos, sin que el Narrador nos ayude. Porque él, ahora, está distraído, metido en la historia suya, privada, y nosotros vemos una cámara que se aleja, en un retroceso lento, y sólo alcanza a enfocar una raya de luz debajo de una cortina. Al otro lado, creyéndose protegido de nosotros, de nuestra mirada indiscreta, el Narrador prepara, quizás, otra dosis de pisco, mientras Cristina fuma sus cigarrillos pestilentes, sin el menor control, desesperada, y deja las colillas a medio fumar en un cenicero. Es probable que discutan a propósito del tabaco, que a ella le provoca ronquera, mal color, desgaste de la piel, ojeras profundas. Ya sabemos, por otro lado, que conserva sus piernas bonitas, más bien robustas, y sus pechos bien formados, a pesar de que tiene manchas en las manos, y surcos en las mejillas y en la frente, y algunas grietas en la comisura de los labios. Después del nuevo pisco sauer, el tercero, o el cuarto, el Narrador se sienta en el brazo de un sillón y acaricia su cuello con ligeras arrugas, pero todavía firme. Conocemos algunos detalles del matrimonio del Narrador, de su larga historia, y nos imaginamos otros. El Narrador y Cristina se encontraron en vísperas de un final de año en el Instituto Pedagógico, el de Macul, donde él terminaba el doctorado de Filosofía y ella seguía cursos de Francés y de Historia. Él se había ido de la casa paterna, en tiempos en que su madre aún vivía, una señora puntillosa y quejumbrosa, más difícil de trato que don Ignacio, y se había instalado, ante el espanto de su madre, ante la sorna del viejo, en un sucucho de la calle Villavicencio, cerca de los talleres de los pintores, los mimos, los titiriteros, al lado de un caserón descascarado que alguien, ¿el Queque Sanhueza, el Tigre Mundano?, había bautizado como la casa de Raskolnikov, en el barrio que entonces llamaban de los Puccini Puccini. Un poco antes de abandonar el hogar de sus padres, poco después del matrimonio de su hermana mayor, había empezado a militar con la máxima seriedad, con apasionada disciplina, en el Partido Comunista. Su decisión había tenido bastante poco que ver, como ocurría a menudo, con la lectura universitaria de Hegel o de Marx, o con la de Lenin, lectura, lecturas, que más bien habían sido una consecuencia, un complemento, no una causa, y mucho, en cambio, con la enseñanza católica de sus años de adolescente, con las prédicas sociales de los jesuitas de nuevo cuño, con la ausencia de horizontes nobles que ofrecía el mundo establecido, con la pobreza observada en visitas evangélicas a poblaciones marginales, o vislumbrada desde el fondo de salones oscuros, de cortinajes desgarrados, de paredes un tanto cuarteadas, con olor a comida y a polilla. Cristina, hija de un médico funcionario del Partido Radical, masón y de tendencias socialistas, amigo de Salvador Allende y de otros dirigentes de la izquierda de aquellos años, ingresó al PC un poco después que él, cuando ya se habían dado cita algunas veces en el sucucho de Villavicencio y cuando, con las debidas precauciones, habían hecho el amor como personas libres, emancipadas, lectoras de Gramsci, de César Vallejo y de otro César, Cesare Pavese, de Vicente Huidobro y de Franz Kafka, cuyo veto político, el de los años del stalinismo duro, había comenzado a desgastarse. De manera que la militancia del Narrador, en aquellos comienzos, era un poco más antigua, e iba acompañada de un vocabulario mejor asimilado, de un dominio más seguro de la jerga de izquierda, cosa que le confería un aura, una autoridad, un atractivo irresistibles. El cuartucho de Villavicencio, por otro lado, formaba parte de un territorio mágico, una prolongación del San Petersburgo de Gogol y Dostoievsky, del Leningrado de los primeros bolcheviques, aparte de Kafka, ¡aparte del doble Puccini!, de manera que entrar a él durante unas pocas horas era un cambio de mundo, un desarreglo de los sentidos, experiencia apasionante y que además carecía, al menos a primera vista, de riesgos serios.

Se casaron a comienzos del año sesenta, por el civil, sin hacer concesiones a la familia o a las costumbres burguesas, ante los escándalos y los horrores familiares consiguientes, compartidos incluso por el médico funcionario, con la sola bendición de los compañeros de partido, y él, que vivía de la Universidad y de algunas publicaciones mal pagadas, de algunos «pololitos» intelectuales, empezó a tomar distancia de ella a los cinco o seis años de casado, cuando Ignacio ya balbuceaba y corría por el sucucho, en un proceso lento pero claro, seguro, y que coincidió con algunas decepciones políticas y con algunos reencuentros, un amorío con una alumna, una Eloísa de buena familia, nostalgias no declaradas e incluso, pensamos, no admitidas, no reconocidas. A fines del 67 viajó a Cuba y tuvo minutos de entusiasmo, hasta de euforia, sobre todo después de beber un par de mojitos en una ex funeraria pintada de todos los colores del arco iris, convertida por la Revolución en galería de pintura y de instalaciones de vanguardia, pero alcanzó a captar con lucidez, sin contarse cuentos, la dimensión policial que contaminaba y que, en definitiva, pensó él, lo viciaba todo.

–¡Te estás convirtiendo en un momio de mierda! –exclamó en una oportunidad Cristina, quien poco antes había justificado a brazo partido la necesidad de la vigilancia revolucionaria, ¡de lo contrario nos harían papilla!, y él comprendió que su antigua autoridad, su precedencia, su vocabulario mejor controlado, eran fenómenos del pasado. Comprendió que a él le quedaba la cultura de la izquierda, sólo la cultura, y que la militancia, en cambio, el verdadero compromiso, le pertenecían a ella.

A comienzos del año siguiente se sintió ilusionado por los primeros brotes de la Primavera de Praga, un proceso que conoció en sus mismos orígenes, de un modo casual, en su regreso de Cuba a Chile, ya que el bloqueo de Cuba lo había obligado a pasar por Praga, y un conocido checo, un editor e hispanista, le había mostrado la ciudad, lo había llevado a una de las residencias de Kafka niño, le había señalado después las ventanas opuestas desde las que Mozart y Lorenzo da Ponte, su libretista, cambiaban impresiones por encima de una callejuela durante la composición del *Don Juan,* paseo que había culminado en el cementerio judío, entre lápidas verticales, pero en diverso estado de corrosión y de hundimiento en la tierra de hojas, mientras se escuchaban ovaciones y pifias en una plaza cercana, ovaciones a los nuevos dirigentes, explicó el hispanista, y pifias furiosas contra los representantes del dogma oficial. Pocos meses después, en agosto del 68, cuando recibió las primeras noticias de la invasión de Praga, la ciudad que había conocido y amado en dos días, por las tropas del Pacto de Varsovia, se alejó del partido en forma definitiva. Es decir, dejó de asistir a las reuniones, criticó al Hermano Mayor soviético más de lo debido, y fue expulsado con cajas destempladas, acusado de revisionismo, de irresponsabilidad, de adherencias burguesas no resueltas, de toda suerte de frivolidades eróticas y alcohólicas. Cristina, en cambio, se mantuvo en el orden, en la iglesia verdadera, a pesar de que a veces, frente a los argumentos suyos, guardaba un silencio más que elocuente. Pero se mantuvo, cerrando los puños, dándose golpetazos en la frente, venciéndose a sí misma. Alguien le dijo un día: prefiero equivocarme con el partido que estar en la posición correcta fuera de él, y a ella se le iluminó la cabeza, asintió, dijo que sí, que eso era. Con la Revolución, todo, agregó, citando a Fidel, y el otro hizo un gesto de satisfacción. ¡Has entendido, mujer!, quiso decirle: ¡Estarás mañana en el Reino de los Justos! El Narrador había pensado que el espectáculo de los tanques soviéticos en las calles de Praga, apedreados por los estudiantes y los proletarios checos, terminaría de convencerla, pero se equivocaba medio a medio. Conocía a su mujer, que ya iba en camino de convertirse en su ex mujer, menos de lo que él creía. Ella, en esos días, después de aquella conversación con un dirigente experimentado, empezó a sostener que los mejores militantes eran los más escépticos, los que sabían todo y a pesar de eso, contra todo, continuaban la marcha. ¿Los mejores, preguntaba el Narrador a Cristina, o se preguntaba a sí mismo, ya que al final prefería evitar las discusiones, o los más obtusos, los más dogmáticos, los de cabeza más dura?

Eran una pareja dividida por la ideología, por la guerra interna que ya se manifestaba de diferentes maneras en el país, y las trizaduras empezaron a penetrar como humedades, como colonias de hongos, en el edificio matrimonial, que no era, en verdad, una fortaleza, pero que tenía su estructura: sus puertas, sus ventanas, sus paredes. Cada vez que discutían, la angustia de la disensión, de la creciente incomunicación, del odio, se reflejaba en los ojos verdosos, inquisitivos, infantiles, de Ignacio chico, ojos que a él le recordaban los de la familia materna, pero con el ceño, con la sombra, con los lejanos rasgos celtas de los antepasados de don Ignacio. Él sabía que en el fondo, en algún núcleo de su persona, no quería dar su brazo a torcer, no quería admitir el fracaso, puesto que su padre, su madre y su única hermana sostenían que un matrimonio civil no era matrimonio y estaba, por consiguiente, a corto o a mediano plazo, condenado. También sabía que a ellos les gustaba contar que la comunista era ella. La comunista, es decir, la culpable, y él, por lo tanto, un dominado, un pelele. Pero inocente.

¿Determinismos profundos, muros de una sociedad clasista? Nosotros no sabemos. Nosotros optamos, con prudencia, por mantenernos en el terreno de la simple conjetura. El Narrador, en todo caso, aun cuando recibió ofertas sustanciosas de una revista de financiamiento dudoso, dedicada a la demolición sistemática del comunismo, consiguió dar a entender que se había convertido, después de su salida del PC, en un «independiente de izquierda», una entelequia que a veces le daba risa, pero que aceptaba como un abrigo prestado para una travesía de invierno. A mediados del año 71, cuando Salvador Allende, el amigo y colega de su suegro, ya se encontraba en La Moneda, apoyado, entre otros, por sus ex compañeros de partido, que no pensaban perdonar la defección del Narrador, pero que tampoco perdían el sueño por causa suya, se consiguió con ayuda de su suegro un cargo en una oficina europea, una agencia de ventas de cobre y de otros productos chilenos en el Viejo Mundo. Viajó en compañía de su mujer y de su hijo, y la residencia en una ciudad del norte de Europa, además de una mínima holgura del presupuesto familiar, calmaron las cosas durante algún tiempo. Hasta que Cristina, a fines de ese año, en tiempos en que la izquierda europea organizaba la movilización en favor del régimen de Allende, conoció a un revolucionario griego de su misma edad, un hombre que todavía no había entrado en la espiral de pesimismo que paralizaba la voluntad del Narrador, quizás porque su origen de clase era otro, su padre había sido obrero mecánico en Salónica y también había estado afiliado al Partido, y concibió por él, que tenía una belleza sombría, áspera, gastada por la lucha, por las cárceles, por los suplicios, una pasión evidente, que no era capaz de disimular, que terminó por confesarle al Narrador entre lágrimas, entre hipos, sollozos, bocanadas de humo, una noche en que el griego había partido de viaje sin avisarle nada.

–¿Estabas dispuesta a partir con él? –le preguntó el Narrador, y ella admitió que sí, que estaba dispuesta, y que sufría como una condenada, como una bestia, porque él no se había decidido a partir con ella.

–Sufres –comprobó él, tragando una saliva entre amarga y reseca, y sin saber qué hacer, adónde mirar, qué más decir. Habría debido, quizás, como intelectual de ideas modernas, consolarla, abrazarla, pero Cristina lloraba por otro, eso no tenía remedio, y él, por lo demás, no sabía si ella, con la mente puesta en otra parte, recibiría el abrazo suyo con un codazo en la boca de su estómago, en medio de su plexo atribulado.

Son los secretos de un matrimonio, una parte de los secretos, porque había otras cosas, y la decisión de Cristina de separarse y de regresar a Chile con Ignacio chico, quien ya tenía ocho o nueve años, y una madurez intelectual de doce o de trece, y una voluntad tenaz de no adaptarse a nada, por lo cual exigía ese regreso, y quizás, también, en forma muda, desde sus ojos grandes y bien abiertos, esa separación. Nosotros sospechamos que al avanzar un poco más la noche, después del quinto pisco sauer, bajo la protección de las cortinas corridas, el Narrador empezaría a besar a Cristina en los hombros, deslizándose desde el brazo del sofá hasta los cojines desordenados, medio ebrio, con los pelos de la cabeza disparados, con los ojos rojos, con un gesto entre lascivo y pueril, parecido, de algún modo, pero excluida la inocencia, la extrema juventud, a Ignacio chico, el Nacho, y que después, desde el enredo de los cojines, con manos trémulas, le soltaría los ganchos del sostén, liberando los pechos, que no desmentirían, en efecto, su apariencia de firmeza, y le besaría con ansiedad, con un sentimiento muy cercano a la desesperación, arrancándole, de repente, un alarido, los pezones. Nosotros, desde nuestro limbo, nos preguntamos si los sentimientos de Toesca al besar a Manuelita, después de saber que había pasado horas encerrada con Juan Josef Goycoolea en la habitación del fondo, no eran similares. ¿Pueden existir sentimientos similares, o por lo menos comparables, a dos siglos de distancia? El hombre es historia, es memoria, y es, a la vez, como se sabe, desmemoria. Hay una dosis saludable de olvido, ya que la memoria perfecta, la de Funes el Memorioso, nos agobiaría y al fin nos destruiría. Si hubieran tomado confianza y hubieran entrado en intimidades, hipotéticas, desde luego, puramente ficticias, ¿qué comentarios habrían podido hacer sobre sus respectivas vidas de pareja, sobre sus frustraciones y sus dolores respectivos, sobre sus cuernos y sus secretas perversiones, Joaquín Toesca, el romano del siglo XVIII emigrado a la remota provincia de Chile, y nuestro Narrador, mal casado con una

Pasionaria de menor cuantía, de clase media, y activo y descasado, aparte de desclasado, en los años oscuros de la segunda mitad de los setenta y en los movidos y tormentosos ochenta de la centuria que termina? La cámara, suspendida en las nubes, atenta a un desplazamiento de sombras, al hilo de luz debajo de las cortinas, permite imaginar que el Narrador ha colocado los cojines del sofá en el suelo, aprovechando que Ignacio chico, aislado por el toque de queda, no habrá podido regresar de su sesión de estudio, ha puesto el jarro de pisco sauer también en el suelo, a distancia prudente, y un cenicero para uso de María Cristina (así la ha nombrado, con su nombre de pila, ¡de pila bautismal!, completo), y un paquete de cigarrillos con un encendedor, y le ha pedido que se tienda ahí, cosa que ella, al fin, con algunos remilgos, ha aceptado, y le ha levantado, entonces, las faldas, le ha sacado los calzones con delicadeza. Ella ha seguido fumando, mirando el techo, y después ha aplastado el cigarrillo, ha empezado a suspirar, a quejarse suavemente, con la misma voluptuosidad de épocas muy anteriores, como si nada hubiera sucedido, como si el embudo del tiempo no se los hubiera tragado. Entretanto, el arquitecto e ingeniero militar Joaquín Toesca, aturdido por sus trabajos en la Catedral, en los preparativos de la construcción de la Casa de Moneda, en los tajamares del río Mapocho, ha recibido mensajes que prefiere no interpretar, a pesar de que son inequívocos. El delegado del Santo Oficio en la provincia de Chile, un dominicano alto, mal afeitado, de mala dentadura, le ha mandado decir, o le ha dicho con todas sus letras, en su propia cara, hoy día ya no tenemos manera de conocer la forma exacta, tiene que vigilar a su mujer, de lo contrario tendrán que vigilarla ellos, tendremos que vigilarlos nosotros, a los dos, ¡a los tres!, y castigarlos. Con el más duro de los castigos. Sin excluir el fuego. Porque los vecinos han empezado a murmurar, dice. O le ha mandado decir. Contaron que ellos dejan entreabierta la puerta del fondo, para que él, mientras ellos forcejean, desnudos, los mire desde la oscuridad del jardín, escondido detrás de los arbustos, admirando la singular belleza de ambos cuerpos, de ambos edificios de hueso y de carne, y clavándose las espinas de un rosal en el miembro erecto, babeando, suspirando, invocando a su madre perdida en una plazoleta de Roma, su «mamma».

–Calumnias –responde él.

–¿Calumnias?

–Sí, padre. Calumnias.

El dominicano se rasca la barbilla, se escarba un diente cariado, lo mira a los ojos. Llama a gritos y entra a la oficina un mulatón grande, de ojos bizcos, de manos anchas.

–Éste es Ambrosio –dice–. Persona de confianza, callado como tumba, obediente como perro, temeroso de Dios y de su Iglesia. Le aconsejo tomarlo de jardinero, de cochero, de cuidador de su casa.

–No creo que lo necesite.

–Sí que lo necesita. Le aseguro que lo necesita.

–Vaya a verme mañana –le dice Toesca a Ambrosio, el mulatón, después de unos segundos de silencio–. ¿Sabe dónde vivo?

–Sí, señor –responde el otro.

–Y tómelo –termina el dominicano, poniéndose de pie con dificultad, con cara de dolor, santiguándose–. No se va a arrepentir.

Cuando llega a su casa, la Eufemia sale de la penumbra del jardín, como si hubiera estado escondida entre los arbustos, y le informa que la señora partió a pasar la noche en casa de misiá Clara.

–¿Por qué?

–Usté sabe mejor que yo –responde la Eufemia.

Él parte a toda carrera, con el corazón palpitante, seguido por un par de perros, por una sombra. Al golpear en la puerta de calle, misiá Clara, en persona, con sus ojos turbios, le abre y le pide que espere un poco.

–Voy a llamar a la niña –dice.

–¿Con quién está?

–Con naide. ¡Con quién va a estar!

–¡Usted me está mintiendo!

Misiá Clara corre hacia las habitaciones del fondo, encorvada, rengueando, pegada a los muros, como animal escapado de una cloaca. Él, Toesca, corre detrás. Cree divisar una silueta que se desliza junto a las zarzamoras, que provoca un coro de ladridos, algunos graznidos, un berreo de chanchos. Despeinada, un poco pálida, la Manuelita se abrocha el corpiño con tranquilidad, humedeciéndose los labios con la lengua, mirándose con un gesto ambiguo, ¿de admiración, de excitación?, en un espejo de mano opaco.

–Ven conmigo –ordena él.

Ella lo mira de reojo, con labios húmedos, con un pecho que desborda por encima del escote.

–Voy –dice–. Termino de arreglarme y voy.

Él la toma del brazo y trata de arrastrarla.

–No sea tan apurete, señor –dice ella.

En el fondo del espejo asoma la forma borrosa de misiá Clara. Cuando salen, Toesca cree divisar al mulatón Ambrosio en la esquina, pegado a un muro de adobe. El Sereno está cantando las once de la noche, las once han dado y nublado, y las pesadas campanas de los conventos han empezado a repicar. Él la lleva del brazo, a la carrera. El mulatón, a pesar de que todavía no lo ha contratado, sigue a cincuenta metros de distancia, confundido con las paredes oscuras.

XI

En los días anteriores al primero de mayo, el Narrador, como se podrá suponer, no olvidó en ningún momento el anuncio que había hecho Ignacio, su hijo, antes de cerrar de un portazo la puerta del departamento de Santa Lucía. Le dio vueltas al tema muchas veces y no llegó a ninguna conclusión que lo tranquilizara. Convencemos a mucha gente, se decía, e incluso a un puñado de lectores, pero no conseguimos convencer a nuestros hijos.

–¡Qué quieres que haga yo! –comentaba Cristina.

Cuando llegó el día, él se asomó a su balcón, el de las cagarrutas, en piyama, con los pelos revueltos, con el gesto agrio, y divisó a través de los árboles de la Plaza una cuca de carabineros que avanzaba con lentitud. Retrocedió al corredor y tomó el teléfono.

–¿Y?

–Ya salió –dijo Cristina.

–El asunto no me gusta nada. ¡Nada!

–Sí. ¿Pero...?

Colgó y regresó al balcón. En la Plaza había grupos que hablaban en voz baja, y había, además, en las esquinas, en los senderos, leyendo el diario, limándose las uñas, toda laya de mirones, en trajes oscuros, con cuello y corbata, de pelito corto, o de casacas de repartidores de leche, o en fachas de marginales, de hippies melenudos, confundidos con los verdaderos hippies, o con ejemplares del lumpen más último. Pero todos, en cualquier caso, miraban, y casi todos se comunicaban de alguna manera con un centro de operaciones secreto, que no debía de quedar lejos. Tengo que vestirme y salir, se dijo él, aunque le habría gustado mucho más retozar en la cama y leer poemas, por ejemplo, de Fernando Pessoa, o de algún norteamericano del estilo de Marianne Moore, de William Carlos Williams, de Wallace Stevens. ¡Para qué estamos con cuentos! Pero había que salir. Y apechugar. Y antes de salir llamó al Cachalote, a pesar de que le costó hacerlo, le pareció, en algún aspecto, rastrero, humillante, pero podría servir de ayuda, según como se dieran las cosas, y llamó de nuevo a Cristina, a fin de confirmar que el Nacho no había vuelto a la casa, ¡qué iba a haber vuelto!, y para darle el teléfono del Cachalote, por si las moscas, ya que el Cachalote acababa de invitarlo a compartir un costillar de chancho con puré picante a la hora de almuerzo.

Anduvo por los alrededores de la Plaza Bulnes, no lejos del Ministerio de Defensa. Por todas partes había soldados con cascos y metralletas, carabineros armados de fusiles para lanzar bombas lacrimógenas, camiones de ventanas enrejadas, guanacos blindados, listos para escupir sus chorros de agua con pichí y con caca. En una esquina, un político de oposición, partidario del socialismo comunitario o de alguna pomada por el estilo, y vestido de acuerdo con las circunstancias, vale decir, descamisado, disfrazado de obrero, conversaba con un par de jóvenes. Él notó, y en otras circunstancias se habría reído, expresiones graves, advertencias, secreteos, movimientos de cabeza. Debajo de un árbol raquítico, dándole la espalda al personaje y a sus seguidores, pero escrutándolos de cuando en cuando por encima del hombro, sin mayor disimulo, un sapo de bigotes de escobillón, casaca gris, camisa abierta, es decir, en el más perfecto disfraz de upeliento, fumaba. Se escucharon gritos en la distancia, llamados, cantos más bien dispersos, seguidos de un ulular de sirenas. Daba la impresión de que un viento glacial pasaba por encima de los bocinazos, de las cadenas arrastradas detrás de un muro de tabique, de las voces lejanas. Los ruidos se disolvían en los remolinos de polvo y daban paso a un silencio inquietante, a una espera de no se sabía qué. De nada bueno, en cualquier caso. De que nos agarren a palos, se dijo el Narrador, hundido en su chaqueta de *tweed,* erizado, y de que nos manden pa'la casa, o p'al otro mundo.

Una periodista con aspecto de gringa o de europea del norte se había acercado al cabecilla de la oposición, el que se había vestido de obrero, y le hacía toda clase de preguntas. Parecía enormemente excitada, «motivada», como se había empezado a decir, como si ese primero de mayo en el exótico Chile fuera el gran acontecimiento de su vida. Desde una cuca estacionada a poca distancia, dos oficiales de carabineros miraban la escena con aire distraído. Un tercero llevaba un *walkie-talkie* e intentaba comunicarse con alguien.

¿Qué más hago aquí?, se dijo él, con angustia y con rabia, convencido de que se habían confabulado entre todos para crear el peor de los mundos posibles. ¡El peor!, le dijo al Cachalote, cuando lo recibió en el escritorio de su casa, en mangas de camisa, lo peor de la izquierda, con su sectarismo, su lloriqueo, sus ojos iluminados, su vocación de martirio, y lo peor de la derecha, con su crueldad, su insensibilidad, su ceguera, su integrismo. El otro, entre libros bien encuadernados y con aspecto de poco leídos, se limitó a encogerse de hombros. Estaba acostumbrado, quiso indicar, a las rarezas, a las incontinencias verbales, de su amigo de la infancia. Anunció, para pasar a temas menos ingratos, que tenía, de entrada, choros zapatos con salsa verde, a pesar de todas las vedas, y de segundo, como se lo había anunciado por el teléfono, el costillar, un clásico indiscutible, y esperaba que con sus anuncios, con sus diagnósticos y su mala leche, no le arruinara el almuerzo.

–¡El costillar es mío! –canturreó el Narrador, a pesar de que la sola idea de canturrear temas criollos le parecía repugnante, tan repugnante como la de fotografiarse con mantas, con sombreros de huaso y fajas multicolores, en apoyo del populismo de la dictadura, pero ese día, estaba visto, tendría que beber la copa hasta las heces, y agregó que estaba muy preocupado, muy asustado, por Ignacio, su hijo, que había partido a desfilar, ¡el cabro de mierda!, con algunos compañeros de curso.

–Tengo toda la impresión –dijo el Cachalote, levantando las cejas gruesas, entrecanas–, de que les van a volar la raja.

–Yo, por desgracia, también la tengo –musitó él, y tragó con dificultad un pedazo amarillento de choro zapato.

–¿No quieres llamar por teléfono?

–¿Y a quién cresta voy a llamar?

Prefirieron cambiar de tema, pero el aire tenso de la calle parecía filtrarse hasta el comedor silencioso, alfombrado, recubierto de maderas oscuras, con fulgores de cristales y de platería fina en la penumbra. En los últimos tiempos, explicó el Cachalote, después de recorrer la mitad del mundo, incluyendo China y el Japón, y de probar casi todas las cosas, había optado por la cocina chilena, la mejor de todas.

–Por lo menos aquí y ahora –aclaró.

Confesó, enseguida, admitiendo que una cosa tenía relación con la otra, que se había convertido en un nacionalista apasionado, chileno hasta la médula de los huesos, ¡chilenazo!, y estuvo a punto de ponerse de pie y aplaudir, o zapatear (como don José Fernández de Rebolledo, el papá de la Manuelita), o cantar himnos.

–Y eso –preguntó el Narrador–, ¿en qué consiste? ¿En manducar pebres, costillares, choros de todos los tamaños? ¿En bailar cuecas?

–¡Entre otras cosas! –replicó el Cachalote, sin molestarse, o sin demostrar la menor molestia, agitando en el aire un tenedor emblemático.

Contó, además, el Cachalote, y dijo que no se avergonzaba de contarlo, ¡todo lo contrario!, que había empezado a ir a misa, y a cumplir, pese a que todavía no había recuperado la fe de su infancia, la del Colegio de San Ignacio, en el que se habían educado juntos, con todos los rituales de la Santa Madre Iglesia. Así, agregó, bebiendo un sorbo de vino, alisando el mantel de hilo, mirándose el barniz de las uñas, se sentía más tranquilo, más seguro.

–Más de acuerdo conmigo mismo.

–¿Y tú crees –preguntó el Narrador, que no quería ser mal educado, sobre todo frente a una mesa tan generosa, pero que tampoco quería comportarse como un perfecto hipócrita–, que los principios de la Iglesia son compatibles con el soplonaje, con la tortura, con el crimen político?

El Cachalote lo miró con la boca llena, masticando. Se llevó a los labios otro vaso de vino tinto: un Antiguas Reservas del año 74 que se oxigenaba en la semioscuridad y mejoraba por minutos.

–Aquí pasaron cosas muy graves, viejito. ¡No te olvidís! –y el Narrador, casi a pesar de sí mismo, tuvo una sensación de irresponsabilidad, de comodidad culpable. Era una emoción puramente subjetiva, no ajena, pensó, al hecho de que el Cachalote y sus amigos tuvieran la sartén por el mango, pero no pudo evitarla. Pertenecía a la especie de las sensaciones que Cristina olfateaba en él a cada rato, a la vuelta de cada frase, de cada gesto, de cada silencio, y que despreciaba, Cristina, con toda su alma, con toda la profundidad de sus tripas. Si él se hubiera hecho oficialista, partidario declarado de la dictadura, a su regreso a Chile, ella, quizás, lo habría entendido mejor, o lo habría odiado de un modo más claro, sin necesidad de mayores recovecos, pero él, a diferencia del Cachalote, no podía convertirse de la noche a la mañana en un beato de la cocina criolla, y tampoco podía, sin fe, haciendo la vista gorda, ponerse a seguir los ritos del Chile antiguo, los usos de la Colonia y los de la vieja liturgia. Sin hablar de cosas peores. Para llegar a eso, para soportar todo eso, le faltaba más de algo. Quizás la ingenuidad del Cachalote, o su aspereza de nariz rojiza y cejas hirsutas, o la firmeza de su estómago.

Se escuchó, durante un rato, el ruido de los cubiertos que destripaban el costillar, y el crujir de las mandíbulas, el tragar, y de repente, con inusitada estridencia, sonó la campanilla del teléfono. El Cachalote, en actitud un poco rara, sin mirar a su invitado, se puso de pie. Regresó al segundo.

–Es a ti.

–Tomaron preso al Nacho –le dijo la voz de Cristina.

–¡Preso!

–Preso. Yo me voy ahora a la Vicaría de la Solidaridad. A juntarme con los abogados y con los padres de los demás detenidos, y a ver qué hacemos.

–Hay chirimoya alegre de postre –dijo el Cachalote, con humor lúgubre, después de escuchar la noticia, y añadió–: Hace cinco años te habría recomendado que no te demoraras en comerla, pero creo que ahora puedes terminar tu almuerzo tranquilo.

–Prefiero irme –mascullό él, con la boca seca, pálido–. ¿No podrías tú, entretanto, echarle una llamadita a tu amigo el ministro?

El Cachalote hizo un gesto afirmativo. Una cosa eran las convicciones, y la amistad era otra. Eso, por lo menos, pareció querer decirle. Si no encontraba al ministro ahora, en su despacho, lo encontraría en la noche en su casa.

A los estudiantes los tenían detenidos en una comisaría del barrio bajo de Santiago, cerca de la carretera Norte Sur, no muy lejos de la iglesia y parroquia de Santa Ana, al final de una calle sin salida. Él se encontró con Cristina en el callejón, a pocos metros de un cordón policial. Estaba seria, desencajada, asustada. Él, a pesar de todo lo que la conocía, la había visto así, desarmada, descompuesta, muy raras veces. ¿Ves?, pudo decirle, pero no se lo dijo. Incluso le palmoteó una mejilla, con afecto, y ella, contra su costumbre, no se resistió. El ministro del Interior, el amigo del Cachalote, declaraba en esos momentos por la radio que se trataba de un movimiento perfectamente organizado por el Partido Comunista, con ayuda del comunismo internacional y con el manifiesto propósito de desestabilizar al gobierno, y anunciaba que se aplicaría todo el rigor de las leyes de seguridad del Estado. Ya hemos empadronado a todos los revoltosos, agregaba, y hemos comprobado que hay buen número de activistas políticos profesionales y algunos extremistas prontuariados, aparte de uno que otro carterero y delincuente común que trataba de aprovecharse de la confusión. El Narrador calculó que su ex compañero de colegio compartiría estas afirmaciones de un modo incondicional, pero pensó que haría, a pesar de eso, una gestión en favor del hijo del amigo despistado, descarriado, upeliento, sin duda, pero carente, estaba convencido, de toda peligrosidad verdadera. Se abrieron al fin, al cabo de dos o tres horas, las puertas de hierro verde del fondo del callejón, en medio de un estrepitoso despliegue de pitazos y de sirenas, y salieron a toda velocidad varios buses enrejados, precedidos y seguidos por motocicletas y por automóviles policiales, rumbo a no se sabía dónde. Cristina y el Narrador se metieron a una camioneta de gente a quien conocían algo, actores del teatro contestatario, amigos de la Vicaría, y partieron a todo lo que daba el destartalado cacharro. Perdieron la pista un par de veces, pero la recuperaron pronto, con ayuda de gente parada en las esquinas, estudiantes, obreros, mirones, señoras de buena voluntad, y llegaron después de más de media hora, en un barrio periférico de la zona sur, a los aledaños de una amplia comisaría, un edificio blanco y verde rodeado de terrenos deportivos, situado en el centro de la población Cardenal José María Caro.

–Se ve un recinto más agradable, por lo menos –dijo el Narrador–: con pastito, y hasta terraplenes con cardenales, con hortensias.

Cristina, que fumaba un cigarrillo detrás del otro y que se había puesto durante el trayecto en la camioneta todavía más desencajada, más ojerosa, casi espectrál, lo miró con furia.

–Acuérdate, imbécil –dijo, pronunciando el insulto con un énfasis lapidario–, del Estadio Nacional. También tenía pastito, arbolitos.

Él quiso hablar, quiso protestar, como tantas otras veces, y en definitiva se quedó sin resuello. Paró cerca, entonces, un automóvil de lujo, un Mercedes Benz o algo por el estilo, y bajaron dos señoras cincuentonas, fachosas, de peinados altos, maquilladas a la perfección, enfundadas en abrigos de pieles perfectamente innecesarios para el clima. Avanzaron con desparpajo, tranqueando con fuerza sobre sus tacones de buena marca, ajenas a la concurrencia angustiada y más o menos mísera, hasta la puerta principal de la comisaría, y desde ahí fueron conducidas con modos obsecuentes hasta una puerta lateral. Una era la esposa del general en retiro X, conocido como amigo del Caballo Ibáñez, el dictador del año 27 y presidente elegido del 52, y como autor de una poesía patriótica, una Oda, precisamente, al Caballo, pero no Ibáñez, o al Soldado de Infantería, el Narrador no se acordaba bien, e iban en busca de un hijo, estudiante de derecho, que también había caído en la redada. Sacarían al detenido en forma discreta, por una salida del fondo de los jardines, y el mozalbete iba a recibir, seguro, un par de coscachos y una reprimenda severa. ¡Un hijo del General Fulano metido en estos trotes! El Narrador se acercó a la puerta por donde habían entrado las dos señoronas y pidió que le facilitaran un teléfono. Recibió una negativa seca. Un sujeto que merodeaba por ahí cerca, un hombre flaco, de aspecto esquivo, le ofreció, entonces, llevarlo a una casa vecina.

–Gente nuestra –le dijo, con la cabeza medio ladeada–. Personas de toda confianza.

Podía ser un soplón, cualquier cosa, pero él optó por seguirlo. El hombre lo hizo entrar a una sala en penumbra, con fotografías de familia coloreadas, con un paisaje del Valle Central de colores chillones colocado encima de una cómoda que parecía de material plástico. Marcó el número de Alberto Alcócer, el Cachalote, y éste todavía no había conseguido ubicar al ministro. Pero había escuchado las noticias y sabía que los detenidos habían sido llevados a un establecimiento público y que a la mañana siguiente se designaría un Ministro en Visita. Después de eso, el Cachalote bajó la voz. El Narrador adivinó que iba en el tercero o en el cuarto whisky bien cargado.

–En buenas cuentas, viejito, no fueron a parar a una discoteca de la Dina. ¡Podís darte con una piedra en el pecho! En el sistema carcelario normal, y con Ministro en Visita, el cabro 'e mierda tendrá todas las garantías legales.

–¡De qué garantías me hablas!

–Ya sé que tú no creís, pero en las circunstancias actuales, mucho mejor sería que creyeras. ¿Entendís?

El Narrador entendía. Por supuesto que entendía. Colgó, y la dueña de casa le ofreció una coca-cola. Tenía un aspecto amable, discreto, cuidado. Imposible saber si era sapo, soplona, o militante de algún partido de izquierda. En este mundo al que había regresado, y que era, en cierto modo, el reverso del que había conocido antes, en lo que ahora se podía mirar como su prehistoria, cada vez que se entraba en honduras, la realidad se tornaba dudosa, medio viscosa, resbaladiza. Bebió su coca-cola con algo de asco, por amabilidad, y quiso volver a marcar el número del Cachalote, ir a emborracharse con su whisky, llamar desde el teléfono de su casa al mismísimo ministro, a quien había conocido en épocas pasadas, en aquel mundo anterior, y quizás, por qué no, suplicar, humillarse, lloriquear, hasta caer, por fin, borracho perdido, junto a las forjas coloniales de la mesa del comedor, debajo de algún santo cuzqueño. Pero entró su ex mujer a la sala en penumbra, la de las fotografías retocadas, y él desistió de hacer el llamado. En lugar de regresar a la casa del Cachalote, en el barrio alto, acompañó a Cristina hasta su departamento del cerro de Santa Lucía, la santa de los ciegos, y bebió con ella un vaso de vino áspero. Las cuevas enrejadas del cerro, los torreones, los pimientos invadidos por las cuncunas, lo dejaban pensativo. Como si los signos que antes habían sido inocentes mostraran ahora un reverso maligno. Pero Cristina no estaba para sutilezas. Tenía mucho miedo, le dijo, de que allanaran su casa en busca de papeles. Y de que se la llevaran.

–No sé si podría resistir una segunda vez.

–Mejor me quedo a dormir contigo –dijo él, y ella no dijo nada. A él se le ocurrió, entonces, llamar por teléfono a su padre. Don Ignacio ya sabía, se lo había contado el Cachalote, y estaba llamando hecho un loco para todos lados.

–Pero –dijo–, en un cuartel de carabineros está mucho más seguro.

El Narrador se sorprendió. Supo, más tarde, que el Cachalote había conseguido hablar, por fin, con el ministro, y que la reacción del ministro, amable y todo, había sido, sin embargo, un tanto sibilina. Prefirió no decirle nada a su ex mujer. Cuando se metió, en la conclusión de aquel interminable primero de mayo, a la cama doble, estaba completamente agotado. Hacia las dos y media de la madrugada, en la oscuridad profunda, en el silencio del toque de queda, despertó. Insomne, Cristina clavaba los ojos ojerosos, un poco desorbitados, en el techo de su dormitorio. Parecía que hacía un recuento, un inventario de algo.

–Suspiras como una desesperada –comentó el Narrador.

–¡Mentira!

El Narrador la abrazó. Hicieron el amor sin decirse nada, con un sentimiento de tristeza, de nostalgia indefinida, de final de todo, y después, en la profundidad de las sábanas, en el meollo de la noche, consiguieron conciliar el sueño.

XII

Ella, la Manuelita Fernández, supo que Toesca había cerrado la puerta de su taller y la de la casa a Juan Josef. A mi Negrito, dijo. Supo que Toesca, que andaba todo el día rabioso, con la sangre revuelta, le había dicho: No vuelva a poner los pies en mi taller ni en mi casa, signore Goycoolea (así dicen). No quiero volver a ver ni su sombra. ¡Nunca más! *Capisce?* Supe, o creí saber, porque el Negrito fue a visitar a mi mamita a su casa, y se tomaron un mate juntos, y él, al final, se lo contó. ¡Qué hombre más insoportable!, suspiró misiá Clara Pando (mi mamita), con su nube en los ojos. El pobre Juan Josef tuvo que recoger sus cosas, sus dibujos, sus bártulos, y salir con la cola entre las piernas, sin despedirse del Gordo Santa María, de los demás alumnos, ¡de naiden!, mientras ellos, asustados, lo miraban y no decían una palabra. Él sentía en ese momento, contaría después, que su carrera se había ido al carajo, por diablo, por lacho, y que tendría que emplearse por ahí de capataz de encomienda, lejos de la Manuelita (de mí), lejos de los trabajos de arquitectura y de los saraos de Santiago, de las procesiones y las ceremonias, por caminos de pedregales y zarzamoras, por laderas resecas. Supo, también, la Manuelita Fernández, supe, que ese cochero que contrató el Toesca, Ambrosio, el mulatón de mirada de perro, era un ex alguacil que le habían recomendado los curas para que me vigilara, para que me mantuviera encerrada, sin aire, en mi casa, con permiso para ir de la casa a la iglesia y de la iglesia a la casa. Pa'que así me marchitara. ¡Sí, mamita!

También supe por la Palmira, la tonta, y por la otra, la enana de las piezas de atrás, que Ambrosio estaba especialmente autorizado para correr a Juan Josef a garrotazos, para darle una paliza y molerle los huesos, si llegaba a asomarse, y si al mulatón se le fruncía, y para agarrarme a mí por las piernas, si me encaramaba al muro del fondo del huerto y trataba de escaparme, de irme a juntar con él, y encerrarme con doble llave en una de las piezas, o en el depósito de los granos, entre los guarenes, las hormigas, las arañas de poto colora'o. ¡El negro! ¡El esclavo! Traté de echárselo en cara al Toesca, a ver si lo entendía, pero el hombre llegaba en su carricoche negro, después de las diez de la noche, pálido como un papel, y no me miraba a los ojos: miraba al suelo, y tenía los pelos disparados, las rodillas como nudos, las pantorrillas flacas y duras, como alambrones, de incrédulo, de hipócrita, de persona que venía quizás de dónde. Entonces tomé, tomó la decisión. Entonces. ¡Mamita de mi vida! Saqué unos pesos de un cajón y caminé hasta la esquina. Ahí agarré pa'l sur, por una de las calles de tierra, y me acerqué a la botica de los jesuitas, la que había sido de ellos antes de que los echaran. Estaba un poco nerviosa. Me acordaba de don Manuel, el primo de Ignacio, encerrado en la sala de atrás, rodeado de libracos y sin atender a nadie, muy digno y callado, escribiendo, dejando de escribir, haciendo toda clase de musarañas. Me dio risa, y los nervios, con eso, se me quitaron. Ahora, sin los mochos, y sin don Manuel con sus papeles, con sus profecías, sólo había un par de mocetones ignorantes detrás del mesón, además de un viejo medio sordo.

–Quiero solimán –dije.

El viejo no me oyó. Tuve que acercarme y repetírselo a gritos, con miedo de que entrara alguna otra persona y sospechara.

–¿Para qué lo quiere? –preguntó el viejo sin dientes.

–Pa'los ratones, pu's. Corren por el techo toda la noche y no nos dejan dormir. Y nos comen los granos. Y cualquier día de estos nos van a comer a nosotros –dije, medio risueña–, vivitos.

El viejo le advirtió que tuviera mucho cuidado, es muy recontra fuerte, señora (me advirtió).

–Güeno –dije, y miré las culebras de porcelana, los lagartos, los enormes sapos del techo, que parecía que iban a saltar. Cuando menos, al dar las campanadas de la medianoche, saltaban y salían y croaban, y quizás qué se decían. A don Manuel, a pesar de su edad y de su santidad, lo habían sacado de la cama a empujones, y apenas le habían dado tiempo para recoger sus papeles. Lo habían hecho formar fila en el patio del convento, junto con los demás, y después los habían obligado a todos a subirse a unas carretas. Él sabía mucho, don Manuel, sobre el lenguaje de los sapos, de las culebras, de los perros. Como Ignacio, mi cuñado. Con la diferencia de que el Nacho no escribe ni habla: sólo habla con las manos, modelando piedras.

–Ahí tiene –dijo el vejete, y la miró. Me miró con cara de susto.

Pero ella estaba decidida. ¡Yo! Pa' que aprenda, nomás, a maltratarme, a ponerme un carcelero. ¡A ningunearme delante de todos! Si la colgaban, después, en el centro de la Plaza, en la horca donde había visto, desde niña chica, a muchos otros colgados, ¡que me cuelguen! Si Dios no me quiere... ¿No creís, mamita? El italiano, con sus pelos de loco, su cara de alma en pena, era un apestado, un torcido: podía parar las patas en una noche cualquiera. Sobre todo ahora, cuando andaba tan tembleque, con los ojos tan saltones.

–Lo que pasa –dijo misiá Clara–, es que lo tenís enfermo.

–¡Que se muera, entonces!

–¡Ay, niña! ¡Que Dios te perdone!

Y mi mamita se santiguó, masculló unos rezos.

A la Manuelita Fernández, a mí, cuando entré con el frasco envuelto en un paquete y sujeto con las dos manos, me dio mucho miedo, el corazón se me salía por la boca, el pecho me llegaba a doler. ¿Por qué lo hacía? ¿O no era yo la que lo hacía, la enemiga, la maldita? Los espárragos, los primeros de la estación, ya estaban colocados en el puesto de Toesca y en el mío: gruesos, verdes, en forma de lanzas, con escamas, con el brillo del cocimiento, maduritos, mientras la Eufemia salía y entraba. Ella, entonces, yo, le dije, y la voz me salió medio quebrada, y bien seca, agria:

–Anda a busca'me la peineta de carey grande, Eufemia. La que tengo en la pieza del segundo patio (la de Juan Josef, la de las encerronas, y otra vez le dieron ganas de soltar la risa, o de tirarle el frasco por la cabeza).

La otra estaba dedicada a poner la mesa. Estaba concentrada en eso. Se paró con unos cubiertos en la mano y la miró con la boca abierta. ¿Qué dice?, parece que preguntó, y la Manuelita, la Fernández, con voz tajante, porque si había que ser señora, doña, lo era, lo soy, ¡qué se había figura'o, la vieja inmunda!:

–¡Anda! ¡Corre!

Y apenas la vi alejarse por la galería, arrastrando las patas, saqué el frasco de adentro del paquete, que tenía en el bocal una cuchara de peltre, y unté los espárragos del Señor Architecto con mano firme, aunque con algo de torpeza, porque había vuelto a ponerme nerviosa, y no sabía cómo hacer para disimular el olor pasoso que echaba el unto, y para que los espárragos recuperaran el brillo tan bonito que tenían antes, porque ahora, con el unto, se les había formado una costra como de cera. Entró en ese momento la Palmira, la sobrina de la Eufemia, y me vio, creo, dando los últimos toques de solimán con la cuchara, pero la Palmira no importaba, era una pobre tonta, traía los tazones amarillos con la vinagreta, y le ordené que los dejara en la mesa, junto a cada plato, y que se degolviera al repostero.

–Cuando te necesite –le dije–, te llamo con la campanilla. Pero no vayai a entrar si no te llamo, ¿entendís?

Salió más que ligero, y la Eufemia, un segundo después, entró.

–No encontré la peineta de carey en el cuarto del fondo, señora. La busqué por to'os la'os.

–No importa –le respondí, de lo más tranquila–. Anda a avisarle al señor que está servido.

El señor se demoró mucho, siglos, y ella, durante la espera, sentía que sus entrañas ardían, y que su sangre, en cambio, se había congelado. Eso, más o menos, sentía, pero seguía tan tranquila, como si estuviera durmiendo, o como si hubiera volado a otra parte.

–Espárragos –murmuró él–. De nuevo.

–¿No te gustaban tanto?

Nunca lo tuteaba, ¿sabe usted?, y él, como vivía distraído, pensando en sus pilastras y en sus pórticos, en sus largos y sus anchos, no se dio ni cuenta de que esta vez sí lo había tuteado, de puro nerviosa, pero ella, en ese momento, yo, que me había controlado tan bien, y que ahora, desde que Toesca había entrado al comedor, ya no me controlaba, no hallaba qué hacer, me puse a temblar como si me hubieran bajado tercianas. Tuve que apretar los dientes, porque de no, me castañeteaban, como les pasa, cuentan, a los condenados, y aferrarme al respaldo de una silla, y mirar p'ajuera.

Toesca comió los dos primeros espárragos en forma rápida, pensando en cualquier otra cosa, sin dirigirle la palabra, sin reparar, siquiera, en que ella (yo) estaba ahí, a su lado, como sucedía tantas veces, cavilando, quizás, sobre el balconaje del techo del edificio, con sus trofeos y sus famas, que recibirían la luz del crepúsculo desde el norponiente, o en lo que habrían dicho los tratados acerca del terreno, o del agua, y enseguida, sin mirarla, con ojos volcados para adentro, levantó y masticó el tercer espárrago. ¡Virgen santa!, murmuró ella, murmuré, y estuve a punto de dar un grito, pero me había quedado tiesa. Masticó el tercero más despacio que los dos primeros, formando un bulto, un bolo adentro de la boca, y haciendo una mueca, como si le costara mucho, pero sin darse cuenta todavía de lo que le costaba, del asco que le daba. Yo lo miraba fijo, con la boca abierta, sin probar nada, y agarré uno pa' disimular. Sintió una arcada violenta, que la hizo estremecerse. Estuve a punto de vomitarlo todo, a pesar de que los míos no tenían solimán ni nada, era la pura idea. Toesca había comido igual de despacio el cuarto espárrago y ya masticaba el quinto, más despacio todavía, con una cara que se le había puesto rara, y de repente se fijó en la Manuelita, en mí, que tenía un hilo de jugo verdoso colgándome de los labios, como una vaca, y que lo miraba con ojos como platos. ¿Sabes lo que hizo entonces? Pegó, mamita, un grito ronco, un alarido que se le quebró, como si le hubiera faltado el aire, y salió doblado en dos, parecido a un escorpión, tapándose la boca, haciendo arcadas.

Se parece a un escorpión, en realidad, y ella se quedó en su silla, clavada. Trató de comer otro espárrago, pero temblaba de tal manera, que no fue capaz de llevárselo a la boca. No le va a pasar nada, se dijo, dije, porque no quiso seguir comiendo. ¡Menos mal, mamita! Entró la Eufemia al poco rato, con cara de odio, agarró el plato de espárragos de Toesca, lo tapó con una servilleta, con qué rabia, y salió. Divisé por la puerta abierta que él y la Eufemia, la bruja, se dirigían a la puerta de calle, apurados, encorvados casi hasta el suelo, a pesar de que él caminaba siempre muy derecho. Ella, entonces, yo, hice ademán de salir del comedor, quizás con la idea de llamarlo, de explicarle alguna cosa, aunque no sabía, y si le hubiera podido explicar, no sabía qué le habría explicado, pero Ambrosio, el cochero, que se había colocado, sin que ella, yo, se diera cuenta, en el umbral, extendió los brazos, y confirmé así que el mulatón era, en realidad, mi carcelero designado, mi perro cerbero.

Al caer la noche llegó un señor de aspecto muy grave, un funcionario de calzas negras, de zapatos polvorientos, de cara traspirosa, acompañado de dos alguaciles que tenían palos en los cinturones de cordel y bonetes blancos, y la interrogó en el comedor, sentado en la misma silla donde se sentaba el señor Toesca. La interrogó, cree, durante horas, pero no está segura. Esa noche es como un sueño, y ella creía que la iban a llevar al patíbulo al amanecer, y estaba contenta.

–¿Usted sabía que podía matarlo con ese solimán?

Lo divisé por entre los barrotes de una de las ventanas, de manos a la espalda, paseándose entre un naranjo y otro, mientras la vieja, detrás de una lienza con ropa colgada, lo seguía con la vista. Detrás de la ropa y de las ramas de los naranjos había otra gente, y todos hablaban en voz baja, y a veces miraban p'adentro.

–Sí sabía, señor.

–¿Y quería producir ese efecto?

–¿Qué efecto, señor?

–Matarlo.

–Creo que no, señor –dije–. No sé.

La verdad es que no sabía, y se quedó moviendo la cabeza, aguantándose, con los ojos, con la garganta, con el pecho entero inundado.

–¿Y qué quería, entonces?

–¿Qué quería?

Él se paseaba entre los dos naranjos, un poco menos agachado que al principio, y hablaba solo, rumiaba alguna cosa, si me mataba, quizás, o no me mataba.

–Lo que quería –dije–, creo, señor, era desquitarme.

–¿Desquitarse de qué?

–¡De todo!

–¿Y si se moría? ¿Si el solimán lo mataba?

La Manuelita clavó la vista en las tablas del piso, en los nudos de la madera, en las junturas disparejas, y después levantó los ojos. Con su cara impávida, con sus zapatos cubiertos de tierra, el funcionario habría podido comprobar, si hubiera sido una persona atenta a esas cosas, que la joven encausada tenía ojos hermosos, almendrados, pardos tirando a verdes, y que parecían adquirir profundidad, misterio, debido a un intenso estado de crisis, a una emoción abarcadora, inmensa, que los bañaba, en la que daba la impresión de que flotaban.

–Eso ya no dependía de mí, señor.

–¿Y de quién dependía, entonces: se podría saber?

El funcionario lo dijo alzando un poco la voz, adquiriendo tono de falsete, enrojeciendo.

–De Dios –dijo la Manuelita Fernández. Dije. ¡De quién iba a depender, pu'!

XIII

El Narrador sabe algunas cosas, más bien pocas, y se imagina otras. Conoce, por ejemplo, de vista, y hasta de presentación, de saludo, de vagos recuerdos de los patios de la Escuela de Leyes, al Ministro en Visita que fue designado a la mañana siguiente en la causa de su hijo. Era un hombre dos o tres años mayor que él, y que en los tiempos de la Escuela, si la memoria no le falla, si el personaje es el mismo, hablaba mucho en los rincones, se agitaba, se movía por los pasillos, por los patios, por las antesalas, más bien bajito, de pelo ensortijado, ojos azulinos, preguntones, vestimenta gris, la caricatura del leguleyo en estado puro, ya entonces. ¡Qué precocidad, se dijo él, y qué vocación, qué destino! En épocas anteriores, de toga y peluquín, el ministro se habría colocado los gruesos volúmenes de las Partidas, de las Leyes de Indias, encima de la cabeza, en señal de sumisión al Imperio. Ahora, desprovisto de togas y pelucas ceremoniales, salía de una puerta batiente de vidrios esmerilados con la cabeza gacha, como si el peso de los libracos invisibles, unido al de la caspa, todavía lo agobiara, y emprendía el camino hacia oficinas secretas, movedizo, como antes, con el pecho inflado, el ojo inquisitivo, parlanchín, cuando se daba la oportunidad, o silencioso, disimulado, terco.

Pues bien, al día siguiente hábil de aquel largo primero de mayo, algún día sin orígenes, jueves, para citar al poeta, para irritar al antipoeta, algún lunes, el Ministro en Visita, el ratonil, el de las alcantarillas judiciales, inició el interrogatorio de los jóvenes revoltosos, a quienes él, después de auscultar a través de canales informales el criterio de la autoridad, ya se había adelantado a definir como, más que revoltosos, subversivos. Cuando le llegó el turno a Ignacio chico, parece que el ministro le hizo algunas preguntas, no demasiadas, y llegó a la rápida conclusión, en su condición de perfecto siútico criollo, condición, como bien sabemos, inefable y determinante, de sólo mirarlo, de reconocer el timbre de voz, de observar con agrado indudable, ¿con turbación?, sus bonitos ojos verdosos y sus rasgos sin duda blancos, de que era un niño de buena familia, y que se había visto envuelto en estos berenjenales, sin duda, por engaño, por ingenuidad, presionado por compañeros irresponsables, quizás, incluso, por infiltrados, por peligrosos clandestinos.

–Te voy a dejar en libertad incondicional –le dijo, adoptando un tono confianzudo, un tuteo cómplice–, por falta de méritos, pero no vuelvas –bajando la voz–, a meterte en huevadas. ¡Cuidadito! Y que la noche que pasaste en la comisaría, y una que otra patada en el poto que te habrá tocado...

–Más de una –corrigió él, y trató de explicarle que las pacas, con sus caras bien maquilladas, sus uñas pintadas, sus gorritas verdes, sus botines relucientes, habían sido las peores, las más sañudas, repartiendo puntazos a diestra y siniestra, acompañados de grititos, de soeces insultos.

–... te sirvan de lección –prosiguió el ministro, que no tenía tiempo para entrar en detalles. Al fin y al cabo, unas cuantas patadas en el culo, por aturdido, no estaban mal habidas. ¡Quién le mandaba botarse a comunista, cuando se veía a la legua que era un niño de casa buena, todavía con gusto a leche!

No faltó, después de aquel episodio, y no podía faltar, un alma celosa, un orejero convencido, un cagatintas adicto, para informarle al magistrado que había dejado libre a un hijo de Fulano, persona de pasado izquierdista, recién retornada del exilio, a pesar de su nombre y de su señor padre, y de Fulana, hija de Fulano de Tal, comunista furiosa, dinamitera, émula de las tejedoras de calceta que se colocaban debajo de la guillotina, ¡de bonete escarlata! El señor Ministro en Visita, entonces, que no necesitaba que le soplaran las cosas dos veces, porque era persona de convicciones sólidas, procedió de inmediato a colocar el nombre de Ignacio chico en la encargatoria de reo por delitos contra la Ley de Seguridad Interior del Estado, resolución que incluyó a unos ochenta de los más de trescientos detenidos iniciales, y como Ignacio era el único de los reos que se encontraba en libertad, procedió a dictar con verdadero gusto, con algo de saña, la orden de detención correspondiente, con todas las copias y los traslados del caso, sintiendo que su error inicial, culpa de la hipocresía del jovenzuelo, de su cara de inocentón, exigía un rigor más estricto.

Cuando la voz ronca de Cristina, que había sido informada por la Vicaría de la Solidaridad, le transmitió la noticia, el Narrador, helado, sintió que las cosas adquirían un matiz diferente. ¿Quién cresta, se preguntó, o suponemos que se preguntaría, le había mandado meterse a este avispero, en esta cloaca del mundo civilizado? Cristina y él consultaron de inmediato a un abogado recomendado por la Vicaría, y el abogado en cuestión fue partidario de esconder al muchacho esa noche y presentarlo en forma voluntaria al tribunal a la mañana siguiente, ya que así se evitaba que la orden de detención fuera cumplida por la CNI, la sucesora de la DINA. Ignacio chico escuchó todo esto callado, un poco pálido, como si estuviera empezando a entrar en razón, pero no demostró miedo, ni siquiera al escuchar de labios del abogado el nombre de la institución temible. Su angustia era evidente, se dijo el Narrador, y la suya también lo era, agravada por sensaciones de impotencia, de difusa culpabilidad, pero el muchacho, que no había querido seguir sus consejos, no daba su brazo a torcer. Había salido a su madre, igual de porfiado, y a su abuelo paterno, igual de terco. El joven dijo, precisamente, que deseaba pasar por la casa de don Ignacio, a pesar de que no habría sido muy difícil para la CNI encontrarlo en esa dirección. Pero quería pasar, de todos modos. No le parecía mal recurrir al viejo, pese a todas las diferencias, en circunstancias extremas.

–Tengo una idea –dijo don Ignacio, agitado, saliendo y entrando del jardín, mordiéndose las coyunturas de los dedos. Le habían sacado las vendas, pero todavía le quedaban algunos parches y algunos resabios de color lila desteñido. Subió a su dormitorio con tranco ágil, como si se le hubiera olvidado que había cumplido los ochenta hacía rato, habló por teléfono durante alrededor de un cuarto de hora, y bajó.

–Voy a llevarte –dijo a gritos, desde la escalera, la misma por donde había huido su asaltante–, donde una amiga mía, persona alegre, muy simpática, de absoluta –y subrayó el «absoluta»–, confianza.

Abrió con una llave secreta el baúl de aspecto etrusco donde guardaba sus tesoros, cosa que hacía raras veces, y sacó una botella de Moët Chandon, una botellona. Se colocó, enseguida, una larga bufanda de color ladrillo, un sombrero enhuinchado de galán de los años cuarenta, un abrigo de *tweed* con esclavina y con botones de cuero trenzado.

–Usted no tiene ninguna necesidad de venir con nosotros –protestó el Narrador, pero don Ignacio se limitó a desechar sus protestas con un gesto imperativo.

La amiga suya era una señora de unos setenta y tantos, huesuda, que debía de haber sido atractiva en su juventud, pintada como una puerta morisca y vestida con un traje negro, de seda brillante, bastante escotado. Se llamaba Cecilia, Cecilia Martelli Echazarreta, y el Narrador, intrigado y hasta cierto punto divertido con esta amistad desconocida y al parecer antigua de don Ignacio, se dijo que ya se había topado, en los papeles de su desván, con una Echazarreta de fines de la Colonia y de los primeros años de la República.

A la mañana siguiente, el Narrador y Cristina fueron a buscar al joven subversivo en un taxi, callados, ¡de manos tomadas!, en compañía de un ayudante del abogado. Ignacio chico les alcanzó a contar que estaba con el cuerpo malo. Entre él y «la Cecilia» (así la nombró), se habían tomado entera la botella de *champagne*, la guatona, y la Cecilia, después, había interpretado en el piano y cantado con voz chillona, pero bien entonada, melodías napolitanas y francesas. ¡Hasta habían bailado, y se habían reído como locos, y los vecinos del piso de abajo les habían hecho advertencias con golpes de bastón en el cielo raso! El relato de la farra cesó cuando entraron a las oficinas del Ministro en Visita, lugar donde fue notificado de la orden de detención en su contra, detenido de inmediato y trasladado un par de horas después a la galería número 7 de la Penitenciaría de Santiago, donde ya se encontraban los demás reos, el grupo de ochenta y tantos estudiantes. Esto sucedía un miércoles, y el Nacho, Ignacio chico, sólo pudo ser visitado por sus padres en la mañana del domingo. Fueron días largos, insomnes, durante los cuales el Narrador parecía masticar, con saliva seca, una rabia impotente. Llamó una tarde a don Ignacio, y el viejo le dijo que él tampoco había podido dormir. Al fin y al cabo, era nieto suyo, y bastante regalón, pero qué querían que hiciera, aparte de esconderlo en casa de una amiga de confianza... Si su papá, y la descriteriada de su mamá, no habían sido capaces de retenerlo en la casa... Él estaba convencido, en cualquier caso, de que los ministros de la corte eran personas serias, y de que el régimen, aunque duro, era justo, y no tenía el menor interés en ensañarse con unos pobres pánfilos.

Llegó por fin, después de aquella media semana interminable, ese día domingo. El Nacho, quien había tenido desde muy niño reacciones un tanto desconcertantes, de persona excesivamente formal, con modos de viejo, y a la vez impredecible, de altibajos, llevada de sus ideas, proclive a las bromas, los recibió en la Penitenciaría de Santiago de humor excelente, más comunicativo que de costumbre, como si la experiencia de la cárcel fuera, a su modo, una fiesta, ¡otra farra!

–Los presos políticos, condenados por el asesinato de un ex ministro anterior y por algunas otras gracias, como internar armamento o tratar de organizar comandos terroristas, están en la galería del lado de la mía –les dijo–, y nos han tratado a cuerpo de rey. Reciben toda clase de ayudas de unas siglas que nombran todo el día, las ONG, la Cruz Roja Internacional, Fundaciones varias, y como son muchos menos de lo que la gente piensa, tienen todas las comodidades que se puede tener adentro de una cárcel: una cocina de gran capacidad, un horno eléctrico separado, un espléndido microondas, aparte de excelente vajilla y de un secretario pagado que les hace las compras y les recibe los mensajes...

–Y ustedes, presos de la dictadura, son compañeros revolucionarios...

–¡Exacto! ¡Tú lo has dicho! Y como nosotros venimos de diferentes facultades, organizamos foros sobre urbanismo, filosofía, teología, ciencias políticas, y discutimos todo el día, y algunos gendarmes, obligados a tratar con delincuentes de la peor ralea, se nos acercan, encantados, y nos muestran fotografías de sus mujeres, de sus hijos. Uno me pidió ayer en la tarde que le ayudara a redactar una carta a su novia. ¡Qué les parece! Y cuando no hablamos de Marx, o de Heidegger, o de Jorge Luis Borges, estudiamos recetas francesas, italianas, hindúes, y nos dedicamos a la alta cocina. Yo he prometido ayudarles a formar una biblioteca gastronómica. ¡El mundo feliz, la sociedad del futuro, empezará a florecer a partir de las galerías seis y siete! Hoy día, por ejemplo, comimos ensalada de apio con palta, de primero, con abundancia de aceite de oliva italiano, producto que no se encuentra con facilidad fuera de estas rejas, y de segundo, riñones a la mostaza, y hasta nos conseguimos una botellita de vino, cosa que está estrictamente prohibida, pero un billete de luca bien administrado lo consigue todo, aquí y en la quebrada del ají...

–Tú te podrás reír –dijo Cristina, mirándolo con ojos

llorosos–, pero yo, mientras sigas aquí adentro, estaré destruida, ¡cagada de miedo!

–Aquí adentro, si lo piensas bien –replicó su hijo–, hay algunas incomodidades, colchones podridos, llenos de chinches y pulgas, y no se puede salir de paseo, pero hay mucho menos peligro que afuera. Los de la CNI andan sueltos por todas partes, como perros amaestrados, y éste es el único lugar del país donde nunca se les ocurriría entrar. ¿Para qué? Nuestros amigos de la siete saben que si salieran en libertad, irían directo al matadero. Lo mejor es esperar aquí, dicen, calladitos.

–¿Esperar qué? –preguntó el Narrador.

–El fin de los tiempos –dijo Ignacio chico–. La venida del Mesías en toda su gloria–, y soltó la risa.

En la sala de las visitas, estrecha, en penumbra, había algún infiltrado de los servicios especiales, algún aspirante a guerrillero, alguna mujer de estafador común. Lo que predominaba en aquella mañana de domingo, sin embargo, eran los habitantes de barrios burgueses o pequeño burgueses, personas que hacían exhibición de sus buenos sentimientos políticos y que tenían escasa idea del alto precio que pagaban por dicha exhibición, del alto precio y del incierto territorio donde se situaban, como almas en pena. Y también, claro está, aunque en minoría, había gente del pueblo, de los círculos de la pobreza y de la extrema pobreza, de las poblaciones marginales, que llegaba a visitar al padre de familia, al hijo, al hermano, mujeres abrigadas con chalecos de punto grueso, jóvenes de manos toscas y de pelos erizados en la coronilla, ancianos confundidos, que no conseguían sacar el habla, aparte de militantes experimentados, que traían noticias importantes e instrucciones precisas, datos para saber manejarse dentro de la situación nueva. Algún estudiante bobalicón se presentaba a visitar a un compañero de curso: ¿cómo te dejaste agarrar, huevón?, le decía, nervioso, y lo tironeaba de la manga, le había traído de regalo un cartón de cigarrillos, y el otro, héroe, a pesar de todo, sonreía desde su nimbo. También había, por supuesto, curas que se notaba que eran curas porque llevaban una cruz de palo debajo del chaquetón de tela tosca, de color tierra o azul marino, y monjas de expresiones tranquilas y a la vez intensas, abnegadas, ferozmente apasionadas, ¿dispuestas al martirio? Y, a la salida, después de los conmovidos abrazos, de los intensos besos, de los cariños en las cabelleras hirsutas, de los ojos empapados, cuando los presos ya habían regresado a sus galerías, y mientras las visitas esperaban, hacinadas en un patio, codo con codo, sin poder siquiera respirar, los militantes duros, más algunos pobladores marginales, e incluso tres o cuatro de los burgueses de bluyines bolsudos, rompieron a cantar la *Internacional* a voz en cuello, de manos empuñadas, con una intensidad, con una vibración que no se habría visto en otro lado. Cristina cantó sin el menor complejo, levantando un puño que había empezado a ponerse huesudo, mostrando los efectos del ingreso en la mitad de la cuarentena, y el Narrador, en cambio, guardó un silencio más bien árido, mientras recordaba Internacionales de otros tiempos, de años de juventud, de vísperas. Cuando la canción terminó y los aplausos cesaron, los curas, y muchos de los burgueses, y unos cuantos pobladores que habían guardado silencio, más todas las monjas, que lo hicieron con voces trémulas, con ojos iluminados, cantaron por su lado el *Himno de la Alegría:* «Escucha, hermano...», etcétera.

El Narrador ni siquiera se sabía la letra y tampoco cantó, y caviló sobre su silencio reiterado. ¿Era traidor?, y si lo era, ¿qué traicionaba? Apareció, al fin, un gendarme sudado, mal afeitado, con el botón de la camisa abierto, que hacía sonar un manojo de llaves. Empujó un portón de rejas pesado, rechinante, y las visitas salieron a la calle, tranquilas, un poco tristes, con la sensación colectiva de que había que esperar mucho, de que la dictadura iba para largo, y de que el deber, en todo caso, se había cumplido, todos los órdenes de deberes, en esa mañana de invierno.

Al día siguiente estaban todos, casi todos, algunos menos y algunos más, en el corredor central, patio de distribución, o como se quiera llamarlo, a los pies de cariátides de ojos vendados, bajo la luz de altísimas claraboyas, en medio del rumor incesante de las pisadas, de las voces bajas, de las toses, interrumpido por ocasionales palmadas y gritos de atención a los litigantes, de los Tribunales de Justicia. Se hallaban cerca de una de las salas de la Corte de Apelaciones, junto a gradas que desembocaban en la luz cruda y el trepidante ruido de la calle, esperando los resultados de los alegatos contra la encargatoria de reo pronunciada por el Ministro en Visita. Cerca del grupo, el abogado del Ministerio del Interior, alto, impávido, de grandes orejas, de manos pálidas y alargadas hundidas en los bolsillos, escuchaba mal, sin interés, porque no le daba la gana de escucharlas bien, las palabras de las tres o cuatro personas que lo rodeaban, personas de saliva obsecuente, de bisagras bien aceitadas. Los miembros del grupo, entretanto, familiares y amigos de los estudiantes presos, pobladores de la José María Caro y la Pintana o vecinos de Nuñoa e incluso de Providencia y Vitacura, caminaban, mirando sus relojes, cuchicheaban, y cada vez que uno de los abogados del lado de ellos salía de la sala donde no cabía un alfiler, donde Cristina había conseguido incrustarse en primera fila, se agolpaban alrededor suyo, ávidos de noticias, necesitados, al llegar a esa etapa, de comentarios optimistas. Porque el hombre, se decía el Narrador, soporta la realidad en dosis muy reducidas, con cuentagotas. Y es por eso que estamos en lo que estamos. ¿O no es por eso? Y él también caminaba, se mordía las uñas, se paraba al lado del abogado del régimen y exclamaba en voz alta:

–¡Han visto! A cada rato corren al ministerio a pedir instrucciones. ¡Jueces y abogados! ¡Jueces y partes al mismo tiempo!

Dicho lo cual, clavaba los ojos en el hombre del ministro, y éste, impertérrito, de manos hundidas, ajeno al ambiente, conectado por hilos invisibles con los arcanos de la autoridad, no miraba y no se dignaba escuchar nada. Y en ese momento, en el colmo de su sensación de impotencia, el Narrador vio algo, a la subida de las escaleras del lado de la calle, y creyó que había visto mal. Su padre, don Ignacio, de abrigo oscuro, sombrero y larga bufanda grises, con los moretones y los parches todavía visibles, subía las escaleras con lentitud, pero con expresión desafiante, llevado del brazo por Cecilia Martelli Echazarreta, su vieja amiga y lejana parienta de la Ñata que había detectado el Narrador en los anales de los primeros años de la República. Hubo miradas curiosas, cierto revuelo en el pasillo, un visible encogimiento de hombros del abogado del Ministerio del Interior, porque la pareja, sin duda, era excepcional, no rutinaria, y estaba dotada, en alguna medida, de un aire fantasmagórico, de un soplo que venía de otro lado. Puedo luchar contra mocosos de mierda, y contra subversivos de toda laya, pareció decir el abogado, pero contra fantasmas me gusta mucho menos. Y mientras éstas o parecidas cosas pasaban por su cabeza, don Ignacio lo miraba fijo, como si estuviera a punto de darle un aullido, o de abalanzarse y agarrarlo del cuello.

–Son ellos –murmuró, congestionado, de color lila, con voz cavernosa, cuando el Narrador se acercó–, los que trataron de matarme a golpes.

Después se dirigió a un abogado conocido suyo, hombre de su generación, que pasaba en esos momentos, con pasos cortos, con un grueso cartapacio, por la galería.

–Ya sé que hay un nieto tuyo metido en todo esto –le dijo el abogado en voz baja, un poco afónica–. Aquí, como comprenderás, todo se sabe. Pero lo que hicieron estos muchachos, si quieres que te diga, fue muy grave, muy peligroso para el orden público, y no se dieron cuenta, ¡los mocosos pailones!, que estaban llenos de infiltrados por todas partes.

–¿Y lo que me hicieron a mí? –preguntó don Ignacio,

con la voz quebrada, con mirada sombría, y se sacó el sombrero y la bufanda para mostrarle sus parches, el resto de sus hematomas, los tres o cuatro puntos de sutura que habían tenido que hacerle en la parte superior del cráneo. Empezó a formarse un grupo de curiosos, mientras un par de gendarmes se acercaba a paso lento, moviendo sus bastones. En ese momento salió Cristina de la sala donde se efectuaban los alegatos. Vio a Cecilia Martelli y la besó en las mejillas. Se abrazó, enseguida, con emoción, como si se hubieran reconciliado en una fracción de segundo, con don Ignacio.

–Vamos a ganar –dijo.

–Yo no estaría tan seguro –dijo el Narrador.

–Tú nunca estás seguro de nada –dijo ella, con un timbre despectivo–, y tampoco entiendes nada.

Don Ignacio, entonces, volviendo a enrollarse la bufanda con toda tranquilidad, hizo un anuncio que los dejó estupefactos a todos. Anunció que acababa de pedirle audiencia al mismísimo General, a través de un amigo suyo, y declaró que estaba seguro de que el gobierno enmendaría rumbos, y de que expulsaría con cajas destempladas a algunas personas que le hacían muy mal servicio. Esto último lo dijo con voz de trueno, aunque un poco tembloroso, y mirando en forma inequívoca al abogado ministerial, el de las grandes orejas y las manos sumergidas en los bolsillos, quien optó por alejarse en compañía de sus tres o cuatro acólitos. El abogado del cartapacio grueso, a todo esto, el conocido suyo, se había hecho humo. Cristina, entretanto, miraba al Narrador con un gesto de complicidad. Está loco de atar, quería decirle, pero más vale así. La elegante Cecilia Martelli, con su máscara de maquillaje, con sus manos pálidas, tomó a don Ignacio del brazo con un dejo de coquetería y le insinuó que convenía, quizás, que emprendieran el regreso. Pareció que don Ignacio, con más calma, le replicaba que no, que mejor esperaran el resultado de los alegatos. El Narrador palmoteó a su padre en un brazo, le sonrió a Cecilia, ángel guardián versátil, alegre y estilizado, digno de un vitral prerrafaelista, y se puso a caminar sobre grandes baldosas en blanco y negro. Junto a los altos muros del edificio de los Tribunales, bajo encumbradas claraboyas que se habían puesto opacas, él veía, o se imaginaba, porque de repente no tenía plena certeza, sombras: seres cabizbajos, de tricornios, botines, levitas negras cuyas puntas flotaban en el aire rancio, como si fueran pajarracos, aves de mal agüero. Llegaban a través de un laberinto de corredores hasta una pieza, un cubo sin ventanas, donde alguien, un procurador calvo, de gafas redondas, ¿un inquisidor, un delegado de Su Majestad?, les dictaba una instrucción al oído. Dictador, dictadura, de dictar, ¿y de hacerlo con mano dura, con voz firme? Ellos escuchaban sin pestañear, sin hacer un gesto, y enseguida, por el mismo camino por donde habían llegado, con los mismos pasos, golpeándose a veces los huesos de las rodillas, rezongando, carraspeando, regresaban. Y, en el momento de regresar, cumplían.

–Él no sabe –explicó, quiso explicar, don Ignacio, y a su alrededor hubo sonrisas, muecas, guiños.

–Vámonos –insistió, con dulzura, su amiga, cuyos pómulos, bajo la luz débil, brillaban con una palidez cadavérica.

–Cuando yo se lo cuente, ¡van a ver ustedes!

XIV

Joaquín Toesca y Ricci, el arquitecto e ingeniero militar, conoció, como ya hemos visto, a José Antonio de Rojas, el mayorazgo, heredero de la hacienda y de las caleras de Polpaico, en los primeros días de su llegada a la Colonia, vale decir, en los comienzos de un verano tórrido, comparable a los de Roma y de Madrid, aunque aligerado, en los atardeceres, por una brisa que bajaba de la cordillera. Eran momentos delicados en la vida de Rojas, pero Toesca, como la mayoría de los vecinos de Santiago, no podía saber hasta qué punto su situación personal estaba comprometida. Parecía que las autoridades, maestras (entonces y ahora) en el arte del disimulo, se habían preocupado de que así ocurriera. Después de las dos o tres conversaciones subversivas sostenidas hacia fines del año anterior en el salón de su casa, don José Antonio había partido el día convenido, en la tercera o cuarta semana de diciembre, quizás un poco antes, a visitar a los franceses, los dos Antonios, el alto flaco y el calvo más bien gordito, en la residencia de ellos. Nos imaginamos que partió armado con el plano que le habían dibujado a lápiz para que pudiera dar con el lugar, un caserón de paredes medio desmoronadas y vidrios rotos, en los faldeos del cerro San Cristóbal. Pasó, pasaría por el mercado a comprar un poco de uva moscatel, y enseguida cruzaría a la ribera norte del Mapocho, al sector que en aquellos años se llamaba, como también hemos visto, de la Chimba, por el Puente de Cal y Canto. Era, suponemos, un día nublado y pesado, una mañana de ventisca y de malos signos, de animales muertos a la orilla del río, con las patas estiradas, con los vientres hinchados. Don José Antonio caminó frente a las chozas del final de la Chimba, pisando con cuidado para no embarrarse los zapatos, ya que era persona aficionada al calzado fino, de buen cuero, con hebillas de plata y hasta de oro, y no se le habría ocurrido ponerse para la ocasión unos bototos viejos (el Narrador se pregunta si en aquellos años se usaría el chilenismo bototos). Al fondo, a su izquierda, se divisarían los muros del convento del Carmen Alto. Detrás de ellos languidecían las hijas del Corregidor Zañartu, cuyos pretendientes habían sido ahuyentados a gritos, a golpes de sable, incluso a disparos de trabuco, por el irascible personaje, aparte de algunas niñas que él, don José Antonio, había conocido en los saraos de su juventud, y que ya, por lo tanto, habían dejado hace tiempo de ser niñas: la Guagua Fuentes, por ejemplo, y la Pichuca González, que habían andado en malos pasos. En las ventanillas de las chozas se agolpaban caras de pómulos mongoloides, moquillentas, silenciosas, que lo miraban desde interiores mugrientos. El espacio de afuera, pedregoso, con charcos de barro reseco, sin forma de calle, estaba lleno de perros vagos, de gallinas, de niños semidesnudos que correteaban entre nubarrones de moscas. El Narrador concluiría que hemos cambiado poco, pero don José Antonio, coleccionista de libros y de máquinas científicas, se diría que todo tendría que ser limpiado y electrificado en el increíble siglo que se acercaba. Todo: los callejones, las chozas, ¡y hasta los conventos!

Llegó al punto indicado en el plano y empujó la portezuela de madera verde, que correspondía a la perfección a la descripción de los franceses, tan exactos para todo, caviló, hijos de la razón, a pesar de su escasa afición al baño, y divisó el techo de tejuela rojiza, el castaño, las higueras. Estaba bien, requetebién. Se tenía merecidos un racimo de uva y un buen vaso de vino tinto. Avanzó, pues, por encima de la tierra de hojas, y el corazón, de repente, le dio un salto terrible, casi se le salió por la boca, porque en el centro del jardín había dos infantes de uniforme blanco armados de sendos fusiles con la bayoneta calada. Caminó tres o cuatro pasos más, y vio que había otro soldado detrás de unos arbustos y que la puerta del caserón estaba sellada por listones cruzados. Entonces se detuvo, sintiendo el peso ridículo del cartucho de uvas en la mano izquierda, y su primera reacción fue preguntar, pero si no se acercaban y lo arrestaban, lo mejor, calculó, era dar media vuelta y no hacer preguntas.

Desde un torreón chato, carcomido por las grietas del último terremoto, un hombre de camisa blanca y de grandes bigotes no le quitaba la vista. Al fondo de un callejón, cerca de un muro de adobe con enredaderas, había otra pareja de soldados armados de lanzas y vestidos con pantalones azulinos, calzonudos. Cuando volvió a cruzar el Puente, esta vez de regreso a su casa, las piernas todavía le temblaban. La vida, sin embargo, parecía continuar en los baratillos, en los puestos de estampas, en las cercanías del basural y de la calle del Pescado Frito.

–No sé si me voy a salvar –le dijo a su cocinera, y la gorda de nalgas monumentales, que revolvía una chancaca para sopaipillas, lo miró sin entender. Él se pasó toda la tarde quemando papeles, apuntes, el borrador de la carta al rey de España y el de la Constitución Política, pergeñados por el francés gordinflón, y dibujos de maquinarias, de inventos, de edificios públicos del futuro, que había borroneado el flaco y alto. Cuando Toesca llegó a Santiago por el camino de carretas y se presentó al día siguiente en la residencia obispal, las noticias de la conspiración, que algunos llamaban de los franceses, pero que otros, mal intencionados, empezaban a llamar de los tres Antonios, habían comenzado a circular, contradictorias, confusas. Ignacio Varela, a quien Toesca también conoció al llegar, y algunos otros, Manuel de Salas entre ellos, el hijo de don José Perfecto, creían que don José Antonio, en compañía de sus máquinas broncíneas, de sus espirales y probetas, de sus juguetes traídos de Londres, se había ido a refugiar en su casa de campo. A esperar que pasara el chaparrón. Porque sus conversaciones con los conspiradores, largas e imprudentes, habían sido registradas hasta en sus menores detalles, no se sabía cómo, y algunos aseguraban que los había tenido alojados en Polpaico, donde habían redactado una proclama filosófica incendiaria. Los rumores volaban, mientras las autoridades guardaban un silencio hermético, y alguien, a la salida de la misa de San Agustín, contó que habían visto al mayorazgo en el muelle principal de Valparaíso, con cadenas en los pies y en las manos, con barba de quince días, custodiado por un pelotón de gendarmes, en espera del barco que lo trasladaría a las mazmorras del Callao, donde se pudriría en vida, si es que tenía la suerte de que no le dieran garrote vil en algún patio perdido.

Fantasías, replicaron otros: disparates. Don José Antonio estaba sentado en su jardín, contemplando los pajaritos, comiendo tortolitas en escabeche, pasándolas con un vinillo nuevo de San José de Maipo. El gobernador del Reino, después de escuchar a sus soplones, a sus esbirros, había conversado sobre el caso con Su Señoría Ilustrísima y Reverendísima, persona de criterio, nada de alharaquienta.

–Y el sospechoso, ¿qué declaraciones hizo? –preguntó Su Ilustrísima.

–Reconoció, lloriqueando, que había sido imprudente, que había frecuentado a los franceses por no tener con quién hablar de ciencias, de literatura, y juró que jamás había tomado en serio sus divagaciones, sus absurdos proyectos. Así dijo, y cayó de rodillas, pálido como un papel, temblando, implorando que lo perdonaran. Si hubiera tenido ideas subversivas, no habría solicitado un título de las manos augustas de Su Majestad para él o para su señor padre, ¿no les parecía?

–¡Impecable! –gritó el obispo–. Sugiero que tomemos su declaración al pie de la letra. ¿O vamos a suponer que un hombre maduro, miembro de una familia distinguida, propietario de tierras, participaba de un plan para desconocer la autoridad del Rey, para proclamar una República, para darle derecho a voto a todos los habitantes de la Colonia, sin excluir a los indios mapuches? Con lo malintencionados que son estos chilenos, con lo intrigantes y resentidos, ¿se figuran ustedes qué ejemplo, qué enseñanza?

–Lo conozco bien –murmuró el gobernador, que ya estaba que las entregaba, con enormes dificultades para hablar y para respirar–, y conocí mucho a su padre. Son gente difícil, vanidosa, y el hijo salió excesivamente lector, aficionado a las novedades, a las historias libertinas, pero le aseguro que los indios salvajes no le gustan en absoluto.

–¡Entonces! –exclamó, exclamaría, abriendo los brazos, don Manuel de Alday y Aspe–. Hagámonos los lesos, mi querido gobernador, ¡y asunto terminado!

El Narrador llega a la conclusión de que don José Antonio de Rojas, el mayorazgo, que había dado tantos tumbos en las antesalas, en los mentideros y hasta en los burdeles de Madrid, pasó el susto de su vida y no tuvo más remedio que agachar el moño. Así eran las cosas, se dice, y así, hasta cierto punto, siguen siendo. O agachamos el moño, o nos rompen los cojones. Rojas, en resumidas cuentas, se salvó porque era mayorazgo, porque tenía tierras, y los dos franceses, después de interminables sesiones en el potro (todavía no se conocían las aplicaciones prácticas de la electricidad), fueron conducidos en cadenas, en una carreta arrastrada por bueyes, hasta Valparaíso, desde donde fueron embarcados rumbo a las prisiones de Cádiz. La historia cuenta que uno murió durante el viaje y que el otro exhaló su último suspiro en una mazmorra gaditana. A don José Antonio, entretanto, se le quitaron las ganas de hacer comentarios sobre el asunto. Murió pollo, como decimos ahora, y se dedicó a contemplar las hebillas de sus zapatos. El personaje alto, de cuya vestimenta se desprendía un olor vagamente gaseoso, y el gordinflón aficionado a las teorías y de calva brillosa, pasaron a ser un recuerdo más bien indefinido, unas voces, unas palabras raras, unas profecías petulantes. A nosotros, por nuestro lado, nos llama la atención que Toesca, cuya llegada a Chile coincidió con el descubrimiento de la conspiración, haya establecido una amistad con Rojas que duró toda la vida. Los testimonios contemporáneos tienden a indicar que el arquitecto era hombre de pocas palabras, desconfiado, introvertido, más bien respetuoso de la autoridad, autoritario él mismo en algunas ocasiones. En cualquier caso, esta amistad, iniciada en el momento en que el mayorazgo parecía haber caído en un pozo negro, es un dato que tenemos que insertar en el conjunto y compaginar. De una sola cosa no nos cabe duda: la presencia de Gioacchino Toesca, el romano, en el horizonte de campanarios pobretones, de murallones de adobe y techos de teja, del Santiago de fines del siglo XVIII, era un enigma denso entonces y lo sigue siendo ahora, a más de doscientos años de distancia. La vida chilena, la de toda esta parte del mundo, está formada, pensamos, por toda clase de aluviones enigmáticos. Existen las respuestas aproximadas, pero ninguna que nos convenza del todo. Por eso estamos aquí, y por eso, a la vez, sabemos poco, y vacilamos, y la inseguridad, de cuando en cuando, nos mata.

Segunda parte
La ciudad de los conventos

I

I dwell in Possibility –
A fairer House than Prose...

Emily Dickinson

Aunque no le guste, aunque trate de dormir con las persianas bajas durante las mejores horas del día e intente vivir en forma vicaria, a través de otros, de Manuelita, de Toesca, de Ignacio Andía, de don José Antonio, en las horas del toque de queda, el personaje de la Plaza de Armas, el hijo de don Ignacio y papá de Ignacio chico, el ex marido de Cristina, aquel a quien hemos dado en llamar, por convención, por comodidad, por lo que sea, el Narrador, está obligado a salirse del pasado, su refugio, su abismo, su consuelo, a cada rato, para lidiar, a cada rato, con los asuntos del presente. A pesar de eso, no abandona la búsqueda de documentos, pergaminos, antiguallas de toda especie. Poco antes del episodio del primero de mayo, el que terminó con su hijo en la calle siete de la Penitenciaría de Santiago, ocurrido antes de completar un año desde su regreso, había encontrado en un sector lateral del centro de la ciudad, cerca de San Pablo, al poniente de Teatinos, en un callejón meado por los gatos y donde no parecía posible encontrar nada, una vieja traducción francesa de las *Memorias* de Carlo Goldoni, el comediógrafo veneciano de mediados del siglo XVIII, el autor de *Los amantes tímidos,* de *El servidor de dos patrones,* de muchas otras obras de notable ingenio y hasta de ocasional sabiduría. Él ha visto algo del teatro de Goldoni en París, en una calle de alegría situada al costado de un cementerio, pero sólo le ha quedado un recuerdo de saltos, golpes, gritos, piernas en el aire, amantes escondidos detrás de una cortina o adentro de un ropero. ¿No nos dice ya algo, esto de los amantes escondidos? La noche del hallazgo del libro, sentado frente a la mesa del repostero, devoró de una sola vez (verbo, como comprenderá el lector, perfectamente apropiado), más de doscientas páginas. Desde el comienzo de la lectura encontró un parentesco, un aire común, a pesar de las muchas y notorias diferencias, entre Carlo Goldoni y Gioacchino Toesca. Goldoni, desde luego, nacido en los primeros años del siglo, podía haber sido abuelo de Toesca. Pertenecía, además, a una región de Italia, el Véneto, la República Serenísima de Giacomo Casanova, de Lorenzo Da Ponte, de los últimos Dogos, de los príncipes convertidos por la ocupación extranjera en vendedores de pescado seco, según cuentan algunos autores, muy diferente de la Toscana, la tierra de la familia materna del arquitecto, los Ricci, o de Roma, la de su padre y suya. Había, sin embargo, afinidades importantes: ¿en la crueldad de las costumbres, en el refinamiento estético, en el libertinaje disimulado con la más perfecta de las hipocresías? Misiá Clara Pando, la vieja bruja, sostuvo siempre, en privado y en público, en conversaciones de puertas adentro y en declaraciones consignadas en papel sellado, que el libertino era él, Toesca, y no ella, la Manuelita. El tema es delicado y difícil. A estas alturas, y frente a un cúmulo de testimonios, muchas veces contradictorios, no vamos a poder resolverlo. Sigamos, pues, con las conjeturas del Narrador, con sus recuerdos conjeturales. Mientras camina por las calles del Santiago colonial, casi siempre con rabia, con tristeza, Toesca se recuerda a sí mismo sentado en un taburete demasiado alto para su tamaño, de felpa tan roja como el vestido que lleva puesto, en el centro de un gran escenario, mientras su padre, su madre, un tío abuelo de cara ancha, dos primas legañosas, narigonas, de dientes de caballo, y algunos curas, aparte de tres o cuatro novicios no mucho mayores que él, apenas entrados en la primera adolescencia, lo señalan con el dedo y se ríen a carcajadas. ¿De qué se reirán? ¿Tendré monos en la cara, o en los zapatos? Le han puesto unos zapatos de charol negro con hebillas de plata, que toman una posición torcida, ridícula, al colgar en el aire, y los encajes blancos de la blusa le provocan una insoportable picazón en el cuello. Un sacerdote congestionado, de rizos a los lados de la cabeza calva, es anunciado a la asistencia como miembro de una Academia de nombre largo y pomposo, pero él no alcanza a saber cuál, o ahora, tan lejos, después de tanto tiempo y de tantas cosas, se le ha olvidado. Toma asiento el sacerdote académico en una silla más baja, a un costado, bajo la luz de un ventanal opaco. De manera que el centro del escenario, de la iluminación, de toda la enorme sala atestada, bullente, es él, Gioacchino. Armado de un gran bastón a rayas amarillas y negras, el maestre de ceremonias sale desde atrás de las cortinas y le acaricia la nuca. Enseguida se dirige a la sala a voz en cuello, ya que la gente todavía entra, patea, mueve las sillas, se saluda a gritos.

–¡Aquí tenemos –vocifera, golpeando el piso de tablas con el bastón–, a nuestro Sibillone de este año!

La ceremonia del Sibillone no es demasiado diferente, guardando las distancias, de la del imbunchismo araucano. El imbunche es el niño más dotado de la tribu, convertido en monstruo a fin de que adquiera poderes de adivinación. Al Sibillone lo transformaban en monstruo durante el espacio de una tarde, pero el episodio quedaba en su memoria marcado a fuego. Camina Toesca por el basural de Santo Domingo, el que le han destinado en el primer momento para que levante ahí la Casa de Moneda, enrabiado, pensativo, y el episodio, el que le atribuye, digamos, el Narrador, a través de su lectura de Goldoni, reaparece. Más allá se divisan los torreones del Puente de Cal y Canto, las carretelas cargadas de verduras, de zapallos, de sandías. Pues bien, después de escuchar el anuncio, la sala entera ha estallado en aplausos, en silbidos, en verdaderas coces al piso, en virtuales rebuznos. Su madre, de facciones bonitas, lo contempla con ojos húmedos. Él retiene las lágrimas a duras penas, apretando los puños. Si se mueve un milímetro podría caerse del taburete y romperse en mil pedazos. Eso sentía, recuerda. Como un muñeco de porcelana. ¿Por eso escapó hasta un lugar tan distante, a través de mares y de continentes extraños? El maestre, con la voz distorsionada, explica que una persona de la honorable asistencia, escogida al azar, porque aquí ya comienza, señoras y señores, la intervención de lo desconocido, tiene que hacer una pregunta, cualquier pregunta, la primera que se le venga a la cabeza.

–A ver –dice el maestre, buscando con el bastón, en medio de la expectación general, y señala una cabeza de peluca empolvada–: ¡Usted, Signore Comendatore! Y recuerden que nuestro Sibillone sólo puede contestar una palabra, una sola, y que nuestro académico sapientísimo y eminentísimo, Monseñor Pirelli, debe interpretarla a su modo soberano, sin consultar a nadie, sin interferencia alguna.

Entonces, con solemnidad, con el gesto del director de orquesta segundos antes de dar entrada a la música, en el silencio previo, entre bocas abiertas y ojos excitados, el maestre de ceremonias pide la pregunta. Él, encaramado en su taburete, sufre ligeros temblores, pero consigue reprimir el llanto. Veinticinco o treinta años después, enterrado hasta los tobillos en el basural, comprende su transitoria importancia, su condición de continuador de la Sibila. Fui la Sibila, dice, el Sibillone, acariciándose la barbilla, mirando las aguas turbias, y ni siquiera sonríe. Brillan unos anteojos gruesos y se escucha una voz de falsete. Una cara larga, de color y consistencia de cera, casi una máscara.

–¿Por qué, Sibillone, contesta, las mujeres tienen más tendencia a llorar que los hombres?

–¡Una sola palabra, Sibillone! –dice, con voz trémula, el maestre de ceremonias, y repite la pregunta.

Él cree recordar, pero no está seguro. Cerró los ojos, cree, y tenía la boca tan seca, que no sabía si sería capaz de pronunciar una palabra. Empuña las manos. Se agarra, después, los huesos de las rodillas. Nota que su padre infla las mejillas, como un sapo, y que su madre, con sus facciones delicadas, con su angustia, va a decir algo en lugar suyo. Abre entonces la boca.

–¡Paja! –chilla.

Así, volviendo al Narrador y a su lectura nocturna, dicen las memorias goldonianas que dijo el Sibillone. Hubo, suponemos, aplausos, murmullos de aprobación, algunas risas sofocadas, y el Sibillone, el pequeño Gioacchino, abrió los ojos y alcanzó a ver, a través de su cortina de lágrimas, que su padre y su madre sonreían, aliviados, y que los tíos y las tías movían la cabeza, dando señales de aprobación, mientras las primas, embobadas, seguían aplaudiendo y miraban de vez en cuando a los novicios. A todo esto, corpulento y sapientísimo, de rizos bien rizados a los lados de la calva, Monseñor Pirelli, el académico, explicaba, con impávida seguridad, sacando una frase de adentro de la otra, como un prestidigitador, que había diferentes clases de plantas, plantas escamosas, espinosas, gruesas, de savia densa y lechosa, y plantas delgadas y secas, de savia mezquina, plantas pesadas y plantas livianas, y que la planta más liviana de todas, como la distinguida audiencia lo sabía muy bien, era, ¡cuál iba a ser!, la paja. Y puesto que los tejidos de la mujer, agregaba Monseñor, son más livianos y frágiles que los del hombre, permiten que las lágrimas, que se acumulan en ambos sexos en el interior de las glándulas lagrimales, escapen de sus depósitos con mucha mayor facilidad y en notable abundancia.

La curiosa relación entre la paja y la fragilidad de los tejidos femeninos, la facilidad de sus lágrimas, se encuentra en Goldoni. Lo demás son conjeturas, suposiciones, recuerdos inventados. Decenas de años después, Joaquín Toesca y Ricci, el Gioacchino de traje de terciopelo rojo y cuello blanco de encajes, observaría el lugar por donde el río, el Mapocho, en sus crecidas invernales, penetraría por debajo de la tierra. Y se prepararía. La lucha, sabía, era incesante, aquí y en todas partes, y él estaba condenado. Sabía, sabría: recordaría un atardecer polvoriento, un sol rojizo, girando sobre sí mismo entre las cúpulas, los campanarios, los cipreses de Madrid. Habría un conjunto de alaridos bestiales, roncos, que le pondrían la piel de gallina, y una explosión, el estallido repentino y violentísimo de una vidriera, porque el pueblo de Madrid se había rebelado y había salido a las calles. Francesco Sabatini, su jefe, su maestro, envejecido, tembloroso, se escondería detrás de una cortina, y él tendría la impresión de que el amigo de sus padres, el Caballero de la Orden de Calatrava, el arquitecto oficial de Su Majestad, iba a convertirse, de repente, en una poza de agua, de sudor, de orines, al pie de unos flecos.

–Es mejor que te vayas –le aconsejaría el personaje corpulento, con su pecho lleno de escarapelas e insignias, acezando, apoyadas las manos en un fusil naranjero–. ¡Lo más lejos que puedas!

Después, en los andurriales santiaguinos, o en una galería de Quillota, junto a pilastras de madera enclavadas en un aro de piedra, o en el sur, a la orilla de un río de aguas tranquilas y profundas, o en la Plaza de San Felipe de los Andes, Toesca se preguntaría si Sabatini, su maestro, que lo había contratado como ayudante suyo y lo había hospedado en su casa de Madrid, que lo había tratado como a un hijo, estaba loco, y si él, al emprender el largo viaje que no tendría, tal como se veían las cosas, regreso, se había equivocado. ¿Y en qué consistía, después de todo, se preguntaría, equivocarse? Todo eran errores y triunfos parciales, alternativas inciertas. En cuanto al destino, a los hados, ¿qué parte habían tenido en toda la historia? Podrían habérselo preguntado al Sibillone, bajo los candelabros de una sala de juegos, y habría contestado con alguna palabra enigmática: paja, piedra, renacuajo. Pero, ¿quién, en estos páramos, habría sabido interpretarla?

II

Después de las primeras preguntas, el funcionario, aclarándose la garganta, haciendo un movimiento para soltarse el cuello de la camisa, que le apretaba mucho, parecía, y lo hacía transpirar el doble, procedió a notificarle que su marido, el brigadier de ingenieros del Regimiento Real de Tal Cosa y de Tal Otra y Arquitecto (o Architecto, quizás, como solía escribirse) don Fulano de Tal y de Cual, quien prestaba servicios en las obras urbanas de Su Cesárea Majestad en la ciudad de Santiago, y en las eclesiásticas de la Santa Madre Iglesia en la misma dicha ciudad, la había acusado formalmente, y ante quien correspondía, presentando en calidad de prueba un plato de peltre con siete espárragos envenenados, de intento de homicidio por medio de la pócima conocida como solimán, notificación ante la cual ella, la Manuelita, con aire compungido, hizo un movimiento incierto, más bien confuso, de cabeza, movimiento que habría podido indicar resignación, o miedo, e incluso, aunque no parezca verosímil, asombro. Ella había declarado hacía pocos minutos que las cosas ya no dependían de ella, y había insinuado, en cierto modo, que ella era otra, y que la mano que había colocado el unto venenoso no dependía de la voluntad de ella. El funcionario, dando muestras de impaciencia, como si la cercanía de la acusada, que tenía los ojos húmedos, grandes y bañados en lágrimas, como los de una imagen de Santa Águeda que se guardaba en el Sagrario, y que estaba pálida, desmelenada, bellísima, le produjera un efecto inquietante, una insuperable irritación, repitió que su marido la había acusado con todas las formalidades requeridas por la ley, y que el mecanismo de la justicia, como correspondía en estos casos, se había puesto en marcha, pero, agregó, e insistió, *pero,* después de meditar un poco, su marido, en compañía de don Ignacio Andía y Varela, su concuñado, y de don José Antonio de Rojas, su amigo de confianza, y cuando su ofuscación, su violento estado de conmoción, se le había pasado, había decidido retirar, señora, y él estaba en su pleno derecho, el libelo acusatorio.

–Nosotros, de todos modos –prosiguió el funcionario, mirando el techo con ojos hueros, pasándose los dedos con desesperación por entre la camisa y la piel desaseada, con restos de barba negra mal afeitados–, por tratarse de un delito de acción pública, y que ha causado, además, alarma en el vecindario, estamos obligados a seguir los caminos de la justicia, y tenemos, por consiguiente, tendríamos, el deber de encarcelarla, porque el responsable de la botica, interrogado hace un rato, declaró que usted había ido en persona a comprar el veneno, el día lunes de la semana que corre, y que él le había advertido y le había insistido en que era sumamente peligroso, y se lo había vendido sólo por tratarse de usted, persona que todos conocen y que frecuenta la Catedral y la Iglesia de Santo Domingo, templos donde se la ha visto rezar con evidente fervor, hincadas las rodillas en un cojín bordado, y comulgar con asiduidad, de mantilla oscura en la cabeza, como buena cristiana, y por tratarse, además, de la tranquilidad del señor Toesca, que no podía conciliar el sueño, según usted, porque lo desvelaban las carreras de los ratones por el entretecho de la casa, hasta el punto de que murmuraba, en la duermevela, que alguien derramaba sacos de maíz en los entresijos de la techumbre. Y el boticario comprobó, a más de esto, que el solimán que usted le había comprado era el mismo que mostraban en abundancia los espárragos que usted le había servido a su señor marido, ¡con intención de envenenarlo, qué duda cabe, *delitus horridus!,* pero el señor gobernador, después de escuchar esta misma tarde las súplicas del agraviado, cuyos trabajos son indispensables para la seguridad, la prosperidad, el ornato de este Reino, ha pedido a nos, funcionarios de la administración de justicia de Su Majestad, que dejemos la causa en suspenso, en el limbo de los archivos, como quien dice, o en andadura lenta, y ha cruzado la Plaza y se ha puesto de acuerdo con Su Señoría Ilustrísima, el Obispo de nuestra diócesis, de manera que usted, señora doña Manuela, en lugar de ir a la prisión ordinaria, lugar que le correspondería de acuerdo con el derecho común, vaya a una celda solitaria del Convento de las Agustinas, donde tendrá que someterse a una disciplina rigurosa, a fin de que medite acerca de su abyecta acción y de su más que probable y hasta irremisible condena a las penas del Infierno.

–Las monjitas agustinas –musitó ella–, son muy simpáticas. Siempre las visito para encargarles dulce de alcayota, alfajores, suspiritos de merengue con crema de lúcuma.

–Sí –bramó el funcionario, quien, después de escucharla, se había puesto del color rojo oscuro de una berenjena, con una vena gruesa, retorcida, marcada en la sien, palpitante, como si estuviera en un tris de reventar de cólera–, pero esta vez no irá a comprar dulcecitos ni cremitas, señora, sino a rezar, a pedir el perdón de sus pecados, de sus crímenes.

Ella, la Fernández, levantó las dos manos, con un gesto que si hubiera sido visto por otra persona, no por el representante de la Administración de Justicia, habría parecido ingenuo, hasta divertido, y escuchó decir, como si la voz viniera de lejos, que mientras no se hicieran cargo de ella las autoridades religiosas, cosa que presumiblemente ocurriría a partir de las primeras horas de la madrugada, su custodia correría a cargo de él, del funcionario, y él, en uso de sus facultades, había resuelto que la acusada, esto es, usted, Manuela Fernández de Rebolledo, pasara la noche en ese comedor, con la puerta del repostero y la de la salida a la galería custodiadas por cada uno de los alguaciles, quienes no vacilarían en someterla a palos en caso de rebeldía, y si tenía que cumplir con alguna necesidad fisiológica, los alguaciles, los funcionarios del bonete blanco y del garrote en la cintura, la acompañarían hasta las letrinas del fondo del huerto y la vigilarían en todo instante, aunque dándole la espalda en nombre de la decencia, mirando para otro lado.

–¿Entendido?

Ella inclinó la cabeza.

–¿Puedo hablar un rato –pidió–, con mi mamita?

–Puede –dijo el funcionario, con cara de intenso disgusto–. Diez minutos.

Misiá Clara, su mamita, cuando entró al comedor, donde el olor del solimán todavía flotaba en la penumbra, pero mezclado con el sudor del funcionario y de los dos alguaciles, y, además de eso, con un olor a papel, a polvo, a cordeles, se veía más chica, más negra, más peluda y huesuda que de costumbre.

–¿Cómo pudiste fazer eso? –le preguntó.

–No sé, mamita linda.

–Pudiste mandarlo p'al otro mundo.

Doña Manuela se pellizcó la falda, ordenándola, alisándola con la palma de la mano, y guardó un silencio largo, más que largo, como si no supiera, en realidad, dar ninguna respuesta, y como si le hubiera bajado, de repente, un terror de carácter animal, un horror: frente al mundo, frente a ella misma, frente a todo. Habló, enseguida, en un susurro.

–Quería que desapareciera por un tiempo, nomah, mamita.

–Pa' juntarte con el otro.

–Pa' juntarme con mi Negrito –admitió ella, después de un segundo silencio. Y no le importaba que después volviera. ¡Que golviera, mamita, pero después! Porque con ese unto en los espárragos se iba a enfermar de la guata, por un buen rato, y así dejaría de molestarla, de picanearla, de vigilarla–: de vigilarme todo el día con sus ojos de loco, su cara de hueso con pellejo... ¿Capís, mamacita?

–¡Chiquilla loca! ¡Reloca!

–¿Tú me perdonai, mamita?

–¿Yo?

El alguacil del corredor dio un par de manotazos feroces a la puerta. Llegó a caer un hilo de polvo del techo.

–Se terminaron hace rato los diez minutos –aulló.

–¡Yo te perdono! –dijo misiá Clara, y ella, supone el Narrador, entendió que por intermedio de misiá Clara, su madre, su mamita, hablaba Dios en persona. Los ojos de misiá Clara, intermediarios, mediadores, se habían abierto, pero estaban tapados por nubes más densas que las habituales. Sólo veían sombras. Sólo barruntaban el sitio donde la Manuelita estaba sentada, la mesa de encina sólida con resguardos de fierro, la figura borrosa de uno de los alguaciles.

–¡Cómo no te voy a perdonar –agregó–, Manuelita de mi alma!

El alguacil acababa de abrir la puerta con brusquedad, con gran estrépito de vidrios. En el patio lleno de naranjos y de limoneros, bajo la primera luz del alba, se divisaba, ahora, a dos monjas de hábitos azules, a un cura, y al otro alguacil de bonete blanco, arropado en una manta gris, con pómulos de araucano y cara de sueño profundo.

–Ven con nosotros –ordenó el primero de los alguaciles.

–¡Qué te habís figurao –chilló misiá Clara, quien pareció crecer un par de centímetros y lanzar rayos por aquellos ojos que hasta hacía un segundo habían estado cubiertos de bruma–, cholo'e porquería! A mi hija la tratai de usté, y de señora, o me voy ahora mismito a pedirle al gobernador que te meta a un calabozo a pan y agua. ¿Me oíste, cholo?

–Tranquila, señora –pidió el alguacil, medio corrido.

Las dos monjas y el cura, entonces, saludaron a misiá Clara con una inclinación de cabeza.

–Ellas me van a dejar visitarte bien seguido –dijo misiá Clara–. No te asustís. Y un tiempo de rezar, y de hacer penitencia, y de servir al Señor, te va a probar muy bien. ¿No es cierto? –agregó, mirando a las monjas y al cura, y ellos asintieron en silencio, con expresiones piadosas, con las manos, maltratadas por los sabañones, hundidas adentro de las mangas.

Hacía un frío de pelarse (supone, por lo menos, el Narrador), y los gallos del fondo del huerto y del vecindario cantaban. El segundo alguacil había llevado una cuerda gruesa para amarrarle a Manuelita los brazos a la espalda, por órdenes, quizás, del funcionario grasiento, pero el sacerdote hizo un gesto negativo, y los guardianes, sometidos a la mirada de fuego y de relámpagos negros de misiá Clara, escondieron la cuerda. La Manuelita, ahora, se había puesto a llorar a mares, y misiá Clara, que nunca la había visto así, ni siquiera de niña chica, sintió que el alma, ¡pobrecita!, se le partía.

III

El Ministro en Visita, el arratonado, el que le había tomado una simpatía turbia, casi viscosa, en la primera declaración, y después, a pesar de haberlo dejado en libertad incondicional, lo había encargado reo, ¿por instrucciones superiores, a causa de alguna insidia particular, por mero capricho?, insistió en su segunda idea: la de reventarlo, la de hacerlo papilla, como si la confianza que le había inspirado el joven en el primer interrogatorio hubiera sido un engaño, un golpe bajo que ahora había que devolver multiplicado por cinco. Él, Ignacio chico, se habría podido hundir por el resto de su vida, y sin embargo, gracias a no se sabe qué, a una terquedad de nacimiento, a una fibra que había heredado de alguna parte, de la furia de Cristina, quizás, o del ñeque de don Ignacio, a un gusto por la pelea, no se hundió. Por el contrario, saltó del abismo a la superficie, como los corchos, como los monos porfiados. Cuando la Segunda Sala de la Corte revocó las encargatorias de reos de todo el grupo, sin hacer distinciones de ninguna clase entre activistas políticos, estudiantes, guerrilleros clandestinos, como habría sido el deseo del Poder, los autos volvieron al Ministro en Visita con la instrucción de dejar las órdenes de detención respectivas sin efecto. El oficio en cuestión debía ser comunicado de inmediato a las autoridades de la Penintenciaría, las que debían dejar en libertad en el acto a los jóvenes, los revoltosos absueltos por aquel tribunal de alzada inesperadamente magnánimo.

–Contradicciones del sistema –dijo Cristina, quien por

palabras, por terminachos, no se quedaba atrás nunca–, pero tú, como perdiste el tranco hace rato, ya no crees en las contradicciones.

El Narrador se encogió de hombros. Si las contradicciones juegan a favor nuestro, pareció decir, bienvenidas sean. Pero sucedió algo imprevisto, aun cuando habría sido perfectamente previsible: el Ministro en Visita, el ceniciento, el ratonil, ex radical de derecha o de extrema derecha, al dictar desde el fondo de su despacho la lista de los jóvenes beneficiados por el dictamen, omitió, ¿por inadvertencia, porque se trataba de una situación especial, por invencible mala leche?, el nombre de Ignacio chico. De manera que los muchachos salieron de los socavones oscuros a la luz de los faroles callejeros, entre gritos de júbilo, emocionados abrazos con los padres, con las hermanas, con algún cura simpatizante, con dirigentes juveniles, e Ignacio chico, Nacho, Nachito para algunos, esperado con angustia creciente por el Narrador, por Cristina, por una amiga reciente de Cristina a quien el Narrador había encontrado una tarde en el departamento del cerro, Clara de nombre y de apellido Weinseck o Weinstern, y por el hijo de Clara, el Nono, que había salido a desfilar con él ese primero de mayo y se había salvado de caer preso gracias a sus buenas piernas y a su buena vista, este Nacho no salió nunca. Hubo que hacer diligencias desesperadas, ubicar en el fondo de su cuchitril a una actuaria anteojuda, de malas pulgas, que todavía husmeaba papeles a las diez de la noche pasadas, conseguir el teléfono del conchas de su madre del ministro (para emplear las expresiones de Cristina, de Clara y del Nono) y llamarlo a su misma casa, amenazar con llegar hasta ahí mismo a tocar el timbre, hasta lograr que una sobrina del ministro y su marido, en una citroneta destartalada, llegaran a medianoche a la Penitenciaría en posesión del indispensable oficio complementario. Se registró la orden en el cuaderno correspondiente, caminó el gendarme hacia el interior agitando sus llaves, y, después de una espera todavía larga, apareció, restregándose los ojos, cargando una mochila vieja con sus bártulos, el revolucionario en ciernes.

–Estaba roncando a pata suelta –dijo–. ¿No podían esperar hasta mañana?

¡Cuántos desencuentros, cuántas emociones torcidas, mal interpretadas! Cristina, que era persona de cara seca, de ojeras cortadas a cuchillo, de labios firmes, lloró. El Narrador, emocionado, estrechó a su hijo con brusquedad, con la torpeza de toda su vida. El Nono, flacuchento un poco jibado, de color de pancutra, le daba palmotazos desacompasados en la espalda. Clara W., lagrimeando, pellizcándole las mejillas, le gritaba:

–¡Mocoso de mierda! ¡Desagradecido! No sabís todo lo que tuvimos que hacer para librarte de una noche más en el chucho.

–Yo estaba soñando sueños estupendos –dijo él–. Con la salida de los otros, me había conseguido la mejor almohada, las frazadas más nuevas, y los terroristas de la galería del lado, para consolarme, me habían pasado unos palmitos brasileños, unos jamoncitos serranos, un vaso escondido, que había costado una fortuna en coimas, de Don Matías tinto.

No sabemos si el Narrador pensó que todavía no había terminado de conocer a su hijo. O que era, su hijo, al menos para él, un perfecto desconocido. Y si no lo pensó, creemos que habría debido pensarlo. A partir de entonces, los pasos de Ignacio chico, quizás, en el fondo, previsibles, fueron una fuente de continuas sorpresas: para el Narrador, para Cristina, para Clara Weinseck o Weintrak y el Nono, para la hermana del Narrador y su marido, para algunos otros. El menos sorprendido de todos, y esto, bien analizada la situación, los caracteres de cada cual, los proyectos implicados en cada movimiento, no carece de lógica, fue el abuelo de Ignacio chico y padre del Narrador, don Ignacio, el anciano encerrado en su fortaleza, artillado y blindado, y receloso de todo y de casi todos después del asalto de que había sido víctima a altas horas del toque de queda. ¿Para qué servía, entonces, el toque, destinado en su origen a protegerlo a él y a las personas como él: para que los asaltantes anduvieran sueltos? El anciano, convertido en un guerrero viejo y feroz, dispuesto a todo, se hacía preguntas, y callaba, y tenía el curioso pálpito de que el joven, el nieto, las adivinaba mejor que los demás. Y en lo que se refiere a la lógica mencionada un poco más arriba, sólo podríamos comprenderla desde una perspectiva mayor, colocados en un punto más avanzado de nuestro relato. Con más tiempo y con más espacio. Con un poco más de aire. Contentémonos, pues, por el momento, con caminar, sin la pretensión de hilar demasiado fino.

Ignacio chico visitó a su abuelo, a quien podríamos identificar también como el Padre, puesto que era el papá del Narrador, ¿Dios Padre?, a la hora de almuerzo del día subsiguiente. Le anunció la visita por teléfono, sin decirle una sola palabra al Narrador o a Cristina, y se cree que le pidió que no estuviera Mariana, la Nina, comensal frecuente de los almuerzos de la casona del Barrio Alto. El Narrador se enteró de este encuentro tarde y con no poca sorpresa. No supo de qué hablaron el nieto y el abuelo desde sus respectivas distancias, desde sus veras y sus burlas. Una frase incidental de la cocinera y un comentario por el teléfono de Nina lo llevaron a colegir que la conversación había sido animada, intensa, sin bache alguno, lo cual, después de todo, no dejaba de ser extraño. El testimonio de la cocinera permitió saber que a la altura de los postres se escucharon carcajadas, exclamaciones, diálogos que se entrecruzaban y se superponían en tonos agudos. Se supo, también, que don Ignacio, el Padre, pidió hielo y se sirvió, de sobremesa, un whisky One Hundred Pipers, explicando que no había por qué gastar tanta plata en whisky, él, sin ir más lejos, no distinguía bien una marca de otra, y nadie en todo Santiago distinguía, compraban whiskies caros por puro esnobismo, de puro papanatas que eran. Le ofreció uno a su nieto, gesto que no habría tenido antes de aquel primero de mayo grávido de consecuencias, como si la salida de la Penitenciaría hubiera coincidido con el ingreso del Nacho en la edad madura, y él, con delicadeza, porque había comprendido los alcances del gesto, y a la vez con personalidad, con la palma extendida de la mano izquierda, lo rechazó. Se despidieron en la puerta, entre bromas y nuevas exclamaciones, además de besos en las mejillas, pasadas las cuatro de la tarde. En resumen, le dijo su abuelo, como decía don Arturo Alessandri Palma, o Winston Churchill, o ya no recuerdo quién, el que no es comunista a los veinte años no tiene corazón, y el que sigue siendo comunista a los cuarenta no tiene cabeza, frase sabida, más bien ramplona, pero que dentro del contexto no carecía de gracia.

–Yo nunca he sido comunista, la verdad –le respondió su nieto–, y no sé si tengo mucho corazón. En cuanto a la cabeza, supongo que está por verse.

Don Ignacio se rió, y lo acompañó hasta la calle, con el último de sus parches y con un pistolón que le hacía bulto en el bolsillo. Había que andar armado a toda hora, según él, y no confiar en nadie, porque los diablos merodeaban por todas partes. Mariana llegó de visita un poco más tarde, en camino desde el centro, adonde trataba de bajar lo menos posible, a su casa de La Dehesa, y fue así como pudo conocer detalles del encuentro del nieto que acababa de salir de las mazmorras de la dictadura, donde lo habían encerrado, suponía ella, con toda justicia, por atentar contra la seguridad del régimen «que nos protege», decía, «a todos nosotros, y que protege el orden mismo de las familias», y del abuelo conservador y que con la vejez avanzada empezaba a ponerse cada día más estrafalario. Hizo Mariana sus averiguaciones en la cocina y prefirió no hablarle a don Ignacio de Ignacio chico, y menos de Cristina, su madre, a quien detestaba. Le tocó el tema espinudo, en cambio, como le contaría al Narrador al día siguiente, de su consumo absolutamente excesivo, escandaloso, de whisky de Escocia, del barato, y, cada vez que lo invitaban, del caro, brebaje estrictamente prohibido por su médico de cabecera, tan prohibido como el cigarrillo y los cigarros puros, ¡para no hablar del coñac!

–Coñac –respondió el viejo–, ¿sabes tú, Nina?, no tomo nunca, y de vez en cuando me fumo un buen puro, que no le hace daño a nadie, y el whisky, en cambio, me hace un bien inmenso –y repitió el adjetivo con entonación bien redonda, gozando con el efecto de espanto que producía en su hija: ¡Inmenso! ¡Los médicos no eran más que una tropa de agoreros y de charlatanes!

Ella, que actuaba con una mezcla sabia de dureza y de habilidad táctica, abandonó entonces el tema del alcohol e introdujo el de una de sus queridas, la flaca, la Martelli, mujer tan intrusa, dijo, tan indiscreta, y tan aficionada, agregó, si quieres que te lo diga con franqueza, a la plata, y mencionó, ¡sí, papá!, la conveniencia, ya que estaban hablando dentro de la más absoluta confianza, de que revisara su testamento, hecho en la época ya lejana en que la señora María Rosa, la madre de Mariana y del Narrador, todavía estaba viva.

–No tengo intenciones de morirme todavía –dijo don Ignacio, alargando el labio inferior, moviendo los dedos de la mano derecha, echándose para atrás en su sillón–. Voy a tratar de durar unos dos o tres años más. Pero, claro está, tus amigos de la DINA, o de la CNI, o de lo que sea, pueden pillarme con la guardia baja.

Ella, Mariana, movió la cabeza. Prefirió seguir una táctica de repliegue: retirarse a conversar con la cocinera, su gran aliada de años recientes.

El día siguiente, jueves, Ignacio chico salió a comer con algunos amigos, entre ellos el Nono, al barrio de Bellavista, y el viernes partió en un bus a Valparaíso, ¿a qué?, a explorar, contestó, algunas posibilidades, porque ya estaba decidido a retirarse de la carrera de letras.

–¿No quieres seguir las huellas de tu padre? –le preguntaron.

Respondió que no en forma rotunda. ¡Por ningún motivo!

Al Narrador, su padre, le contaron que en Valparaíso se

había dedicado a hacer indagaciones serias, completas y detalladas, acerca de los estudios de arquitectura. Le arreglaron una entrevista con un profesor flaco, melenudo, de gruesos anteojos, corbata de mariposa, chaqueta de *tweed* bolsuda, llena de botones redondos de cuero, con los bolsillos repletos de lápices, de papeles, de rotuladores, personaje conocido por los alumnos como el Pájaro de Biombo. Con voz aflautada, con ojos perdidos en las alturas, el extraño pajarraco le pidió que hiciera la maqueta de un espacio «donde se pueda representar al mismo tiempo la versión dramatizada de un poema de Mallarmé, ¿sabes quién es Mallarmé?, y la de un Diálogo de Platón».

–Sé quién es Mallarmé –declaró él–, y también sé, por lo demás, quién es Platón.

–Entonces –dijo el Pájaro de Biombo–, hazla a tu modo, aunque sea pegada con escupito, y la discutimos en la playa de Ritoque, en el corazón mismo de Amerindia, frente al mar llamado Pacífico. Ahí te diré si vale la pena o no que ingreses a arquitectura.

Ignacio chico caviló acerca del anfiteatro mallarmeano platónico, se imaginó la discusión a la orilla del mar con la avechucha aquella, y resolvió tomar el bus de regreso a Santiago. Había que construir utopías, le habían dicho los arquitectos de Valparaíso, había que mirar más allá, sin olvidar la euritmia de los antiguos, colocando las columnatas de los templos como las notas de una sinfonía cosmogónica, pero no existían, para ellos, las patadas de las pacas, los piojos de las celdas, la gastronomía burlona de los presos de la galería seis, y el resultado de todo, el de un fin de semana intenso, hablado hasta por los codos, fue que no consiguieron convencerlo. Llegó a Santiago y se puso en campaña con un fin mucho más preciso, aun cuando sus prolongaciones, quizás, no eran tan precisas y tan claras. Vendió sus mejores libros, algunos grabados que había adquirido no se sabía cómo, uno de Carlos Faz, otro de Antúnez, otro de un pintor a quien conocían como el Huevo y que se especializaba en dibujar y pintar huevos, un busto de muchacha esculpido en mármol, copia francesa de una escultura del siglo XVIII y que había pertenecido a la familia de misiá María Rosa, su abuela, y se supone que don Ignacio, su abuelo, el Padre, le hizo un regalo en plata efectiva, a pesar de que el Padre, el Taita, accionista más bien fuerte de dos o tres de las empresas más sólidas del país, era hombre de whiskies modestos, como ya hemos tenido ocasión de saberlo, y de cuentas rigurosamente controladas. El joven revoltoso, enseguida, averiguó el teléfono del Cachalote, el amigote momio de su padre, y lo llamó a la oficina.

–Supongo que ya no estarás –le dijo el Cachalote–, para meterte en más huevadas.

–Depende de lo que llames huevadas –le contestó Ignacio, con el mayor desparpajo de este mundo.

–Dime –le pidió entonces el Cachalote–: ¿Qué se te frunce? Porque no me habrás llamado para colocar una orden de compra.

Había decidido, explicó Ignacio chico, salir de viaje lo más pronto y lo más lejos posible, y quería pedirle una recomendación, como persona conectada con los milicos, para algún funcionario del servicio donde se sacaban los pasaportes.

–Y tu padre, ¿qué dice?

–¿Qué quiere que diga? Si no me da la autorización ahora, igual saldré un poco más adelante, cuando tenga la mayoría de edad.

Hubo un breve silencio al otro lado. Se escuchó la voz de una secretaria, el llamado de un teléfono, el ruido de las máquinas que transmitían las cotizaciones de la mañana.

–Apunta un nombre –dijo por fin el Cachalote–. Es un oficial amigo mío. Yo le voy a avisar por teléfono que vas a visitarlo. Y pasa por mi oficina antes de irte. Si venís al final de la mañana, te convido un pisco sauer en la barra del Club. ¡Pa' que no te vayai' de Chile conociendo los puros calabozos!

IV

Después del encierro de Manuela Fernández de Rebolledo en las Agustinas, la Manuelita, como le decían hasta en el convento, la Fernández, como se nombraba a veces ella misma, había días en que el arquitecto Joaquín Toesca parecía sonámbulo. Eso comentaron en diversos tonos sus jefes de obras, y las empleadas de su casa, desde la Eufemia hasta la cocinera y la enana del fondo de las piezas, y el mulatón Ambrosio, que ahora no tenía a quién vigilar, pero se había quedado, de todas maneras, en el servicio. También cuchicheaban los alumnos, cuando él no estaba en el taller, y don José Antonio de Rojas trataba de sacarle palabra, de volverlo a formas normales de comunicación, pero no lo conseguía. Alguien dijo que se había puesto más italiano que nunca, que se le había olvidado hablar en cristiano, y otros insinuaron que quizás, de tanta rabia que había pasado, y de tanta amargura, se había vuelto loco.

La Eufemia le colocaba delante un plato de charquicán y le decía:

–Coma, señor. Está sanito.

Pero él sentía la repugnancia de los espárragos untados en una substancia extraña, y le bajaban arcadas.

Empezó a salir de la casa al tercer día, aun cuando no había probado ni la sopa, según la Eufemia, pero después de recibir un recado, creían algunos, del delegado del Santo Oficio, y dedicó largas jornadas, con escasos recreos, a sus clases de matemáticas, de dibujo, de arquitectura clásica, y a vigilar los trabajos de la Catedral, y de los Tajamares, y los cimientos de la Casa de Moneda, que habían empezado a cavarse, por fin, después de largas discusiones y deliberaciones, en un predio que había sido de propiedad de los Teatinos, hacia el sur poniente, cerca de la parte baja de la Cañada. Tenía la impresión de haberse olvidado de sus edificios predilectos de Roma y de Nápoles, de los jardines, la escala real y la puerta ceremonial en los que había trabajado en Madrid con Sabatini, su maestro, y sentía este olvido como una oscura amenaza, como un proceso de venganza. El Mundo Viejo que se vengaba del Nuevo y resistía. Hacía poco, en su destierro de Chile, porque era un destierro, no tenía más remedio que admitirlo, había sabido que su madre, la señora de facciones finas, de mirada dulce, había muerto. La carta de una de sus hermanas le había llegado de Roma, y con un año casi exacto de retraso. Él siguió los consejos de don José Antonio y le mandó un poder notarial al maestro Sabatini, que continuaba en Madrid, pero que mantenía sus conexiones con Roma, para que cobrara su parte de la herencia. Con eso se proponía devolver el dinero que el propio maestro le había prestado para costear su viaje a estas regiones del planeta. Cuando le pagara, se sentiría libre, por fin. Se podría olvidar de los sotacuras, de los frailones, los *frattone* gordos y sebosos, de las columnas rotas y las estatuas hundidas en la maleza, de los olores callejeros a mierda, *merda,* y a meado de gato. También se olvidaría del gusto de los espárragos grasientos. ¡Sí, Eufemia! ¿Y de la Manuelita, de sus ojos llorosos, su pelo negro enroscado, su piel de leche, o de nieve, que se dividía en el escote, y que ahora estaría sepultada, martirizada?

Según el testimonio que ha encontrado el Narrador entre los papeles que pertenecieron al dueño de casa anterior, al historiador difunto, los vecinos de Santiago lo veían pasar en su carricoche negro, de un caballo, vestido de casaca oscura (como dicen que se vestía su ídolo supremo, el Borromini, el hijo del picador de piedras), con las riendas en la mano, eternamente cabizbajo. El carricoche pasaba por los mismos lugares a las mismas horas, con la más rigurosa puntualidad, detalle que hablaba de una modernidad mayor o de una franca rareza, de un vertiginoso desajuste. ¿No habrá sido, quizás, se decía el Narrador, Ignacio el Segundo, rascándose la coronilla, un precursor de los excéntricos que pululaban por el Santiago de su infancia, don Marcos García de la Parra vestido de Sherlock Holmes, esclavina de *tweed,* sombrero de lana abotonado en la coronilla, pipa curva, polainas, o el Loco Morán, que daba largas zancadas por el medio de la calle, entre los frenazos de los automóviles, con un pesado cargamento de astas de banderas, ya que se encontraba en pleno proceso de organización de un Congreso Mundial de Jefes de Estado, o el Chico Molina, con sus novelas imaginarias, o el Incandescente Bermúdez? ¿Volverían los chiflados de antaño, como vuelve casi todo, o se trataba de una especie tan extinguida como los plesiosaurios y los dinosaurios? Los vecinos de la ciudad colonial, desde sus ventanas, desde los portales, desde las esquinas salidas en algunos metros y que introducían una perspectiva diferente, inesperada, en el corazón del cuadrilátero renacentista, veían asomar el carricoche con su trote lento y sabían, según el lugar donde estuvieran colocados, que eran las diez y media de la mañana, hora de la merienda, que entonces todavía se llamaba almuerzo, a la manera peninsular, o las cinco en punto de la tarde, hora que ya empezaba a ser nombrada como de onces, sin que nadie supiera por qué motivo. Cuando el carricoche pasaba frente a los muros de las Agustinas, lo cual ocurría dos veces al día en las mañanas y otras dos en las tardes, el pensativo conductor levantaba la vista. A veces había encontrado el portón principal entreabierto y había alcanzado a vislumbrar las flores multicolores, los tupidos arbustos, las enredaderas de buganvillas lilas o rosadas colgando junto a columnas de madera blanca, detrás de una estatua de la Virgen María. Había divisado, quizás, una sombra más bien esquiva, colocada en un segundo nivel de clausura, mientras por el primero pasaban figuras conversando, accionando, señalando algo que no se veía desde la calle, y el corazón le había latido con desenfrenada violencia, con una pasión que no podría confesarle a nadie, que no era ni siquiera capaz de confesarse a sí mismo. El portón era macizo, de coligüe, con incrustaciones ornamentales, y tenía una rendija como de confesionario tallada en una portezuela baja. Por ahí, pensó él, de madrugada, a empujones, a golpes, quizás, agachando el moño, habían hecho entrar a la bella, a la ensimismada, a la incomprensible.

Al cabo de dos o tres meses, quizás más, quizás menos, ya que él, después de la noche del veneno y de la madrugada del encierro, había perdido la noción del tiempo, uno de sus discípulos, José Ignacio de Santa María, el Gordo, que era un dibujante aplicado, aunque más bien mediocre, y un estudiante pasable de matemáticas, le dijo, maestro, que se había encontrado en las tierras de El Monte, hacia Melipilla y la costa, en la casa de campo de los Carrera, en una tarde en que todo estaba trastornado porque el joven José Miguel había perseguido a escopetazos a unos indios ladrones, con Goycoolea, Juan Josef, y que se lo veía muy triste.

–¿Por qué?

–Porque echa mucho de menos las sesiones en su taller, maestro. Me lo confesó de entrada. Si no puede seguir con sus estudios de agrimensor y de arquitecto, va a tener que emplearse en algún campo, y eso, dijo, sería su muerte segura, o su entierro en vida.

–¿Y te dijo algo más? ¿Te contó por qué no se presenta en mi casa?

–No me dijo una sola palabra.

Toesca se quedó callado. Se agarró la barbilla y estuvo mirando las ramas que se cimbraban, los plumeros amarillos de los aromos, con ojos turbios.

–Dile que me venga a ver –murmuró después de un rato.

–¿Cuándo?

–Cualquiera de estas tardes.

Juan Josef Goycoolea se presentó en el anochecer del día siguiente. Cuando la Eufemia, la bruja, entró a decírselo, la primera reacción de Toesca fue llamar al mulatón Ambrosio, y estuvo a punto de ordenarle que lo echara a tablazo limpio. El mulatón lo miró, con sus ojos redondos, esperando instrucciones.

–Anda al mercado –le dijo, al fin–, y me compras una sandía bonita.

Se dirigió, entonces, al zaguán, con pasos lentos, saludó a Goycoolea con una inclinación de cabeza y lo miró de arriba abajo. El otro venía de punta en blanco, bastón de caña, sombrero de paño de Barcelona, guantes de cabritilla, corbatón de seda de color crema tostada. Desde que había llegado a la colonia chilena, Toesca nunca se había encontrado con una persona vestida de ese modo. O la gente andaba de poncho y ojotas, o se vestía de manera sobria, con paños grises, por lo general un tanto raídos. El Narrador podría suponer ahora, tomándose algunas libertades, que la extravagancia del gremio de los arquitectos, de los artistas, de los líricos de cualquier especie, ya comenzaba a insinuarse en aquellos tiempos. Pensó, Toesca, entretanto, decirle algo, no sobre su atuendo, sino sobre su torpeza, su lascivia, la puñalada que le había dado por la espalda. Al final no le dijo nada. Quizás por qué. Porque había llegado, quizás, en cuestión de segundos, a la conclusión de que el otro, en el fondo de las cosas, no había sido el causante de nada. Había sido, se dijo, recordando, una de las formas que puede asumir un destino. Apenas. Además, cualquier explicación habría sido una humillación doble. ¡Con ese espantapájaros! Lo curioso, sin embargo, era que tenía más condiciones para el arte que los otros. Mucho más condiciones. Y, sin darse cuenta, terminó hablando con él del juego de las luces y las sombras en una de las fachadas del proyecto de Casa de Moneda, del quiebre de los rayos solares, o lunares, en el escalonado de las cornisas.

–Los de aquí, maestro, no se darán ni cuenta.

–¡Y qué importa! Nosotros habremos cumplido, y eso es lo principal. Pero yo tengo confianza en los seres humanos. A pesar de todo.

Nadie supo, ni pudo saber, a qué aludía con ese «a pesar de todo». No lo supo Goycoolea, o no le quedó bien claro, y el Narrador tampoco.

Vemos, pues, que el arquitecto ingeniero y su discípulo, el preferido y detestado, el que había hecho enloquecer a la Manuelita y lo había dejado a él en ridículo frente a toda la Colonia, con singular y tranquila pasión, paseando por el fondo del huerto, entre los limoneros y los naranjos, y echando una mirada ocasional al jardín de al lado, el del Coronel Díaz, hablaban de perspectivas, de proporciones, de un concepto que el arquitecto había bebido en Vitruvio Polión y había observado en las obras del Palladio y del Borromini: la euritmia.

–Se me ha ocurrido –dijo–, construir en el patio del fondo una Moneda más chica, que sirva de resguardo, de bóveda para guardar los materiales más valiosos, y que mirada desde la calle, con los portones abiertos, produzca una impresión de infinito, de vértigo, de huida de las líneas hacia el sur, ¡hacia el fin del mundo!, ya que desde la puerta de la segunda Moneda uno podría imaginar una tercera, una cuarta, una quinta. Un juego de espejos, ¿me comprende usted? Y una entrada en el otro lado del espejo.

–Altolaguirre –dijo Goycoolea, estrujando sus guantes de cabritilla, acariciando el ala del sombrero– se va a volver loco.

–¡Loco de remate! –confirmó Toesca, lanzando una sonora carcajada, la carcajada más alegre que se le había escuchado en el último tiempo. Una de las viejas del servicio, no la Eufemia, otra, que pasaba junto a los limoneros del fondo, lo miró con extrañeza, y la sombra de Ambrosio se desplazó cerca de un macizo de zarzamoras.

–Te he dicho que salgas a comprarme una sandía –gritó él.

–Sí, patrón. ¡Al tirito!

–Además –prosiguió Toesca, animado–, voy a necesitar huevos auténticos, de gallina, para fabricar la mezcla. Se obtiene una consistencia que es imposible obtener de ningún otro modo. Y como sólo se pone la clara, a fin de aprovechar los efectos aglutinantes de la albúmina, *capisce?*, Altolaguirre podrá aprovechar las yemas para mandar hacer huevos chimbos.

–Podría encargar un huevo chimbo del porte del Cerro San Cristóbal, para los natalicios reales.

–¡Mañífico! –aulló Toesca, aplaudiendo, recuperando el acento italiano de sus años juveniles.

Goycoolea se despidió después de un rato, y él lo miró alejarse con una mirada extraña, pensando que esa espalda robusta, de piel un tanto oscura, agitanada, era la misma que había vislumbrado, desnuda, en una noche de invierno, a la luz de una palmatoria que vacilaba, mientras todavía caían goterones de lluvia, restos del diluvio grande, anunciador del fin de los días. Cuando ya iba cerca del portón de salida, lo llamó. Había tenido la absurda ocurrencia de hablarle de la Manuelita, de preguntarle noticias de ella, por si las había tenido, puesto que él, por ejemplo, hacía semanas que no sabía una palabra. Sin embargo, una vez que el otro estuvo cerca, y después de mirarlo a los ojos, no le dijo nada. ¡Qué le iba a decir! Se limitó a ponerle una mano en el hombro y a empujarlo con suavidad, para que se fuera de una vez. Enseguida le ordenó a la Eufemia que le sirviera la sandía, la que acababa de encargarle a Ambrosio, y un vaso de agua pura, cristalina. A veces, pensó, quería beber, abriendo los brazos, cantando un aire napolitano a voz en cuello, y otras quería clavarse los aceros negros, filudos, del Borromini, en la boca del estómago. Pero estaba contento, por lo menos ahora, después de haber conversado con Goycoolea, el mejor dotado de todos, a pesar de sus trapos de payaso, y de repente sentía un deseo insensato de ver de nuevo a la Manuelita, de escuchar su risa cantarina y absurda.

V

A estas alturas del relato, don José Antonio de Rojas, con su seriedad un poco ingenua, con su espíritu, pese a todo, ilustrado, con su optimismo a toda prueba, con su afición a los aparatos, las máquinas, las probetas, los libros de teoría política, de ciencias, de estampas variadas, trajes de las regiones de España, mariposas del Brasil, embarcaciones vikingas, nos parece un personaje entre serio y cómico. No es un tonto grave, especie humana que ya se conocía durante los años de la Colonia y que alcanzaría en los tiempos de la República, en su prehistoria y en su protohistoria, una difusión tan notable, pero es un inteligente que lleva el lastre de no pocas ingenuidades y de algunas evidentes tonterías. Son, por otra parte, tonterías, ingenuidades, que podríamos considerar saludables, puesto que le permiten mantenerse optimista, confiado en el futuro, a pesar de las señales contradictorias o directamente negativas que suelen presentarse en el horizonte. Tiene un lado inquieto, hasta aventurero, pero es, en su fondo íntimo, con sus cachetes de niño bien alimentado, persona prudente, conservadora por instinto. Pensamos que ese instinto lo ayudó a guardar distancia frente a las especulaciones de los dos franceses, a no comprometerse más de la cuenta, cosa que en último término lo salvó de la cárcel y de cosas peores. Tuvo que humillarse frente a la autoridad, pero la humillación, en aquellos días, ¿y ahora?, era el pan de todos los días. Todos se humillaban y todos serían, en el reino de este mundo o en el otro, ensalzados.

A los dos años, a los dos años y medio, semanas antes

de la catástrofe conocida como avenida grande del río Mapocho, a don José Antonio ya se le había pasado el susto. Se acordó, entonces, en su recuperada serenidad, en su confianza, de la máquina de producir electricidad que había adquirido en una tienda del centro de Londres, durante su viaje de alrededor de diez años por España y Europa. La máquina todavía estaba embalada en cajas perfectas, de madera bien cepillada y barnizada, y recubiertas por dentro de terciopelo verde claro. Con ayuda de dos sobrinos políticos, hijos de una hermana de la Merceditas, y de un muchachón de campo, uno de manazas huesudas y de andares lentos, con expresión de quedado, aun cuando quedado no era, nacido cerca de Til Til, se dedicó durante semanas a armarla en una de las salas del primer patio de su casa. Una vez que la hubo armado y probado, ante el asombro de sus dos sobrinos y del muchachón, cuando estuvo seguro de que el complicado ingenio, impulsado con tracción manual por un manubrio conectado a una rueda y a un sistema de poleas, producía un chisporroteo eléctrico seguido de la rápida erección de un par de banderolas, sintió que uno de los grandes momentos de su todavía breve existencia había llegado. Invitaría a los caballeros más importantes de la ciudad, les haría una demostración, les explicaría los usos que podría tener la misteriosa energía producida por el artefacto aquel en la industria, en la agricultura, en el transporte, en la iluminación urbana, les ofrecería, acto seguido, una copa de vino añejo acompañada de dulces de las monjas, de tirillas de charqui, de avellanas, y su posición en la sociedad colonial, su carácter de orientador, de faro del espíritu, de gran sabio de la pequeña tribu, de persona a quien el conocimiento superior dotaba de poderes también superiores, quedarían puestos en evidencia.

–Podremos convertir esta lengüeta de tierra, esta cornisa perdida, en un ejemplo para el universo –exclamó, lleno de euforia, pero Manuel, el hermano de la Merceditas, con quien don José Antonio había contraído matrimonio hacía un poco más de dos años, le aconsejó que tuviera cuidado. Mucho cuidado.

–¡Qué cuidado! –exclamó él, y se dijo para su coleto que don Manuel de Salas, su cuñado, pese a todas sus lecturas, a su famosa colección de libros prohibidos, a sus filosofías y sus latines, se había convertido en una auténtica gallina, o un pollo desplumado, con el güergüero salido, y que circulaba por el mundo con cara de alarma–: Van a quedarse con la boca abierta. Van a tener que admitir que uno sabe más que ellos.

Tocó, por desgracia, una tarde de lluvia interminable, en los comienzos de aquel invierno, el de 1783, que sería el más lluvioso del siglo y de muchos siglos. Su amigo, el arquitecto romano, que se había casado en los últimos días del verano o en los comienzos del otoño, quizás contagiado por su ejemplo, había tenido que viajar poco después a Lima para presentar sus planos de la Casa de Moneda a las autoridades virreinales. No pudo asistir, por lo tanto, a la gran velada, presidida por los émbolos, por las poleas, por las altas articulaciones y por los alambres de cobre reluciente. Asistieron, en cambio, su cuñado, a pesar de las advertencias que le había hecho, y don Bernardo Llanete, comerciante rico, especialista en cueros y en aceites de la Península, e Ignacio Andía y Varela, el escultor, que en aquellos días precisos estaba dedicado a esculpir los angelitos con alas que le había dibujado el arquitecto, y Juan José Goycoolea, conocido por muchos como el Negro Goycoolea, joven alumno de matemáticas y arquitectura, frecuentador, según algunas lenguas de lija, de ramadas y chinganas, y un par de oidores de la Real Audiencia, personas influyentes, empaquetadas, además de un notario, y del diácono de la Catedral, enviado en representación del obispo, y de otras personas, entre las cuales figuraba uno de los escribidores de confianza de don Ambrosio de Benavides, redactor de sus grandes discursos oficiales y especialista en proclamas, en soflamas, en pregones de toda especie.

Aunque no se lo confesó a nadie, a don José Antonio le dolió que no asistieran el gobernador y el obispo en persona, pero se dijo que sus enviados, a quienes había colocado en la primera fila y que miraban la máquina con la boca abierta, les contarían el prodigio. El muchachón de Til Til empuñó el manubrio, con su cara de panfilote, con sus manazas descomunales, y a los pocos instantes se produjo el chisporroteo y el levantamiento, la súbita erección de las dos banderolas. Los aplausos atronaron los fondos de la casa y el barrio. Don José Antonio hizo repetir la prueba tres o cuatro veces. Explicó, enseguida, con extraordinaria fruición, con destellos que le brotaban de los ojos azulinos y que también parecían eléctricos, con perlas de sudor en la frente, el funcionamiento del extraño aparato y las aplicaciones que tendría aquella fuerza oculta de la naturaleza en el mundo del futuro. Habría bombas que levantarían el agua y que permitirían regar terrenos ahora inaccesibles, de manera que Santiago podría estar rodeado de viñedos y de interminables plantaciones de árboles frutales, de esparragueras, de las más variadas hortalizas, en los faldeos de la cordillera. Enormes centrales eléctricas, con un rumor de futuro, permitirían iluminar la ciudad entera, reduciendo los asaltos nocturnos y facilitando el estudio hasta horas prolongadas, de manera que la Capitanía General se convertiría en un reducto nunca visto de filósofos, de sabios, de hombres de ciencia, de inventores y delineadores de las cosas del próximo siglo.

Las generosas corridas de vino añejo, de mistela, de alfajores, contribuyeron a provocar en los salones y en los entarimados de la familia Rojas una atmósfera de euforia colectiva. Todos brindaban por los años felices que se aproximaban, por los beneficios y las riquezas que iban a derramarse sobre la dichosa Capitanía chilena.

–La oscuridad –decretó don José Antonio, juntando el pulgar y el índice de la mano derecha–, en el más amplio sentido de la palabra, va a ser disipada por el conocimiento, por la razón razonante y clarificadora. ¡Vamos a borrar siglos enteros de una sola plumada!

Después, cuando lo mandaron preso a Valparaíso en una carreta arrastrada por bueyes, encadenado de pies y de manos, tal como habían hecho con los franceses hacía casi tres años, y cuando lo encerraron, al cabo de un viaje por mar que le pareció interminable, en una de las casamatas del Callao, se dijo que aquellas frases finales, aquella declaración de exaltada fe racionalista, lo habían perdido. Alguien, alguno de sus invitados, no sabía cuál, pero sospechaba de dos o de tres, había corrido a las oficinas de la delegación del Santo Oficio y lo había acusado de ateísmo, de brujería, de manejar por medio de poleas, de émbolos, de espirales de cobre, poderes de origen oscuro. Lo que no quisieron hacer a propósito de los franceses, pensó él, para no meterles ideas a los criollos, lo hicieron ahora con el pretexto de la máquina. ¡Por unas cuantas chispas!

Resultó, felizmente, que los inquisidores de Lima tenían conocimientos científicos bastante superiores a los de sus delegados en la ignara, en la remota sección chilena. Fue interrogado en un palacio limeño, bajo artesonados de madera olorosa, entre otros, por un dominicano gordo, de modales afeminados, parlanchín. El dominicano dijo que conocía muy bien aquella famosa «maquinita».

–Es un juguete caro –dijo–, que no sirve para absolutamente nada. Pero un hijo de hacendados ricos, como usted, se puede permitir estos lujos inútiles.

Él se puso rojo de rabia, pero sospechó que a partir de ese instante ya era hombre libre. El dominicano, en efecto, con sus modales rebuscados, sacó de entre los pliegues de la sotana una caja esmaltada y le ofreció una pastilla de menta. Anunció que les iba a escribir a los delegados de la provincia de Chile. ¡Para que no fueran brutos! En cuanto a él, don José Antonio, podía pasar, si quería, una semana en Lima, en una posada que le iba a recomendar, la cocina limeña era digna de saborearse, y tendría pasajes para regresar a Valparaíso en el mismo barco. ¡Pero en cabinas, ahora, de primera clase, para compensarlo de los disgustos que había sufrido! Eso sí, debía guardar una absoluta reserva. No convenía que esos pobres curitas de allá cayeran en el descrédito. Ellos cumplían con su deber lo mejor que podían, mientras flotaban en una atmósfera de aburrimiento infinito.

En la tercera tarde de su libertad en Lima, mientras esperaba el barco a Valparaíso, don José Antonio se internó por callejuelas, en las cercanías del río, en el sector de la ciudad que llamaban «debajo del puente», y fue invitado por una india grandota, armada de un cucharón sopero, a entrar a una casa donde servían comidas picantes. Probó unas conchitas adobadas con ajices y con hierbas, y trozos de pescado macerados en limón, acompañados de camote y de corontas de un choclo blancuzco, un menjunje que la india llamaba cebiche. Lo bajó todo con un aguardiente de pólvora, mientras un hombre de rasgos mestizos improvisaba versos de circunstancias antes de cada trago, y entró, después, llevado de la mano por la india, a una habitación en penumbra, donde fue recibido en los brazos robustos, morenos, de piel satinada, de una chola buena, según la expresión de la india, y que acababa de llegar de la ciudad monacal e imperial de Trujillo. Él se hundió en el cuerpo generoso de la chola, que fue como un mullido colchón de plumas tibias que lo abrazaban y le decían cosas delirantes al oído. Después, mientras recuperaba el aliento y encendía un tabaco puro, le contó, creyendo que era lo mismo que contárselo a su propia sombra, lo que le había sucedido con la famosa máquina y con los inquisidores. La chola tomó distancia, apoyó la espalda desnuda contra la pared de tierra, exhibiendo sus pechos grandes, duros, que culminaban en una aureola negra, y lo miró con ojos redondos, llena de pánico.

–No tengas miedo –le dijo don José Antonio–: Todo eso ya pasó.

–Yo no he oído nada, señor –dijo ella, pero continuó

arrimada contra la pared, como si estuviera viendo al diablo en persona.

Podríamos suponer que él, José Antonio de Rojas, sólo entonces, al ver la reacción de la chola, al captar la dimensión e incluso la condición animal, incontrolable, de su miedo, entendió. ¿O no entendió nunca? Pensó en buscar a su amigo Toesca, porque había escuchado que estaba de paso en Lima, pero prefirió, en último término, y bajo la vibración de las últimas palabras y de las últimas cosas, visitar retablos barrocos, catacumbas con calaveras colocadas en fila, con olor a tierra dulzona, hacer ademán de que rezaba y se golpeaba el pecho, y regresar sin demora mayor a los cerros y las quebradas donde se había criado. No sabemos mucho, pero él, con su buena salud, creía que por fin sabía. El fuego de las hogueras, en cualquier caso, le había chamuscado la punta de las narices.

VI

Mi papá, dijo Ignacio, el Nachito, mañoseó más de lo previsto, porque se ha puesto más momio, y más asustadizo, creo, de lo que confiesa, y tampoco creo que entienda todavía lo que pasa en Chile, a pesar de haber sido tan bueno para desarrollar teorías en épocas pasadas, y el Viejo, mi Tata, que me había regalado el día antes unos billetones de cien dólares, ordenaditos, nuevecitos, sacó a relucir argumentos divertidos. Mira, le dijo a mi papá: en mi familia, los que han tenido éxito no han sido nunca los ratones de biblioteca, los intelectuales, y menos los intelectuales de izquierda (y no añadió «como tú», pero le faltó poco), sino los hombres de empresa, de trabajo (puesto que hacer teorías, escribir papeles, no es trabajar). Y resulta que el Nachito, aunque se haya pasado una temporada en la Peni, cosa que podría probarle bastante bien (dicho con énfasis, con algo de picardía, con intención política), se parece a mis parientes antiguos, los que subían a las minas en mula a los quince años de edad, con dos sacos de plata a cada lado de la montura, acompañados de un par de arrieros y armados hasta los dientes, para llevarles la paga de la semana a los mineros. ¿Entiendes? Así es que, terminó el Viejo, yo que tú... lo dejaba irse. Hacer su experiencia. Si te opones, se va a dedicar a fregar la pita, a politiquear, ¡a no ser que se dedique a poner bombas, el angelito!, y va a volvernos locos a todos. Aparte (bajando la voz), del enorme peligro que podría correr. Porque el país, como hemos visto (y yo, desde el otro teléfono, escuchaba y me reía solo), se ha llenado de rotos peligrosos, ladrones y asesinos. Ahora, el papá eres tú, hijito, no yo. ¡No me endoses a mí el problema!

Eso le dijo el Viejo, mi Tata, a mi papá. Y mi mamá, la Cristina, que podría haber preferido que yo me quedara en Chile, por sentimentalismo, por miedo, por lo que fuera, salió con todo lo contrario. ¡El chiquillo tiene toda la razón, chilló, en no querer adaptarse a esta mierda! La vieja es chora, y al papá, con todos sus argumentos, no le quedó otra salida que comerse el buey. De manera que al día siguiente, es decir, ayer, a las once en punto de la mañana, estuvo en la notaría, de cuello y corbata, con cara de circunstancias, y después pasamos a buscar al Cachalote a su oficina, a su cueva de Alí Babá. El Cachalote, como había prometido, nos llevó a tomar unos pisco sauers cabezones, bien goteados, en la barra del Club, y después se entusiasmó y nos convidó a comer unas plateadas con porotos en uno de los comedores. Si supieran, dijo, de repente, hablando por encima de su plato, con aire de misterio, con los ojos saltados, que acabas de salir de la Penitenciaría de Santiago, donde te metieron por subversivo, nos echarían del Club a patadas. Y lo decía porque había visto en una mesa cercana a un par de ministros, y porque había milicos de civil y de uniforme en varios lados. Ya lo saben demás, dijo mi padre. En una de las mesas del otro extremo, comiendo cazuela de pava con chuchoca, está uno de los abogados que alegó en la causa. Miramos, y vimos a una momia egipcia con una gran servilleta amarrada al cuello. Mi papá concluyó que era mejor, en realidad, en vista y considerando, que me fuera lo más lejos posible. Así es que me presenté a las tres en punto en la Dirección del Registro Civil, frente a la Cárcel Pública, y pregunté por el milico amigo del Cachalote, a quien el Cachalote ya le había avisado.

¿Usted es el señor, a ver...?, me preguntó un soldado, y tenía mi nombre, con varios errores de ortografía, pero completo, escrito en un papel. ¡La recomendación del Cachalote había surtido efecto! Pase por aquí, me dijo el soldado, y me hizo sentarme en una oficina cuadrada, con el techo muy alto, donde había una tarima, y un armatoste de escritorio, y un oficial de ejército, no supe si el amigo del Cachalote o sólo un subordinado del amigo, que escribía con un lápiz de pasta, con gran aplicación, como si estuviera en el colegio, y que sólo levantó una ceja para indicar que sabía que yo había llegado y a qué iba.

¡A sacar pasaporte, el chucheta!

Habíamos pedido unos chacareros y un jarro de vino blanco frío con duraznos, y a medida que avanzaba la tarde, los ruidos del bar iban en aumento. Mi papá, dije, habría hablado de Kafka, pero yo sólo he leído un cuento muy raro, que me gustó bastante, y ahora voy a leer *La metamorfosis,* y después *El proceso,* y ya verán ustedes, porque supongo que *El proceso* se queda chico. Yo observaba de reojo al oficial, que escribía y escribía, y de cuando en cuando contestaba el teléfono en voz baja, y miraba el techo, los muebles, un calendario sucio, un retrato del Caballero. Y de repente vi que habían pasado más de cuarenta minutos. El oficial había salido un rato, después de bajar por unas gradas del costado de la tarima con pasitos de marcha, y había vuelto. Le había dado instrucciones a un ordenanza. ¿Qué le habrá dicho?, me acuerdo que pensé, porque estaba empezando a ponerme bastante cachudo. El oficial volvió a hundir la nariz en sus expedientes, más serio que antes. A veces levantaba la cabeza y me miraba desde su altura, sin ninguna expresión, como si no me mirara, como si estuviera buscando alguna idea, y yo fuera trasparente, parte del mobiliario. Entonces me levanté de mi silla. Se demoran mucho, dije. Es que hay que buscar los antecedentes en los archivos, explicó el oficial, casi con amabilidad, y están muy atochados. Me imagino, respondí, pensando que todo el mundo, ahora, se había llenado de antecedentes, y tuve que hacer un esfuerzo para que la voz me saliera natural, sin ningún tono de burla, o de molestia, o de lo que fuera. Todavía pasó media hora, o más, y el ordenanza volvió, esta vez con un tremendo legajo de papeles. Los papeles le desbordaban por los antebrazos y se le caían al suelo.

¡Tus antecedentes!

¡Tus pecados políticos!

El cleri, el vino con duraznos, estaba bueno, y la gente entraba de un golpe por la puerta batiente que daba a la calle y pedía cosas, vinos, empanadas fritas, huevos a la ostra, erizos al matico, a grito pela'o. Pues bien, el ordenanza subió a la tarima y dejó caer los papeles encima de la mesa, sin mirarme. El oficial guardó su lápiz de pasta y se puso a leerlos con la mayor atención. ¿Tendrán que ver conmigo?, pensaba yo. La lectura duró siete, ocho, diez minutos, o un poco más. El oficial, entonces, hizo una cosa que me pareció rara. Se paró y se alisó la chaqueta del uniforme. Después le habló al oído al ordenanza. Tuve la impresión, no sé por qué, por las expresiones de los dos, de que le había dicho algo bastante grave. Y así fue. Porque el ordenanza salió de nuevo y regresó al poco rato seguido por tres soldados con cascos y con chalecos antibalas, armados de fusiles ametralladoras.

¿Para tomarte preso a vos?

Sí. Pa' eso. ¿No le habían informado a usté, señor, me preguntó el oficial, y me lo preguntó desde su altura, con la palabra «señor» medio arrastrada, pero en un tono neutro, como si me estuviera preguntando el número de la cuenta corriente bancaria o algo por el estilo, que existe una orden de detención pendiente en contra suya?

¡Chuta!

Eso mismo dije yo: ¡Chuta! Y se confirmó que todos los papeles tenían que ver conmigo, y la espera, y la llegada, al final, de los tres soldados. El primero de mayo, dije, medio tartamudo, me detuvieron por haber salido a la calle con un grupo de estudiantes, y después dictaron una orden de detención en mi contra. ¿Después? ¿Cuando ya estaba detenido?, preguntó el oficial, haciéndose el imbécil, y yo pensé mencionarle en ese momento al Cachalote Alcócer, pero calculé que nombrarlo podía ser peor, ya habíamos pasado a otra etapa. Es que el Ministro en Visita, dije, en el primer interrogatorio, me dejó en libertad... ¿Lo dejó en libertad? Sí, señor. Y después decretó que me detuvieran de nuevo. ¿Y nunca lo detuvieron? Sí, me detuvieron. Es decir, no me detuvieron. Yo mismo me fui a entregar a la justicia en forma voluntario. No le dije, claro, que había actuado así para que no me agarraran los torturadores. Usted mismo se fue a entregar, repitió el otro, desde su nube, Kafka, como diría mi papá, y tuve la impresión de que por dentro, a pesar de su máscara de perfecta indiferencia, de rutina total, se tronchaba de la risa. Yo me levanté, demudado, me acerqué a la tarima, y el oficial les hizo un gesto con las puntas de las cejas a los soldados. En un santiamén, no podís hacer ni amago de resistencia, me colocaron los brazos en la espalda, me esposaron, me clavaron las bocas de los fusiles en las costillas. En cuestión de segundos. Ahora me van a llevar a un patio, pensé, o a un subterráneo, y me van a fusilar con un par de ráfagas de metralla, y me acordé en ese momento, ¿saben ustedes?, de los pisco sauers bien goteados de la barra del Club, y de las caras coloradas de unos vejetes, que se palmoteaban con el Cachalote, y que después reconocían a mi padre y con él no se palmoteaban, sólo le pasaban una mano fría, y más de alguno preguntaba por Ignacio, decían, o don Ignacio, mi abuelo, y sabían que había sido víctima de un asalto en su casa y de noche, ¡qué bestias! Yo, y cada uno contaba lo que les haría: fusilarlos, caparlos a uña.

A todo esto, el oficial, sin alterarse en lo más mínimo, convencido de que toda orden emanada de las autoridades superiores es justa, o está muy cerca de ser justa, murmuró que la orden de detención seguía pendiente, y que la obligación suya era proceder a cumplirla. Pero la corte nos absolvió a todos, sin ningún cargo. Eso, replicó el oficial, no me consta, y me dio a entender que me había permitido dialogar con él en esa forma porque venía recomendado por un amigo, dijo, de mi coronel. Sólo por eso. ¡Oiga!, grité yo:

¡Espérese un poco!, porque los fusiles se me estaban clavando en las costillas con más fuerza, y los soldados me sacaban de la oficina, y seguro que a la salida, a la vuelta del corredor, o al fondo de una escalera, me disparaban, y el oficial, antes de meter la nariz en sus papeles de nuevo, me alcanzó a decir que hablara con un abogado. ¡Con un abogado! Yo trataba de resistir, y creo que gritaba como un barraco. Un tremendo culatazo me dejó sordo de la oreja derecha, medio mareado, y otro me partió un labio, me sacó sangre, por suerte no me rompió un diente. Para que dejara de hociconear, porque yo gritaba: ¡Salvajes! ¡Asesinos! ¡Maricones! Después, cuando dejé de gritar y de forcejear, me dejaron ir a una sala, vigilado por un soldado, y pedirle a un funcionario que hiciera un llamado por teléfono. Todavía estaba sordo, y el labio de arriba se me había inflado como una pelota. Número, gruñó el funcionario, de pésimas pulgas. Yo le di el número del departamento de Santa Lucía, esperando que mi mamá estuviera, pero no contestó nadie, y el funcionario, por lo demás, no esperó mucho. Es que mi madre trabaja, le dije, y le di el teléfono de mi padre, que tampoco respondió. ¡Ya!, dijo el soldado, y yo pedí que me esperaran un poco, les iba a dar el teléfono de mi abuelo, don Ignacio tal y tal, y el funcionario, a quien habíamos llegado a interrumpir en el momento más caluroso y más pesado de la tarde, ladró, con la boca chueca: ¿Qué te habís figurao? E hizo algo que ahora me parece hasta divertido dentro de su mala leche: agarró el teléfono con las dos manos y lo puso debajo de la mesa, fuera para siempre de mi alcance y del alcance de los delincuentes de mi categoría. Y agregó, por si fuera poco, descompuesto por la rabia: ¡Conchas de tu madre!, mientras el soldado me empujaba fuera de la sala con la punta del fusil. Me hicieron entrar, entonces, a una pieza de unos quince o veinte metros cuadrados, vigilada desde el corredor por los mismos soldados que me habían sacado del despacho del oficial.

¡Los de manos suavecitas!

¡Esos! Había otros detenidos, y algunos estaban sin esposas, pero a mí, como si fuera más peligroso, me mantuvieron con las manos esposadas. Era una pieza sin ningún mueble, de paredes rotas, iluminada por una ampolleta que colgaba del techo. Podía servir de antesala, pensé, de cualquier cosa, y ya estaba medio resignado. Me acordé de que en dos días más había un feriado, y de que la Cristina, mi mamá, había dicho que se iría hoy en la tarde o mañana temprano a Las Cruces, a casa de una amiga. O sea, nadie sabría de mi nueva detención. No tenía para cuándo salir. Mejor que me fusilen de una vez por todas, dije, y el detenido que estaba al lado mío me miró, pero sin extrañarse mucho, con una curiosidad más bien vaga. Cada uno con su gusto, pareció responder, y uno de los soldados del corredor aulló: ¡Silencio! Me pregunté si el tableteo de las balas se alcanzaría a escuchar en la calle y me dije que tal vez sí. Entraron a la sala dos presos más, con aspecto de criminales peligrosos, esposados, y llegaron otros soldados con fusiles ametralladoras y nos hicieron salir uno por uno a la calle. Los pacos habían suspendido el tránsito y formaban un corredor entre la Dirección de Investigaciones y el portón de la Cárcel Pública, en la vereda del frente.

¡Chuchas!, dijo el Nono, y Carlitos Hidalgo, el abogado providencial, consciente de haberme salvado de una buena, sonreía.

Nosotros, el grupo de delincuentes, quiero decir, desfilamos, observados por unos pocos mirones, frente a los automóviles y a una micro detenidos, y después de cruzar el umbral de la Cárcel nos tuvieron un rato en fila, encañonados. A mí me quitaron las esposas, me sacaron los documentos, la cartera, el cinturón, los cordones de los zapatos, y me hicieron firmar un papel. Era lo mismo que habían hecho unas semanas antes, cuando ingresé a la Penitenciaría, pero esa vez no me pusieron esposas. Nunca pensé que conocería tantas cárceles en tan poco tiempo. Tenía razón el papá, la mano venía pesada, pero no sé si me arrepentí. Comparado con la Peni, el aspecto del recinto donde me habían metido ahora me pareció más sombrío, mucho más peligroso, aun cuando no hubiera ningún cargo en mi contra. No había ninguno en teoría, pero todos éramos culpables en la práctica. Para eso estaban los legajos, los archivos. Pasé la noche entera en un patio grande, debajo de un cielo negro, tendiéndome a ratos en un banco para tratar de dormitar, porque uno de los gendarmes se me había acercado y me había dicho que estaría más seguro en el patio que adentro de las celdas.

Adentro te habrían tirado en menos de lo que canta un gallo.

Seguro, y el mismo gendarme me dijo que al día siguiente, si me mantenían detenido, tenía que buscarme un abogado y pedir que me llevaran al anexo de Capuchinos. Donde van los futres, dijo. Eso sí, me advirtió, en el anexo hay que pagar. ¿Por qué me van a dejar en la capacha, alegué, cuando la Corte nos dio la razón? ¡Ah!, dijo el gendarme: ¡Eso!

VII

Era extraño ver todos los días a Goycoolea en el taller, en los cimientos de la Casa, que ya tomaban forma, los muros de piedra de cantería ya se elevaban del nivel del suelo, o en las obras de los Tajamares, al oriente de las cajitas de agua, por la Quinta de Montalva, o por la de Pérez, ya no me acuerdo bien, o discutiendo problemas de matemáticas, cuestiones de alzamiento de fachadas, y bebiendo, al final de las jornadas, una copa de mistela, un potrillo de chicha de maíz, a veces en compañía del Gordo Santa María, otras veces con don Pedro Silva, con Varela, con el maestro de aguas, y no ver nunca, y ni siquiera mencionar, a doña Manuela. En otras palabras, ver hasta en la sopa al causante del encierro, porque lo era, ¿o no lo era?, y no divisar por ningún lado a la otra, a la encerrada. ¿La habían condenado, entonces, entre él y Goycoolea? ¿O habían aceptado, quizás, sin chistar, la condena dictada por los otros? El Narrador, el hombre de los papeles, cree que Goycoolea, el Negro, aceptaba la situación mucho mejor que Toesca. Con gran desparpajo: dibujando planos en el día, bebiendo chicha en las tardes, visitando casas de remolienda. Los testimonios, sin embargo, no son concluyentes. El Narrador no sabe, encerrado en su repostero, y nosotros tampoco. Podemos suponer que la vieja Eufemia, intrigante, orejera de párrocos, de mayordomos, de porteros, le insinuó a Toesca un día que los conventos de ahora, de los tiempos corrompidos que corrían, no eran iguales que los de antes.

–¿Qué quieres decir con eso?

Quería decir lo que quería decir. Si él deseaba saber más, que preguntara, que averiguara, que abriera los ojos y aguzara los oídos, y ella, la vieja, seguía barriendo, raspando un choapino gastado, gruñendo, rompiéndose el espinazo.

Recordaría, entonces, Toesca, creemos, algunas miradas, algunas risas, un revoloteo que había pasado cerca de él y que él había descartado. Más que un revoloteo, un susurro, signos. Que había decidido no registrar. Porque la Colonia era así, llena de rumores, de bolas e infundios, de soplos que al final no se entendían. Por su lado, consciente de la ambigüedad de todo el asunto, el Narrador, el Historiador Privado, y nosotros con él, sonreímos. Lo que ocurre es que él, y nosotros, a la distancia de dos siglos, sabemos más sobre el arquitecto que el arquitecto mismo. Como siempre ocurre con los cornudos. La primera frase que encontró el Narrador entre los papeles de su antecesor, en el desván abandonado de la Plaza de Armas, en los días de su llegada a Chile, ya lo había puesto en la pista. Era aquella que decía que la mujer de Toesca, la Manuelita Fernández de Rebolledo, saltaba como una gata las murallas de las Agustinas para entregarse a sus excesos libidinosos. Lo decía con todas sus letras. De modo que la conducta de la Manuelita, imagen viva del desorden, de la desmesura, del pecado, pequeña Quintrala de los tiempos que se acercaban, era conocida por todo Santiago. Menos por él, que venía de otro mundo, y que había optado, además, por no conocerla así. O por conocerla a su modo, en su secreto, dentro de sus ritos oscuros.

Una noche, pocos días después del breve intercambio con la Eufemia, pasadas las doce, creyó escuchar voces atropelladas, murmullos, un conato de discusión, una puerta, y enseguida, pasos en el jardín, pisadas femeninas, inconfundibles. Bajó de la cama, se puso las zapatillas de dormir y se restregó los ojos. Se puso una manta en los hombros. No estoy soñando, se dijo. Pero era como si estuviera. Ella, la Manuelita, con vestido seglar, desmelenada, en la punta de los pies, con los zapatos embarrados en la mano, caminaba por los confines del huerto, entre los arbustos, bajo los paltos y las higueras, cuyos perfiles negros se dibujaban contra un cielo de pizarra, y trataba de ver si había alguna ventana abierta.

–¡Ah! –exclamó de repente–. ¡Es usted! Vine a buscar algunas cosas que me hacían falta...

–Sin zapatos –fue lo único que él atinó a decir.

Ella se miró los pies, con cara de extrañeza. Se encogió de hombros. Es que, dijo, no quería despertarlo, señor. ¡Señor! En la oscuridad estaba muy pálida, con los ojos brillantes, con los labios pintarrajeados, como si viniera de una fiesta y hubiera bebido. O hubiera consumido alguna droga, alguna hierba rara.

–¿Y el convento? –preguntó él, sintiendo que en las sombras del fondo, junto a las zarzamoras, había movimientos confusos, y hasta risas.

–De ahí vengo –dijo ella–. Señor. Del convento.

Vaciló, echando el cuerpo para adelante, y Toesca tuvo la impresión de que temblaba por dentro, en el límite de algo. Avanzó un paso, conmovido, con los ojos húmedos, ¡Manuelita!, y ella, entonces, emprendió la carrera, en la sombra, saltó por una ventana, con la agilidad gatuna descrita en aquellos papeles, se dijo el Narrador, a una de las habitaciones del fondo, y se encerró con tres vueltas de llave. Él golpeó la puerta, y ella, fierecilla indomada, fiera suelta, felina, gatuna, le ordenó a gritos, alaridos que se escucharon en el costado sur de la Catedral, que debieron de llegar hasta la Plaza, donde había un sereno en pie y un par de aguateros dormidos contra unos sacos, que se fuera. ¡Ándate!, tuteándolo. Ella volvería al convento ahora mismo, sola, ¡sin naide!, pero siempre que él, Toesca, ¿oíste?, desapareciera. Él, con la cabeza baja, llorando, regresó a su dormitorio. Escuchó los pasos que desandaban el camino, ahora calzados. Salió en puntillas a la calle y alcanzó a divisar la sombra que doblaba en la esquina, debajo de los andamios. La bella, inalcanzable sombra (llorando). En las torres de Santo Domingo sonaron las dos campanadas de la madrugada del sábado. Era la semana final de enero, pero corría una brisa bastante fresca. Los puestos de los vendedores de estampitas, de estatuillas, de rosarios y medallas milagrosas, estaban cerrados. Sólo se escuchaba el maullido lento de un gato en los andamios, mezclado con el revoloteo de la brisa en las ramas de los pimientos, de los castaños, de los paltos, de las araucarias.

El martes de la semana siguiente, en el momento en que pasaba por segunda vez en el día frente a los muros de las Agustinas, Joaquín Toesca dejó el carricoche, entró por la portezuela baja, que encontró entreabierta, y preguntó por la retirada seglar Manuela Fernández de Rebolledo. La monja de la portería lo miró con extrañeza.

–Soy su marido. Ella está recogida en ejercicios espirituales.

La monja, agachando el moño, de mala gana, anunció que iba a consultar con la superiora, y lo hizo pasar a una sala donde había una mesa y un par de sillas de palo, un velón de sebo, un crucifijo también de palo. Las paredes, gruesas, altas, imponían respeto, a pesar de los rumores que corrían por la ciudad, las historias de fiestas, de asonadas, de guitarreos. La Manuelita entró al poco rato. Venía con cara de aburrimiento, mal peinada, de mal color, con un traje de mezclilla que le colgaba del cuerpo, como hábito pobre. Él sintió lástima. Se sintió, en verdad, abrumado por la compasión, y le habló en tono de disculpa. Sólo había venido a saber cómo estaba, cómo la trataban, hijita.

–Estoy bien –dijo ella, distraída, mirando para otra parte, como si quisiera insinuar que en realidad no estaba tan bien, que estaba pésimo, que no podía hablar mucho porque las paredes escuchaban, y de repente se animó, se puso nerviosa, empezó a estrujarse las coyunturas de los dedos. El Narrador, en su lugar cerrado de arriba de los portales, habría podido concluir que Toesca tenía razón: era una enferma del espíritu, un ser inasible, en cierto modo un monstruo, pero un monstruo que a él, a Toesca, lo fascinaba, y que le contagiaba, de paso, su enfermedad, su extravío. ¡Incluso se la contagiaba al Narrador, en su repostero rodeado por el toque de queda, a distancia de dos siglos! Ahora, sentada en la silla de palo, más animada, su cuerpo se moldeaba debajo de la mezclilla, su pecho, sus piernas largas, magníficas. Él, con el corazón pesado, suspiró. Así, a la distancia, creemos. Así lo vemos. Un suspiro salido de muy adentro, de los entresijos.

–¿Le puedo pedir un favor? –preguntó ella.

–¿Un favor?

–Sí –dijo ella. Y habló, entonces, con lentitud, pero con ojos desorbitados, que pasaban por el lado suyo y se clavaban en otra parte. Encendidos por una chispa extraña. Ajenos a este mundo: al que él conocía, al que todavía, a veces, frecuentaba, y donde lo habían formado, ya no sabía si para mal o para bien. Fue como si hablara otra persona, u otra fuerza, otro principio, a través de ella. Porque ella, por fin, sin dejar de retorcerse los dedos, dijo que le quería pedir el favor siguiente. A usté, señor, sí. Quería pedirle que hablara con Juan Joseph Goycoolea, el discípulo suyo, usté sabe, y que lo citara en la casa para el día jueves, pasado mañana, a las ocho de la noche.

Toesca dijo que no entendía, y podemos imaginar con qué voz lo dijo, con qué cara, con labios que quizás temblaban.

–Sí –diría ella, asumiendo, por el contrario, después de entrar en materia, un tono más tranquilo, mucho más seguro–, porque a esa hora, pasado mañana, podré saltar por una parte más baja de la pared, una parte que da a las acequias del poniente...

–¡Saltar!

Sí, saltar. Era la mejor manera. Porque, de lo contrario, él, señor, tendría que pedirle permiso por escrito a la Superiora, explicarle los motivos, fijar la hora del regreso.

–¿Y por qué tienes que salir?

Ella, suponemos, lo miró a los ojos. Toesca tuvo la impresión, y nosotros, con el Narrador en su repostero, también, de que tragaba saliva, pero ese detalle no es seguro. Lo único seguro, lo que nos impresiona y nos desarma, es la serenidad, la firmeza de la mirada de ella. Como si estuviera en su perfecto derecho. Como si su capricho, su deseo, su pasión, fueran su ley.

–Porque necesito verlo –replicaría, al fin, y Toesca la miraría, con la boca seca, y se preguntaría si el Nuevo Mundo, a pesar de sus conventos, de sus rezos, de sus ritos, no tendría otras normas, algo vasto, desproporcionado, que lo seducía y a la vez lo asustaba.

–¡No puedo!

–¡Sí que puede! –exclamaría ella, y le daría la espalda, ¡la espléndida espalda!, y le haría una seña a la monja portera.

–Hasta el jueves a las ocho de la noche –musitaría en el oído de Toesca, y la monja portera, en su rincón, cerca de la puerta, sonreiría con malicia, con un aire retorcido. ¡Como si hubiera estado escuchando!

Pensamos que Toesca regresó a su carricoche a paso lento, mirándose las hebillas de plata gastada, los zapatos cubiertos de polvo. En la tarde, a pesar de que no faltaba nunca a sus visitas de inspección, mandaría decir que estaba enfermo, que no podría llegar a los cimientos de la Moneda, y menos subir a inspeccionar los tajamares. Altolaguirre, el superintendente, interpretaría su ausencia mal, como de costumbre. Hablaría de insidias, de astucias, de argucias de italiano. Él había escuchado cosas parecidas en Madrid, a espaldas del maestro Sabatini, a pesar de que el maestro era poderoso. ¿Y nosotros? Nos hemos pasado la vida escuchándolas: mundo de soplones, de chaqueteros, de inquisidores grandes y chicos, antiguos y modernos.

Desde su dormitorio, donde estaba tendido, medio enfermo, respirando con dificultad, vio aquella tarde pasar a Goycoolea por el jardín y golpeó con los nudillos los vidrios de la ventana. Extrañado, porque conocía bien sus hábitos, Goycoolea se detuvo y acercó su nariz filuda, sus ojos de fantasma, a los vidrios opacos.

–La Manuelita tiene algo que conversar con usted. Me pidió que le diga que esté aquí el jueves a las ocho de la noche.

¿Cómo reaccionaría Goycoolea, Juan Joseph? ¿Bajaría la vista al suelo, confundido? Tenía el cuero duro, el talentoso Goycoolea, aparte del pellejo, como escribiría la Manuelita, pecaminoso. Toesca pensaría, por su lado, confundido, él también, con el corazón palpitante, que el otro no tenía más remedio que obedecerle. ¿Qué otra cosa podía hacer? Lo otro, lo único, habría sido permitir que la justicia ordinaria procediera y la mandara a la horca. En cuyo caso Juan Joseph, en su calidad de posible cómplice, correría peligro. Pero, ¿cómo? Hasta Ignacio Andía, que interpretaba los signos de los tiempos en el lugar de su primo expulsado, pensaba que procesarla sería una aberración, un acto del Anticristo. Ella sólo había actuado movida por el amor, ciega. Y la Providencia, en el instante decisivo, había intervenido y lo había salvado del veneno. En cuanto al Narrador, en su refugio, en altas horas, se encoge de hombros. ¿Qué podemos hacer nosotros?, se pregunta. ¿Qué somos nosotros?

El jueves, cinco minutos antes de las ocho de la noche, Goycoolea golpeó con discreción en el portón principal. Se había retirado del taller en la tarde a la misma hora de los demás, para no provocar sospechas, y ahora regresaba. Le abrió el propio Toesca, en silencio. Había mandado a las empleadas y al mulatón Ambrosio a rezar novenas. Por la salvación de mi alma, había dicho, con curiosa convicción, y por la del alma de la Manuelita. Y les había pedido que no volvieran hasta bien entrada la noche, petición que la Eufemia había recibido con gruñidos, con aspavientos raros.

Guió a Goycoolea hasta una sala chica, poco amoblada, donde había una pianola cubierta por una funda sucia, y le indicó una silla en un rincón. Él, Toesca, hizo (pensamos) amago de ocupar otra silla, pero al fin se mantuvo de pie, mirando en dirección a la puerta de calle. Había un velón tembleque en un rincón y el resto de la sala estaba en penumbra. Hacía un poco de frío, y las calles, como si el otoño se hubiera adelantado, se habían cubierto de neblina. Por suerte, sintió. Como guardaban silencio, se escuchaba el roer de dos o tres ratas. Afuera resonaban pisadas en el barro y una que otra voz dispersa, pero el fresco había hecho que la gente se recogiera más temprano.

La Manuelita apareció como a las ocho y veinte minutos. Llevaba la cabeza tapada con un capuchón. Él le preguntó si había tenido que saltar y ella le dijo que no. Todavía estaba en la portería su amiga, la monja Emelina.

Cuando se sacó el capuchón, Toesca y después Goycoolea vieron que estaba ligeramente maquillada, que se había peinado el pelo corto con esmero, y que había conseguido, quizás cómo, en aquella noche, seguro, en la que había aparecido en la casa con los pies embarrados, una gargantilla de flores de tela rosa entretejida con salpicaduras de brillantes, una falda plisada del mismo color, una blusa de encajes, botines claros. Toesca quiso preguntar algo, pero no fue capaz. Pensó que alguien podría entrar, de repente, un funcionario de gorguera almidonada y de bonete negro, seguido de alguaciles, y enviarlos a todos, a ella, a Goycoolea, a él, a un calabozo, a una celda subterránea donde el agua del mar les llegaría hasta las rodillas cada vez que subiera la marea, donde no verían la luz del sol nunca. Habría garfios, instrumentos de tortura en los descansos de las escaleras, debajo de arquerías.

–Ven, Juan Joseph –diría la Manuelita, con la mayor tranquilidad, tomándolo de la mano–. Tengo que hablar contigo.

Toesca, con piernas de lana, con articulaciones de marioneta, retrocedió unos pasos. Vio que la Manuelita hacía entrar a Juan Joseph a una de las habitaciones del fondo. Después salía y volvía a entrar con una palmatoria encendida. Al poco rato, a pesar de sus órdenes, regresaba de la iglesia la gente de la servidumbre. La Eufemia, desde el huerto de los limones, le clavaba sus ojos de bruja.

–¡Ándate a dormir! ¡Vieja del demonio!

La Eufemia se alejaba y trataba de trotar, como una perra apaleada. Ambrosio, el mulatón, se perdía en la sombra. Él se dijo que tendría que colgarse de uno de los pimientos más frondosos. Salió, sin embargo, y se acercó en puntillas a la habitación del fondo. Temblaba de frío, y con la mano izquierda adentro del bolsillo se masturbaba. Los postigos disparejos, agrietados, permitían vislumbrar sombras que se movían. Al otro lado había un silencio extraño, y de repente brotaba una respiración, un suspiro, un quejido, voces fragmentarias.

–¿Cómo puedes? –le preguntó él a ella, o al fantasma de ella, a la neblina, puesto que ella estaba al otro lado. Y como no hubo respuesta, y no podía haberla, se retiró a su dormitorio, cabizbajo. Con unas ganas de estar muerto que nunca había sentido. ¿Viajar a Chile, entonces, había sido viajar a la muerte, al fin de la tierra, pero no sólo de la tierra, de la vida? El Narrador, Ignacio Segundo en su breve dinastía, o Ignacio el Inútil, lanza su lápiz de mina encima de los papeles, bosteza, se estira, y decide arrastrarse, como un perro babeante, como un gusano, hasta su cama. Falta poco para que las cañerías de agua, las cocinas, los ascensores, las descargas de los excusados, los ruidos de la calle, se pongan en actividad. De lo sonoro salen números, recita. A todo esto, nosotros nos preguntamos si se habrá repetido la escena, la del encuentro de Manuelita con Goycoolea concertado por el propio Toesca y espiado por entre las rendijas. La visión parcial, ínfima, habrá facilitado el trabajo de la imaginación. El arquitecto empataría sus noches entre imágenes que lo hacían esclavo, torturas voluptuosas, placeres negros, y después, con el despuntar del alba, ingresaría en el proceso de la construcción, de los ritmos. ¡Oh, matemáticas severas!, como cantaba el poeta, el de las orillas del Río de la Plata. Oscilaría entre una forma de pasión y otra, un tipo de locura y otro tipo. Pero, por extraño que parezca, no cambiaría esa vida, esa vibración, sin duda enfermiza, por nada. Ya habría dejado hace tiempo de soñar con el regreso, con los paisajes de estatuas mutiladas, de pasto crecido entre columnas rotas. Esperaría, en cambio, junto a la ventana de su dormitorio, mordisqueando los barrotes, y vería la sombra que corría de regreso al convento, y la de Goycoolea enfundado en su capa. En el remoto Reino de Chile, su purgatorio, su infierno. Y a veces, algunas veces, su paraíso. Entre zarzamoras y sandías, azahares y basuras.

VIII

Eso no era cosa suya.

No. No era cosa suya. Y hoy, como a la una y media de la tarde, después de comer un plato de lentejas llenas de piedras, un pedazo de pan blancuzco, una manzana agujereada, un tarro con agua de la llave, me colocaron grilletes en los pies y en las manos y los juntaron con una cadena. Es una equivocación, le dije a otro detenido, uno que no llevaba grilletes y que debía de ser, según eso, menos peligroso que yo. ¡Silencio!, volvieron a gritar, y uno de los soldados me encañonó con un gesto asesino. Había que resignarse. Son muchos los inocentes que mueren antes de poder abrir la boca. Miré al otro, pero el otro miraba para otra parte. Si me matan, pensé, no habré sacado nada con que haya sido una equivocación, y sentí una sensación rara, un gusto seco.

¿No te measte en los pantalones?

Me parece que no, pero a lo mejor sí. Para resumir, bajé con mucha dificultad, engrillado como estaba, del furgón de gendarmería, y entré junto a cinco o seis presos más al edificio de los Tribunales. Ahora nos miraba mucha gente, desde la calle y desde el interior del edificio, y creo que más de algún hijo de puta me relacionaba con mi padre y con mi abuelo. ¡Qué vergüenza!, me pareció escuchar, y otras cosas, y yo me sentí, pa' qué les digo, ¡como Jesucristo en el Calvario!, y en ese momento apareciste vos, Carlitos, con tu corbata de humita, con tu barbicha, con cara de espanto. Nos habíamos conocido en una fiestoca de la universidad y habíamos conversado sobre los tiempos actuales, pero yo no sabía cómo pensabas tú, y tenía poco que ver con la Escuela de Leyes, con los aspirantes a leguleyos, con todo eso. Fui a pedir pasaporte, alcancé a explicarte, y resulta que todavía volaba una orden de detención en contra mía por los sucesos del primero de mayo. Un gendarme, entonces, se colocó delante mío, para impedir que nos comunicáramos, y Carlitos, con gran rapidez, dijo que era mi abogado y que tenía pleno derecho a recabar información de su cliente. Ahora calculo que la palabra «recabar» desconcertó al gendarme. Entendí por qué los abogados usan tanto los terminachos que usan. Nos hicieron subir a la planta principal, en medio del ruido de las cadenas contra las gradas, un tremendo escándalo, mientras Carlitos, con su barbicha y su cara de joven jurista, subía a saltos más adelante y me hacía toda clase de gestos con las manos. Tranquilo, susurraba, y yo, el Cristo pobre, le contestaba con signos de la cabeza. Entramos a una sala especial y el Ministro de la Corte, el mismo cabrón que había hecho de Ministro en Visita en el asunto del primero de mayo, con su piel pálida, sus ojitos azulinos, sus maneras lentas, me reconoció al tiro. No sólo eso: supo todo al tiro, comprendió la situación de pe a pa, y decidió joderme todo lo que pudiera. Es decir, supo, recordó hasta los menores detalles, pero no hizo el menor amago de reconocerme ni de recordar nada. Le explicó a Carlitos, sin mirarme, paseando la vista por una serie de legajos, que el expediente por atentados contra el orden público, el de los disturbios del primero de mayo último, se había extraviado, y que él, en esas condiciones, no podía tomar ninguna determinación en ese proceso, ni para ordenar la libertad de un reo, ni para detenerlo...

¡Qué desgracia'o! ¡Qué maricón de mierda!

Miré el jarro de cleri al trasluz, los restos de duraznos contra el fondo medio seco, y propuse pedir otro. ¡Para celebrar! Mi papá iba a llegar de un momento a otro y pagaría la cuenta. Carlitos, seguí, aprendiz de abogado y todo, sacó a relucir unas patas extraordinarias. Es de público conocimiento, señor ministro, dijiste, rojo de furia, volviendo a esgrimir toda la jerga del oficio, que en esa causa todas las encargatorias de reo, ¡todas, señor ministro, sin ninguna excepción!, fueron revocadas en segunda instancia. Y usted, que actuaba como Ministro en Visita, lo sabe mucho mejor que yo. De modo que yo, si no deja a mi cliente en libertad sin mayores trámites, presento de inmediato un recurso de queja en contra suya.

El ministro, esa rata de piel exangüe...

¡Exangüe!, dijo el Nono, sobándose las manos: ¡Qué buena palabra!

Más bien gordo, de modales pausados, miró a Carlos con sus ojos soñadores, entre amenazante y ajeno al tema, despistado. Después me miró a mí, con mis cadenas, mis grilletes, mi barba de un día y medio, mi cara de quizás qué. Hizo un gesto entre irritado y condescendiente, como diciendo, vamos a perdonar por esta vez a este cabro del carajo, gesto que acompañó con una indicación vaga a un actuario sentado en un rincón, debajo de una verdadera muralla de expedientes.

Un personaje en el que no nos habíamos fijado, ni tú ni yo: de bigotito, peinado a la gomina, y que nos miraba con cara de sorpresa y hasta de susto. ¡Nunca había visto a un joven abogado tratar así a su jefe!

El actuario engominado se levantó, haciendo venias, y volvió al poco rato con uno de los gendarmes. El gendarme sacó un llavero no sé de dónde, de entre las verijas, y me liberó de las cadenas y los grilletes. Descubrí que ya estaba medio tullido. ¡La falta de costumbre! Pueden abandonar, dijo el actuario, entonces, con una especie de solemnidad cansada...

¡Exacto!, exclamó Carlitos.

... la oficina del señor ministro. No nos dignamos ni mirar a la rata ministerial. Salimos al corredor, y tú le preguntaste al gendarme si me habían hallado facha de terrorista peligroso. Teníamos órdenes, dijo el gendarme. ¿Órdenes de quién? De arriba, dijo, indicando al cielo, de la superioridad. ¡De la superioridad! ¡De Su Majestad el rey!, dijiste. ¡De Dios!, dije yo, riéndome. No te rías tanto, me aconsejaste. Con lo quemado que eres, capaz que te metan al chucho de nuevo.

¡Buen consejo!

El actuario volvió a salir de la oficina y nos entregó un papel timbrado y sellado. Con este papel en la mano, ya no me pueden negar el pasaporte. Me sentí en la autopista, arriba del bus internacional, dando tumbos. Casi me puse a cantar. Desde una esquina, un vejete enclenque, amigo de mi abuelo, me miraba por encima del hombro. Me habría mandado con el mayor de los gustos a una sesión de tortura. Un nieto de Ignacio de tal y de cual, parecía decir, consumido por el odio, y de la señora Meche de tal cosa y tal otra... ¡Adónde íbamos a parar!

En fin, así fue.

No muy agradable, que digamos.

Así son las cosas, dijo el Nono.

Les conté que había vendido algunos objetos de arte, porque soy coleccionista a mis horas, además de buen inversionista, cosas que Abraham, el Nono, ya sabía, pero que Carlos Hidalgo ignoraba por completo, y ahora estaba decidido a vender el resto de mis pilchas y a partir sin rumbo demasiado fijo. Llegar, por ejemplo, hasta Buenos Aires, y seguir viaje de inmediato, sin perder tiempo, al Brasil.

¡Al Brasil!

Bajarme, después de los días de viaje que fueran necesarios, allá por el norte, por Salvador, Bahía, o mucho más al norte, por el nordeste, por Recife, y a lo mejor desviarme y llegar hasta Manaos, o hasta una isla en la selva, y vivir a la orilla de algún gran afluente del Amazonas, sobre palafitos, ¡alimentándome de pirañas!

¡Bravo!, exclamó alguien con voz aguardentosa. Miré, y era Santiago Costamagna, el escritor, amigo de mi padre de viejos tiempos. Estaba con las barbas un poco levantadas, como si estuviera sobre el espolón de un barco, bajo vientos de tormenta, y le brillaban los ojillos de color azul acero, ojos de navegante portugués mezclado con alguna sangre nórdica. El Nono también lo había reconocido y lo miraba fijo, con la boca abierta. Carlitos Hidalgo estaba impresionado, mudo de sorpresa. El narrador de los mares del sur, el Conrad chileno, o el Melville, tenía la piel de la cara tumefacta, lilácea, recargada de protuberancias, adherencias, pólipos, como un Neptuno de bronce, carcomida por largas permanencias en aguas submarinas. Después llegó mi padre, y me abrazó con su torpeza habitual, de alumno de San Ignacio antiguo y que ha recibido muchos palmetazos en las manos, y se confundió enseguida en un abrazo estrecho, sin complejos mayores, con nuestro Neptuno.

Conté mi odisea en Investigaciones, en la cárcel pública, en las galerías de los tribunales, encadenado de pies y manos, sometido a la calculada tramitación de un ministro hijo de puta.

¡Un hijo mío!, suspiró mi viejo, apretando los puños, y dijo que iba a entablar una querella criminal en contra del famoso Ministro en Visita.

No pierda su tiempo, don, le dijo Carlitos. Ni su plata.

El cabro tiene toda la razón, sentenció alguien desde una mesa vecina.

Poseidón, a todo esto, Santiago Poseidón, había pedido otro whisky doble, de etiqueta negra, y lo había bebido casi entero de una sola asentada, con los ojillos de animal anfibio entrecerrados, con toda su piel lustrosa, recorrida por humores amarillentos o blanquecinos, con pequeñas conchas de caracoles incrustadas, con un caballito de mar enredado en las barbas. Se puso, de pie, entonces, con un movimiento rotatorio, me colocó una de sus manos pesadas, broncíneas, en un hombro, en señal de solidaridad, y de pronto, cerrando los puños, vociferó con voz estentórea, que hizo tintinear los vasos de nuestra mesa y de la suya y hasta las botellas del mostrador, detrás de la barra:

¡Muera Pinochet! ¡Muera el asesino!

Noté que el mesonero, que no era menos corpulento que Poseidón, convertido ahora en Júpiter tonante, y que batía su coctelera, se había quedado inmóvil, con la coctelera en una mano y una servilleta en la otra, convertido en estatua. Uno de los parroquianos de la mesa vecina pasó por el lado mío, agachado, como una sombra, y se deslizó hasta la calle. A todo esto, dos agentes de la CNI que bebían su vinito después de una larga jornada, se supone, de extorsiones y de parrillas eléctricas, se pusieron de pie y se acercaron. Yo estaba dispuesto a pegarles un botellazo, en defensa de nuestro Poseidón, pero calculé que estaban bien apertrechados y que no sobreviviría para contar el cuento. Pues bien, Poseidón, o Júpiter, o Santiago Costamagna, como ustedes quieran, tuvo una reacción milagrosa, digna de él y de toda su leyenda.

¡Carabineros!, clamó a voz en cuello: ¡Carabineros!

Y en el momento mismo en que los de la CNI se lo iban a llevar, apareció una pareja de carabineros que patrullaba por la calle, con sus gorras, con sus palos de luma, con todos sus cinturones y arreos. Santiago Costamagna, ¡Señores Carabineros!, exclamó: Ustedes garantizan mi seguridad, y les dio la mano con dignidad, con gestualidad digna de mejor causa. Los de la CNI volvieron a sus vinos con un sentimiento de alivio, como diciendo: ¡hasta cuándo, chucha!, y Santiago partió a la comisaría del barrio, a pasar la noche en la celda de los borrachines, a recibir, a lo más, una patada en el trasero, a desayunar a la mañana siguiente, antes de ser liberado, con un té aguachento y una marraqueta de pan duro. Partió en compañía de lo que podríamos llamar su guardia pretoriana, o su pareja de tritones verdes.

Esto fue todo. En el interior del bar, transformado en cuestión de minutos y hasta de segundos en cueva submarina, mitológica, hubo una sensación colectiva de alivio y hasta de alegría. La lógica represiva había sido quebrantada por un acto de inspiración. ¡Que vivieran, entonces, la inspiración, el arte, la poesía! Mi padre, animado, con su calva brillando debajo de las luces, con su chaqueta de *tweed* medio bolsuda, manchada con tinta, con humo, llamó al mozo haciendo chasquear los dedos. ¡Porque había que celebrar! El rumbo de la noche, y el del tiempo, de pronto, se habían enderezado. Por la ventana vimos que Poseidón Santiago avanzaba entre sus dos guardianes, dominando todo el ancho de la calle, con las barbas al viento, y alguien dijo que el caballito de mar giraba sobre sí mismo como una veleta. La gente se daba vuelta para mirar el sorprendente espectáculo. Algunos saludaban con cara de risa, otros hasta aplaudían, y yo tuve la impresión de que los dos agentes, los dos míseros profesionales de los menesteres más sórdidos, en su mesa del fondo, frente a sus vinachos, a sus aceitunas de puro hueso, se habían jibarizado, se habían visto reducidos a la condición de enanitos.

IX

El gobernador, capitán general, presidente de la Real Audiencia, se saca la peluca empolvada y la deposita con cuidado en el correspondiente reposapelucas, que le llega hasta la altura del ombligo. Su ombligo es el nudo carnal, el plexo solar de la Capitanía, así como el ombligo del rey, Su Majestad Cesárea, es el plexo, el nudo de todo el Imperio, regido por la cabeza, pero también por el vientre, por los humores de la línea baja, agrega, riéndose, y se tapa la boca porque le faltan dos dientes, a pesar de que está solo y como Dios lo echó al mundo, con su pelo de color de zanahoria en la cabeza, y un vello espeso y del mismo color sobre la panza poderosa, casi escandalosa, y encima de los colgantes genitales, ¡demasiado colgantes! Ha escuchado rumores a lo largo de los últimos días y está preocupado. Observa que Toesca, el arquitecto, se halla sometido a dos fuegos concurrentes, igualmente peligrosos: el de Altolaguirre, don Bernardino, superintendente de la Real Casa de Moneda, para quien lo de la arquitectura, las fachadas nobles, las esquinas reforzadas, los módulos y proporciones acordados a las reglas del arte, son lindezas, pérdidas de tiempo, puesto que se debe comenzar la acuñación sin más tardanza, y el soterrado, pero todavía más grave, del Santo Oficio, que ha sabido de las salidas clandestinas de la Manuelita y que tiene a la pareja dudosa, altamente sospechosa, en su mira.

Si la Inquisición se decidiera, no sólo le propinaría un golpe mortal a Joaquín Toesca, sino también, a través de él, a todos los otros, al grupo mínimo, pero incisivo, de los informados, los lectores, los resabidos, los impertinentes: al mayorazgo Rojas con sus máquinas cargadas por el diablo, a Manuel de Salas, el hijo de don José Perfecto (quien muy poco tiene de perfecto), con sus teorías y sus pretensiones, con su capacidad infinita para absorber y producir legajos, e indirectamente a él mismo, O'Higgins, e incluso, y no vayan a creer que exagero, musitó, al obispo, a don Manuel, entusiasta solapado, pero, cuando las circunstancias lo permitían, resuelto, de las ciencias nuevas, de las probetas y las poleas que reemplazaban a las personas, a los esclavos.

El gobernador, don Ambrosio, se rascó la descubierta y pocas veces vista coronilla. Su apasionado deseo era que hubiera cambios rápidos, visibles: que los adobes, el barro y la paja, se transformaran en piedras de cantería y en ladrillos; que las columnas de los órdenes más puros, los balcones, las bóvedas, las cúpulas, los frontones triangulares, se levantaran contra los cielos inéditos de la Cruz del Sur; que los miserables y los mendigos, corrompidos por la limosna, se pusieran a trabajar, aunque sólo fuera a barrer las hojas secas, a limpiar los pozos negros; que los indios díscolos, paganos, bárbaros, entraran a las nuevas ciudades con la cabeza baja, pacificados, civilizados, tocando en sus flautas de bambú, en sus trutrucas, en sus atambores, sones cristianos, y que estudiaran el catecismo y los rudimentos de la lengua de Castilla a la sombra de las parroquias. Para realizar todo aquello, el italiano, arquitecto e ingeniero, mezcla rara de genio y de pasmado, formaba parte de sus planes. Había que impedir que su desaforada mujer lo perturbara. ¡Que estaba espléndida, por lo demás!, exclamó, volviendo a reírse y a taparse la cavidad sin dientes. Pero no para él. No para mí. Porque ya corría de boca en boca, de oreja en oreja, el episodio de mi paso por una casa respetable de Chillán, donde la hija de los señores, doncella de diecisiete años de edad, había quedado misteriosamente embarazada, a pesar de que él (yo) sólo se había detenido a pernoctar una sola noche. Había (yo) cruzado el corredor en puntillas, sin sacarse la peluca de ceremonia, envalentonado por un aguardiente de la Rinconada, y había empujado la puerta del dormitorio de la niña en la oscuridad, con el índice en los labios. Eso no podía negarlo. ¿Y quién, a esa tierna edad, habría podido decirle que no al señor barón de Ballenary, al gobernador del Reino?

–Habrá que meter a doña Manuela, entonces –opinó el obispo, plegando los labios en una forma que no se sabía si ocultaba el anatema, o la risa, o quizás la burla–, a un convento más estricto, donde no haya novicias cantoras, y donde no se cuelen guitarristas.

–¡Seis meses de disciplina severa, por lo menos! –intervino el gobernador, con la voz vehemente, atropellada, que solía caracterizarlo, con la boca llena de saliva, con un parpadeo debajo de las cejas pobladas, y el obispo, con su nariz ganchuda, con sus labios replegados, clavó en él la expresión socarrona que sería recogida por los cronistas y hasta, agregaría el Narrador, por los retratistas finiseculares, los pintores al óleo, escasos, pero que terminaban por cruzar la pampa y la cordillera o por bajar desde los desiertos del norte.

Usted, don Ambrosio, diría el obispo desde atrás de su máscara, de su sorna, no se me venga a botar a santo, y nosotros nos imaginamos que el gobernador y capitán general de los Ejércitos Reales se tocaría los vuelos de encaje de la camisa, y hundiría las manos, después, en los bolsillos bordados con hilo de oro de su chaleco rojo. Él conocería a la perfección, en sus alcances más sutiles, los nuevos límites del poder eclesiástico frente a los poderes seculares, pero jugaría el juego de la sumisión a fondo. Por astucia, y hasta por elegancia, por estilo.

A todo esto, Joaquín Toesca y Ricci, el romano extraviado en Santiago de Nueva Extremadura, ¿qué haría, cómo reaccionaría? Don Ambrosio, de visita en las murallas de los tajamares, en el codo que formaba el Mapocho cerca de los terrenos de la Providencia Divina, después de escuchar explicaciones sobre ladrillos reforzados, de tamaño doble, ensamblados con mezcla a la cal de Polpaico y a la clara de huevo, lo tomaría del brazo y lo llevaría a un lado. Le sugeriría, para evitar más cuentos, y por su propia serenidad de espíritu, mi querido maestro, un retiro de su Manuelita, así le diría, en serio, sin conversas, sin saraos en las celdas de las hijas de familia. Y él contestaría que sí. Usted tiene toda la razón, para mi desgracia, Señor Excelentísimo. Y convendrían en que ella saliera de las Agustinas para recogerse en las Claras en un encierro prolongado, riguroso.

–Y yo me voy un par de semanas a Quillota, a tomar clima, porque con estas cosas me siento enfermo, acabado.

–Todo tiene cura, mi querido arquitecto –diría el señor gobernador–. Váyase un par de semanas, tome aire, coma chirimoyas alegres, descanse, y nosotros doblamos la página.

Antes de partir tuvo que convencer a misiá Clara Pando, que era como un nudo de alcornoque, difícil de convencer, y pedirle a la Pepita y a Ignacio Varela, su marido, que ayudaran, y comprometer a un par de monjas para que la llevaran del brazo y le dijeran cosas al oído durante el trayecto, que no era largo. Cuando el traslado se produjo, a los dos o tres días, la gente se daba vuelta en la calle de Nuestra Señora de la Merced, en los Portales, en las cercanías de los andamios de la catedral nueva, para mirar el extraño cortejo: una mujer desmelenada, pálida, hermosa, con los ojos anegados de llanto, llevada por dos monjas bigotudas, robustas, que de repente le apretaban los brazos y la levantaban por los aires, y un extranjero delgado, huesudo, vestido para un funeral, ¿el arquitecto romano?, que la seguía a escasa distancia, con la vista en el suelo, mientras una vieja chica, con cara de bruja, le hablaba sin cesar, o hablaba sola, no se notaba bien, y una pareja, detrás, caminaba con aire comedido, seguida por una niña negra, de chapes verdes, cargada con una bolsa de ropa.

Al llegar a la portezuela del convento, tallada en la puerta principal, como la de las Agustinas, pero todavía más baja y más estrecha, la Manuelita tuvo que agacharse, y pareció que unas manos, semejantes a las de las monjas guardianas, la recibían desde adentro y la sujetaban con firmeza. Él quiso decirle que sólo se trataba de un retiro, algo perfectamente normal, y que le traería grandes beneficios de todo orden, a ella, y a mí mesmo, quiso decirle, pero ella, con sus hermosos rasgos llorosos, parecía trastornada, fuera de sus cabales, y la portezuela mísera, gastada por el uso, se cerró de un golpe. Las dos monjas guardianas se persignaron, y fueron imitadas por Ignacio, con su corpulencia de oso, y por la suave Pepita. Misiá Clara rezaba, o mascullaba maldiciones, no se sabía. ¿Adónde la llevarán ahora?, pensó él, ¿qué castigos le harán? No había previsto bien, no se había imaginado el desarrollo de las cosas, y ahora, de repente, sentía que el golpe de la madera pesada, desteñida, era un martillazo en su corazón, en el centro íntimo de su pecho. La deben de estar pelando al rape, se dijo, a la fuerza, con tijerones de cocina, y deben de estar poniéndole un cilicio con tachuelas, con alambrones, con pedazos de lija, en la cintura. Su impulso primero fue correr a la casa del gobernador, don Ambrosio, y pedir que se la devolvieran, decir que se había equivocado, pedir, y si parecía necesario, ponerse de rodillas, juntar las manos, suplicar, aun cuando se convirtiera en el hazmerreír de toda la Capitanía.

Ya se había convertido, por lo demás. Era el cornudo más prominente de toda la provincia de Chile. Lo cual no era poco decir, ni entonces, ni ahora. Pues bien, lo importante, para las autoridades civiles y eclesiásticas, era evitar que se desmoralizara, conseguir que siguiera ocupado, después de un breve descanso, de levantar fortificaciones contra los indios, tajamares contra las avenidas del río, edificios a la mayor gloria de Dios y de Su Cesárea Majestad.

–¿Cómo van las cosas? –preguntaría un día cualquiera, al cabo de algunas semanas, al final de una ceremonia palaciega, don Ambrosio.

–Tengo buenas noticias –contestaría Su Señoría Ilustrísima–. La fierecilla se levanta al alba y canta maitines. Reza casi todo el día. Le da de comer a las palomas en el jardín de la clausura y juguetea con un perrito. Le he dicho a la superiora que no se lo prohíba. El amor a los animales no es ningún pecado, le he dicho. A veces lee vidas de santos. Come muy poco, me han contado, se ha puesto inapetente, y no habla casi nada, ¡con lo conversadora que era!

–No se nos vaya a convertir en una María Magdalena –exclama el gobernador, y el obispo, don Manuel, hace toda suerte de visajes, según su costumbre, y se ríe de buena gana.

Toesca, entretanto, ha vuelto a recorrer sus obras en su carricoche negro, de un caballo, con aire sombrío. No le toca pasar frente a las Claras, pero se ha desviado en más de alguna oportunidad de su recorrido, y los ociosos cuentan que ha reducido el tranco de su caballejo, tirando con fuerza de las riendas, y que ha mirado con intensidad, con ansiedad desesperada, con cara de pajarraco triste, los muros gruesos, las escasas ventanillas enrejadas, el portón gastado.

–Es extraño –murmura el gobernador–: Necesita tenerla suelta para que se ría de él a gritos. Para que emprenda el vuelo en brazos de sus alumnos. Para que lo someta al escarnio.

Esa mañana se ha desviado un rato, algunos minutos, pero después, agitando las riendas, azuzando a su caballejo, se ha dirigido a la parte sur de la ciudad, al antiguo solar de los Teatinos, donde se llevan a cabo desde hace ya algún tiempo las obras de la Casa de Moneda. Durante las excavaciones aparecieron dos o tres esqueletos humanos, cosa que le sirvió para demostrar que la construcción en aquel sitio, limpiando guaridas de mapuches y de patizambos, y no en el primitivo basural, había sido de beneficio para la seguridad pública. Los cimientos, ahora, estaban terminados hacía tiempo, y los muros de la fachada norte ya se levantaban por encima de los techos vecinos. La tarde anterior había llegado la balconería, la rejería y los herrajes encargados a Vizcaya, un conjunto de 218 cajones con las cerrajas y la clavazón, además de 120 paquetes de balconaduras, todo afectado por algunas averías y uno que otro desmérito, nada excesivo, a juicio de Toesca, quien había corrido en la noche a practicar una primera inspección, lo normal en un viaje por barco desde Cádiz hasta Valparaíso, y después por tierra, en 17 carretas arrastradas por yuntas de bueyes, de Valparaíso a Santiago. El gobernador había anunciado que haría una visita al final de la mañana. Daba gusto ver las rejas completas para ventanas cuando salían de sus paquetones, los estupendos picaportes, las bisagras espléndidas, los clavos de media vara y de un tercio de vara, los balcones con sus adornos y sus dibujos iguales, 48 en total, sin que faltara ni uno, y las 84 bolas de latón amarillo destinadas a servir de adorno.

El arquitecto le explicó al gobernador y capitán general el uso de cada objeto, de cada espiga de balcón, de los clavos cabriales, de los que había 28 quintales, y de los clavos de tillado entero y de medio tillado. Lo ayudó a imaginar las ventanas y los balcones una vez que estuvieran levantados y debidamente guarnecidos. Había que ver también, con los ojos de la imaginación, las cortinas que alhajarían cada ventana, y a lo largo de la fachada, en las distintas horas del día, el juego de las luces y de las sombras, acentuado por las pilastras, las cornisas y medias cornisas. Le explicó, enseguida, el efecto de fuga que se produciría entre el pórtico principal, el de la calle, Excelencia, y el del primer patio, con sus dos columnas monumentales exentas arregladas al Orden Dórico, efecto que culminaría, que alcanzaría proporciones nunca soñadas en América y rara vez vistas en la misma Europa, si le permitían levantar otro pórtico en un segundo patio.

–Voy a poder irme al Perú tranquilo –musitó el gobernador, quien había recibido hacía poco, por órdenes reales, el encargo del Virreinato y el título de marqués de Osorno–.

Habré dejado en estos andurriales el mejor edificio de esta parte de nuestro Imperio. ¡Gracias a usted, querido amigo!

Nos imaginamos que Toesca, el romano, agacharía la cabeza hasta las cadenas y los filamentos dorados que cubrían el abdomen, protuberante, de acuerdo con los retratos, del flamante virrey y marqués. Y el Narrador, después de haber leído papeles hasta el primer indicio de la madrugada, sospecha que Toesca aprovechó el momento para anunciar que deseaba pedirle algo.

–¡Sé de qué se trata! –exclamó el marqués, dando un golpecito en el hombro del arquitecto con dos de sus dedos rollizos–. Y ya no necesita pedírmelo. ¡La petición, antes de pronunciarse, acaba de ser acordada!

El arquitecto miró los ojos saltarines del gobernador, pequeños, de un brillo intenso, y no supo si le estaban tomando el pelo.

–¡Váyase tranquilo! –insistió don Ambrosio, y añadió en voz baja–. Y cuídela.

Toesca, de natural tan desconfiado, todavía se preguntó si había entendido bien. Regresó en la tarde a su casa, la de siempre, en el costado norte de la Catedral, y doña Manuela, la Manuelita, estaba en el centro del salón, de pie, como alelada, rodeada de sus bultos, y acompañada de un perrito de orejas largas, de pelos enredados de color de sal y pimienta, que la miraba y acezaba, con la lengua afuera. Estaba delgada, un poco ojerosa, y le habían salido tres o cuatro canas encima de la frente, pero seguía, pensó el arquitecto, más bella que ninguna. No supo si su expresión, su aire ausente, era signo de que estaba aplacada, de que el largo encierro la había domesticado, había terminado por derrotarla, o de que se había agazapado, más bien, al fondo de su guarida, como la fiera que ha sentido el paso de la jauría. Seguro, pensó, que me carga todo el peso a mí, ¡a pesar de que trató de envenenarme! Se acercó, entonces, le tomó las manos, que estaban más bien frías, y el perrito se puso a ladrar a todo lo que daba. Después le pasó las yemas de los dedos por la cabeza, por la parte donde habían aparecido las canas, como si fueran las más sensibles, con la mayor suavidad. Le besó después la frente, un buen rato, y enseguida le tomó la cabeza y la estrechó contra su pecho, con gran ternura, diciéndose, sin embargo, que su enfermedad, por desgracia, y para su daño irreparable, no tenía remedio. A todo esto, mientras la gente de la casa se había replegado al tercer patio, el perrito del demonio se desgañitaba ladrando, con los ojos colorados, sin moverse de su sitio.

X

Ignacio chico se presentó al día siguiente a primera hora de la mañana en la misma oficina donde había comenzado toda su odisea, frente al mismo oficial, el ayudante del amigo del Cachalote, quien lo miró con estupor mal disimulado, y entregó el documento con sellos y timbres que le habían dado en los tribunales.

–¿Ve usted? –dijo.

–Veo –respondió el oficial, y lo invitó a sentarse en la misma silla, en aquella antesala que su padre habría encontrado digna de Kafka. Al final de la mañana ya tenía su pasaporte en el bolsillo. Llamó por teléfono a Carlitos Hidalgo, su defensor, convertido al ritmo de las libaciones de la noche anterior en amigo inseparable, y le contó que había una misa solemne en la Catedral por los muertos encontrados en una mina abandonada.

–Vamos juntos –le propuso.

–Tu sabís que soy momio.

–Sí. Pero no estarás a favor de los asesinos.

–No. Eso no. Pero...

Ignacio marcó entonces el teléfono del departamento de su padre.

–¿Estabas husmeando en tus papelotes?

–Sí –contestó el Narrador–. Casualmente. Y alimentándome con una zanahoria cruda, como los caballos.

Nacho le habló de la misa. No empleó, para ser preciso, la palabra misa, sino la palabra liturgia.

–Parece que fueras tú, no yo, el educado en el San Ignacio.

–Se me pegó por el nombre –dijo Nacho, y le anunció que iría con su mamá, con la Cristina. La liturgia era a las seis, y ellos podrían pasar a buscarlo un cuarto de hora antes.

–Tú sabes que no soy de misa –protestó el Narrador.

–Y yo tampoco. Y la Cristina, menos.

Cristina comentó que nunca en su vida había ido tanto a misa. ¡Ya le faltaba muy poco para comenzar a comer hostias!

El Narrador durmió su siesta acostumbrada, con sobresaltos, leyendo cada vez que despertaba las páginas delgadas, amarillentas, de uno de los libros del historiador difunto, y tuvo, fuera del libro, de un modo paralelo y que perturbaba la lectura, imágenes de campesinos del Valle Central de Chile, con sus ojotas, con sus chupallas, con sus manos callosas y oscuras, con sus ojos aguachentos, junto a una boca negra abierta en la tierra. Después fueron imágenes de huesos entre la cal, huesos mezclados con tierra, con botones, con pelos, con restos de zapatos. Más tarde, mientras se colocaba una camisa limpia y se hacía el nudo de una corbata sobria, apta, se decía, para rituales de muertos, se empinó por encima de su balcón, tratando de no mancharse con el polvo, con las cagarrutas, y vio que habían llegado hacía rato fuerzas de carabineros protegidas con cascos, máscaras, cachiporras, fusiles para lanzar bombas lacrimógenas. Las divisaba debajo de las ramas de los árboles, formadas en triple fila frente a los portones del templo, enmarcadas por pesados camiones lanzaaguas, guanacos de acero que tenían sus pitones listos. Eran las centurias paganas que rodeaban a los cristianos primitivos. En el aire había tensión, chillidos de pájaros, bocinazos: una combinación de ruidos nítidos, agudos, dispersos, y cuya dispersión producía por sí misma un efecto alarmante, y de silencio, de espera. Parecía que no ocurriera nada, que la guardia neroniana estuviera ahí por estar, por rutina, pero algo ocurría, y la gente, discreta, cautelosa, y a la vez decidida, terca, confluía en el portón de la Catedral, en su rectángulo oscuro, bajo la sombra de los pequeños querubines que había esculpido hacía unos doscientos años Ignacio Andía y Varela (el marido, habría podido añadir el Narrador, de la Pepita, el cuñado de la Manuelita, el copista, el picapiedras). Les hizo el comentario a Cristina, al Nacho y a Carlitos Hidalgo, después de abrirles la puerta, y Cristina, que todavía tenía, como ya sabemos, el cuerpo firme, sólido, pero que mostraba en la cara las huellas del cigarrillo, de los años, los alcoholes, los insomnios, aparte de experiencias aún peores y que prefería no andar contando por ahí, no le encontró el menor interés al asunto. No me vengas con antiguallas, pareció decir, aun cuando no lo dijo.

–¡Vamos! –ordenó, en cambio, con voz un poco cascada, de malas pulgas–. Si se va a misa, se llega a la hora, como se debe.

–Entre las curiosidades del antiguo dueño encontré un Misal Cristiano –dijo el Narrador, y frente al rechazo irritado de Cristina y a la mirada irónica de Ignacio chico, agachó la cabeza. En otras palabras, se dijo, él bromeaba, corcoveaba como caballo chúcaro, resistía, y, llegado el momento, bajaba el moño. Salieron al corredor, y su vecino del fondo, el personaje de pelo mal teñido, de mano quebrada, de pañuelos como floripondios, ensayaba sus gorjeos líricos del atardecer. Para él no existían muertos, ni huesos esparcidos entre la cal, ni hostias. Minutos más tarde, después de cruzar la Plaza y de pasar frente a los destacamentos armados hasta los dientes, en la nave de la derecha de la Catedral, bajo rayos de luz oblicua, la gente los reconocía y los saludaba con naturalidad, a pesar de que todos sabían que estaban separados, y lo hacían, pensó él, con alivio, como si verlos juntos, en compañía de Ignacio chico y de un amigo suyo, formara parte del orden natural de las cosas, orden tan atropellado, precisamente, en aquellos tiempos, y también, de un modo paradójico, tan restaurado, hasta el punto de que rescatar papeles viejos, revivir historias pasadas, era un signo de la época, un síntoma, y no se sabía bien de qué enfermedad o de qué disposición, de qué forma sutil de salud.

Los cánticos fueron coreados con fervor, con pasión de cristianos de las catacumbas, por los asistentes, que parecían conocerlos de memoria y cantarlos con frecuencia, en situaciones decisivas, y entre ellos por Ignacio chico, ante la disimulada sorpresa de Ignacio el Segundo, quien no sabía que su hijo estaba tan al tanto de aquellos ritos, y después, al cabo de algunos instantes de recogimiento, hubo rasgueo de guitarras al pie del altar, voces lastimeras, entre populares y cultas, de dolor, de imprecación, de protesta. El Narrador pensaba en su apartamiento, en su ignorancia, en su condición de habitante de la Tierra de Nadie o del Limbo, y miraba con atención a Cristina, a ver si a ella le pasaba lo mismo, pero ella estaba concentrada en lo suyo, conmovida. Ella había amado, se dijo el Narrador, con un punto de amargura, y había sufrido. ¿Y él? ¿Él no era más que un mirón, un intruso, un advenedizo de una especie nueva? Carlitos, el nuevo amigo de su hijo, el medio momio, como le gustaba definirse a sí mismo, observaba todo con expresión seria, de brazos cruzados. Vinieron los sermones, dichos por curas que se habían puesto las casullas y los demás ornamentos, las estolas largas y llenas de cruces, de corderos pascuales, de símbolos tejidos con hilos dorados, encima de chalecos de lana chilota, de pantalones de pana que parecían acordeones, de bototos que arrastraban el polvo de poblaciones marginales, y hablaron, aquellos sermones, de justicia y de injusticia, de fuerzas descontroladas y arbitrarias, de crímenes horribles, y proclamaron que Cristo, el Cristo de los Evangelios, estaba junto a los pobres, a los torturados, a los desaparecidos. Ignacio Varela, el gigantón, habría sentido lo mismo, y Manuelita seguramente también, aun cuando su sentimiento no habría excluido su afición a los zarcillos de azabache. Cristina, por su lado, muy seria, tenía lágrimas en los ojos, lágrimas que resbalaban por sus mejillas resecas, un tanto estragadas. En cuanto al Nacho, enteramente concentrado, atento a todo, ajeno a lo que pudieran pensar de él, cayó de rodillas sobre las baldosas frías en el momento de la consagración, como si quisiera dejar en evidencia su completa falta de respeto humano, su pasión desmedida, aun cuando no necesariamente religiosa, y además, claro está, su rabia, su odio cultivado con grilletes en los tobillos, con cadenas desde los pies hasta las muñecas. Diciéndose que aquellas reacciones eran previsibles, el Narrador descubrió que también estaba, a pesar de eso, con los ojos húmedos, con ganas de hincarse él mismo, de doblegarse entero, vencido, arrasado por dentro, él que no se hincaba desde sus tiempos de adolescente, de Congregante Mariano, en el colegio de la calle Alonso de Ovalle. ¡Qué tiempos, suspiró, y cuánta historia, cuánta memoria de cosas idas, cuánta agua bajo los puentes! En la nave de la izquierda, la del sur, divisó a una prima segunda o tercera con la que había tenido un amorío en vacaciones remotas, con la que había jugado al doctor y a su paciente en un granero abandonado, bajo las miradas rojas, huidizas, de dos conejos encerrados en una jaula, y que se había transformado con el correr de los años, cosa extraña, en monja laica o algo por el estilo. En la nave central, cerca de una columna, había un grupo numeroso, compacto, de bluyines tirillentos, de cabelleras cortas y miradas severas, que formaba parte, les sopló el Nacho, de las jota jota ce ce, las juventudes comunistas. Más de algún rodriguista, más de algún clandestino armado y dispuesto a todo, debía de andar camuflado entre ellos, mirando los altares con expresión boba, moviendo la cabeza de aspecto inocentón, acordándose de los rezos de sus abuelos. Carlitos Hidalgo miró en dirección al grupo, preocupado, e hizo un movimiento raro con los hombros, pero se mantuvo en su posición. El Narrador vio de repente que también se encontraba ahí, junto a una columna, y que lo miraba por lo bajo, con expresión socarrona, con sus frondosas barbas, de brazos cruzados, de cabeza hundida, Santiago Costamagna. ¡El Júpiter salvado de hacía dos noches! Santiago se acercó, sin descruzar los brazos, arrastrando un poco los pies, como si los whiskies le pesaran todavía en las extremidades inferiores, con algunas conchitas y algunos caballitos de mar adheridos aún a la cara tumefacta, y le susurró:

–¿Ves? ¡Todavía estoy vivo!

–¡Dios es grande! –exclamó el Narrador, mientras paseaba la mirada por los altares, por los vitrales iluminados por el sol de la tarde, por las grandes vigas del techo.

–Y el Cuerpo de Carabineros de Chile es mucho más seguro que la CNI. ¡Hoy día les pasé a dejar un libro de regalo!

–Pero a la salida de esta famosa liturgia nos van a recibir a lumazo limpio.

–Jarabe de luma –recitó Santiago, con los ojos entornados–, agua con pichí, salsa de gas lacrimógeno. Y aquí adentro está lleno de sapos, ¡de soplones! ¡Hasta de sotana deben de andar vestidos!

Dicho lo cual, Santiago, Júpiter, con el mismo andar con que se había acercado, se alejó y se puso al resguardo de la columna, con cara de recogimiento. Le hizo señas, después, para que se encontraran después de la misa en el bar del otro día. ¡Sí, el mismo! El dueño lo conocía mucho. Y el mesonero grandote, el que batía la coctelera. ¡No iban a permitir que lo hicieran desaparecer por un grito más o menos, por un arrebato cualquiera! Y Santiago se estremeció con algo que parecía una feroz carcajada contenida, un hipo, una convulsión de origen oscuro.

Cuando los creyentes empezaron a acercarse al altar para recibir la comunión, el Narrador vio con el rabillo del ojo que Santiago Costamagna, con discreción, se daba media vuelta y buscaba el camino de la salida. Ansioso, quizás, de comulgar con los whiskies de las grandes navegaciones, de los mares insondables. Cristina, en cambio, anunció que le habría gustado comulgar, ¡ya que estaban en eso!, y Carlitos Hidalgo e Ignacio chico partieron en busca de un cura para confesarse. Regresaron al cuarto de hora, de brazos cruzados, con las cabezas inclinadas, con caras de recogimiento, y se hincaron en la esquina libre de uno de los bancos laterales. El Narrador, por su lado, no entendía estas reacciones tan cambiantes, tan rápidas: su generación, y su gente, habían sido educadas de otra manera, para bien y para mal, sobre todo para mal. Bueno, dijo, y el Nacho, que terminaba de rezar su penitencia, levantó la cabeza y le dirigió una mirada irónica. A la salida de la Catedral, las luces de la Plaza ya estaban encendidas. Los primeros cristianos, con sus chaquetones viejos, sus chalecos de punto grueso, sus zapatillas de tenis rotosas, se dispersaban frente a los legionarios armados hasta los dientes. Cristina se encontró con un par de compañeros de partido. El Nacho divisó al Nono y a la Clara. Los invitó al departamento de Santa Lucía para despedirse. Le preguntaron que cuándo se iba.

–Lo antes posible.

–¿Y hasta cuándo te vas? –preguntó Carlitos Hidalgo.

–No sé –dijo–. Creo que pa' siempre.

El Narrador, entretanto, caminaba a la carrera, casi al trote, en dirección a la gruta de Júpiter, o Neptuno, o Santiago el Mayor.

XI

La Manuelita estuvo sosegada durante meses. Estuvo sosegada, dicen, durante más de medio año. Iba a la misa de Santo Domingo todos los días, pasando a las ocho de la mañana por debajo de los andamios que había hecho levantar su marido, ya que también le habían encargado, entre tantas cosas, terminar con los trabajos de ese templo. Llevaban, los trabajos aquellos, más de medio siglo, y la gente creía que no terminarían nunca, que cuando se acabara la iglesia se acabaría el mundo. Cruzaba desde la luz de la calle a la penumbra del interior, doña Manuela, de velo negro en la cabeza, seguida de la Chepa, la negrita, que le daba mucho gusto, decía, y que le llevaba su cojín de raso morado para las rodillas, y todos los días se confesaba, y rezaba su penitencia con gran recogimiento, con los ojos inundados de lágrimas. Después comulgaba y se quedaba en oración, de rodillas, largo rato. Misiá Clara decía que había vuelto de las Clarisas transformada, hecha una santa, y que se iba a ir derechito al cielo, afirmaciones que la Eufemia, aprovechándose de la mala vista de misiá Clara, recibía con encogimientos de hombros, con toda clase de muecas y gesticulaciones. El hecho, sin embargo, es que las vecinas también estaban sorprendidas, y algunas de las monjas que la habían conocido en los dos conventos y que le habían tomado cariño. A pesar de su intento criminal, de sus amores culpables, del demonio que llevaba en el cuerpo. Era una pecadora, decían, pero arrepentida, y de los arrepentidos es el Reino de los Cielos.

«Yo, al fin, compadecido, y persuadido de que ya estaba enmendada, y viviría en adelante con arreglo, la condoné todos sus excesos, y traiendola en mi Casa, procuré con trato afable, con liberalidades, y con quantos medios me sugirió la prudencia, reducirla a una Vida arreglada, justa, y Virtuosa...», escribiría Toesca años después.

La Eufemia murmuró una tarde, en voz alta, en forma de que el maestro la pudiera escuchar: la cabra tira p'al monte. Él volvía de una larga jornada de taller. Estaba cansado, ocupado en chupar un mate con una bombilla de plata, y miró a la vieja con cara de pregunta.

–La que nace chicharra –gruñó la vieja–, muere cantando.

Toesca no entendió. O prefirió, quizás, no entender. Nosotros suponemos que sorbía su mate y que cavilaba, mientras lo hacía, sobre las torres de una iglesia de pueblo, en Guacarhue, a la salida de Peumo, en algún lugar parecido. El Narrador conserva un recuerdo de juventud de la iglesia de Guacarhue: una vereda bajo arquerías de palo, un portón alto entre pilastras, un campanario, un interior con olor a paja, a tierra suelta, a velones derretidos. No podían aspirar, decía Toesca, y nosotros estamos de acuerdo, a ser torres de Roma o de Bizancio, pero podían, en cambio, por qué no, tener un diseño, un golpe de gracia: una pincelada en medio del paisaje grisáceo, de los cerros polvorientos.

«Nunca llegué a imaginar», escribiría, «que me fuere ingrata, y mal correspondida, una Muger, que despues de serlo mia, havia Recivido de mi tan singulares favores, y beneficios, y Sobre todo, que era tratada con el mayor amor y estimacion...»

Pensaba en iglesias modestas, en el perfil de un campanario, en faldeos de monte alegrados por algún revoloteo de pájaros, por las flores silvestres de la primavera, cuando reparó en que la Manuelita, esa tarde, había desaparecido, y en que Goycoolea, «a quien yo enseñaba principios de Mathematica», no se había presentado.

Caminó entonces hasta el taller, sobresaltado, atravesando con trancos largos el huerto del fondo, que se veía desnudo, pelado, con los árboles y los arbustos sin hojas, porque era pleno invierno, y José Ignacio de Santa María, el Gordo de bigotes rubios, que siempre se quedaba hasta muy tarde, solo, porque no tenía tantas condiciones como Goycoolea, pero, en cambio, era empeñoso, testarudo como una mula, le dijo que Juan Josef había tenido que ir a visitar a su madre, porque estaba muy enferma.

–Está bien –dijo, y se le ocurrió invitarlo a tomar un mate, cosa que aceptó con cara de felicidad. Cuando la Manuelita, doña Manuela, como la llamaban algunas veces, llegó, Toesca, el maestro, levantando la cabeza, separando la bombilla del mate, le preguntó delante del Gordo, con toda calma, que de dónde venía. Ella, muy tranquila, contestó que de la casa «de mi mamita».

–¿Verdad?

–Sí –dijo–. ¿No sabía, señor, que la Josefa estaba de cumpleaños?

¿Por qué lo trataría de señor? Pero a él se le había olvidado, qué torpe, el cumpleaños de la Pepita, a pesar de que Ignacio, el oso, mientras golpeaba el cincel contra una piedra grande, se lo había dicho y repetido. Ella contó, entonces, mirándolo, y mirando después al Gordo, que estaba sentado en un sofá de tela amarilla, con los pies cruzados, con el mate en las manos rechonchas, y que la contemplaba con una sonrisa de beatitud, de verdadero éxtasis, la baba le asomaba por la comisura de los labios gruesos y se le caía, que Ignacio había recibido una cantidad de papeles que le había mandado su primo, don Manuel, desde su destierro en Italia, y que se había dedicado con locura, pasando las noches en vela, alarmando a la pobre Pepita, a estudiarlos, a descifrar la letra de pata de mosca, a interpretar las enrevesadas citas de la Biblia, las complicadas predicciones, que anunciaban, todas, sucesos pavorosos, inundaciones, cataclismos, salidas de los mares, seguidas de la aparición de una bestia gigantesca, que se alimentaba de sangre humana, que tenía la piel cubierta por pesadas escamas de fierro, como corazas, y que lanzaba llamaradas por la boca.

Tres o cuatro días después, don Bernardo Llanete, comerciante en aceite y en sebos, almacenero en la calle de la Ceniza, metido ahora, según decían algunos, en el estanco de la sal y del tabaco, se hizo anunciar por un niño de los mandados, un indiecito de quiscas paradas en la coronilla. El niño le entregó un papel, escrito con caligrafía borrosa. Preguntaba si no habría inconveniente para que le hiciera una visita a las seis de la tarde. Que venga, le contestó al niño. Don Bernardo, de cara redonda, con rizos encima de las orejas, de cabeza calva, con un gorro de peluche verdoso, se presentó a las seis en punto. Quería, explicó, resoplando, encargarle una casa que fuera igual a la Moneda: en más chico, se entiende. Acababa de comprarse al contado, al contado rabioso, un pesito fuerte encima del otro pesito, así dijo, un cuarto completo de manzana en la calle de las Monjitas esquina de San Antonio, y su ardiente deseo, señor Architecto, era que la casa se viera desde la puerta de la Catedral, a la salida de las misas solemnes, en el momento en que todas las autoridades del Reino, las del cielo y las de la tierra, salían de adentro juntas, con todo su séquito y paramentos.

–Podemos hacer que también se vea desde la Cañada, y desde el Puente, don Bernardo. Todo es cuestión de altura.

Don Bernardo quería que le hiciera un bonito levantado encima del pórtico, aunque tuviera que salirse del modelo, y que ahí le colocara el escudo de armas de la familia. Porque ya tenía el dibujo, mandado desde Valladolid, mi tierra, distinguido signore, y estaba en espera de un título de nobleza que Su Majestad le había prometido, barón de Quillota o de Puchacay, todavía no sabía cuál de los dos.

–Le encargaremos el escudo a Varela, que los esculpe con su propia mano y los coloca él mismo.

Feliz, don Bernardo quiso agregar algo, pero en ese momento sintieron un ruido en la puerta de calle, y movimiento, agitación, pisadas en los corredores.

«... como a las Siete de la Noche, entró Doña Manuela que venia de la Calle muy dispuesta, y compuesta con su ropa, y alajas mejores...»

–Salude a don Bernardo, pues, señora –le pidió, bastante incómodo, porque ella había llegado hasta el centro mismo del salón y parecía que no lo había visto.

Don Bernardo, el comerciante en aceites, el futuro barón de Millaray o de Puchacay, se puso de pie. Lo hizo con dificultad, apoyando las manos en la empuñadura de su bastón, poniéndose rojo, porque era, como ya vimos, obeso, de pierna corta. La Manuelita lo saludó con un monosílabo, pensando en otra cosa, sin darle siquiera la punta de los dedos, y salió a la carrera.

Respirando como un fuelle vencido, don Bernardo se dejó caer de nuevo en su sillón. Nos falta, dijo, conversar sobre el tema del presupuesto, y sobre los honorarios, y él, a pesar de que le costaba concentrarse, le empezó a explicar: primero haría unos bocetos, unos anteproyectos, y después... Y ella, la Manuelita, volvió a entrar, desmelenada esta vez, con los ojos como brasas, sin la chaquetilla, con un corpiño de manga corta y dos de los botones del pecho desabrochados.

–¡Señora! –exclamó Toesca, lívido.

Ella le quiso decir algo, pero al fin, por algún motivo, prefirió quedarse callada.

«... ya desastrada, y en trage de demaciada satisfaccion, no correspondiente al Cumplimiento que debia guardar a Don Bernardo...»

Había caído, a todo esto, la noche, y él, yo, Toesca, llamé a la Palmira, la tonta, para que encendiera un par de candelabros.

–No se preocupe, maestro –dijo don Bernardo–. Que ya me retiro.

Pero en lugar de retirarse, volvió a cruzar las manos coloradas, llenas de juanetes, sobre la empuñadura del bastón, un león de marfil que sonreía con cara de idiota, con la lengua afuera, y pidió detalles con respecto a la duración de la obra, garantías de que él, yo, no me mandaría cambiar a otra parte, precisiones sobre los materiales. Creo que me rasqué la frente, que me pasé un dedo entre el cuello de la camisa y la piel, porque tenía una sensación de ahogo. Sentía que había movimientos en el fondo de la casa, voces sofocadas, aunque a lo mejor eran imaginaciones mías, pero un picaporte, en la penumbra, se cerraba despacio, con un roce suave seguido de un golpe seco.

–¿Qué me decía usted, don Bernardo?

Los ojos de don Bernardo, que había vuelto a pararse, trataban de mantener una expresión neutra, pero estaban como asustados, huidizos. Se va a morir, pensé, antes de que terminemos la casa. El indiecito, el de las quiscas paradas, lo esperaba en la calle con su velón de sebo adentro de un farol de latón. En la acequia del centro, el agua arrastraba miasmas, inmundicias, interiores, me imaginé, de pollos, de conejos, de gallinetas. Había olor a tierra húmeda, a pestilencia diluida en el aire frío.

Volví a entrar y me coloqué el cinturón de cuero con el espadín. Aunque las manos me temblaban. Y el cuerpo entero me daba sacudones, como si me hubieran vuelto las fiebres de los últimos meses. Caminé, así, con escalofríos, por el corredor, seguido desde la sombra por la Eufemia, que se veía tranquila y contenta, encantada, ¡la yegua!, y por la Palmira, que abría los ojos como platos. Estaba a punto de golpear la puerta con la empuñadura de bronce del espadín, sin sacarlo de la vaina, cuando se abrió con tremendo estrépito de tablas y de vidrios, y ella, la Manuelita, a medio vestir, con el pelo suelto, con la palmatoria del velador en la mano, salió a la carrera y desapareció en el fondo del huerto, en la oscuridad. Yo sólo divisaba una figura blancuzca, cambiante, que se movía en forma errática cerca de la pared medianera y que de repente se escondía, poniéndose en cuclillas, probablemente, detrás de unos arbustos, clavándose las manos para separar unas ramas y observar lo que estaba ocurriendo en la casa. En el interior del dormitorio, en cambio, en esa penumbra que me tragaba, que parecía el ojo del infierno, sólo había un resplandor rojizo, el que «Ministraba un brazero de candela» con las brasas medio apagadas, y la mancha más clara de las cortinas que tapaban el gran camastro de palo de rosa, y detrás de esa mancha había otra, rojiza, también, como la del brasero, y un bulto que no se podía mantener enteramente inmóvil: el de sus deseos desvirtuados, el de su corazón, mi corazón, cubierto de una costra, una forma que al parecer, sin ninguna duda, como cualquier insoportable materia viva, respiraba.

–¡Palmira! –gritó, grité, con fuerza animal, con una intensidad que yo mismo no me conocía, y que nadie, en esa casa, o en las construcciones, o en las guaridas de la Administración, me habría conocido–: ¡¡Palmira!!

La Palmira era la más joven de todo el servicio. Además, después de la negrita que llevaba los cojines a la iglesia, era la preferida de la Manuelita, su niña de la mano. Yo miré al huerto, traté de escudriñar en la oscuridad, y creo, creí ver, que la Manuelita le hacía toda clase de gestos para que quitara el brasero de la pieza. Volví, entonces, a gritonearla, y la Palmira se me acercó, temblando, mordiéndose las coyunturas, a punto de desmayarse de puro miedo.

–¡Saca esa cosa roja que hay en la cama!

Le ordené, y la Palmira, obedeciendo, bajando la cabeza, avanzó como una condenada, tocó el bulto rojo con la punta de los dedos, retiró la mano como si hubiera tocado una plancha caliente, y arrancó, frenética, creyendo, seguro, que el asunto le iba a costar la vida: fue a perderse detrás de los arbustos del fondo, junto a su patrona.

–¡Eufemia! –grité, después, y el grito, ahora, me salió resquebrajado, como si la voz se hubiera separado de su sitio. La Eufemia, la vieja, que la Manuelita y la Pepita decían que era bruja, llegó, dispuesta a todo, con las manos sarmentosas hundidas en los bolsillos del delantal, con la boca sin dientes, o con sólo tres o cuatro restos, que despedían entre sus huecos un aliento fétido, y, claro está, obedeció, feliz, triunfante, y llegó y me entregó la capa, que era roja como la sangre y tenía una vuelta blanca, e iba a salir a buscar lumbre, cuando Goycoolea, desnudo, con la vista baja, pálido como un muerto, pero con un cuerpo firme, musculoso, de piel cetrina (detalle confirmado, se dijo el Narrador, por las cartas de la Manuelita conservadas entre los papeles de la Real Audiencia), salió de atrás de las cortinas, fue a buscar, temblando, su ropa, que se había caído detrás del camastro, y dijo:

–¡Maestro! ¡Por favor!

Con cara de miedo, de súplica, de sumisión completa, y yo, con el espadín absurdamente levantado, aunque sin sacarlo todavía de la vaina, con la voz rota, y en presencia de la vieja, cuyos labios chupados se removían y cuyas articulaciones, cuya nariz puntuda, cuya joroba, se reflejaban en la sombra, le ordené que se fuera.

–¡Váyase! –le ordené.

Fue lo único. Y sentí el roce rápido del cuerpo que pasaba al lado mío, a medio vestir, sin mirarme, y salía más que ligero.

Después estuve mucho rato esperando, paseándome por la galería, porque si hubiera ido al huerto a buscarla, ella se habría escapado en la oscuridad, y pensé que ella estaba muy poco abrigada, podía resfriarse, la pobre, porque la noche, de repente, se había puesto helada, y me acordé, aunque aquí nadie lo entendería, del Borromini, de su sombra negra, extravagante, caminando por los vericuetos de Roma. Resolví encerrarme en el comedor y beber un buen potrillo de la chicha que me había mandado un cliente, un vasote de vidrio grueso, tosco, verde oscuro, y emborracharme. Mis mejores clientes sabían que me había aficionado al trago, ¿por qué, por tener tan poca gente con quien conversar, porque la Manuelita no llegaba?, y que en los anocheceres, al final de las agotadoras jornadas, solía empinar el codo, y de vez en cuando me mandaban licores de sus bodegas, aguardientes del sur, vinos generosos del Valle del Maipo, chichas de maíz o de manzana.

–¡Hazme la cama en el escritorio! –le ordené a la Eufemia, y la vieja maligna me miró con cara de reproche, con rabia, como diciendo: ¿Piensa contentarse con eso, no piensa castigarla? ¿Así es usted, señor Joaquino, de cobarde, de avechucha?

–Y dile a doña Manuela, de parte mía, que se vaya, mejor, a casa de misiá Clara. Que la acompañe alguna de las niñas.

La maligna salió y regresó al poco rato.

–Ya partió, señor. No esperó a que usté se lo dijera. Partió detrás de su amasio, y con lo puesto.

–Está bien. ¡Déjame dormir, ahora!

La vieja vaciló un instante, con mirada torva, como si no quisiera obedecer, como si tuviera sed, ansias de exterminio, algo que yo había encontrado muchas veces en aquella ciudad chata, donde los pájaros, en algunos amaneceres, cantaban, pero donde las ramas de los árboles, en las noches de ventolera, crujían como lamentos, como almas de condenados, y desapareció, después, encorvada, en las sombras del tercer patio.

XII

El Narrador supo que Ignacio, con su pasaporte en el bolsillo, se había ido a despedir de su padre, don Ignacio, y se preguntó de qué habrían hablado, y en qué tono, con qué matices, con qué subentendidos. Calculó que el abuelo, esta vez, en atención a que ya le había hecho antes una donación en efectivo, no le habría dado un centavo, y que Ignacio, por lo demás, con su largueza, con su forma particular de orgullo, no le habría pedido nada. A la luz de este detalle, la gratuidad de la visita al viejo, a quien ya le habían sacado las vendas, pero que conservaba en la cara, alrededor de los ojos, en la parte alta de la frente, huellas, restos violáceos, arrugas que no eran arrugas verdaderas sino cicatrices, le daba un interés mayor, incluso un misterio. El Nacho no fue, en cambio, y su decisión a este respecto no tuvo nada de arbitrario o de accidental, a despedirse de su tía Mariana, la hermana única del Narrador, y de sus primos Varela, los hijos de su hermana. Ella, su marido, Manuel Varela, y hasta sus hijos, habrían respaldado en todo al ministro prevaricador, suponía el Nacho, suposición plenamente compartida por Cristina, cosa que don Ignacio, puesto entre la espada y la pared, vendado, malherido, resentido, en último término no habría hecho. De acuerdo, al menos, con el cálculo del Nacho, cálculo, también, en último término, afectuoso. Ellos, además, es decir, Mariana, Manolo y los subnormales de sus hijos, abundó Ignacio chico, lo habrían hecho con la más impecable de las conciencias religiosas, a la mayor gloria del Altísimo.

En lugar, pues, de visitar a su tía, Ignacio se reunió con Carlitos Hidalgo y con Abraham Paredes Weinsack o Weinsteck, el Nono, el hijo de la Clara, la gorda que tenía una tienda en un sucucho del Portal Fernández Concha, enemiga furiosa de los milicos, y que había desarrollado en pocas semanas, a partir de los episodios del primero de mayo, una amistad fulminante, apasionada, ¡casi desesperada!, con Cristina. Lo que sucedía era que Abraham, el Nono, después de marchar codo a codo con el Nacho, gritando consignas, de mano empuñada, y de escuchar más tarde, a la entrada de una iglesia, con el fervor que correspondía, una arenga de don Clotario Blest, el apóstol, se había salvado por un pelo, por olfatear unos segundos antes que Nacho el peligro, por correr más rápido, por poseer un sexto sentido ancestral, de caer en las garras de los pacos.

La despedida real de Ignacio chico y Cristina, en un restaurante italiano del centro de la ciudad, con pastas y pisco sauers, con besuqueos y ojos húmedos, con avances por ambos lados en el terreno de las confidencias, tampoco fue conocida por el Narrador, quien participó, en cambio, en un coctelito más formal del día siguiente en el departamento de Santa Lucía, encuentro al que compareció un hermano de Cristina que hablaba muy poco, que se dedicaba a vender autos usados, a contratar seguros, a cosas varias, y que bebía hasta quedar en estado de idiotismo, de nombre Carlos Fernando; la infaltable Clara, que suspiraba y lloriqueaba, emocionada, pasando una mano traspirosa por los pelos abundantes de Ignacio; el Nono, y el providencial Carlitos Hidalgo, quien se había hecho tan necesario en aquellas reuniones, medio momio y todo, como la misma Clara, la vendedora de peinetas, despertadores, calcomanías y otros objetos misceláneos. Ignacio chico le pidió al Narrador el número de teléfono y llamó a Santiago Costamagna, el Jack London chileno, el Conrad, el Melville, Júpiter o Neptuno, en otras palabras, para que se incorporara al festejo, pero Santiago Júpiter había salido, o su mujer, precavida, tapando el fono y mirándolo de soslayo, prefirió decir, por prudencia, en resguardo de su integridad mental y física, que no se encontraba en la casa. Mientras el joven hablaba, su padre, el Narrador, aprovechó para asomarse a su dormitorio y tuvo una visión rápida de su equipaje, tirado sobre la cama: tres o cuatro calzoncillos, dos camisetas gastadas, camisas viejas, un par de zapatillas de tenis bastante carreteadas, un chaleco agujereado, una flauta de madera y tres o cuatro partituras musicales, un ejemplar de la *Oda marítima* escrita por Fernando Pessoa a través de la persona ficticia de Álvaro de Campos, edición bilingüe, y un fajo de dólares en billetes que se proponía llevar escondido, como explicaría más tarde, adentro de las zapatillas. Un nieto de mi padre, susurró, un bisnieto de mi abuelo, y concluyó, después de escucharse, como quien dice, a sí mismo, que había reaccionado igual que los caballeros del Club de la Unión y del recinto de los tribunales de, pensó, mal llamada justicia.

También se supo que al día siguiente del coctelito de la calle Santa Lucía, el Nacho le hizo una visita de despedida a su amiga y cuasi polola (en el sentido de pololeo, de pololear, derivado de pololos, bichitos que andan siempre en parejas), Denise Novales, a quien le gustaba llamar Denise Novalis, porque era tan disparatada y tan imprevisible, según él, tan lunática o lunar y, llegado el caso, tan mística, como el poeta romántico alemán, el de los *Himnos a la noche,* y que tenía un perfil de Madona de pintura renacentista y un pecho no demasiado grande, no exagerado, pero de proporciones perfectas. Más tarde se supo que había llevado a la Novalis a una Disco de moda, cansado de estar sentado con ella en el sofá de plástico amarillo de un living más bien estrecho, mientras la mamá dormía o simulaba dormir en la habitación del fondo. Bailaron en un espacio oscuro, no demasiado concurrido, estrechamente entrelazados, mientras Ignacio acariciaba la espalda de su compañera, un tanto huesuda, pero de piel suave, por debajo de un precario chaleco de lana, ¡una pilcha barata!, y le hacía, de vez en cuando, un toque en forma de pinza en la cintura y un poco más abajo, sobre los huesos de las caderas, por adentro de la línea de los calzones. En la casa de Denise, durante la conversa en el sofá plástico, entre amarillo limón y zapallo más oscuro, habían tomado un par de vasos de pisco puro, de 35 grados o de 42 grados, el Narrador no lo supo con absoluta exactitud, y en la Disco ya iban en la segunda corrida de Cubas Libres, ¡mentiritas!, como dicen los cubanos gusanos. De repente, en lo mejor de uno de los bailes apretados, de bocas pegadas, en un momento en que la mano de Ignacio había topado con los vellos de la región pubiana, ella, la Denise, o la Novalis, con su perfil de Boticelli, se largó a llorar a gritos. Se transformó en cuestión de segundos en un surtidor de lágrimas, de mocos, entre hipos y ahogos, y le aparecieron manchas coloradas, malsanas, en la frente, en las mejillas, y hasta en las menudas orejas y el cuello estilizado. Él pagó la cuenta, le envolvió la cintura de avispa con el brazo robusto y la llevó hasta la calle, medio en vilo, sin chistar, como si estuviera acostumbrado a las escenas de esta naturaleza, o como si se hubiera acostumbrado en ese mismo instante y se hubiera imaginado las peligrosas secuelas del asunto, los desvaríos mayores que habrían podido manifestarse.

–Novalicita –le dijo–: ¡Calmesé! –Y le palmoteó con suavidad las manos menudas, le acarició el pelo angelical, de un rubio blanquecino, con delicadeza suma, y sacó del bolsillo un gran pañuelo arrugado, que había sido blanco en alguna época, para secarle las lágrimas y las secreciones diversas, cosa que hizo con la mayor ternura.

–Tu pañuelo está inmundo –protestó ella, entre pucheros, con miradas oblicuas, con mocos amarillentos y lágrimas saladas, y él tuvo que reconocer que no era un dechado de limpieza.

Diez minutos más tarde se encontraban de regreso en el living de Denise, en el memorable sofá entre zapallo y amarillo limón. La Novalis, incomparable, nocturna, entró al interior oscuro, vagamente sucio y húmedo, en puntillas, Madona en escenario venido a menos, y volvió a salir.

–Mi mamá duerme –anunció.

Apagaron las luces, con excepción de una lamparilla verdosa que colocaron en el suelo, e hicieron el amor encima de una alfombra de gruesa lana chilota y de algunos cojines con olor a tierra. La colocación de los cojines le habría indicado a un buen observador que tenían cierta costumbre, que ya sabían encontrarlos y distribuirlos de la manera más funcional. Denise, al final del acto, cerrando las piernas delgadas, bonitas, y colocando una mejilla contra los cojines, se puso a llorar de nuevo, de un modo más débil, como si sus deseos, su erotismo, su pasión no del todo explícita, tuvieran algún tipo de relación directa, aunque no fácil de entender, con el llanto. Con ese llanto.

–¿Y si ahora que tú te vas –preguntó, con cara inocentona, chupándose un dedo–, me quedo esperando guagua?

Él le acarició los muslos delicados, le tocó el sexo con suavidad, y después le paseó una mano cariñosa por el vientre, por la cintura. Le dio un beso en la frente y otro en la nariz y en los labios.

–Te mando a buscar y nos casamos –dijo–. Siempre que estés dispuesta a desaparecer conmigo.

–¡Desgraciado! –vociferó ella, dándole golpes por todas partes con los puños huesudos–. ¡Maricón! ¡Mentiroso 'e mierda!

–¿Por qué no te vienes conmigo, simplemente –continuó Ignacio–, y después vemos?

–¡Estúpido! –gritó ella, sollozando, y se escuchó en la habitación del fondo el clic de la luz del velador.

–Denisita –llamó su madre.

Él remedó en voz baja el llamado de la señora, el «Denisita», con cara y sobre todo con boca, con expresión de cretino, y Denise le propinó un puñetazo en el mentón a todo lo que daba. Casi le voló un diente. Se puso enseguida, con la mayor rapidez, los calzones, se arregló la ropa y el pelo, y volvió a caminar hacia el fondo descalza y en puntillas, sumisa, lagrimosa, con la cara descompuesta por manchas violáceas. Al rato salió y le dijo a Ignacio que su mamá, «tan amorosa, la pobre», quería despedirse de él.

Desde su camastro, la mamá de Denise, una mujer enjuta, ojerosa, con un perfil parecido al de su hija, pero endurecido por los años, por las faltas, por todo, por la mezquindad de todo, e inmune, desde luego, a todo tipo de arrebatos, lo abrazó con fuerza.

–¿Qué discutían tanto?

–Yo le proponía a Denise que se venga conmigo, si quiere, siempre que esté dispuesta a desaparecer en un hoyo negro...

–¡En un hoyo negro!

–Sí. Pero ella lo único que sabe es llorar y llorar. Lleva dos horas llorando a moco tendido.

–Si querís que se vaya contigo, huachito –replicó la señora, con un tono repentino de huasa de Perquenco, un tono que no calzaba bien con su apellido yugoeslavo, pero que sí correspondía a las estampas que rodeaban su cama, a las figuritas de porcelana, a los cacharros de cobre, a un cenicero con el escudo de Chilito (como decía ella)–, tenís que casarte. ¡Por las dos leyes! ¡Por el civil y por la iglesia!

–¿Y? ¿Por qué no? Lo único malo es que los hijos podrían salir alcohólicos.

–¡Mocoso de porquería! –protestó la huasa yugoeslava, que estaba perfectamente al tanto, sin duda, de los forcejeos y las efusiones, de la colocación estratégica de los cojines del living.

Denise, desde el umbral del dormitorio, donde parecía restregar el cuerpo todavía no saciado contra la puerta, volvió a soltar el llanto, a raudales, con hipos sofocados, y se metió a la cocina a prepararse una piscola. Él aprovechó para darle un beso en la frente a la mamá, ¡a la espantosa mamá!, a la huasa venida de Bosnia Herzegovina o de alguna región por el estilo. Después se asomó a la cocina, le dio un par de besos a Denise, a la Novalis, que estaba deshecha, con los pelos pegoteados, con los ojos inyectados en sangre, con la boca entreabierta y babeante, y escapó como alma en pena. Caminó a todo lo que daba, sin mirar para atrás, por veredas solitarias, desniveladas, rotas, con olores mezclados a bencina, a grasa, a flores de azahar. Tuvo la impresión de que su viaje, su huida, sus proyectos más extremos, imposibles y a la vez ineludibles, habían comenzado en ese instante mismo, al filo de aquellas lágrimas que todavía le manchaban la camisa y el cuello de la chaqueta. Y, también, de que pasaría largo tiempo huyendo: de su mundo, de su pasado, de las calles y las cárceles por donde le había tocado transitar, de los mocos y lágrimas pegoteados en la cara de la Denise Novales, la Novalis inefable, de los brazos sarmentosos de su mamá yugoeslava, de su propia sombra. Huyendo, y quizás, a lo mejor, tomando venganzas varias, desquitándose.

Al día siguiente salió a pescar el bus internacional a primera hora, ligero de equipaje, como ya tuvimos ocasión de ver a través de los ojos del Narrador, y en compañía de Abraham, el Nono, y de Carlitos, que estaban emocionados y le preguntaban si no se arrepentía: total, perder un boleto de bus, ¡qué chuchas importaba!, a lo mejor hasta le devolvían la plata. Cristina se había despedido de él en la cocina, antes de partir a su trabajo, con un abrazo prolongado y dos o tres lagrimones. Le había dicho que llamara sin falta, cada vez que puedas, perrito, y que le dejara un teléfono donde ella lo pudiera llamar de vuelta. Mientras esperaban la partida, Ignacio chico, desde su asiento junto a la ventanilla, les contó a sus dos amigos los detalles de la noche anterior, detalles que ellos le transmitirían después a Cristina. Lo hizo a sabiendas de que cometía una fea indiscreción, pero su pecho, desde que había huido como alma en pena, sin mirar para atrás, estaba pesado, y sentía la imperiosa necesidad de aliviarlo. Recordó el *«I'am sick at heart!»*, de Hamlet, y lo intercaló en su historia, sin importarle que sus amigos no entendieran. El detallado relato sólo fue interrumpido, cerca de su final poco glorioso, en un pasaje de alto erotismo, por el movimiento del bus, por los últimos gritos de despedida, por las manos que reemplazaban a las palabras. Mientras el bus luchaba por salir de la ciudad, atrapado en la congestión, en el fragor polvoriento, él se sentía embrutecido, como si los rones y los piscos de la noche le hubieran dado un golpe de maza en el cráneo, pero más tarde, cuando la poderosa máquina volaba rumbo a los Andes, al camino de frontera, sintió que su mente se destapaba, liberada, y pensó, con una sonrisa, que Denise todavía debía de dormir a pata suelta, bonita, pero con el cutis alterado, envuelta en un ligero tufo de piscola, soñando sueños incoherentes.

–¡Pobrecita! –murmuró, derretido por la emoción, y el pasajero del lado lo miró con extrañeza.

Pensó después que su padre ya estaría en pie, instalado en la gran mesa de encina del comedor, en bata y pantuflas, con los pelos disparados, bebiendo su segunda taza de café amargo y recorriendo los papeles del día, como le gustaba decir, haciéndole comentarios desde el comedor al repostero, a gritos, a la vieja Filomena, comentarios que la vieja ni siquiera se daría el trabajo de escuchar, y husmeando los documentos y los libracos más diversos.

Una vez que Cristina le contó su versión de la despedida de la Novalis, versión que les había escuchado al Nono y a Carlitos, su padre, el Narrador, recitó en voz alta, por el teléfono, unos versos de Rubén Darío:

> Después, ¡oh flor de Histeria!, llorabas y reías;
> Tus besos y tus lágrimas tuve en mi boca yo...

–¿Te gusta? –le preguntó a la Filomena, y la Filomena, que salía del comedor con los restos del desayuno, le dijo que ya estaba «güeno», que hasta cuándo, que se vistiera, que no la siguiera «regolviendo», y que se buscara un trabajo, porque de tanto leer y no dormir se iba a quedar enfermo de la azotea.

–¡Vieja 'el diablo! –exclamó el Narrador.

–Si me insulta, me voy de esta casa –declaró ella, y cerró la puerta de la cocina de un portazo.

El Nacho llamó a Cristina a los dos o tres días, desde el teléfono público de una ciudad que la empleada tradujo como Puerto Alegre o algo por el estilo. A las cuatro semanas se recibió una lacónica tarjeta postal de Río de Janeiro, una vista en colores chillones del Pan de Azúcar, sin dirección o teléfono donde mandar una respuesta. Después de eso, nadie tuvo noticias del joven tránsfuga ni conoció su paradero durante largos meses. Cristina habló varias veces con la mamá de Denise, pero en la casa de ella, en el departamento de cojines rancios y de material plástico, tampoco se había recibido noticia alguna. Cristina se retorcía las coyunturas de los dedos, hacía crujir los huesos. Bebía pisco sauers y fumaba como una chimenea. Llamaba por teléfono con insistencia al Consulado General de Chile en Río de Janeiro, pero las comunicaciones eran difíciles, y cada vez que alguien atendía, daba la impresión de que la oficina estaba manejada por un grupo de retardados mentales.

–*No news, good news* –decía, con un airecillo idiota, el Narrador, quien, a pesar de sus inclinaciones afrancesadas y de su gusto por las literaturas germánicas, y pese, también, a su lado italianizante, ya que se había dedicado a seguirle la pista a Toesca, el romano, tenía una veta anglosajona escondida, ¡como buen chileno!, comentaría alguien, y como remoto descendiente de gringos de Inglaterra, y abrigaba, aparte de eso, una confianza ciega en la buena estrella de su hijo, quien era capaz de bajar al infierno encadenado, en grilletes, y de salir de sus cavernas, como ya se había visto, sin haberse chamuscado un solo pelo, una sola hilacha.

XIII

Esto pasó el día viernes en la tarde, veinte de octubre, como a las tres y media. Habíamos puesto unas sillas de paja en el segundo patio, debajo de los tilos, y tomábamos un vaso de agua con azuquítar quemada, mi mami, la Manuelita y yo. Yo jugaba con el perro de la Manuelita, el Goiquito (no podís sacártelo de la cabeza, loquilla, le dije, cuando llamó al perro por el nombre, y ella: no me maltrates, hermanita), que estaba asorochado, con la lengua afuera, los ojos colorados, como brasas ardientes, y las tres, pa' soportar la calor, nos abanicábamos, nos ganábamos a la sombra. La Manuelita, justamente, nos acababa de contar que le había bajado miedo a Toesca. Sí, miedo. Sentía que Toesca se preparaba para hacerle algo muy malo, o que lo preparaban otros, y él había consentido. Se lo había encontrado en la Plaza Mayor, hacía un par de días, entre remolinos de polvo, porque había ventolera, y nubes de polen, de plumillas que bailoteaban, y lo había notado en sus ojos.

–¿Por qué?

–Porque tenía una mirada negra, mamita, y estaba pálido como un muerto, y le costaba respirar, como si el aire cargado y caliente lo ahogara.

Habían contado lo de un duelo por ella en horas de queda, puros inventos, y que la habían visto en una chingana, con la cara tapada por un antifaz, pero con los brazos al aire y un escote que le llegaba hasta cerca del ombligo, ¡mentiras! Pero Toesca se lo tragó todo. Y no lo soportó. Por eso, al verla en la Plaza, le dio un ataque, un ahogo, y no fue capaz de hablarle.

Mi mami hizo uno de esos movimientos que suele hacer con los dedos chuñuscos, esos pases, pestañeando como loca, para espantar a los espíritus malos, al diablo, y después se persignó y le agarró la nariz al Goiquito y le hizo toda clase de añuñúes, mientras el Goiquito, con sus ojos colorados, gruñía y le mostraba los dientes.

Yo quise decir algo. Quise decir que la Manuelita tenía que cuidarse un poco más, fuera como fuera, porque la gente era tan mal pensada, y en ese mismo minuto golpearon en el portón de la calle. Golpearon y golpearon a toda fuerza, gritando como locos, amenazando con echar el portón abajo.

Abrió una de las chinas, porque nosotras nos quedamos aterrorizadas, la Manuelita y yo sin voz, mi mamita mascullando rezos, persignándose, y entró un señor alto, gordo, patilludo, con un cráneo grande y medio pelado, de aspecto sucio, de zapatos con hebillas gruesas, toscas, que dijo que se llamaba don Miguel de Fierro, con toda calma, pero sin la menor sonrisa, sin una venia, como si nosotras fuéramos tres monigotes. Soy, agregó, después, el ordenanza del excelentísimo señor gobernador, y preguntó, mirándola a ella, porque ya lo sabía, quién de nosotras era Manuela Fernández de Rebolledo y Pando, la esposa legítima del alférez real y arquitecto Joaquín Toesca, y ella contestó:

–Yo soy.

Él, entonces, dijo que el señor gobernador la mandaba llamar, y que para ello «había calesa prebenida».

Ella, pálida como un papel, con los ojos fijos, dio un grito, un verdadero alarido, que estuvo a punto de hacer retroceder un paso al ordenanza, que hizo ladrar al perro, mientras mi mamita gritaba también, aunque con menos fuerza, y hacía toda clase de visajes, tan nerviosa, que temí que se cayera muerta ahí mismo. Vi que el taller de Ignacio estaba con la puerta abierta, pero vacío, porque él había partido a juntarse con Toesca en alguna de sus obras, y ellos, que tenían espías por todas partes, seguro que lo habían calculado.

–Yo la acompaño, mami –le dije–. Quédate tranquila.

Alcancé a ver que se quedaba llorando, temblando, sostenida por la Clementina, la lavandera, y que el perro corría de un lado para otro, dando saltos y ladridos, como si hubiera entendido que se llevaban a su ama para siempre. ¿Para siempre?, me pregunté. Había un soldado de dragones junto a la puerta de calle y una calesa vieja, con un cochero patilludo, de semblante avieso, que nos miró de mala manera mientras subíamos. No habíamos terminado de subir cuando les dio un huascazo terrible a los dos caballos, un huascazo que nos tiró p'atrás, porque partieron al galope. El ordenanza, don Miguel de Fierro, como dijo que se llamaba, iba adentro, frente a nosotras, y de repente nos miraba con una mirada turbia, mientras que el dragón iba parado detrás, afuera, y nosotras sólo le alcanzábamos a ver las piernas, las botas que le cubrían hasta la rodilla. En lugar de llevarnos al palacio del gobernador, partieron a toda carrera al sur, a la Cañada, mientras nosotras le decíamos al ordenanza, a gritos, que por ahí no se iba al palacio, que adónde nos llevaba, que por favor nos respondiera, y él, mudo, con cara de palo, y sordo, y cuando la Manuelita lo agarró de la solapa, le dio con la manota un empujón que la hizo ver estrellas.

Nosotras nos mirábamos, sintiéndonos perdidas («viéndose mis hijas tan atrozmente engañadas, y llenas de pabor, y espanto...»), y de repente, en un pasaje lleno de hoyos que obligaba a los caballos a ir más despacio, la Manuelita abrió la puerta y se tiró a la calle, y yo hice lo mismo, y alcancé a ver que la Manuelita se había herido en la cara y que el vestido se le había manchado con sangre. Cerca de nosotras divisé a un aguatero de ojotas, asustado. Más allá pasaban unos indios que no nos miraban. Y tres señoras de mantilla, que conversaban debajo de un álamo, interrumpieron, en cambio, su conversación y nos clavaron los ojos. ¿Qué es esto?, decían, espantadas: ¿qué ha pasado? Nosotras corrimos en dirección a la Plaza Mayor, dando gritos, recogiéndonos las faldas como podíamos, con el corazón que se nos saltaba. En eso pasamos cerca de los andamios de la Casa de Moneda. Si Ignacio nos hubiera visto, nos habría socorrido, pero no sé si el Toesca, ofendido, con la bilis revuelta, y que debía de haberlo planeado todo. ¿Qué sería del pobre Ignacio, llegué a pensar, si se quedara solo? La Manuelita, a todo esto, había caído mal, se le había torcido un pie, y además estaba herida en la cara y muerta de miedo. Al entrar a la Plaza, el ordenanza Miguel de Fierro, descompuesto, y el dragón, con el fusil atravesado, le cerraron el paso.

–¡Déjenla hablar con el obispo! –les grité, trastornada, dispuesta a dejarme matar–. ¡No sean perros!

El dragón retiró el fusil, desconcertado, y nosotras subimos las escalinatas a la carrera, la Manuelita medio coja. Llegamos con la lengua ajuera, y un diácono que nos conocía mucho nos saludó de lo más amable, medio extrañado. Nosotras sabíamos que Toesca ya había hablado con el obispo nuevo, Sobrino y Minayo de apellidos, que había nacido, contaban, en Valladolid, y que acababa de bajar desde la diócesis de Quito, de las cosas de la Manuelita. El diácono entró y el obispo nos mandó decir que pasáramos. Era un hombre alto, sonrosado, todavía joven, con ojos que parecían guindas o uvas, con facha de apollerado. No se extrañó de nuestro aspecto, como si hubiera sabido que nos estaban dando tormento, o por lo menos a la Manuelita, que estaba despeinada, ensangrentada, con la ropa rota, y nos dijo que no tenía nada que ver con estos asuntos, añadiendo unas palabras latinas y mirando al diácono, inflando las mejillas con expresión de suficiencia.

–Usted –le dijo a la Manuelita–, siga el destino que se le manda, y usted –me dijo–, vuélvase a su casa, señora, y salude de mi parte a don Ignacio.

Fuimos, entonces, cruzando la Plaza a pie, más recuperadas, vale decir, un poco más dueñas de nosotras mismas, un poco más arregladas, y seguidas por ese tal Miguel de Fierro, que no decía esta boca es mía, y por el dragón, que sudaba como un condenado, a palacio. El presidente y gobernador excelentísimo nos mandó recado de que no podía darnos audiencia y de que la señora de Toesca debía cumplir con lo que se le había ordenado. Nos pusimos a llorar a gritos, insistimos en ver al gobernador, pero no hubo caso. De Fierro agarró del brazo a la Manuelita. A mí me tomó con fuerza otro señor grande, que no decía una palabra. Nos hicieron bajar por las escaleras, sin soltarnos. A la Manuelita la subieron a la calesa a empujones, sin permitirle que se despidiera de mí. ¡Es mi hermana!, chillaba yo, pero no me hacían ningún caso. Ella me miró desde la ventana, con la cara sucia, llena de lágrimas, pero la manota del Miguel de Fierro se puso delante y cerró la cortina. Después seguí con la vista el armatoste que se alejaba a toda velocidad, rechinando por todos los costados, levantando tierrales. No podía dejar de llorar, observada por la gente que entraba y salía de palacio, y preferí meterme a la iglesia y rezar un rato por ella, por mi pobre hermana, tan chiflada, pero de corazón tan bueno. Yo estaba toda molida, adolorida, y le rezaba a la Virgen de una pintura: una que lloraba mientras colocaban a Jesucristo en su tumba, inconsolable. Cuando me sentí un poco más tranquila, volví a la casa. Alguien me saludó en el camino, pero no supe quién. Apenas le respondí. Debe de haberse ofendido, como se ofenden todos en la Colonia, a cada rato. En la noche le conté en detalle a Ignacio y él se sintió consternado, aplastado por la brutalidad de la gente. Me hizo cariños en la cabeza. ¡Mi pobre Pepita!, dijo, y se compadeció mucho de la Manuelita. Todos sus pecados, dijo, son pecados de amor. Yo me persigné, asustada, y le pedí por él a la Virgen Dolorosa, la del costado del sepulcro. Mi mami se metió en ese momento. Todo lo había organizado Toesca, gritó, para entregarse a su lujuria sin ningún freno. Me voy a vengar, anunció, con ojos de loca, cerrando los puños, y yo pensé para mis adentros: ¿cómo?, ¡pobre viejuja! Ignacio, entonces, declaró que eran signos de los tiempos, anuncios, y yo sabía muy bien en qué estaba pensando. ¡Signos de los tiempos! Me senté en un piso bajo, de palo sin barnizar, y acaricié al Goiquito, que se había quedado solo y que me hacía fiestas, con pena. Quedamos de preguntar por ella al día siguiente a primera hora, en la oficina del gobernador, a pesar de que alguien, un amanuense de manguitas negras, nos había dicho que se la llevaban lejos, a Peumo, a un Beaterio entre las montañas. Seguro que allá se la llevaban, y que de allá sólo saldría después de muchos años, vieja y sin dientes. Si es que salía viva.

Tercera parte
Te amo y te perdono...

I

A estas alturas, podemos concluir que Joaquín Toesca y Ricci, ingeniero militar y arquitecto, alférez de los ejércitos reales, era hombre de orden: al menos en apariencia. O sobre todo en apariencia, puesto que se escapaba del orden por algunos resquicios, por algunas fallas secretas. El hecho central es que conocía por experiencia, por educación, incluso por instinto, la fuerza del orden establecido, y tenía una tendencia a respetarla. O a burlarla, pero con sumo cuidado. Y no actuaba así, desde luego, por convicción intelectual, o por una fe religiosa arraigada, sino porque sabía de memoria, de un modo innato, que no valía la pena darse de cabezazos contra los muros de su tiempo. Muros de ladrillo sólido, de piedra de cantería, de altura y anchura inexpugnables. Argumentaba, peleaba, hacía retroceder los límites, los cercados, hasta la mayor distancia posible, para crear, por lo menos, la sensación del espacio, del aire libre, pero, al llegar a situaciones extremas, al asomarse a los abismos, a las cárceles, a las hogueras, transigía, acataba. Su Señoría Ilustrísima, decía, bajando la cabeza: Señor Excelentísimo. Porque al otro lado, si daba el paso, ¿qué lo esperaba? No tengo pasta de suicida, se decía, o se imaginaba el Narrador, en sus horas nocturnas, frente a los faroles y a las copas de los árboles, que se decía. En sus años de formación, en los alrededores de la Piazza di Spagna, había tenido modelos cercanos, que había estudiado con pasión, que lo habían deslumbrado, que se habían entrometido, suponemos, supone el Narrador desvelado, hasta en sus sueños: el de Borromini, el sombrío, y el de Piranesi, dibujante, grabador, simulador eximio, vendedor de estampas. Amaba al Borromini por encima de todas las cosas, se quedaba con la boca abierta frente a las líneas ondulantes del edificio de la Propaganda de la Fe, a las variantes introducidas en cada ventana, a la trabazón de los techos mirados desde los cruceros centrales de sus iglesias, trabazón armónica, tejido fuerte y grácil, que fuera de ahí sólo se encontraba en perspectivas pintadas, o en la música de los clavecinistas, pero meditaba sobre su final, sobre la discusión furiosa, sobre el filo de la espada y los intestinos derramados, los dolores bestiales, con un horror que también lo sobrepasaba todo. ¿Era posible morir así, o vivir, más bien, así, para provocar una muerte como ésa?

El Piranesi, en cambio, había sido astuto, había evitado el enfrentamiento, se había evadido en la estética de las ruinas, de los espacios imaginarios, de los caprichos y las construcciones inventadas: plazas que existían, templos, escalinatas catalogadas, fuentes y obeliscos reproducidos con ambigua fidelidad, con un elemento verosímil, a fin de que los propietarios, los letrados, los aspirantes a nobles, picaran el anzuelo y abrieran la cartera, pero con un algo indefinible, un aire que se añadía: telones rasgados, hierbas exuberantes y desparramadas, escombros, pequeñas figuras en la distancia, en las orillas del río, sobre los puentes, con bicornios y capas flotantes, y una sensación general de ventisca, nubarrones de tormenta, una condensación de emociones. O cielos simplemente artificiales, de antigua albañilería, contemplados desde profundidades carcelarias, en la cercanía de inciertas máquinas, de pesados eslabones.

Su vecino de barrio, su casi contemporáneo, se había escapado por caminos mentales, con una máscara prestada, consciente de que no tenía otra salida. Desde su laberinto con cúpulas, con bustos de mármol desnarigados y columnas rotas, semihundidas, entre la pestilencia. ¿Y él, de niño, en los cuartos alquilados por sus padres al conde Branca, con una pierna entrelazada en el balcón, mientras contemplaba el fragor de los grandes armazones conmemorativos, transitorios, con sus telones, sus pebeteros, sus banderas, sus trofeos y sus famas, sus quimeras? También se evadió, como ya sabemos, pero lo hizo, a diferencia del Piranesi, en la geografía, en la última de las provincias de un Imperio agrietado, y también intentó cosas, dentro de un escenario mísero, en medio del adobe, de la paja, de la mierda, y obtuvo, a lo mejor, a pesar de todo, algunas. Se sintió satisfecho cuando los artesanos a sus órdenes, encabezados por el gigantón Ignacio, clavaron el último clavo y estiraron las últimas sedas del túmulo funerario a Carlos III, instalado en el centro de la Catedral que él mismo estaba construyendo, y cuando el comerciante en aceites, don Bernardo Llanete, invitó a los tijerales de su Moneda chica, que ostentaba un escudo nobiliario de piedra, de ejecución simplona, un castillo mal hecho, una ardilla desproporcionada, encima del portón principal. Pero así eran las cosas en aquella provincia: precarias, amenazadas, toscas. A lo largo de sus lecturas, el Narrador ha llegado a comprobar que Toesca, el sumergido, detestaba el escándalo, y que se había visto rodeado, para su desgracia, por una aureola de escándalo permanente, difusa. Todo lo que tocaba se transformaba, parecía, en escándalo. Concebir un ladrillo más largo y más ancho que los corrientes, una mezcla que utilizaba claras de huevos de gallinas, miles de claras, centenares y centenares de gallinas, o un pórtico de columnas exentas, ajustadas al Orden Dórico, y que daba vista sobre un segundo pórtico y un tercero, de manera que la visión podía prolongarse hasta el final de la tierra, hasta el extremo sur del mundo conocido, hasta ciudades áureas escondidas detrás de selvas impenetrables, o hasta mares donde flotaban catedrales de hielo azulino, concebir todo aquello, en lugar de redimirlo, acentuaba la extrañeza, el aura sospechosa. ¿Por qué tenía que perturbar la paz de la Capitanía General de Chile con tantas novedades? ¿Enfermo de la imaginación, él también, como había definido él mismo a la Manuelita? ¿Cómplices, ambos, en último término, a pesar del solimán en los espárragos, a pesar de todo? De vez en cuando, alguien, en los tablados coloniales, al final de las ceremonias, en los jolgorios, en las procesiones, caricaturas de lo que había presenciado en su infancia desde los balcones del conde Branca, le estiraba una mano, y al poco rato, avisado, la retiraba. Sólo se atrevía el gobernador O'Higgins, Higgins de Ballenary, pero se había ido al Perú. Y don Manuel Alday, el obispo, su otro aliado, había bajado a la tumba. Y había hecho su entrada, en cambio, bajo palio, entre pebeteros de incienso, un hombre alto, sonrosado, más joven, que remataba cada una de sus frases con un latinajo, que hablaba con ostentación de sus servicios a la Corona y a la Iglesia: en resumen, un petulante, y más en el fondo, un cruel, un frío.

Él se inclinaba en el centro de la habitación en penumbra, donde había un par de velones temblorosos, y donde la luz de la luna se filtraba a través de las rendijas. Bajaba la cabeza, contrito, y se golpeaba el pecho.

–Sí –murmuraba–. Ya que no hay más remedio...

–No hay –confirmaba la voz un poco chillona.

Regresaba a su casa en el silencio profundo, sólo perturbado por el bastón del sereno en la piedra de huevillo. Pasaba junto a los puestos de estampas, de rosarios, de medallitas, que a esa hora tenían las tapas claveteadas. El coronel Díaz Muñoz, desde la puerta de su casa, le dirigía un saludo terco. Había, en dicho saludo, algo de lástima, pero, más que nada, una buena dosis de desprecio, sobre todo ahora que Alday, su protector, había sido sucedido por el otro, el de las mejillas sonrosadas y los ojos azules, el bonito de los latines, Sobrino y Minayo.

–Buenas noches, coronel.

La Manuelita, a todo esto, llevaba cerca de tres semanas en casa de misiá Clara. Después de la escena aquella, la del brasero, la de las cortinas. Y corrían rumores de toda especie. Las lenguas de la Colonia no descansaban. Se disfrazaba, decían, a pesar de la prohibición de Su Ilustrísima, de gitana, o de princesa, o de huasa del sur, y asistía a festejos, y participaba en guitarreos y en bailes palmoteados y zapateados, ¡feliz y contenta!

–Acepto, Su Señoría –murmuraba él con la voz ronca, bajando los ojos, besando el anillo, y deseaba que los muros de la sala episcopal se le cayeran encima y lo aplastaran.

II

La calesa paró de correr en la Cañada baja, en un lugar donde había una acequia y una plantación de frutillas, y cinco dragones salieron de la sombra de unos pimientos y se acercaron en sus caballos. «¿Qué van a hacer conmigo?» El que parecía el jefe se acercó a la ventanilla y miró para adentro, para asegurarse de que la persona que le habían encargado, la que tenían que trasladar al Beaterio en el más corto plazo, haciendo una jornada nocturna, era la que ahí estaba. Pudo comprobar, a pesar de la poca luz, que la persona en cuestión permanecía callada, pálida como un papel, con el pelo desordenado y la cara sucia, con un rasmillón sanguinolento, con una manga de la blusa medio rota, y que era muy bonita. «Me miró un buen rato: la cara, y después el pecho, los muslos, todo, con el deseo que le brillaba en los ojos, y tuve mucho miedo. Me persigné y me puse a rezar, y quise que llegáramos a mi encierro pronto.» El ordenanza Miguel de Fierro, que había practicado la detención por instrucciones superiores, bajó entonces de la calesa, resoplando, y sacó un pañuelo negro para limpiarse el sudor. Llevó a los dragones a un lado y les habló. Les dijo que tuvieran mucho cuidado con la presa. Si le hacían algo, les dijo, si se atrevían a tocarla, los secarían en el calabozo. ¡Si es que no los afusilaban! Volvió a la ciudad, después, a pie, secándose el sudor cada cierto rato, por el tierral del centro de la Cañada.

–Tranquila, señora –le dijo el jefe de los dragones–, que nada le va a pasar. Mis órdenes son de entregarla sana y salva, enterita, en el Beaterio de Peumo, en manos del vicario don Antonio Zúñiga.

–¿Órdenes de quién? –se atrevió a preguntar ella, y el dragón respondió que del señor obispo, y con la anuencia del señor gobernador y capitán general.

«Yo, entonces, cansada de llorar, miré para otro lado.» Restalló la huasca en el lomo de los percherones de arrastre y la calesa empezó a dar barquinazos, en una noche que parecía boca de lobo, seguida por el trote de los caballos y por las groserías, los llamados, las carcajadas de los jinetes. Ella, «yo, me mantenía con los ojos abiertos, fijos», y tenía la sensación de que se habían propuesto vaciarle el alma, dejársela como un trapo tirado en un rincón. Algunos papeles hablaron de su Purgatorio, y ella misma habló de esa manera en sus cartas, pero si hubiera sido así, el carricoche habría caminado días y semanas, en una crujidera que llegaba a dar miedo, a la antesala del Paraíso, y la verdad era que todo, durante ese viaje de noche, y más tarde, durante el encierro que no terminaba nunca, «me parecía Infierno: montañas negras como el carbón, aullidos de bestias, rebuznos de pesadilla, nubarrones con formas de garras, de monstruos, murciélagos que bajaban de la pestilencia del aire y se quedaban mirándome, con las fauces abiertas».

Después contaría que había engañado a los soldados y que éstos se habían desviado para llevarla a la mañana siguiente, antes de presentarse en el Beaterio, al fundo de Luis, el hermano mayor de Juan Josef. En la carta, porque esto lo escribió en una carta a la Pepita, quiso poner «mi Juan Josef», pero no se atrevió. Aunque ya, en su confusión, no estaba segura. Ni de eso, ni de nada: le habían quitado, junto con las substancias jugosas, esponjosas, del alma, el suelo. ¿El suelo? El piso. Los dragones la dejaron bajarse un rato en las casas de Luis «y así pude conversar con la Xavierita, que estaba muy linda, feliz de verme». ¿Quién sería, se pregunta el Narrador, sentado ahora en la sala de lectura del Archivo Nacional, rodeado de enormes expedientes encuadernados, esta Xavierita, que parece, a juzgar por su nombre y por uno que otro detalle, una joven, quizás una niña, simpática, dulce, y además de todo eso, a pesar de sus escasos años, sabia? ¿Era la hija quinceañera del mentado Luis, o era su flamante esposa? Fuera quien fuera, la Xavierita, con generosidad, invitó a los dragones de la escolta y al cochero a comer una cazuela de pava con chuchoca, con harto cilantro, en un largo mesón colocado en una de las galerías laterales, frente a los barracones de los esclavos. «¡Qué buena idea tuviste, Xavierita!» Los soldados estuvieron más de dos horas engullendo, felices, acompañando la cazuela con harina tostada revuelta en agua y con aguardiente del mejor, chupándose los bigotes. «Si me hubiera querido escapar, habría podido hacerlo mientras ellos se hartaban, pero ¿adónde me podía ir? No hay en todo el Reino escondrijo donde la mirada de Toesca, que goza de la protección superior, no me pueda alcanzar. Mejor me resigno, y le pido a la Virgen del Carmen. Ella siempre me ha escuchado. Nunca me ha fallado.»

Los hombres del regimiento de dragones, echados en el suelo, con las caras tapadas, durmieron un poco, y enseguida, ante el llamado del jovenzuelo que hacía de jefe, se levantaron, se despidieron de la Xavierita y de la cocinera, esperaron que se despidiera la Manuelita, entre besos, encargos, sollozos, y reanudaron el viaje. Llegaron al Beaterio, un edificio alargado y chato, de adobe y tejas, con ventanas angostas y enrejadas, unido a una capilla de palo, de techo alto, puntiagudo, como a las cinco de la tarde. «Aquí me van a enterrar, ¡Dios santo!» Durante todo el trayecto desde Santiago, incluso en lo más profundo de la noche, había hecho calor, pero los árboles del Beaterio estaban agitados por una brisa fresca. La Manuelita fue recibida por dos beatas bigotudas y por don Antonio Zúñiga, el señor cura, a quien las beatas trataban también de señor Vicario, y que era calvo, huesudo, gruesote, y trataba de ser amable, de quitarle el miedo. Los hombres de la escolta partieron de vuelta a toda carrera, después de hacer que don Antonio les firmara un recibo, y ni siquiera se despidieron de ella, como si creyeran que el poco de confianza que habían agarrado durante el trayecto y el desvío a los pagos de Luis, la cazuela de pava con chuchoca, el botellón de aguardiente, podían traerles problemas.

–Entra, niña –le dijo don Antonio–. No tengas susto. Aquí sólo vas a estar en la compañía del Señor, lejos de los hombres y de sus maldades.

«Yo no lloré, a pesar del tremendo nudo que tenía en la garganta. No dije nada, tampoco, porque no podía hablar. Pensé que a lo mejor Juan Josef, mi Negrito, inventaba algo para salvarme, pero no se me ocurría qué podría inventar. Me llevaron a una sala donde había una figura de la Virgen y del Niño encima de una mesa tosca, unos paños arrumbados, unos fierros salidos de las paredes, y me ordenaron que me sentara en una silla. ¿Qué me irían a hacer? Se acercó la más robusta de las beatas, armada de unas tijeras enormes, y me cortó el pelo al ras de la cabeza. Después me restregaron la cara a toda juerza, con una bayeta áspera. ¿Por si conservara algún resto de colorete, algún afeite de la vida de afuera, de las fiestas de allá? ¡Toma!, dijeron. ¡Las brujas!» Alguien contaría mucho más tarde, una persona de la familia de don Antonio, que a pesar de todo, pálida, descompuesta, con sus mechones rapados, seguía tan bonita. La observación sólo podía venir del propio don Antonio, de sus ojitos que pestañeaban a cada rato, de sus manos rechonchas que transpiraban.

El cura salió entonces de la sala y las beatas le sacaron el vestido a tirones, mirando de reojo, con mala voluntad, los encajes finos, las lentejuelas, el corpiño de seda. Arrojaron todo eso a un rincón sucio, como si nunca más pudiera servirle, y le miraron el cuerpo de reojo, con muchas ganas de golpearla, pero no estaban autorizadas, «y me pasaron por encima de la cabeza un hábito de tela de saco. Para que no se me notaran las formas. Para que sufriera de calor y del roce áspero de la tela en el verano, de frío en el invierno». Contaron que antes de vestirla con el hábito le habían colocado en la cintura, en la piel de color de nieve, un cilicio de cuero erizado de clavos mohosos y de tachuelas, pero ella, al salir del Beaterio al cabo de más de tres años, ni siquiera se acordaba. «¿Es verdad?, me preguntó la Pepita, y yo no sabía. La mayoría de las cosas se me habían borrado de la cabeza.»

Se acordaba, sí, de las beatas hediondas, chuñuscas, que le dijeron cosas feas, a diferencia de las monjitas clarisas y de las agustinas. La llevaron a la capilla de malos modos, a empujones, y de un pellizco que casi le sacó el pellejo la obligaron a hincarse, a humillarse, pero no frente al Señor, frente a ellas. «Yo les quise preguntar algo, por qué, preguntar, y ellas me gruñeron que no levantara la vista.»

–¡Mira al suelo –dijeron–, puta! ¡Al barro de donde vienes, y al que vas a volver!

Porque el suelo era de simple tierra apisonada, con manchas de humedad, y las tablas de los bancos eran nudosas, con astillas que cortaban como cuchillos. «Yo, no sé por qué, me acordé de la Antoñita, mi negrita vestida de amarillo y de rojo, y del cojín que me acomodaba en el suelo para que pusiera las rodillas, tus lindas rodillas, mamita, y a mí me encantaba la negrita con sus confianzudeces.»

Fueron tres horas de rezar y de temblar, de mascar tierra, bajo la mirada de las beatas, que se turnaban para vigilarla, y cuando se puso de pie notó que se le habían formado llagas. «No sé si voy a poder salir algún día, o si me voy a morir antes.» Le dieron una sopa aguachenta, con hilos, con ramitas, con islotes de grasa, y un pan duro, que al partirse mostraba restos de carboncillo, de estopa, de mugre, y después tuvo que dormir en un camastro, al lado de una beata llena de legañas y cuyos ronquidos, cada cierto rato, eran cortados por estertores, como si estuviera a punto de morir asfixiada. La celda sólo tenía un ventanuco estrecho, alto, con dos barrotes gruesos. «Me asomé, empinándome, y me pareció que las montañas negras se me venían encima, y los lamentos de los sauces, las pataguas, los eucaliptus que crujían, azotados por el viento. Los chanchos, encerrados en sus chiqueros, maldecían, me pareció, y las ratas corrían por el entretecho y se mandaban señales, se saludaban con un ruido de colmillos, de huesitos.» Un poco más allá, al otro lado del telón de montañas, había lagos de azufre. Porque su castigo, ahora, recién comenzaba.

–Y lo peor –murmuró, al salir al cabo de tres o de cuatro años, y al entrar, poco después, a las oficinas del oidor señor Pérez de Uriondo–, es que no sabía si me quedaría ahí para siempre.

Porque podía ser, en efecto, que hubiera llegado sin darse ni cuenta al verdadero Infierno, conducida por los cocheros que gritaban cosas y que comían cazuela de pava con chuchoca hasta que reventaban. A todo esto, a medida que avanzaban las horas, la beata del camastro del lado roncaba más tranquila, y por la comisura de los labios se le salía un hilo verdoso. Hacia las tres de la madrugada, a una hora en que descansaban hasta los murciélagos, en que el viento había amainado, «me imaginé que la beata tenía patas de cabra y me golpeé el pecho, con miedo. A lo mejor estaba soñando, y la tierra de las paredes se deshacía, y yo no despertaba. A las cinco tocaron las campanas y tuve que ponerme el hábito de tela de saco y volver a la carrera, chocando, medio mareada, con las otras beatas, que me hacían a un lado a empellones, a la capilla. Allí le recé a un Cristo crucificado, lleno de pústulas y de cuajarones de sangre, para que me sacara luego, pero el Cristo ese, con los ojos vaciados y clavados en otra parte, no escuchaba mucho. Le pedí a la mamita, entonces, que me ayudara, y después supe que ella me había escuchado».

A las seis o siete semanas de su llegada, quizás más, o quizás un poco menos, porque había perdido la noción del tiempo, don Antonio, el cura, le pasó una carta de misiá Clara, justamente, una carta que tenía el sobre abierto.

–Léela –le ordenó don Antonio.

«Yo, como me había pasado desde mi llegada y me seguía pasando cada vez más, no pude contestarle. Escuchaba lo que me decían, pero las palabras me llegaban de muy lejos, de atrás de la persona que hablaba, y hasta de atrás de los montes, de los eucaliptos, y la respuesta no me salía. Sostuve el papel doblado en una mano, tratando de preguntar, y ni siquiera fui capaz de desdoblarlo.»

–Yo te la voy a leer –dijo el cura.

Menos mal que la carta de su mamita no hablaba de Juan Joseph, porque el señor vicario, don Antonio, lo habría sabido, aun cuando ya, por supuesto, lo sabía, y consideraba que todas las penitencias, los cilicios, las horas de rezo en las noches, no eran bastantes. Su mamita le contaba que le había metido pleito a Toesca para poder sacarla de su encierro, porque su castigo era injusto, escribía, y el libertino, el depravado, era él. Eso decía: él, no tú.

–¡Qué saca! –exclamó la Manuelita–. Contra ese hombre no se puede hacer nada.

El cura, con su cabeza calva, con sus ojillos intensos, se golpeó en los muslos.

–Tú estás enferma –le dijo–, y sufres mucho. Y lo mejor para ti, y para todos nosotros, es que el Señor te lleve. Porque donde llegas, con tu cara bonita, con tu cuerposote, traes el desorden.

Dijo esto, poniéndose de pie, y le colocó a la Manuelita una mano pesada, sudorosa, en el hombro. Don Antonio Zúñiga, en ese momento, tenía un olor fuerte, como de traspiración, de ajo, de ropa gruesa, y miraba por la ventana con una expresión extraña.

–Debes rezar –insistió, con la voz enronquecida, sudando–. Pedirle.

–¿Que me muera?

–Sí –dijo–. Para bien tuyo. ¡Y de todos!

«Recé varias horas hincada en la capilla, contenta con el cilicio que me rebanaba la cintura, sintiendo que las rodillas ya no me dolían, que el dolor que subía desde abajo, desde la tierra, ya no era dolor, casi se había transformado en placer, y aunque me habría gustado volver a ver a mi Juan Josef, y no en cualquier parte, sino en la pieza del tercer patio, pasada al perfume de los naranjos, de las frutillas, o en el fundo de Luis, debajo de las ramas del magnolio, también me encantaba la idea de que el Señor me llevara para siempre. A su Reino. Hacia las once de la noche, mientras escuchaba los ensayos del coro dirigido por don Antonio, que era loco por la música, sentí que la felicidad se me salía por el pecho, por la boca, por todos los poros. Terminó el ensayo y las beatitas se fueron a sus celdas a dormir. Yo también partí, observada por don Antonio, que pestañeaba y estrujaba su breviario, y en lugar de la vieja legañosa, que se había muerto hacía pocos días, encontré el camastro del lado ocupado por una beatita joven, delgada, de nariz respingada.

»–¿Y tú? –le pregunté.

»–Me llamo María del Carmen.

»–¿Y por qué estás aquí?

»–Por mala –dijo ella.

»–Igual que yo –le dije, y ella soltó una risita.

»–¿Quieres que duerma contigo? –le pregunté, y ella no dijo nada, pero levantó la ropa de la cama para dejarme un hueco. Cuando estuve adentro, me abrazó y me sopló al oído:

»–¡Que no nos pille naiden!»

III

A mediados del invierno del año siguiente, el aparato negro y grasiento del teléfono, parte del mobiliario del Académico fallecido, sonó temprano, con su estridencia desagradable. El Narrador, que se había despertado y estaba dedicado a mirar el techo, saltó de la cama y corrió, descalzo, pisando tablas glaciales, llenas de agujeros y de clavos salidos. Adivinaba que el llamado tenía relación con Ignacio chico, quien sólo les había mandado un par de postales a sus amigos, el Nono y Carlitos, sin indicar dirección de remitente, como si quisiera controlar en forma exclusiva, unilateral, el movimiento de las comunicaciones, y había ingresado después a una zona densa de silencio. Descolgó, tiritando, pensando en todos los fríos que le había tocado sufrir desde que había llegado a Chile, ¡el horroroso Chile!, como decía un verso de Enrique Lihn, y escuchó una voz de secretaria que preguntaba por él.

–¿Es usted?

–Soy yo.

–El señor Pedro Jorquera quiere hablar con usted.

–¿Quién es el señor Pedro Jorquera?

–Inspector jefe de la sección Santiago Centro de la CNI.

El señor Jorquera le dijo que deseaba visitarlo esa misma mañana.

–¿A mí?

–Sí, señor. A usted.

El señor Jorquera, acompañado de un ayudante, tocó el

timbre del departamento de la Plaza de Armas a las doce en punto. Preguntó por él, entró al salón conducido por la Filomena, gran admiradora de las fuerzas del orden, uniformadas o no uniformadas, echó una rápida mirada en redondo, sin demostrar excesiva curiosidad, y saludó al Narrador, quien acababa de afeitarse y se había colocado para la ocasión una camisa blanca, estrictamente clásica, y un suéter azul marino.

–Espéreme abajo –le dijo el señor Jorquera a su ayudante.

El ayudante, un hombre de mediana edad, de anteojos gruesos, de calvicie incipiente, salió y cerró la puerta. La chaqueta le abultaba, a causa de los rollos de grasa, desde luego, pero a causa, asimismo, calculó el Narrador, de algún arma de fuego. El Narrador se preguntó si el señor Jorquera también llevaría un arma de fuego, pero no pudo llegar a ninguna conclusión con respecto a este punto. Su vestimenta, en cualquier caso, era menos bolsuda, mejor cortada, casi elegante.

–¿Vive hace tiempo aquí?

El tono de la pregunta fue más bien social que policial. Porque el hombre parecía saber, sabía, sin duda, que las personas del estilo del Narrador no tenían costumbre de vivir en departamentos destartalados, en pleno centro de Santiago, en medio del bullicio, de la contaminación, de la caca de las palomas. Estaba consciente, por otro lado, de que el Narrador, en su condición de intelectual y de hombre de tendencias de izquierda (así, por lo menos, con la misma relativa imprecisión, lo habían calificado sus servicios), podía tener modos de vida un tanto estrafalarios. Para decir lo menos, atípicos.

–Desde que volví a Chile –respondió él, puesto que no podía negar que había estado en el exilio y había vuelto–, hace ya algunos años. –Y como el inspector Jorquera continuaba con cara de interrogación, impasible, quizás burlón, pero con la burla muy escondida, añadió–: El vecindario es un poco raro, si usted quiere, pero no molesta, y yo estoy acostumbrado a vivir en el centro de las ciudades. Nací en el centro... –Y tuvo el pálpito de que su explicación era idiota, además de cobarde, y de que más valía cortarla en forma brusca.

–Usted –dijo el inspector Jorquera, dominando la situación con indudable experiencia, con indiscutible maestría–, tiene perfecto derecho a vivir donde le dé la real gana, señor... ¡No faltaba más! Su casa es muy espaciosa, ¡y qué linda vista!

–Tome asiento, señor inspector. ¿Puedo ofrecerle algo?

El inspector jefe no tenía la menor intención de quitarle su precioso tiempo. Ni de causarle la más mínima incomodidad. Él estaba dedicado a preparar, seguramente, alguno de sus interesantes trabajos, alguna de sus intervenciones en seminarios y mesas redondas, alguno de sus informes especiales. ¡A veces demasiado especiales!

–¡Tranquilo, mi estimado señor! Le aseguro que soy un fiel lector y seguidor suyo. Debo confesarle, para ser honrado, que no siempre estoy de acuerdo con usted. A veces, a veces..., ¿cómo le diría?... Tengo la impresión de que sus teorías son muy bonitas, pero no aplicables, en las circunstancias en que nos encontramos, a la realidad nacional. ¿Comprende?

–¿No quiere un cafecito –preguntó él, a sabiendas del carácter rastrero de su amabilidad, del tono ridículo, servil, de sus diminutivos–, un poquito de agua mineral?

El inspector, de piernas cruzadas, con la raya de los pantalones planchada en forma perfecta, hizo un gesto de negación.

–En todo caso –prosiguió–, usted es una persona de calidad, un hombre de cultura. Lo pienso yo, y lo piensa gente que está mucho más arriba que yo –y señaló algún lugar en el aire, el asiento de jerarquías inalcanzables, casi infinitas–. Alguien que sabe, además, dejar caer sus ideas con gracia, y con astucia... ¡Sí, señor! Por eso me digo a menudo: ¿Qué hará este buen caballero aquí en Chile? Es una persona que estaría tanto mejor en alguna universidad norteamericana, o en Europa.

–¿Viene a pedirme, señor inspector, que me vaya?

–¡Cómo se le ocurre semejante barbaridad, señor...! Estamos encantados de que usted viva aquí, entre nosotros, como un chileno más. Es una demostración del aire de verdadera tolerancia que se respira en Chile, a pesar de lo que sostienen con tanta majadería ciertos medios internacionales.

Resultaba que el inspector Jorquera no venía, insistió, a robarle su tiempo, cuyo valor conocía en toda su dimensión, ni menos a pedirle que se fuera del país. ¿Por qué le iba a pedir una cosa así? ¡Qué disparate! Su breve visita sólo tenía un carácter exploratorio. El inspector jefe de la Sección Santiago Centro de la CNI era un sujeto alto, de cara ancha y orejas grandes, con algo esquivo, mezcla de repliegue y cazurrería, en la mirada, detalle acentuado por un ojo que se le iba. Pues bien, el funcionario en cuestión, el inspector Jorquera, sabía que el hijo del Narrador, estudiante de filosofía y de bellas letras (¡qué otra cosa habría podido estudiar!), había estado preso, acusado de atentar contra la Ley de Seguridad Interior del Estado, y que después había partido de viaje.

–¿No es así?

–Bueno, sí. Pero la causa fue sobreseída.

–¡Ya lo sabemos! Y sabemos, por otra parte, que estuvo en Porto Alegre, una ciudad del sur del Brasil, y que después subió hasta Río de Janeiro, y ahora tenemos información de que ha estado en la ciudad de Recife, en el norte, y que ahí ha tomado contacto con gente que podríamos calificar, ¿sabe usted?, como peligrosa...

–¡En Recife! ¡Primera cosa que oigo, señor inspector!

–Después le perdimos la pista, y tememos mucho que haya saltado de ahí a Cuba, o a Alemania del Este, o a Libia, y que haya recibido algún tipo de entrenamiento militar.

–¿Ignacio? ¿No lo confundirán ustedes con otra persona?

Él notó, a pesar de lo absurdo de la suposición que le transmitía el inspector Jorquera, que transpiraba frío, que las manos le temblaban, que el corazón se le había puesto a latir a toda fuerza.

–¿Me podría decir, señor, cuáles son las últimas noticias que ha recibido de su hijo?

–La verdad, señor inspector –contestó, tartamudo, y se hundió en su sillón, trató de tranquilizarse, de conseguir que su corazón dejara de latir con tanta violencia, de imprimirle a su voz, a pesar de sus tropiezos, un acento amistoso, casi confidencial, capaz de convencer y de seducir al más duro de los interrogadores–, es que hace muchísimos meses que no tenemos noticias de nuestro hijo, Cristina, mi ex mujer, de quien estoy separado hace ya bastantes años (aclaración que le sonó, dado el contexto, como una mariconada perfecta), y yo. Es un motivo de gran amargura para ella, en primer lugar, pero también para mí, se lo aseguro.

–Lo cual –declaró el señor Pedro Jorquera, el inspector jefe– no excluye en absoluto la hipótesis en la que estamos trabajando. ¡Más bien, en determinadas circunstancias, unida a otros elementos, podría confirmarla!

–Yo le aseguro –farfulló él, más tartamudo que antes, casi descontrolado– que mi hijo Ignacio es la persona más pacífica del universo, un aficionado a la naturaleza, al arte, a la música, pianista de jazz más que regular, lector de poetas ingleses y portugueses, tocador de flauta dulce... ¡Apostaría mi cabeza a que no está metido en nada! La última persona que lo vio, hace cinco o seis meses, lo vio en Río de Janeiro, trabajando en una agencia literaria o algo por el estilo, y a esa persona le dijo que tenía intenciones de instalar un piano bar en alguna ciudad de provincia. Él podía tocar el piano y atender el boliche al mismo tiempo. ¡Imagínese usted! ¡Un pianista de bar dedicado a guerrillero!

–¿Quién fue esa persona? –preguntó el inspector.

–¿Cuál persona?

–La que lo vio en Río de Janeiro.

El Narrador se puso rojo. Sintió que las palomas que revoloteaban por los techos y los balcones cercanos habían agarrado un movimiento de locura, una rotación enfermante. Tuvo esa sensación extraña durante segundos. Después habló.

–Un amigo de mi ex mujer que regresaba de un viaje –dijo, y pronunció con dificultad, como si le hubiera caído un peso de plomo sobre la lengua, el nombre de dicha persona, un nombre maldito, casi una confesión de culpa, puesto que correspondía a un dirigente comunista de toda la vida. ¿Qué diablos haría en el Brasil, pensó ahora, el sujeto aquel? ¿Habría comenzado la transición en ese país extenso y remoto?

El inspector se metió la mano huesuda al bolsillo y sacó una libreta, no, se dijo el Narrador, pálido como un papel, una pistola, apuntó el nombre del dirigente comunista con caligrafía minuciosa, como si no se lo supiera de memoria, como si no conociera de antemano las respuestas de aquello que había preguntado, y dijo, después: me parece, dijo, un nombre conocido. ¡Le parecía! Y se rascó la coronilla, como si estuviera buscando, hurgando sin la menor prisa, con la mayor tranquilidad, en los archivadores de su memoria.

–Ya sé –dijo–. A este hombre lo dejaron retornar hace poco.

–Sí –dijo el Narrador–. ¡Por algo lo dejaron! Y se encontró con mi hijo en Río, por casualidad, los chilenos, como usted sabe, siempre terminan por encontrarse, y le trajo noticias a su madre.

–Por casualidad –repitió el inspector, mirándolo, esbozando una sonrisa que no era fácil de interpretar, moviendo la cabeza, con el ojo bizco enteramente disparado. Se puso de pie y sacó de la libreta una tarjeta de visita que registraba dos teléfonos, un fax y una dirección ubicada en las cercanías del Club Hípico, hacia el sur. El Narrador pensó que el carricoche con la Manuelita y con los dragones de a caballo, la «calesa prebenida» de los papeles del Académico, había pasado muy cerca de ahí, quizás por el mismo lugar donde se habían abierto alrededor de dos siglos después los subterráneos de tortura, los dominios privados del inspector, rumbo a su Beaterio del fin de los tiempos.

–Si necesita algo, señor... –y el inspector pronunció los dos apellidos del Narrador con una especie de insistencia zumbona–, no dude en llamarme. Acuérdese de que soy un seguidor suyo.

–¿Un seguidor –preguntó esa tarde Cristina–, o un perseguidor? Parece que al desgraciado ese le gustaba tomar el pelo.

–Había leído varias cosas mías –protestó él–. De algo que sirva la manía de garrapatear papeles.

–¡No seas huevón! –lo insultó Cristina, que echaba humo por todos lados, descompuesta de ira–. ¿No ves que lo decía para sonsacarte cosas, para ablandarte, a sabiendas de que los escribidores de la ralea tuya son unos vanidosos de mierda?

Dijo, después, Cristina, que no creía que el Nacho estuviera metido en nada.

–No le hallo dedos para ese piano –dijo.

–¿Y por qué no nos escribe unas líneas? ¿Por qué no nos da su paradero hace tanto tiempo?

–¿Por qué? ¿Sabís por qué? Te voy a explicar mi teoría en dos palabras: ¡para castigarnos, para humillarnos, para jodernos!

El Narrador abrió los brazos, en un gesto de súplica, como si el mundo, desde aquella mañana, desde la tomadura de pelo de aquella visita, se le hubiera empezado a caer encima sin decir ¡agua va!, con furia y con estrépito. *«Tomorrow»*, recitó, *«and tomorrow!»*

–Además –añadió ella, plegando los labios–, si estuviera metido, ¿sabes qué? ¿Sabís? ¡Yo me sentiría orgullosa!

–¡No digas estupideces! –aulló el Narrador.

–¡Lo estaría! –repitió Cristina, con su rabia máxima, con lo mejor de su odio, con chispazos de Gorgona en la mirada.

El Narrador salió del departamento de su ex mujer dando un portazo, igual como había salido, hacía un tiempo, pero por razones diferentes, en cierto modo contrarias, su hijo. No sabía por qué insistía en visitarla. ¡Era, se decía, una resentida del carajo, una dinamitera sin remedio! Se preguntó si no llegaba, él, a la calle Santa Lucía, atraído por un imán masoquista, oscuro, en espera de que ella lo obligara a hincarse junto a una escupidera sucia y le diera correazos en la espalda, ¡porque le gustaban sus pechos cuando tenían las puntas endurecidas, sus ojos cuando los animaba el desprecio! ¡Secretos de un matrimonio!, se dijo, y hasta se rió, con una mezcla de ironía y amargura, pensando que la fórmula, como se desprendía de los papeles del desván, era perfectamente aplicable al caso de Joaquín Toesca y de la Manuelita Fernández. En el momento en que salía del ascensor, gesticulando y hablando solo, notó que el hombre de la portería le clavaba la vista con perplejidad.

–Va a creer que estoy loco –murmuró, molesto, y después, al internarse en la calle ya en tinieblas, y mientras procuraba evitar los hoyos traicioneros del pavimento, exclamó, mirando la mole del edificio–: ¡Y qué cresta me importa el hombre de la portería!

Avanzó, entonces, por el centro contaminado, lleno de papeles y de mugres, de mendigos que hurgaban en los tarros de basura, de micros embadurnadas en aceite negro, y se metió, frotándose las manos, a la fuente de soda Dante.

–¿Qué se había hecho usted, mi caballero? –le preguntó la mesonera de siempre.

–Estuve una temporada en el Infierno –dijo–, *Une saison en Enfer,* y parece que sigo ahí.

–¿Cómo?

–Me gustaría un coñaquito –dijo él, para concretar su idea–. Alguna cosa fuerte.

La joven colocó diversas botellas encima del mostrador. Era una mujer tan dulce, tan cariñosa, a pesar de las manchas de su delantal. ¡Era una flor de aquellos pantanos!

–Elija la que le guste –dijo, y lo dijo con una mirada insinuante, como si ella estuviera escondida en alguna de las botellas. ¡A ver si adivinaba en cuál!

IV

Alday, pues, había muerto, y don Ambrosio ejercía su poder desde lejos, desde el trono virreinal de Lima, de manera que las cosas ya no eran tan seguras. Necesitamos un poco de armonía en estos barriales, había dicho don Ambrosio en alguna oportunidad, pero la gente no se acordaba, y ahí estaban los funcionarios, con sus manguitas negras, los contralores, los inspectores, manejados todos por Altolaguirre, el infaltable. A él, al arquitecto, la soledad de su casa, donde la risa de la Manuelita ya no se oía por ningún lado, se le volvía pesada, y los crujidos de la madera, los golpes de las hojas secas en los vidrios, las carreras de los ratones por el entretecho, se metían hasta en sus sueños. De madrugada, temblando de frío, se vestía y caminaba hasta la obra del sitio de los Teatinos. Junto a los muros, de un grosor nunca visto en la Capitanía, corregía la mezcla de los morteros, porque había que utilizar la mejor arena del lecho del río, arena que restregaba con una mano colocada cerca del oído, y que tenía que rechinar, ya que si no sonaba, quería decir que llevaba demasiada tierra, y la más refinada cal de Polpaico, la que don José Antonio de Rojas, el mayorazgo, le vendía con su garantía, y agua de vertiente, sin materiales de arrastre, y unas cuantas claras de huevo por cada colada, detalle que los funcionarios miraban de reojo, con caras de censura, haciendo gestos a su espalda para indicar que se había vuelto loco de remate. Él, impertérrito, agarraba una paleta y le ordenaba a los aprendices que tomaran la suya y lo miraran con atención, fijándose bien en los detalles. Porque les enseñaba a distribuir la mezcla con finura, sin chapucería, sin que sobrara ni faltara, y a escoger cada piedra, tomando en consideración su corte, que ya se había dado la molestia de vigilar en el sector de los picapedreros, y además de su corte, su peso, su volumen, su porosidad, sin descuidar, desde luego, el color, el leve toque rosáceo que se encontraba en las canteras vecinas, y en función de todos aquellos factores, colocarla y acondicionarla en espera de la nueva capa de mezcla y de la piedra siguiente.

Tuvo que adaptarse a las circunstancias, gruñó el Narrador, las mezquinas y feroces circunstancias, y una vez que se hubo adaptado, dejó de ser lo que era, el aparecido que era. Pasó a ser una especie de imbunche, un caso enteramente perdido.

Los obreros, incluso los que habían traído de las cárceles, miraban los muros, más altos, más gruesos, más airosos que los de todo el resto de la ciudad, y parecían satisfechos, pero Altolaguirre, el superintendente, se paseaba por entre las máquinas, los hornos, las prensas, arrumbados en el segundo patio, entre ladrillos, listones de alerce, cajas repletas de chapas y de clavos, y se mesaba los pelos.

–¡Primero hay que acuñar monedas, carajo, que para eso estamos, y después levantar columnas exentas y otras mariconerías!

Decían que Toesca, el italiano, aparte de tener un tornillo suelto, no sabía nada del país, y después, con los índices levantados, aludían a sus cuernos, por si alguno de los peones, engrillado en las noches en una celda piojenta, no estuviera enterado. Pero, claro está, a la altura de la historia en que ya nos encontramos, todos sabían, y algunos se reían, mostrando las bocas sin dientes, en tanto que otros movían las cabezas, con expresiones de desdén y hasta de lástima. Entretanto, él, con voluntad terca, desplegaba planos, se protegía del sol con las manos para imaginar una perspectiva, discutía con los jefes de obra. Tenía la boca siempre seca, y la sangre se le había puesto lenta.

Una tarde se permitió ir con algunos de los operarios libres, de los pocos que no tenían que regresar encadenados a sus calabozos, a la Chimba, a tomar unos potrillos de chicha, como solía hacerlo en los tiempos de su llegada a la Capitanía General, tiempos que ahora le parecían extrañamente lejanos, como si las experiencias anteriores, las de Roma o Madrid, e incluso la de bajar al puerto de Cádiz, cruzar el Atlántico, llegar desde el Callao a Valparaíso en los primeros días de enero de 1780, después de haber navegado desde el istmo de Panamá, se hubieran convertido en aire, en nada. Les ofrecieron una chicha de maíz, preparada, dijeron, por las indias de Curanilahue, un líquido de color opaco y de sabor algo ácido, con agujas. Macerado, contó alguien, un chistoso, en las encías sin dientes. Él preguntó por las cantoras de Petorca, las que se desgañitaban con el arpa y el guitarrón en aquellos días irreales, y le contestaron que hacía tiempo que ni se merecían por estos lados.

–¡Qué raro! –exclamó–. Tengo la sensación de que la tierra se ha puesto movediza.

–Es que por aquí debajo pasa el río –dijo Timoteo, uno de los aprendices, hombre curioso, aficionado a las interpretaciones, a las consejas, a los anuncios–, y nosotros no nos damos cuenta.

Habían bebido tres potrillos grandes cada uno, acompañados de un picoteo invitado por Toesca, un causeo de patitas de chancho con cebolla picada y cilantro, y había caído la noche, sin música cercana, con un guitarreo remoto, gritos y lamentos en la oscuridad, ladridos de perros semisalvajes, hociconeos de chanchos, y una brisa molesta, cuando le tocaron el hombro. Era un sujeto vestido a la europea, pero más bien raído, mal agestado, con pelos lacios en la barbilla. Toesca, no sabía por qué, recordó a personas de su infancia, a diáconos y funcionarios subalternos, a mayordomos con las libreas gastadas y que se paseaban por salas sin muebles, con las tablas del piso rotas, con las cortinas comidas por la polilla.

–Venga, *signore* –dijo, y él se puso de pie y lo siguió a un rincón oscuro.

–Por cinco pesos –dijo el de los pelos lacios, con cara de hambre, agitando una hoja de papel en la mano izquierda–, es suya.

Él no protestó. Tampoco hizo preguntas. ¡Qué podía preguntar! Había reconocido la caligrafía en un santiamén, sin vuelta que darle, y había alcanzado, incluso, a leer «Juan Josef», de modo que sacó de un bolsillo interior los pesos fuertes, cinco, los contó, los entregó, y recibió la carta. «Fiada», leyó, acercándose a una vela, «en el amor de mi Madre te escribo ésta...» Y un poco más adelante: «Yo te dijera mucho, pero como no sé si llegará ésta a tus manos, no me atrevo; sólo te encargo que aconsejes a mi Madre que se deje de pleitos con ese loco...». Tiene razón, murmuró él para sí, con la vista velada, ¿y entonces, todo, este viaje, estos muros, el trabajo que no termina nunca?... Los peones lo miraban de reojo, callados, y de repente levantaban sus potrillos de chicha, pero lo hacían, ahora, con parsimonia, con el dedo meñique alzado. «... pues ya ni llorar puedo, de un mal que no me deja hablar, que muchas vezes me estoy confesando, y se me quita el habla, me salgo, porque no puedo proseguir...» Dio vuelta la hoja, convencido de que a él le sucedía exactamente lo mismo, y leyó las líneas finales: «... tal vez se me arrancara el Alma (el Alma, repitió él, con la boca reseca), y a Dios, Negrito (Negrito, repitió), conviértete, no visites Chuquisas, mucho le pido a la Virgen por ti, que te haga un Santo, pero creo que no será en ese pellejo...».

Regresó al mesón y tuvo la sensación absurda de que los peones habían leído hasta la última línea. Y de que se habían mirado entre sí a propósito de Chuquisas, y de pellejo, y de quizás qué más. Él, en cualquier caso, pagó y se despidió.

–¿No quiere que lo acompañemos, maestro? –preguntó Timoteo, el de los vaticinios, el experto en el vuelo de los chercanes.

Toesca agradeció el ofrecimiento, pero partió solo, ansioso de releer la carta en la primera luz, debajo del primer velón de sebo que encontrara en su camino, a lo mejor a la entrada del puente. Al día siguiente se la pasó a su concuñado, Ignacio Andía y Varela, quien, con su afición a los estudios bíblicos, habría podido decirle algo, no sabía qué, pero Ignacio le puso una de sus manazas de oso en el hombro y no le dijo una palabra. Había leído con atención, arrugando el ceño, y hasta había sonreído para sus adentros con las líneas finales, pero interpretó la carta, sin duda, como un signo más, entre tantos otros, y los sentimientos de Toesca, fueran como fueran, le parecieron una minucia, un suspiro perdido en medio de una avalancha, de un derrumbe. Don José Antonio, en cambio, el mayorazgo, le aconsejó hacerse parte en el proceso que había iniciado misiá Clara Pando, no contra él, como se había creído en un principio, sino contra el obispado, por detención ilegal, y presentar la carta. Bastaría con esa prueba, dijo, para que le concedieran el divorcio perpetuo.

–¿No era eso lo que usted quería?

Él respondió en forma vaga, porque la verdad es que no estaba seguro. Ni de eso, ni de nada. Y la carta había acentuado su inseguridad, su confusión, su rechazo repentino, pero, ¿de qué, de la claridad?

–En los tiempos que corren –afirmó don José Antonio, con entonación grave–, hay que actuar con la mayor firmeza. ¿No ha escuchado las noticias?

–¿Qué noticias?

–El año pasado les cortaron la cabeza al rey y a la reina de Francia. Con una máquina que llaman guillotina.

–¡Al rey de Francia!

Daba la impresión de que el mayorazgo Rojas, tan amigo de los filósofos, tan aficionado a los libros prohibidos, tan deslenguado en sus secreteos y disparatado en sus proyectos, se había vuelto loco de susto. La ola revolucionaria, anunció, va a llegar hasta aquí, tarde o temprano, y ellos, nosotros, vamos a perderlo todo.

–¡Hasta el pescuezo! –añadió, haciendo un signo con la mano.

En los días que siguieron, Toesca supo que se había empezado a ver al mayorazgo en las misas y que había empezado a frecuentar los saraos del gobernador y de las principales autoridades. Supo, también, que en aquellos mismos saraos se había visto a Juan Josef Goycoolea al lado de una niña de Rancagua adentro, heredera de extensas tierras de migajón puro. Es por eso, se dijo, que el Goycoolea no quiso recibir la carta: la dejó volando por ahí, y él pensó en la Manuelita encerrada en su convento de beatas, llorando todo el día, rezándole a la Virgen. Se sintió conmovido, pero no fue capaz, llegado el momento, de oponerse al escrito que preparó don José Antonio para presentar la carta en el proceso y pedir el divorcio a perpetuidad, *quod Thorum et cohabitationem.* Entintó la pluma de ganso, contrariado, y firmó. Lo hizo con dolor en el alma, sintiendo que el mundo de ahora, después de tantas novedades, era mucho más sombrío que el de antes: el de los carnavales, los arcos de triunfo efímeros, las hogueras y hasta los cagaderos prohibidos de su infancia. Pegó un alarido, y ladraron algunos perros, y la Eufemia, la bruja, llegó a preguntarle si le pasaba algo.

–¡Nada! –dijo–. ¡No me pasa nada! –y la echó de su dormitorio a empujones, cerrando de un portazo.

V

Una mañana sonó el teléfono y lo atendí en el aparato de la entrada, medio dormido, pensando, quizás por qué, que me iba a encontrar con la voz del historiador difunto, quizás con la de la Historia, ¡aunque un poco apagada! Pues bien, llamabas tú, y me preguntaste si había tenido alguna noticia «del Nachito». Ya llevábamos alrededor de ocho meses sin saber una palabra. Ni siquiera se había dado el trabajo de mandar una nueva tarjeta a sus amigos o a su cuasi polola.

–Ninguna –te dije–. Ni la menor.

Tú hiciste un ruido. Lanzaste algo así como un gruñido, o un suspiro. ¿Qué se habría hecho? ¿No lo habrían agarrado por ahí, en alguna operación entre policías vecinas, concertadas? Yo te dije que el inspector Jorquera, con su ayudante, con sus visitas discretas, con su amenaza nunca formulada, con sus ocasionales llamados, también se había esfumado.

–Todo esto me da muy mala espina –dijiste.

Yo estaba seguro, por mi lado, de que Jorquera, desde su torre de Kafka o de quien fuera, nos vigilaba con la más amorosa dedicación, con las tecnologías más modernas, porque en las dictaduras, lo que funciona mejor de todo es la policía secreta.

–Y esto sucede por igual –agregué, consciente de mi majadería, de que actuaba como el peor de los pisacallos–, en las de extrema izquierda, que a ti te seducen tanto, y en las de ultra derecha.

El comentario, como era previsible, porque nunca fallas, provocó tu irritación, tu protesta sorda, un resoplido de rabia mal sofocada. No quise decir que tenía miedo de que «el nene», afuera, se metiera, en verdad, como parecía creerlo el inspector, en alguna actividad clandestina, algún grupo extralegal, armado, porque había partido con sangre en el ojo, con una de esas rabias frías, tenaces, que son tan suyas, a diferencia de los estallidos tuyos, que duran tan poco. No lo dije, porque en este punto preciso podíamos chocar, y porque suponía que las grabadoras, con el ojo turnio del inspector Jorquera detrás de ellas, trabajaban a toda máquina. Me preguntaste, entonces, si pensaba participar en la protesta de la noche, e hiciste la pregunta con un ligero acento de duda, lo cual implicaba, ¿no es verdad?, una sospecha, un conato de acusación.

–¡Por supuesto! –respondí, a pesar de que había odiado tu actitud de comisaria, de stalinista fina, o de cederista cubana tejedora de calceta. Claro está, ni tú, ni nadie, podía cambiar. ¡A estas alturas! Eras indestructible, dura como un alcornoque, ¡una pulga de acero!, y a la vez eras tierna, querendona. ¡Turbia y tierna!

–Llega antes de las nueve –pediste, y agregaste, para suavizar las cosas, porque veías mis reacciones debajo del agua–: ¡Al pisco sauer!

La jornada se instalaba en la esquizofrenia a toda orquesta, en la angustiosa división. Almorzaría con Mariana y con su marido, en casa de ellos, en su terreno, probablemente con amigos de ellos, gente que no tenía el menor hábito de hacer concesiones verbales, ni siquiera por cortesía. Seguiría con una visita a mi padre, que no vivía lejos de Mariana, y que todavía conservaba sus aristas, aun cuando melladas por la desmemoria, por el invierno de las arterias y de los reflejos cerebrales, estropeados, para colmo, como ya sabemos, a punta de culatazos asesinos, y terminaría en casa de Cristina, entre sus amigos y sus amigotes, sus barbudos y sus bigotudos, ¡golpeando cacerolas!

Pues bien, a la hora de los aperitivos en casa de Mariana, entre bargueños, fruslerías coloniales, tapicerías dieciochescas de segunda línea, aparte de uno que otro cuadro contemporáneo mal escogido, y bajo la mirada atenta de una pareja invitada, Manolo, mi cuñado, dijo que la protesta de la noche estaba muy bien organizada por los comunistas y sus numerosos aliados, que empezaban a levantar cabeza con más fuerza que lo necesario.

–¿Y no decían que los matamos a todos? –observó el invitado. Era un flacuchento de mal cutis, peinado a la gomina, nervioso, que intercalaba en la conversación los apellidos ilustres de sus antepasados. Su mujer era una rubia fortacha, alemana del sur, de aspecto inocentón, algo vacuno, pero que no habría desentonado en uniforme nazi. Ella asintió con vigor, con cara seria, insinuando sin ambages que la mano del gobierno militar había sido, ¡qué duda cabía!, demasiado benévola.

Su fábrica, prosiguió Manolo, se había visto inundada en las últimas semanas de carteles, de proclamas, de llamados a la protesta, muchos de ellos redactados, dijo, por curas rojos, y fue ahí donde metí la pata a fondo, porque Mariana, beata y todo, pero, como digna hija de su padre y hermana mía, buena para el frasco, había entrado ya en su segundo pisco sauer, y yo asocié lo de curas rojos con las misas en la Catedral, en la Parroquia Universitaria, en tantas partes, y dije, no sé por qué, quizás por provocación, por desquite, o porque yo, por mi lado, para aliviar la tensión, había entrado no en el segundo de los piscos sino en el tercero, que desde mi llegada a Chile me había pasado en lo que ahora llamaban liturgias: por los asesinados en tal parte o tal otra, por los pobres campesinos masacrados en una mina abandonada.

–¿Pobres campesinos? –preguntó la alemana del sur.

Ya habíamos pasado a la mesa del comedor y habíamos empezado a tragar una crema de tomate servida en recipientes de porcelana fina, sobre manteles de color verde agua, frente a copas de cristal de un verde más pronunciado y que lanzaban destellos de toda clase, destellos de lujo. Mariana, para componer las cosas, le explicaba a sus invitados que yo no había estado en Chile durante los años terribles, que soy un intelectual que vive en la luna, como todos los intelectuales, y que mi ex mujer, que sí que era, ella, una comunista de lo peor, me había arrastrado, seguro, a misas de curas descriteriados, de falsos católicos, de comunachos infiltrados, quienes, después de golpearse el pecho y de cantar canciones religiosas a voz en cuello, salían en la noche a colocar bombas. Porque las famosas víctimas del régimen, al fin y al cabo, y desarrolló esta idea con la mayor dulzura, con la más encantadora de las sonrisas, no son seres normales.

–¡Son bestias! –exclamó la rubia de Puerto Montt, que no estaba para tantas florituras, y mientras lo decía me miraba a los ojos, desafiante. Después agregó que los famosos campesinos, los que yo, tan compasivo, ¡y tan huevón! (con esas palabras), llamaba «pobres campesinos», no eran campesinos ni nada que se pareciera, sino gente de fuera de los campos, terroristas del Brasil, de Bolivia, de Cuba, del MIR chileno, que no sabían distinguir una mata de cebollas de una de porotos verdes.

–Porque yo sí que soy campesina –me dijo–, pa' que vayai sabiendo, huachito. –Y cuando los falsos campesinos se habían tomado el fundo de su padre, allá por Osorno, se habían, dijo, y puso una cara extraña, de mejillas infladas, para no tener que emplear la palabra «cagado», porque no estaba bien decirla a la hora de almuerzo, en las alfombras y en los muebles de la familia, y habían matado un toro reproductor, finísimo, y se lo habían comido asado al palo, en el salón de la casa, y mientras comían y bebían, se entretenían en atravesar los retratos de sus antepasados con punzones.

–Lo mismo que hicieron –dije–, con los cuadros de la casa de un gran poeta chileno en los días que siguieron al 11 de septiembre.

La germana criolla y su marido, el de los apellidos antiguos, me miraron con una mezcla de asombro y hostilidad.

–¿Hablas de ese comunista 'e mierda?

–Sí –dije.

–¡Por favor! –exclamó Mariana, indignada conmigo–. ¿Por qué no cambiamos mejor de tema?

Yo me puse de pie. Me limpié la boca con la servilleta de hilo esmeraldino, con toda calma. Dejé enseguida la servilleta junto al plato.

–Mejor –dije–, para que ustedes puedan conversar de sus temas con tranquilidad, me voy. Tengo un día muy recargado.

Mariana me miró con estupor, y la alemanota del sur, con sus swásticas virtuales en las hombreras, no alcanzó a reaccionar. Cuando abrí la puerta de calle, Manolo, mi cuñado, que había corrido detrás mío, me agarró de un brazo con fuerza.

–¡No puedes hacernos esto! –dijo–. Yo no los quería invitar contigo, pero son gente buena, aunque un poco simple, y ocurrió que están de paso en Santiago, y sólo tenían este almuerzo libre.

Forcejeamos un poco, y yo le conté que tenía hora al médico a las dos y media en punto de la tarde. Fue una mentira piadosa, y tuve la impresión de que Manolo, mi cuñado, decidía adoptarla. Fui de ahí a la casa de mi padre, y mi padre, que se hallaba en la sobremesa de su almuerzo, solo, y con los ojos encendidos por la ingestión de más de la mitad de una botella de *champagne* Valdivieso, me habló de inmediato, sin preámbulos, de su audiencia «con el Caballero», que se había postergado no menos de cinco veces, porque, como había que comprender, el Caballero tenía muchos otros problemas de que ocuparse, «aparte», dijo, «de los míos». Me habló, entonces, de los perros policiales que pensaba adquirir para mejorar la vigilancia de la casa, y de una pistola automática de la que acababa de hacerse propietario. ¡Una maravilla!, y la sacó del bolsillo y la contempló con expresión extasiada.

–¡Cuidado! –exclamé, protegiéndome con las manos.

Llegué a mi casa como a las siete de la tarde, después del indigesto almuerzo y de la absurda visita, y me tendí en la oscuridad, sin conseguir ni un ápice de calma. Estaba alterado, fuera de mí mismo, y sentía que era víctima de contradicciones insuperables: las de la familia, por un lado, dividida hasta el hueso, y las del pasado y el presente, por el otro, porque el pasado, a veces, me impedía vivir en el presente, y a menudo me encontraba en la situación exactamente inversa. Para continuar en esta situación esquizoide, me saqué la corbata de seda, me puse una camisa de cargador de puerto y una chaqueta raída, y así, vestido de disidente, de intelectual de izquierda o de algo por el estilo, me dirigí despacio, rumiando proyectos no demasiado sensatos, al departamento de la calle Santa Lucía. Había una atmósfera tensa, llena de electricidad, en la calle, aun cuando en apariencia no pasaba nada: policías mujeres controlaban el tráfico en algunas esquinas; micros rechinantes, envueltas en bocanadas de humo sucio, obstruían los cruces, y la gente caminaba a sus casas con cierto afán, con caras tensas, pero con un afán o una tensión que no eran superiores, quizás, a los de una tarde cualquiera. A lo mejor, pensé, todo es un delirio, un invento: el afán, y la protesta en ciernes, y hasta la mente dividida.

Me pareció que había policías de civil cerca de la puerta del edificio de Cristina, hombres más bien jóvenes y que miraban al suelo, o que levantaban la cabeza, de repente, y escudriñaban por encima de los hombros, salvo que fueran ociosos, o que esperaran algo, o que se tratara de putos que se ofrecían a los automovilistas. Saludé al portero y ni siquiera me devolvió el saludo: tenía un pequeño televisor debajo de su mesa y parecía muy interesado en una teleserie. Llegué a sospechar que su mala educación era un castigo, algún reproche. En el departamento había un par de profesores que militaban en el PC. Estaba, además, Clara, la tendera del Portal Fernández Concha, lo cual me hizo recordar, por asociación de ideas, los tenderetes del costado sur de la Catedral en construcción, en los años de Toesca, de la Manuelita, del coronel de la casa de al lado, el de Milicias Disciplinadas del rey. Clara, la infaltable, gorda, efusiva, siempre cerca de las lágrimas, la mujer de pecho más caliente que yo había conocido, hablaba hasta por los codos, en un estado de excitación aguda. Junto a Clara, de pie, estaban el Nono, el Nonito, como le decía ella, y una hija que no le conocía, igual a ella, pero en versión pálida, esmirriada, enfermiza, y que cargaba con una guagua chillona y llena de mocos, con olor a pañales meados y a caca. Preguntaron, como era más que natural, por Ignacio chico, y Abraham, el Nono, observado por Cristina a los ojos, declaró que el Nacho no era persona de detenerse en sus afanes diarios a fin de escribir una carta o hacer un llamado por teléfono, cosa que haría, sin duda, en caso de que se viera envuelto en «una huevada grave».

–*In articulo mortis* –dije, y Abraham, que había entendido la situación, dijo, por su lado, como antes había dicho yo en un contexto parecido: *«no news, good news»*.

–¡Qué estúpido! –comentó Cristina, mientras me servía el segundo o el tercer pisco sauer, el séptimo o el octavo de mi larga jornada, pero ahora había que entonarse, como se debía, para tocar las cacerolas, que nos esperaban alineadas encima de la mesa de la cocina y al lado de sus respectivos cucharones.

–Los instrumentos de combate –dijo uno de los profesores, con el humor del militante viejo, abnegado, cauteloso, siempre dispuesto al sacrificio, y los demás se rieron con una risa que me pareció más bien lúgubre.

–Santiago Costamagna anunció que venía –dijo Cristina–, pero no sabía si antes o después del caceroleo.

Yo no creía que su señora, escamada por sus excesos, siempre en guardia, lo dejara salir, pero minutos antes de las nueve tocaron el timbre. El vozarrón aguardentoso anunció desde más allá de la puerta la aparición del viejo lobo de mar y de los más variados bares de este planeta. Santiago miró las cacerolas alineadas en la cocina, levantó los brazos y dio un estruendoso grito de victoria. En sus ojos había una luz infantil, una dicha envidiable, un algo arrebatado, apasionado.

–¡Va a caer! –vociferó, y los profesores, y Clara y Cristina, y el Nono, y la hija de Clara, aplaudieron, contagiados por su alegría.

El departamento de Cristina, frente al Santa Lucía iluminado, era una fiesta, una euforia, un chisporroteo, sobre todo después de que Cristina, conocedora de los gustos de Santiago, sacó de algún escondite una botella de Johnny Walker etiqueta negra casi llena. ¡En la sociedad comunista del futuro no se trataría, compañeros, de repartir la pobreza! Procedió, acto seguido, porque sólo faltaban segundos para las nueve de la noche, a apagar todas las luces y a abrir las puertas del balcón del frente y las del balconcillo de la cocina, en la parte de atrás, que tenía vista a los techos irregulares, renegridos, a una cruz ladeada y un reloj atrasado de las torres de la Merced, y a los crepúsculos de los cerros de la costa, los crepuscularios de un Santiago de suburbio. Algunas ventanas del otro lado del cerro, y unas cuantas de la parte de atrás, la de los crepúsculos, permanecieron iluminadas, tercamente, se diría, como signo de adhesión al régimen, pero gran parte del sector quedó sumido en una densa sombra, y de pronto se escuchó un golpeteo múltiple, frágil, difuso, pero que se prolongaba, brotando como por arte de magia de todos los puntos del espacio, y se afirmaba, y hubo gritos lejanos en la oscuridad, y aplausos dispersos, pero firmes. Nosotros, Santiago, Cristina, los dos profesores, Clara y el Nono y su hija, yo, agarramos nuestras cacerolas y nuestros cucharones, que nos esperaban en la cocina en su formación de combate, o nos hicimos de un plato y una cuchara cualquiera, y nos sumamos al concierto nocturno y anónimo, riéndonos a carcajadas. Santiago lo hacía con notable ritmo, con energías juveniles, con gritos sincopados de triunfo. Nosotros, de vez en cuando, tomábamos un sorbo de pisco sauer, o uno del Johnny Walker negro, a manera de refuerzo. Cuando pasamos, después, al balcón del frente, el que daba al cerro, entusiasmados, olvidados, Cristina y yo, de nuestras propias divergencias, las sentimentales y las políticas, y hasta del inquietante silencio de Ignacio, batíamos nuestras cacerolas, nuestros platos, nuestros tiestos, a todo lo que daba la fuerza de nuestros brazos. Yo sentía que la acción, con su ritmo, con su estruendo, ayudaba a superar la contradicción, la división de fondo, la esquizofrenia virtual, eso de haber estado al mediodía donde Mariana y la empresa privada y el nazismo osornino, después con mi padre, con su delirio obcecado, y en la noche donde Cristina, con el Partido, y sus cercanías, y sus maneras. Y en ese momento, como para recordarnos el principio esencial de la contradicción, escuchamos gritos de mujeres jóvenes que se desgañitaban en el piso de arriba, justo encima de nuestras cabezas, con vivas sonoros y un tanto chillones al capitán general, el sucesor remoto de don Ambrosio, el protector, a su vez, de Toesca. Ahora bien, aquellos gritos sonaban destemplados, desafinados, porque el vasto espacio aéreo, más allá de las masas arbóreas del cerro, había sido dominado por un caceroleo ubicuo, multiforme, coral, débil y a la vez incisivo, firme dentro de su debilidad, entre humorístico y grave. Por abajo, en las cercanías de la escalinata norte del Santa Lucía, la que culmina en un pórtico de ladrillos coronado por el escudo real confeccionado por Ignacio Varela para la Casa de Moneda, escudo que las primeras autoridades republicanas desplazaron de su sitio de origen, pasaba una cuca de carabineros, pero la calle, la escalinata, el cerro, estaban desiertos, y la cuca, el automóvil pintado de blanco y negro, con su luz roja intermitente, no tenía nada que vigilar, nada que indagar. No podía ponerse a suprimir a tiros las innumerables y dispersas cacerolas, una por una, de manera que el símbolo de fuerza se transformaba en su contrario, en símbolo de impotencia.

–¡Ganamos! –vociferó Santiago, levantando una mano empuñada y bebiendo un sorbo de whisky puro, con una flexión cómica, con un gesto gozoso, y llegué a pensar que Cristina y sus profesores bajarían a la calle, se juntarían con otros y se tomarían, esgrimiendo cucharones, segadoras, fusiles guevarianos, la Moneda. Quizás sentí, en la confusión del instante, exaltación, euforia, pero a lo mejor tuve también una sensación de miedo: un miedo absurdo, pero instintivo, comparable al de don José Antonio de Rojas al enterarse de la muerte en la guillotina de Luis Capeto y de María Antonieta. Los extremos se parecían, sin la menor duda, y yo me acordaba de un poeta de provincia después del paso de la Revolución a sangre y fuego por una plaza de pueblo, de su íntima tristeza reaccionaria (como decía un verso suyo). Menos mal que el pensamiento no hablaba, y que mi ex mujer no tenía a disposición suya y de sus amigotes, o amiguetes, ¡una de aquellas máquinas que había inventado el doctor Guillotin!

Terminó el concierto de cacerolas, y yo, cargado con el lastre de estas cavilaciones, me despedí: de Cristina, que se había puesto más ojerosa y pálida que de costumbre, con un beso en la mejilla; de su amiga Clara, cuyos ojos resplandecían, ya que se había desquitado a punta de cacerolazos de tantas cosas; de Santiago Costamagna, el Neptuno de nuestras cavernas santiaguinas, quien me miró con ojos de súplica, ojos que decían: ¿por qué me abandonas, hermano, cuando la noche todavía es tan joven?; de los profesores, que me apretaron la mano con fuerza, pero desconfiados, sin la menor duda, recelosos; del Nono, que ya se veía en la ciudad del futuro, en el fin de los tiempos; de la hija de Clara, a quien no se le quitaba del todo su expresión triste, pero que se había animado con el caceroleo; de la guagua, a quien le toqué una mejilla tratando de esquivar los mocos, y hasta de la Petronila, la empleada de Cristina, que no había participado para nada en todo el episodio, como si se tratara de cosas de los demás, de los señores. Con disimulo de huasa de Niblinto, la Petronila era beata a la antigua, ajena a vicarías y a teologías de ahora, y, además de eso, un si es no es militarista, por culto del orden, por instintiva desconfianza frente a los melenudos, borrachines, aprovechadores que le tocaba tan a menudo servir en la mesa de su patrona.

Mientras caminaba minutos más tarde por la calle Merced, rumbo al poniente, en un escenario alterado, pero donde algunas personas ya habían salido de sus madrigueras y habían empezado a circular como en los días normales, me acordé, a causa de mi manía de hurgar en el pasado, manía que no excluye los episodios de apariencia más lateral o marginal, de la historia de la estampita milagrosa, suceso ocurrido en los últimos años de la Colonia y que acababa de encontrar en alguno de los expedientes de mi propietario anterior. El recuerdo repentino se debió, probablemente, al carácter aéreo, colectivo, frágil, de todo el asunto, y al hecho, quizás, de que la estampita de Nuestra Señora del Carmen de la Cañadilla, como el sonido de las cacerolas contestatarias, recogía en su movimiento, en su oscilación peregrina, y resumía, todo un conjunto de ilusiones, una esperanza, una pasión profunda, aunque quizás imprecisa, un indefinido deseo. ¡Cosas del pasado, pero también del día, de la hora, del presente y hasta del futuro! ¡Paradojas del tiempo!

VI

La carta de la Manuelita fue agregada por don José Antonio de Rojas, con todas las formalidades del caso, al proceso por prisión arbitraria que había iniciado misiá Clara Pando Buendía ante la Real Audiencia de Santiago. Pensaba don José Antonio que la misiva aquella, con toda su desvergüenza y todo su disparate, sería un argumento de peso para obtener la nulidad del matrimonio de Toesca. Misiá Clara, por su lado, alegaba que su hija había sido secuestrada en forma violenta, sacada de su casa a empujones, sin darle ni siquiera tiempo para preparar sus efectos personales, y llevada en una calesa a toda velocidad, bajo custodia de cinco dragones, y con grave peligro, por lo tanto, para ella, para su integridad, hasta un lugar siniestro y desolado, un Beaterio situado entre lechos secos de río y montañas desiertas. ¿Con qué derecho? Con ninguno, puesto que el señor obispo no estaba facultado para detener y para aplicar penas corporales por sí y ante sí, por mucho que un marido perverso, ansioso de quedar libre para dedicarse a su vida de libertinaje, se lo pidiera.

Misiá Clara era mujer entendida en tribunales, en expedientes, en actuarios y tinterillos. Le había tocado defender años antes a su marido difunto, don José, y había conseguido por un pelo, con grandes trabajos, salvarlo de la cárcel por deudas. El matrimonio de la Manuelita con el italiano recién llegado no había sido del todo ajeno a esa situación. El italiano recibía toda clase de encargos bien remunerados, de la Iglesia y de las autoridades seglares, de modo que la familia, cobijada bajo ese árbol, había conseguido capear el temporal. Después se había comprobado que Toesca, el italiano, solía encontrarse con don José, su suegro, en las chinganas de La Chimba; que no era nada de malo, él también, para empinar el codo; que solía perderse en los recovecos del fondo, detrás de murallones de adobe, en compañía de una lavandera gordinflona, de brazos robustos, y que entonces regresaba a casa a muy altas horas, después de haber sido visto en el Puente, o en los alrededores del Basural de Santo Domingo, a la luz de los últimos reverberos, cuando ya empezaban a cantar los gallos.

Misiá Clara, en buenas cuentas, recurrió a tinterillos de los portales, como lo había hecho en los tiempos de don José, porque no podía permitirse el lujo de contratar a grandes doctores, y para financiar los gastos del proceso tuvo que ocupar sus últimos ahorros y vender una cuchillería de plata de Potosí que había pertenecido a su abuela o a su bisabuela. Al mismo tiempo estudió ella misma su caso, a pesar de que leía con dificultad y veía bastante poco: se quemó las pestañas, para que no le contaran cuentos, e impuso sus criterios, y cuando los magistrados se colocaron los pesados códigos, las voluminosas partidas, los mamotretos con las Leyes de Indias, encima de las empolvadas pelucas, en señal de sumisión a la autoridad de la Ley y de Dios, y antes de dictar sentencia, ella ya sabía que el obispo Sobrino y Minayo, con sus latinajos y sus pergaminos, con su cara de ternero mamón, había sido derrotado, y que la Manuelita estaría pronto de regreso.

Esto ocurrió alrededor de dos años después de que Toesca, por intermedio de Rojas, y de mala gana, con vacilaciones, agregara la carta adulterina de su mujer al juicio, misiva que había llegado a sus manos, explicó en su escrito al Tribunal, «por caminos irregulares y extraños». ¡Para decir lo menos!, exclamó el Narrador, y la Filomena le echó, de reojo, una mirada sabida, porque nada que viniera de su patrón le extrañaba mucho. En cualquier caso, la irregularidad de aquellos caminos, o la lascivia, la desvergüenza reveladas en aquella carta, tampoco autorizaban a Su Señoría Ilustrísima, por mucho empeño que le pusiera, para encerrar a su autora. Pasaron aquellos dos años, volaron, como quien dice, y don José Antonio de Rojas visitó una tarde a Toesca en su casa del costado norte de la Catedral en construcción, vecina del caserón de teja y adobe donde vivía el coronel Díaz de Salcedo, y le contó, entre otros asuntos de interés, que doña Manuela acababa de salir del Beaterio y estaba, desde ayer, dijo, o desde antes de ayer, en casa de su madre.

–¡Libre de polvo y paja!

Según sus datos, misiá Clara, con sus tinterillos y con su voluntad tenaz, estudiando mamotretos, hurgando en archivos, pateando las tablas de todas las administraciones, le había ganado el juicio a las autoridades eclesiásticas de aquí a Penco. ¡Peleadora la viejuja! Y había que celebrar, añadió, nos guste o no nos guste en este particular caso, que la Iglesia ya no pueda usurpar las funciones propias del Estado, como sucedía en la Edad Media, aun cuando, la verdad, dijo todo esto con palabras mucho más enredadas, más herméticas, y mientras miraba por encima del hombro para los lados.

–¡La Manuelita! –exclamó Toesca, poco interesado en las especulaciones de su abogado y amigo, y sintió que aquella condición aguda de pérdida del habla que describía la carta, fechada en «Diziembre doze de setecientos noventa y tres» y firmada por «quien te estima, la Fernández», se le había contagiado. Y que los papeles se habían invertido. Porque ella estaba libre de polvo y paja, como había explicado el mayorazgo, y él, en cambio, estaba solo, y encerrado en su calabozo subterráneo, bajo una luz que llegaba desde un costado y no permitía ver el cielo.

Ahora bien, don José Antonio no sólo había escuchado decir y sabía. Se había dado el trabajo de pasar por la casa de la señora Pando y Buendía, que no quedaba lejos de la suya, había sido recibido con buenos modales, con venias de la vieja, con amabilidades de la Pepita, y había comprobado que doña Manuela, en efecto, se hallaba alojada ahí, libre, sana, y todavía bonita, de excelente ánimo, de humor luminoso. Una hora más tarde se encontró en los portales, en la dulcería de las señoras Rengijo, con el oidor Pérez de Uriondo, hombre, dijo, muy mi amigo, de toda mi confianza, y el oidor le contó que el rey en persona, desde su palacio de Aranjuez, le había ordenado que hiciera una gestión oficiosa, pero con la máxima dedicación, a fin de conseguir la reconciliación de la pareja.

–¿De qué pareja? –preguntó el arquitecto, con la boca abierta.

–¿De qué pareja va a ser?

–¿Y por qué? No entiendo.

–Usted, mi querido maestro, nunca entiende. ¡Para facilitar la paz en este reino del culo del mundo! ¿No ve, acaso, que los indios atacan apenas nos descuidamos, y que los holandeses merodean por la costa, y que los ingleses podrían entrar a saco el día menos pensado y tragarse todo? El rey quiere que usted prosiga sus tareas tranquilo, que construya sus monumentos, sus iglesias, sus tajamares y defensas de todo orden, sin que nada lo distraiga. ¡Ni el pelo de una breva!

–¿Y si nosotros, ella, por ejemplo, o yo mismo, no quisiéramos reconciliarnos?

–Yo no le aconsejaría por ningún motivo, como abogado y amigo suyo –declaró don José Antonio, mirando las vigas del techo con expresión casi sacerdotal–, que le ponga reparos de ninguna especie a los deseos de Su Majestad. ¿Usted me entiende?

–Sí –dijo él–. Le entiendo.

Pocos días más tarde entró a la antesala que le habían señalado de antemano, en el palacio de piedra de cantería, de artesonado y envigado de alerce, de enrejado y balconaje de la forja de los talleres de Ignacio Andía y Varela, palacio que él mismo había entregado hacía poco, en solemne ceremonia, con bendiciones, proclamas, estandartes, música de trompetas, y escuchó la voz conocida, la de siempre, cantarina, criolla, conmovedora, levemente zetosa y arrastrada, en una sala vecina. No pudo evitar que los ojos se le pusieran húmedos, que su cuerpo se sacudiera, que las piernas nudosas, envueltas en calzas negras, le temblaran.

Cuando lo hicieron entrar, la vio a contraluz, frente a los altos ventanales que él mismo había diseñado, bella como nunca, con los rasgos un poco más acusados. Tres o cuatro canas salpicaban su cabellera oscura, que todavía, a pesar de aquel detalle, se veía sedosa, abundante, espléndida. Miró al oidor Pérez de Uriondo, con quien había coincidido en más de algún sarao o ceremonia y que lo esperaba con gesto adusto, con su venera de plata en el pecho esmirriado, y le hizo una venia. Con palabras escuetas y tranquilas, que no carecían de elegancia, con acento de procedencia virreinal, entre castellano y de por acá, el oidor explicó el motivo de la entrevista. Su Augusta Majestad deseaba que él, Joaquín Toesca y Ricci, y su legítima esposa, Manuela Fernández de Rebolledo y Pando, olvidaran sus pasados agravios, sin detenerse en culpas, en castigos, en recriminaciones, animados por el espíritu superior del perdón, por su incomparable dulzura, y se reconciliaran. Si así lo hacían, Su Majestad, desde su sitial en el centro del Imperio, recibiría la nueva con suma complacencia. Se avecindaban tiempos difíciles, el siglo, cerca ya de su final, navegaba por aguas turbulentas, y no era bueno que la paz de este Reino se viera perturbada por rencillas menores.

El oidor cesó de hablar y miró a Toesca a los ojos. Toesca, a su vez, miró a doña Manuela.

–¿Acepta usted, señora –le preguntó el oidor a doña Manuela, a sabiendas de que el arquitecto e ingeniero ya había aceptado–, por la salvación de su alma, y para contribuir al mejor servicio de las obras de Su Majestad en estas tierras?

Ella, con la cabeza, mirando por un segundo la luz que

venía de la calle, hizo un movimiento tímido de aceptación, un gesto inconcluso.

–¡Perfecto! –exclamó el oidor–. Preparamos los papeles, entonces, y usted, maestro, pasa a firmarlos a partir de mañana en la tarde o de pasado mañana. Lo mismo que usted, señora.

Él puso cara de pregunta, aun cuando estaba dispuesto, más que dispuesto, a cumplir con todo lo que le pidieran, y el oidor le explicó que tendría que desistirse por escrito, con todas las formalidades legales y canónicas, de su petición de divorcio perpetuo *quod thorum et cohabitationem*.

Era evidente, desde luego, para el oidor (y para todos nosotros) que Toesca estaba feliz, en el colmo de la dicha, y que doña Manuela salía de un abismo y había perdido la voluntad de oposición, de lucha, para bien, quizás, de todos. ¡Con tal de que le dure!, se dijo, y le sugirió al marido reconciliado, con una indicación de los ojos, que abrazara a su esposa. Nosotros pensamos, y el Narrador, enfrascado en sus expedientes, en sus cronicones, también lo piensa, que los rumores que corrían sobre el noviazgo de Juan José de Goycoolea con la Inés Echazarreta, la Ñata, rica heredera de la localidad de Graneros, tierras de migajón puro, pastizales risueños, parronales largos, ayudaron, sin duda, a consumar esta reconciliación. Daba la impresión de que la Manuelita, golpeada, castigada, había claudicado, había depuesto esa especie de furia que la acompañaba para todos lados, esa furia y esa burla, esa carcajada repentina, y había encontrado en su corazón el arrepentimiento verdadero, como esperaba con optimismo el acucioso don Francisco Pérez. Toesca, en cualquier caso, la abrazó con intensa emoción, y ella hundió la cabeza en su pecho. ¿Le tenía susto, ella? ¿Había en alguna parte de su corazón arrebatado, ardiente, una chispa o más de una chispa de amor por él? Nosotros sospechamos que sí. Manuela Fernández de Rebolledo, la Fernández, era capaz, por sobre todas las cosas, por debajo de su fiereza, de ternura, de generoso amor, de arrebatado perdón. Había terminado, al cabo de pocas semanas, por amar a los perros, a los gatos, a los burros y hasta a los conejos del Beaterio. A la beata llavera y a la beata cocinera. A la beatita del camastro de al lado, con la que dormía muy abrazada, porque así se defendían de la soledad y del frío, que en los inviernos era de pelarse. Amaba, incluso, cuando no estaba demasiado enojón, al señor vicario, don Antonio, quien profería gritos destemplados por los patios y por los claustros, pero sabía sacarle acentos celestiales al coro de las beatas, acentos que acompañaba de mano maestra con los modestos tubos del órgano de la capilla, fabricado por un indiecito de los alrededores de Pichilemu.

¿Por qué no? Lo más probable era que ella, cuando le había puesto solimán en los espárragos, sólo hubiera querido darle un susto. Y vengarse de su sombra cetrina y ajena, que la seguía por todas partes, o cancelar dicha sombra, pero sin necesidad de que él desapareciera para siempre. Cuando llegó en compañía de Toesca a la casa de siempre, junto a la Catedral, frente a los puestos que no veía desde hacía más de dos años, que habían crecido mucho, y donde se produciría poco después, se dijo el Narrador, el milagro de antigua memoria, misiá Clara, que conocía de antemano el desenlace de la audiencia en el despacho del oidor Pérez de Uriondo, estaba parada en la puerta, enzarzada en una discusión con un vendedor de sandías. Apenas la divisó a la vuelta de los andamios, dejó de discutir, abandonó una sandía recién calada y se acercó tranqueando, dando gritos de contento, a abrazarla. A Toesca, al tieso de Toesca, lo agarró y le dio un par de besos en las mejillas. Cuando cruzaban el portón del jardín, le susurró a la Manuelita al oído:

–Me acaban de contar que Juan Joseph se casa.

–Ya lo sé –respondió ella en voz baja–. Pues, ¡que se case! Y que se vaya donde le dé la gana. Yo recé mucho por él, pero no quiso escucharme. ¡Ni él, ni naiden!

VII

Ya hemos visto que el Narrador, en la noche de la primera protesta de las cacerolas, mientras caminaba por la calle Merced rumbo a la Plaza de Armas, se acordó de repente, sin saber muy bien por qué, quizás por el carácter casi irreal que había tenido el caceroleo colectivo y nocturno, del suceso de la estampita milagrosa ocurrido en Santiago en la segunda mitad del siglo XVIII, a fines del año 1786, para ser más precisos, y por lo tanto en los primeros tiempos de la historia de Toesca y la Manuelita, tres años y algo más después de su matrimonio, y mucho antes, por consiguiente, de los episodios del Beaterio de Peumo y de la reconciliación de los esposos. El suceso fue recogido por cronistas contemporáneos, ya que conmovió, según parece, a toda la Colonia, y ha sido narrado por historiadores y escribidores tardíos. El dueño difunto del departamento de la Plaza había seleccionado y subrayado los papeles y las páginas relativas a la estampita, lo cual podría revelar que pensaba escribir un texto, quizás un libro entero, pero no estamos en condiciones de saber si puso o no manos a la obra. El Narrador, durante su caminata, mientras alguna gente salía de sus madrigueras, después de la protesta, y se metía en las fuentes de soda, en cafetuchos piojentos, en cines con olor a meado y a substancias más dudosas, ¿a semen, a secreciones sanguinolentas?, se dijo que la empleada de Cristina, la Petronila, cuyo encogimiento de hombros frente al golpeteo de las cacerolas ya hemos captado, habría creído, en cambio, a pie juntillas, con fervorosa convicción, en el carácter sobrenatural de lo que había ocurrido con la estampa de Nuestra Señora del Carmen. Según las crónicas, la estampa fue arrebatada por un golpe de viento de las manos de un mercachifle que la vendía (el primer narrador del episodio, contemporáneo de los sucesos, emplea precisamente la palabra «mercachifle», término que todavía formaba parte del vocabulario del padre del Narrador, don Ignacio), en uno de los puestos del costado de la Catedral, y se suspendió en el aire a poca altura, sin que nadie, ni el mercachifle, ni los mirones que se juntaron al poco rato en buen número, pudieran echarle mano ni bajarla, a pesar de que se sacaban los ponchos y se los tiraban. La estampita, después de esquivar la embestida de los ponchos, se dirigió lentamente, con un leve revoloteo, al centro de la Plaza, a un lugar donde había una pila de tierra, puesto que la Plaza de aquellos años estaba lejos de tener las estatuillas, los senderos pavimentados, los bancos pintados de verde, los domesticados jardines de ahora. Mucha gente subía por la pila de tierra, con la intención de alcanzarla, pero la estampita se elevaba, cambiaba de sitio, bailoteaba en la altura y bajaba, como si se estuviera burlando de sus perseguidores.

La Plaza de Armas de aquel día de la primavera de 1786 se llenó pronto de curiosos, y algunos señalaban los ventanales del obispado, porque decían que el obispo don Manuel Alday en compañía de algunos de sus acólitos, desde atrás de unos cortinajes, observaba el milagro. Al cabo de un rato, la estampita tomó más altura, como si calculara que el exceso de mirones la ponía en peligro, y la gente empezó a perder la esperanza de alcanzarla. Suponemos que el mercachifle calculaba que se había triplicado, por lo menos, su precio, pero que ya no estaba tan seguro de poder recuperarla. Hubo un momento en que bajó bastante, lo cual fue recibido con exclamaciones, chiflidos, aplausos, pero después volvió a subir en forma vertical, atraída por una fuerza misteriosa, y al fin se quedó suspendida, fija, tan alta, de acuerdo con uno de los testimonios, que «sólo se distinguía como un pajarillo, abiertas las alas». El testigo tenía, no cabe duda, imaginación poética, sentido de la metáfora. Según algunos, permaneció así durante más de un cuarto de hora, según otros, durante horas enteras, y otros afirmaron con movimientos vigorosos de la cabeza que dos o tres días, pero al fin, y en esto coincidieron todos, o casi todos, inclinó su dirección hacia el norte, a bastante altura, perdiéndose por momentos de vista. Cruzó, por fin, el río, que se encontraba en uno de sus puntos más bajos, un hilo de barro, mientras la multitud corría por los alrededores del basural, atravesaba el Puente de Cal y Canto y la señalaba dando gritos. Al cabo de un rato descendió en forma vertical, con regular lentitud, y se posó a unos dos metros de distancia del suelo, sobrevolando cardos y malezas, en un paraje medio abandonado de la Cañadilla de la Chimba.

En su lugar de la Cañadilla, que pronto fue demarcado con una cruz de palo y que distaba cerca de doce cuadras, con el río de por medio, de la Plaza del Rey, la estampa de Nuestra Señora del Carmen, que pasó a llamarse del Carmen de la Cañadilla, permaneció inmóvil, aunque dotada de un ligero temblor, de algo así como un aleteo, e iluminada por un nimbo sobrenatural, que algunos veían con la mayor nitidez y que otros, hombres de poca fe, simplemente no veían, y a las pocas horas de estar ahí, desde su altura inalcanzable, porque algunos, obcecados, habían insistido en tratar de agarrarla, y la estampita se había levantado con un impulso grácil, para volver a descender despacio, con una especie de soberana ironía, con enseñanza implícita, le había devuelto la vista a un ciego, había hecho caminar a un par de cojos, había conseguido que el hijo de una lavandera tuerta, borrachín incorregible, regresara a la casa de su madre y tomara unos tecitos de hierba para limpiarse la sangre.

El Narrador busca entre sus papeles y comprueba que la estampita inició su vuelo en el «afortunado día» 13 de octubre del año 86, detalle que demuestra, de paso, que el 13, en contra de lo que se sostiene por ahí, es número de suerte.

Descubre, enseguida, que don Manuel Alday, el entonces obispo, personaje que representa en muchos aspectos lo mejor del pensamiento ilustrado en su versión provinciana, chilena, y que fue, como ya sabemos, quien contrató a Joaquín Toesca para viajar a Chile y ocuparse de los trabajos de la fábrica de la Catedral, el Alday este, don Manuel, que en los retratos tiene una cara filuda y cazurra, concedió cuarenta días de indulgencia a las personas que rezaran el Credo delante de la «venerada imagen». ¿Lo hizo con distancia, con criterio de filósofo cínico, pensando en la conveniencia de alentar las expresiones populares de la fe religiosa? No es improbable que haya consultado el asunto con los delegados del Santo Oficio de Lima y que ellos le hayan dado su visto bueno. El Narrador no tiene informaciones precisas a este respecto, pero encuentra en los papeles recopilados por su antecesor otro detalle interesante. El infatigable obispo, hombre de acción, no de divagación ni de contemplaciones, ordenó construir una enramada alta, que simulaba un pequeño templo, a fin de proteger la imagen de las inclemencias atmosféricas y de dar un poco de comodidad a los fieles.

En buenas cuentas, murmura el Narrador, la Petronila, la empleada de Cristina que se quedó encerrada en su dormitorio y no tocó las cacerolas, ¡ella no estaba para leseras!, habría creído, sin la menor duda, en la estampita milagrosa, y Cristina y sus amigos, desde luego, no habrían creído ni una sola palabra, a pesar, se dijo el Narrador, de que eran tan proclives a creer en cuentos de hadas de otra especie. Él sospechaba, en cambio, que misiá Clara Pando y sus dos hijas creyeron a pie juntillas, y se imaginó que la Manuelita se hincaba en el jardín de su casa, o en el patio de la primera de sus prisiones conventuales, y le rezaba, transida de fervor, pidiéndole, quizás, que le conservara a su Juan Joseph, a su Negrito, durante largos años. Las demás recogidas también rezarían, de rodillas en tierra, y las monjitas de los conventos que le había tocado o que dentro de poco le tocaría conocer, y los aguateros que vendían su mercancía a la entrada del

Puente, los albañiles, las puesteras de mote con huesillos y las cocineras de pequenes y de chicharrones, y las chuquisas, como decía la Manuelita, de las chinganas de la Chimba, y cerca de las chuquisas, pero sin mezclarse con ellas, las señoras de la mejor sociedad, que acudirían seguidas de sus negritas con el cojín de raso, a fin de no tener que colocar las rodillas en la mugre, y más de algún funcionario, sobre todo dentro del estrato inferior de los contratados criollos, casta que tenía una necesidad mayor de creer en milagros, ansiedades mayores. El Narrador, entre la cagarruta de sus balcones, miraba el sitio donde se había posado la estampita en su vuelo inicial, encima de las copas de los pimientos y las pataguas de ahora, o veía hincarse a todos aquellos personajes sobre la maleza de la Cañadilla de la Chimba, o sobre ladrillos que algunos de ellos habían transportado para mortificarse, y los veía rezar durante horas, golpearse el pecho, hacer mandas, con la piel de la cara bañada por un sudor ácido.

El que no creyó, por supuesto, fue don José Antonio, quien estaba lejos todavía de asustarse a causa de las noticias de la revolución en Francia.

–Esta pobre Colonia –vaticinó–, seguirá siendo Colonia toda la vida. Cada vez que los curas tengan un problema, tirarán una estampita al cielo.

–Es que el pueblo –replicó el arquitecto–, necesita milagros. En mi infancia, en las vacaciones que pasábamos en la Toscana, en las tierras de mi madre, escuché cosas parecidas. Y en el campo español, en el trayecto a Sevilla y a Cádiz, también, muchísimas veces.

–Son pueblos bárbaros –decretó don José Antonio–, ignorantes, y mantenidos en la barbarie en forma deliberada. Pero nosotros, aquí en Chile, podríamos librarnos de todas esas patrañas.

–¿Usted cree?

–Sí –dijo don José Antonio–. Estoy seguro.

Añadió que a él, al maestro, lo notaba dubitativo, ¡más que dubitativo!, y las dudas no eran del gusto de don José

Antonio de Rojas, ni de su cuñado Manuel de Salas, ni del pequeño círculo de los que leían libros prohibidos, encuadernados adentro de tapas de catecismos o de misales. El tiempo de las dudas, y el de las sombras, el de las curvas retorcidas, había quedado atrás, parecía que para siempre. Por eso, se dijo Toesca, se imponen las paredes limpias, las ventanas simétricas. En él persistía, a pesar de todo, un gusto por las cornisas escalonadas, un rechazo de lo enteramente uniforme y lo enteramente plano y liso. Es que vengo, pensó, de lo sombrío, de la mezcla de la belleza y de la mierda, mezcla que aquí, en mi destino de ahora, por diferentes caminos, tiende a reproducirse.

Afuera se escuchaban gritos, carreras, llamados, relinchos, y en los árboles del fondo del huerto cantaban los pájaros a coro, los zorzales, los chercanes, los choroyes. Eran ruidos en estado bruto. No eran conciertos de ninguna especie. A don José Antonio, con su manía organizadora, explicativa, le habría encantado que la vida, y sobre todo el futuro, pudieran desarrollarse de acuerdo con una partitura impecable, pero Toesca, a menudo, se sentía extasiado por el rumor informe de las calles, de las plazas, y por la naturaleza, que era una emoción infinita, un sistema de columnas, una correspondencia que no terminaba, y que le parecía, a pesar de sus crueldades inconscientes, de sus ocasionales cataclismos, una emanación del Ser Divino.

–Es por eso que usted lo pasa tan mal –afirmó don José Antonio–. El caos primigenio lo atrae en forma excesiva.

–El caos primigenio es el fuego –respondió Toesca–. ¿No se había dado cuenta?

Don José Antonio lo miró a los ojos. Quizás en qué pensaba. Quizás pensaba en la vida secreta del maestro, en las extrañas historias de la Manuelita, en los rumores contradictorios, difíciles de creer, que corrían por ahí, por los portales y hasta por las sacristías. En aquellos años, en los tiempos de la estampita, antes de que el escándalo arreciara y quedara en evidencia.

VIII

El desocupado Lector ya conoce más de algo, y desde las primeras páginas, a Cristina, la ex esposa del Narrador. Sabe que es una mujer dura, de fondo, para qué lo vamos a negar, resentido; una mujer más bien belicosa, con una pasión política de izquierda o de extrema izquierda que adquirió en años juveniles, en parte por idealismo, por contagio, en parte, del Instituto Pedagógico de la Universidad de Chile, el de la avenida Macul, y en parte de su padre y de los amigos de su padre, pasión que nada ni nadie ha conseguido quitarle. Pertenece a una especie humana que todos hemos conocido en Chile, en especial durante las últimas décadas, y que muchos hemos llegado a detestar: la de los dogmáticos, la de los discutidores eternos, la de los revolucionarios autoproclamados. En Cristina, sin embargo, había paliativos. Como en todo el mundo, podríamos añadir. Tenía, de repente, matices, lados con los que no habíamos contado. Era capaz, por ejemplo, como le consta al Narrador, de revelar una veta afectiva, arrebatos de conmovedora generosidad, gestos, incluso, de ternura delicada, y no sólo con la gente de su bando, con las señoras que llegaban desde las poblaciones a cumplir con alguna consigna, a transmitir un recado, a recibir consuelo, y que habían perdido al marido, a un hermano, a un hijo, en los años más terribles, sino también, en determinados casos, y por extraño que esto parezca, con seres que no calzaban del todo dentro de sus esquemas ideológicos: una tía momia, hermana de su padre, o una compañera de curso que tenía un retrato del general, ¡el capitán general!, en el living de su casa, retrato que colocaba contra la pared, por respeto humano, por cortesía, cada vez que Cristina le anunciaba visita. El Narrador, por otro lado, también sabe, ¡cómo no lo va a saber!, que ella fue alguna vez, en la década gloriosa de los sesenta, una mujer atractiva, llena de vida, de simpatía contagiosa, cuando quería caer simpática, y que ahora, en los comienzos de su cincuentena, en el otoño de su descontento, para no hablar todavía del invierno, conservaba restos deteriorados, pero todavía reconocibles, tangibles, de los encantos de antaño. El Narrador odiaba su obcecación, su cerrazón de mollera, como solía decir, su dificultad para escapar de ciertas ideas adquiridas, que pronto asumían en ella la condición de ideas fijas, pero solía caer, a pesar de eso, bajo la antigua seducción, envuelto en las placenteras redes de otros tiempos. ¡Su sed de afecto, su corazón anhelante y vacío, lo traicionaban! El tema de la ausencia de Ignacio chico, el de la inquietante, sospechosa falta de noticias suyas, relacionado con las indagaciones más bien discretas del inspector Jorquera, había originado toda clase de conflictos entre ellos, puesto que Cristina, dividida entre el miedo maternal y el furor político, tenía frecuentes reacciones que sacaban al Narrador de quicio. Solía, por ejemplo, descontrolarse y dar gritos contra los milicos, gritos escandalosos, casi peligrosos, y él, frente a ese despliegue inútil, se abría de brazos y parecía decir: ¿y si el niño está metido en alguna cosa, en alguna actividad clandestina, hasta la punta de la nariz, y si lo agarran, y si nos agarran a nosotros para llegar hasta él? ¿A quién vamos a convencer de que no sabemos nada, de que no tenemos ni su casilla de correo, de que nunca hemos conseguido comunicarnos con él por teléfono, a pesar de todos los intentos? De todos modos, contra todo, Cristina se empeñaba en hacer algo, agarraba de repente el fono y llamaba a la embajada de Chile en Brasilia, ¡para que se rieran en su cara!, o le preguntaba al Narrador si no convendría conversar con el inspector Jorquera, o entrar en contacto con algún dirigente clandestino de la Manuel Rodríguez, extremos absurdos, y él, perplejo, abrumado, insistía en que no había nada que hacer: tener paciencia y esperar, nada más, y confiar en que el joven, más que seguro, conociendo sus habilidades, su astucia, su sentido de la ubicación, estaba mucho mejor que ellos mismos.

Había provocado, pues, la ausencia del hijo común, su enigmático silencio, todos aquellos roces, aparte de una dificultad en el trato del Narrador con su propio padre, ya que mucho temía, en su fuero más íntimo, que las suposiciones del inspector Jorquera no carecieran de fundamento, y si su padre o su hermana llegaban a enterarse, era probable que no movieran un solo dedo para defender al joven o para defenderlos a ellos. Don Ignacio, en su espíritu atrabiliario, con rasgos repentinos de emotividad, podría, quizás, vacilar, pero ella, Mariana, con la Congregación de la Fe y la Confederación de la Producción y del Comercio a sus espaldas, no vacilaría ni un segundo. ¡Quedarían cortados todos los puentes! ¡La guerra quedaría declarada! También ocurría, eso sí, en determinadas circunstancias, en horas nocturnas, en boliches de Bellavista, con ayuda de pisco sauers cabezones o de botellones de vino tinto, que el asunto sirviera para crear momentos de reconciliación con Cristina, manos que se encontraban debajo de la mesa, miradas ambiguas, confirmaciones del antiguo adagio: donde hubo fuego, brasas inevitablemente quedan, aun cuando cubiertas por la ceniza de los años, por la nieve del tiempo, y el Narrador, conmovido, canturreaba un tango de la vieja guardia, y los vecinos de mesa, que lo habían visto, a lo mejor, en alguna fotografía, esbozaban una sonrisa cómplice.

Una mañana de domingo de fines de primavera o de comienzos del verano, a las siete o un poco antes, Cristina lo llamó por teléfono, no en su tono habitual, en un estado de verdadero trastorno, de pánico mal controlado, y le contó que un hombre con fuerte acento brasileño la había llamado pasada la medianoche y le había dicho que traía un recado del Brasil. ¡Del nordeste del Brasil!

–Te llamé al tiro, hecha una loca, pero no contestabas, y después traté de dormir un poco.

–¿Habías tomado mucho trago?

–¡Nada! ¡Pelotudo! ¡Ni una sola gota! Estaba tan sobria como estoy en este minuto. Pero desesperada. ¡Hecha mierda! El tipo, al final, quedó de venir hoy. Le pedí el nombre, un teléfono, pero no me dio nada, y prometió que se presentaría hoy sin falta, entre las siete y las ocho de la noche.

Él no lo dijo, pero calculó que la comunicación había sido interceptada y que la gente de Jorquera, mucho antes de las siete, ya tendría el departamento de Santa Lucía bajo riguroso control. Llegó hasta ahí, de todos modos, antes de la hora, a esperar en compañía de ella, como un condenado más, a pesar de que el estado de ánimo de ella le infundía ganas de escapar, de volver a enfrascarse en sus papeles, de poner un abismo de distancia en el espacio y en el tiempo. A veces pensaba que el pasado era un cajón de sastre o un basurero, y otras veces lo imaginaba como un limbo, y hasta como una droga. A todo esto, ¿dónde estaría el infaltable, el insondable inspector: detrás de alguna ventana del otro lado del cerro, o en los pasillos del edificio, o en su oficina de los altos de alguna pirámide cercana, con las cintas de las grabadoras girando en el silencio?

–Paranoia pura –comentó el Narrador.

–¿Y qué quieres?

Después de esperar más de una hora, hacia las ocho y media de la noche, el Narrador, con una sonrisa un poco amarilla, dijo que se podrían tomar, después de todo, para aliviar la tensión, un pisquito sauer. Ella, que fumaba un cigarrillo detrás del otro, ojerosa, hundida en un sillón deshilachado, se encogió de hombros. ¡En la casa no había ni pisco! Él, entonces, Ignacio el Segundo, conocido en algunos círculos como el papá del Nacho, en otros como el hijo de don Ignacio, con cara de resignación, bajó por el ascensor y trató de escrutar de reojo la expresión del portero del edificio. Después, antes de salir, fingió que se acomodaba la chaqueta, que se subía las mangas de la camisa, y recorrió la calle con la vista, de un extremo a otro, por si detectaba a sujetos en actitud sospechosa. Llegó a la conclusión de que los pocos transeúntes del domingo, en ese cruce de calles polvoriento, sin destino, parecían, por un motivo o por otro, espías, o soplones, o terroristas. ¡Hasta los niños vagos! ¡Hasta las dos o tres ancianas que iban o regresaban de alguna de las misas vespertinas de la parroquia cercana de la Veracruz! Cruzó el nudo de calles con relativa dificultad, a pesar de que la escasez de tráfico facilitaba la tarea, riéndose un poco, porque captaba el lado absurdo de su propio personaje, en medio de la inmundicia en suspensión, de la fealdad sólo combatida y redimida por la vegetación del cerro, y adquirió en el almacén de una de las esquinas, que no cerraba nunca, una botella de pisco Tres Erres, o Control, o Lirquén, o algo por el estilo, y en un puesto callejero, a un vendedor gordo, chico, de boina, que sólo tenía tres dedos gruesos en una mano y dos en la otra, le compró un kilo de limones, porque en el departamento de Cristina, bien provisto de tabaco, y de frascos de medicina a medio consumir, y de folletos y panfletos políticos, capaz que tampoco hubiera limones. Un viejo pederasta de pelo pintado de amarillo, conocido suyo de épocas universitarias, conversaba en una esquina con un par de muchachos de poblaciones, enfrascado, al parecer, en una negociación complicada. Tres o cuatro personas esperaban micro, con la vista perdida en un fondo de calle desierta, en una torre de iglesia cuarteada.

–¡Este brasileño del carajo nos dejó plantados! –vociferó Cristina al abrirle la puerta.

Él se puso un dedo en la boca para avisar silencio. Entró a la cocina cargado con sus paquetes, con la cabeza baja. En la calle había podido reírse solo durante un par de segundos, pero aquí ya no se reía.

–¿No será una broma pesada? –preguntó.

–¿De quién?

–¡Anda tú a saber! Del propio Ignacio chico. A lo mejor estaba junto a ese teléfono, riéndose de nosotros...

Cristina, con el pucho humeante en los labios, se puso a exprimir limones. Era, por un momento, la encarnación de la acidez, como si el jugo de los limones la definiera, y el sabor amargo de la nicotina. Lo miró por encima del hombro, murmurando: ¡Hijito! ¡Perrito! ¡Papito! ¡A qué extremos de cretinismo has llegado!

A las nueve y doce minutos sonó el teléfono. Hirió los tímpanos, e hizo que los corazones cargados, asustados, se pusieran a dar saltos. El brasileño de los llamados anteriores, con acento pastoso, dijo que se había quedado enredado en el barrio alto. No sabía que Santiago era una *cidade* tan extensa, y con tanto tráfico, pero ellos, en cualquier caso, *vocés,* podían encontrar a Ignacio en el teléfono de su piano bar de la salida de Recife. Les repitió el número tres o cuatro veces y les aseguró que Ignacio siempre estaba ahí, sobre todo a partir de las doce de la noche. Ellos, explicó, vale decir, *nois,* eran dueños del piano bar *aquele* por mitades.

–¡Un piano bar a la salida de Recife! –exclamó el Narrador. A estas alturas, tenía los pelos de la cabeza disparados, las mejillas tumefactas, los ojos encendidos como luminarias, con ojeras como surcos.

–¿Por qué no? –dijo Cristina–. Sabíamos que Recife era su último paradero. Y si se puede vivir en Santiago de Chile, ¡en este infierno!, rodeados de soplones y de torturadores, por qué no se va a poder vivir en Recife, o en cualquier otro lado. –Y le pasó un vaso lleno hasta los bordes con la espuma del pisco. Se lo pasó con emoción, con la voz enteramente apagada por la ronquera, con algo así como una ternura última.

–Pruébalo... y si tiene demasiado azúcar, me lo dices para arreglarlo.

No tenía demasiado azúcar, y cerca de las diez de la noche, cuando ya se acercaba la hora de hacer el llamado a Recife, porque se les ocurrió, de repente, en su atolondramiento, consultar la diferencia horaria, y descubrieron que allá iban a dar las doce, el Narrador se sintió borracho, con la lengua trabada, con la cabeza insegura, dominado por la imperiosa necesidad de echarse algo, cualquier cosa, al buche. Propuso que bajaran a comer un sándwich en el barrio, como si quisiera, en su fuero interno, posponer la dichosa llamada, y ella: ¡qué capricho más absurdo! A las diez en punto se encerró en la cocina, y él sintió el eco de los números, que resonaban, apagados, en el aparato del dormitorio. Hubo una conversación, y Cristina, al rato, regresó con cara extraviada.

–Me dijeron que era ahí –explicó en un susurro–, y que en general se lo encontraba en el bar a esa hora, pero que ahora está de viaje en Manaos hasta la mitad de la semana.

–¡En Manaos! Y tú, ¿qué dijiste?

–Que nada. Que llamaría otro día.

–¿Y quién decimos que llamó? –preguntó la voz brasileña.

–Nadie.

–¿Nadie?

–¡Nadie!

–Tú, ahora, frente al Nacho –comentó él–, has pasado a llamarte nadie.

–Y me seguiré llamando nadie, si es necesario. ¡Para que no se me esconda!

–¿Qué diablos estará haciendo en Manaos?

–Es lo mismo que le pregunté a la persona del teléfono.

–¿Y qué te contestó?

–Que había ido a ver si se podía comprar la famosa Ópera de la ciudad, construida en la época del caucho. ¡Para instalar una discoteca de lujo!

–Son bromistas en ese piano bar, por lo visto.

–¡Sí que son bromistas! –exclamó Cristina, y tuvo una luz alegre en la cara por primera vez en varios días.

En ese preciso minuto sonó el teléfono de nuevo y ella corrió a la cocina. Regresó como a la media hora, con expresión estragada, sin alegría ninguna.

–¡Prende la tele! –chilló.

La televisión estaba en el dormitorio. Ella se tendió en la cama, agobiada, fumando.

–¿No estará metido en esto?

–¿En qué? –preguntó él, y cuando las imágenes del viejo televisor en blanco y negro se aclararon, vio la carrocería incendiada de un Mercedes Benz, enseguida la de otro, y motocicletas de la policía, ambulancias con sus faros intermitentes y con sus sirenas, y un cadáver tapado con una manta y transportado en una angarilla. Un alto funcionario, después, con cara lisa y pálida, con gesto grave, anunciaba al país que a raíz del atentado criminal, que revelaba a las claras el poder de organización de los enemigos internos y externos de la patria, se había decretado de inmediato el estado de sitio y se había reimplantado el toque de queda a partir de las doce de la noche.

–¡El viejo se salvó por un pelo! –dijo él.

–¡Será verdad? Me tinca que lo organizaron ellos, para volver a controlarlo todo.

–¿Cómo?

–Sí –dijo, y lanzó el humo al techo con fuerza extraordinaria–. Para volver a torturarnos y a desaparecernos.

–¿Y no decías, hace un minuto, que podía estar metido el Nacho?

–¡El Nacho está en Manaos –gritó Cristina–, comprándose una Ópera vieja!

El Narrador, el hijo de don Ignacio y el padre de Ignacio chico, se agarró la cabeza con las dos manos. Ella, en ese minuto, pegó un salto y un grito ahogado. Creyó que había escuchado el ascensor, y pasos, enseguida, frente al departamento.

–Si tocan, significa que vienen a registrar la casa. Y a buscarnos.

–¡Cálmate! –pidió él.

–¿Por qué no llamas a ese amigo tuyo de la CNI?

–¿Qué amigo?

–El inspector ese: el que te visita en tu casa.

El Narrador se acercó a la ventana y apoyó la frente en los vidrios. El proyectil, lanzado por una bazuka, explicaba un locutor, dio en el vértice del automóvil de Su Excelencia, encima de los faros del lado derecho, y en lugar de explotar, saltó hacia un lado, porque de lo contrario...

Volvió a sonar el teléfono. Llamaban para contarle a Cristina que un compañero y amigo suyo, militante antiguo, había sido sacado de su casa a punta de pistola, por gente de civil, delante de su mujer y sus hijos, y que seguramente ya lo habían liquidado de un par de tiros.

–¿Y para qué te cuentan eso? –preguntó el Narrador.

–Porque tenemos necesidad de estar informados.

–Yo que tú descolgaba el teléfono. Total, ¿qué sacas?

–Quédate a dormir aquí –dijo ella. No fue una petición normal, y no tenía implicaciones amorosas de ningún tipo. Fue un llamado, una súplica, la confesión de un desamparo completo, de que toda su aparente fuerza se había derretido.

–Me quedo –murmuró él–. No te preocupes. –Y se sacó los zapatos con una sacudida de los pies. Fue a la cocina en calcetines y se zampó un par de vasos de pisco puro, de dos golpes. Regresó, y ella se había desplomado en la cama, pálida como una muerta, con un temblor extraño, como si le hubieran bajado tercianas. Él se acercó y ella lo abrazó con brazos como garfios, sin dejarlo respirar.

–Tengo un miedo pánico de que esté metido hasta el cuello –susurró–. ¡Hasta el Iaco!

–No creo –dijo él.

–¡Claro! –gritó Cristina–. ¡Tú! ¡El que nunca cree!

Él se hincó junto a ella y no halló nada mejor que apoyar la cabeza en su vientre, que estaba un poco hinchado y blando.

–Mejor durmamos –murmuró, acariciándole el cuerpo–. ¡Hijita!

IX

No sabemos qué pasó en los días que siguieron a la reconciliación ordenada por el rey de España. Suponemos que Toesca continuó con su ritmo intenso de trabajo, con sus conversaciones ocasionales, que siempre dejaban resquicios abiertos, con sus lecturas de los clásicos. Y el genio vivo de la Manuelita, su corazón de alcachofa tibia y tierna, ¿qué rumbos tomaba? Poco tiempo después de firmar los papeles del oidor Pérez de Uriondo, Toesca fue llamado a palacio. El secretario de Encomiendas, por encargo expreso de Su Excelencia el presidente y gobernador, le ordenó que organizara una expedición para encontrar un nuevo paso a Mendoza por la cordillera de los Andes. De ser posible, tendría que salir dentro de los próximos tres o cuatro días.

–¡Tres o cuatro días!

Eso había dicho el gobernador excelentísimo. Ése era su ferviente deseo. Quería que él, Toesca, al mando de un piquete de no más de cinco o seis personas, dos o tres arrieros experimentados, tres o cuatro indios de servicio, buscara el paso más expedito y más cercano a Santiago del Nuevo Extremo, con el fin de unir esta ciudad con las provincias del lado oriental de la cordillera. Había que facilitar, explicó el secretario, el comercio terrestre, y mantener a las provincias del otro lado bajo la dependencia de la nuestra, ya que Buenos Aires, la capital virreinal del Plata, quedaba tan lejos.

Él llegó a su casa, en el atardecer, después de haber tomado las primeras disposiciones, con el ánimo por los sue-los, porque le encantaba caminar por valles y por lomajes, cerca de los ríos, pero detestaba los senderos montañosos, y las orillas de las quebradas le producían vértigos terribles. Vigilaba sus obras hasta en los menores detalles desde abajo, incluso con ayuda de un catalejo, pero si se trepaba a los andamios le venían mareos y vómitos y tenían que bajarlo entre varios. Encontró a su mujer, la Manuelita, sentada en una silla de paja en el fondo del huerto. Tenía el pelo agarrado en un moño y miraba para un lado, con la expresión de extravío que él conocía muy bien y que no presagiaba nada bueno. Pensó contarle lo del encargo del gobernador, pero prefirió dejar la noticia, ¡mala noticia!, para más tarde. Iba a pedirle a la Josefa y a Ignacio que se ocuparan de ella, que la entretuvieran un poco. Y al mulatón Ambrosio, que se había puesto viejo y andaba con la cara chupada, con varios dientes de menos, con una tos que lo sacudía entero y que lo llevaría pronto a la tumba, le rogaría, con la mayor discreción de este mundo, en un susurro, colocándole un peso fuerte entre las manos, que pusiera el ojo, que tomara buena nota de los tenorios, los barbilindos, los espadachines y guitarristas que se pusieran a merodear por las cercanías.

Manuelita, a todo esto, ausente, ida, miraba los gorriones, los picaflores, las loicas de pecho colorado. ¡Pscht!, le hacía él, y ella ni siquiera sonreía. Al otro lado de las estacas de separación, entre las hileras de almácigos, cerca de un espantapájaros vestido de fiesta, uno de los hijos del coronel Díaz, un muchachote que había pegado un estirón y que tenía, advirtió él en ese momento, ojos hermosos, profundos, caminaba por entre los surcos, mordisqueaba alguna brizna de hierba, se agachaba para arrancar alguna frutilla, seguido por un par de perros acalorados. No se vaya a fijar en él, pensó, ahora que el pillo de Goycoolea se encontró con una heredera rica, porque los ojos del joven tenían una belleza extraña, que lo perturbaba. ¿A él antes que a ella?, se preguntó el Narrador. No era, sin embargo, más que un niñato, y ella, después de todo, tenía canas encima de la frente, y los rasgos de la cara, pensativa, hermosa, extrañamente silenciosa, se le habían acentuado.

–Cuídenmela, por favor –les pidió, sin hacer el menor esfuerzo para disimular el tono de súplica, de angustia, a su cuñada, la Pepita, y a Ignacio–: Miren que la noto tan frágil, tan expuesta, después de su encierro.

–Vamos a rezar por ella –prometió Ignacio, a quien se le había puesto cara de iluminado, de místico, y que había empezado a descuidar sus piedras, sus forjas, los grifos y las almenas de sus escudos, notaba Toesca, por estudiar papelotes, profecías, parrafadas de las escrituras.

–Sí –insistió él–, recen, recen todo lo que puedan. Pero, además de eso, acompáñenla, cuídenla, sáquenla de paseo.

Pero no sabía, en realidad, si quería que la cuidaran o que no la cuidaran; que la dejaran, más bien, provocar la alarma de los delegados de la Inquisición de Lima, y terminar así de humillarlo, de hundirlo. Ya que, entre morir en una quebrada cordillerana o envenenado por ella, apuñalado por ella, ¿qué prefería? En los años remotos de Roma había tenido una madre bondadosa, quejumbrosa, aficionada a rezar por cada uno de los miembros de la familia, y una cocinera de ojos rasgados, medio orientales, de brazos robustos y grandes tetas, que degollaba gallinas con una especie de placer maligno, mientras él, desde el umbral, sin atreverse a cruzarlo, la miraba con la boca abierta, con baba en la comisura de los labios. ¿Había llegado el momento, ahora, de levantar un pie y trasponer el umbral? ¿Esperaba ahora, con el mismo placer, con la misma inquietud confusa, el degüello propio? Al mulatón, en voz muy baja, enrojeciendo, tartamudeando, olvidándose de repente, después de tantos años, de hablar en castellano, le dijo que se fijara en el hijo menor de don Domingo, el coronel. Lo notaba agrandado, haciéndose el arrastrado, y en el fondo del huerto, escondida entre las estacas y la zarzamora, había una portezuela sin llave.

–Le voy a poner un alambrito –dijo el mulatón.

–¡Un alambrito! –replicó Toesca. Estuvo a punto de darle un bofetón en la cara. Todo lo arreglaban en la provincia chilena con un alambrito. Y después, cuando se producía el derrumbe, el desastre, quedaban de lo más sorprendidos.

–Voy a ponerle una cadena, entonces, con un candado.

–¡No sé! –exclamó Toesca–. ¡Déjala abierta, quizás! –y añadió una frase en italiano que Ambrosio, el mulatón, y el Narrador, si es por eso, no alcanzaron a interpretar.

Seis o siete días más tarde, Toesca daba la orden de iniciar la marcha a las cinco de una madrugada del mes de enero, es decir, como se preocuparía de explicar en una carta a su tío el obispo, en pleno verano del hemisferio sur, después de haber pernoctado con los tres arrieros y los dos indios de servicio, Pascual y Camilo, en la cercanía de sus mulas, con todos sus flamantes pertrechos, en los faldeos de los cerros de La Dehesa, al pie de un riachuelo torrentoso. Se internaron por senderos que parecían aptos para las mulas y que uno de los arrieros decía que conocía, pero que Pascual, el indio mayor, miraba con gestos de molestia, como si se tratara de una pista equivocada. A media mañana habían subido a gran altura, por un desfiladero que se estrechaba y dejaba pasar con dificultad la luz del sol, y las huellas de los senderos por momentos desaparecían. Sólo quedaban rocas sin la menor vegetación, lustrosas, con superficies planas como pizarras, y el abismo, a la izquierda de la caravana, cada vez más escarpado y más profundo. Él le preguntó a Pascual, el indio, si creía que iban bien, porque él y Camilo, el indio más joven, avanzaban callados, mirando el roquerío con expresiones torvas, mientras los arrieros trepaban por las rocas y azuzaban a las mulas, indiferentes a las piedras y a los cascotes que rodaban al vacío.

–No creo, patroncito –dijo Pascual–. Si seguimos por aquí, nos vamos a caer nosotros, con mulitas y todo.

Uno de los arrieros escuchó y miró para atrás con mal gesto. Explicaría, después, que Toesca, el maestro, en lugar de consultarles a ellos, se entendía con un indio bruto, que no sabía nada de la cordillera. Abajo, entretanto, al fondo, corría un arroyo angosto, una cuchilla de agua, pero el rumor de la corriente no alcanzaba a llegar hasta ellos. Arriba se levantaban catedrales de piedra, aristas, formaciones que salían como espolones, como arbotantes, o que penetraban en el corazón negro, y se divisaba un poco más allá, a unas tres horas de marcha, porque era un avance lentísimo, en que las mulas afirmaban cada pata temblorosa antes de dar el paso siguiente, las nieves eternas, el cielo azul, cristalino, glacial, donde ya se insinuaba el fulgor dorado del atardecer, y el vuelo majestuoso, pero remoto, visible apenas, de los cóndores. Las patas sacaban chispas azules en las rocas, duras, tiesas, recorridas a la vez por un estremecimiento interno, una sacudida, y uno de los animales, más cargado que los otros, con aparejos más pesados, tembló entero, movió las patas traseras en un saliente de roca resbaladiza, inclinada, sin conseguir apoyo, y las movió enseguida en el aire, con ojos desorbitados, extrañamente congelados. Él vio la mula en el instante mismo en que se despeñaba, arrastrada por el peso de su carga, patas para arriba: el golpe, al fondo, fue como la caída de un saco de papas en una bodega lejana, en un agujero.

¡Quién le había mandado salir de su casa, de su refugio! El Narrador supone que se hizo la pregunta muchas veces, y que la Manuelita, en alguna medida, formó parte de la pregunta. Ella representaba el lado placentero, pero no menos engañoso, tramposo. El tan mentado Nuevo Mundo era así, una trampa movediza, de colores varios, y él se había dejado arrastrar. Se sintió agarrotado, con la boca pegoteada, y tuvo la sensación de que su corazón también se paralizaba, de que caía en un abismo doble. El arriero más grueso, más fornido, trató de levantarlo por los codos. Él leyó en sus ojos la codicia, la desesperación, puesto que habían cobrado un adelanto, pero si no pasaban al otro lado, si no volvían con el problema del camino a Mendoza resuelto, perdían el premio gordo, la bolsa llena de pesos fuertes.

–¡Suélteme! –gritaría Toesca, descompuesto, verde, comprendiendo que estaba rodeado de un puñado de locos, de bestias, porque las otras bestias, las mulas, y los dos indios, eran más de confianza, más dulces, y los arrieros, en cambio, descontrolados, podían arriesgar la vida y tirarlo a él al vacío para quedarse con aquellas cargas de plata. Cuando esto ocurría, la noche, con un viento helado, que cortaba la piel como cuchillo, ya estaba encima. Él ordenó que acamparan en un hueco entre las rocas, y a la mañana siguiente dio la voz a gritos, calculando que los arrieros podían asesinarlo y que su única defensa serían los dos indios, Camilo y Pascual, de regresar a Santiago.

Más tarde, ya de vuelta, los arrieros entregaron su versión de las cosas. La de Toesca fue exactamente contraria, e invocó en su apoyo los dichos de los dos indios, testimonio que no servía, por supuesto, de nada. El caso es que entró a su dormitorio con escalofríos intensos, con castañetear de dientes y fiebre alta, alrededor de ocho días después de haber emprendido la marcha, y se sumergió entre las sábanas, después de haber pedido que le colocaran encima de las colchas pesadas mantas de Castilla. Se hundió, temblando, feliz y miserable, convencido de que la muerte, por primera vez, le había susurrado algo al oído, había dejado sentir, en el desfiladero, y ahora en su dormitorio, alrededor de las cortinas, un aleteo.

Le preguntó a la Palmira, la tonta, que había entrado a recoger sus bártulos, sus calzoncillos sucios, sus botas embarradas, por la señora, y ella dijo que no sabía.

–Como usted no avisó que llegaba...

–¿Dónde está?

Ella dijo que suponía que estaba en la casa de misiá Clara.

–¡Anda a buscarla! –rugió él, tosiendo, atravesado por dolores como puñales.

Al poco rato, en lugar de ella, apareció don José Antonio de Rojas. Se asomó al dormitorio con cara de circunstancias, con un chaleco verde con espigas doradas en la panza, detalle que a Toesca, dentro de su estado de melancolía, le pareció divertido, y le advirtió que lo iban a someter a proceso. Los arrieros habían presentado una acusación en contra suya ante el Tribunal del Consulado. Andaban contando por ahí, en los portales, en los puestos de mote con huesillo de la entrada del Puente, en los tenderetes de cerca del Basural, que él había dado la orden de regresar sin ninguna necesidad, de puro gallina, y ya se murmuraba que el Tribunal iba a condenarlo a devolver la plata, porque la expedición le había costado demasiado al Tesoro. ¡Que no se creyera, el muy ladino, el bachichís, el extranjís, que era cuestión de vivir encerrado, garabateando papeles, dando una orden por aquí, otra por allá, y cobrando!

–Pero usted no se preocupe, maestro –dijo don José Antonio–. Yo lo voy a defender. Voy a explicarle al Tribunal, que está formado por una tropa de ignorantes, por qué todos los artistas tienen la obligación de sufrir de vértigo.

–Lo malo –dijo Toesca–, es que me voy a ir cortado (expresión, suponemos, que había aprendido en la Chimba), por culpa de este maldito vértigo, y los edificios, las iglesias, las torres, se van a quedar a medio levantar.

–Y sus discípulos, ¿para qué están?

¡Los discípulos! ¡No se le había ocurrido! Y lo dijo con el corazón devorado, con los pulmones acezantes. En ese preciso momento divisó a la Manuelita detrás de don José Antonio, tranquila, compuesta, con los ojos profundos, y poco le faltó para sufrir un síncope. Con gesto de bruja, la vieja Eufemia espiaba desde el fondo del corredor, y ella, la Manuelita, se adelantó, hizo una inclinación de cabeza, y se arrodilló junto a la cama.

–¿Qué le pasó, señor?

–Y tú, Manuelita, ¿dónde te habías metido?

–Ya sabe –dijo el mayorazgo Rojas, despidiéndose desde la puerta–. Cuídese. Y no se preocupe de esos miserables...

–¿De dónde vienes? –insistió él.

–De la casa de mi mamita.

Toesca mandó llamar al mulatón Ambrosio, en la noche, cuando la Manuelita ya se había ido a dormir en la pieza del fondo, y el mulatón, con sus labios chupados, le confirmó que ella, mientras él andaba por la cordillera, había conversado mucho con José Antonio, el hijo del coronel Díaz. ¿Cómo? Pues, por encima de la empalizada, entre los huecos, con la cabeza pegada a la portezuela del fondo.

–Y él, ¿se metió alguna vez a esta casa?

El mulatón bajó la cabeza. Miró el piso de tablas con sus ojos amarillentos.

–¡Contesta!

–Sí –dijo, y al cabo de un rato añadió que las tres últimas noches, como a las doce. Se había encaramado por la portezuela, había saltado por la ventana del dormitorio del fondo...

–¿Y?

Y se había metido, explicó el mulatón, con cara de idiota, en la cama de la señora.

–¿Tú los viste?

–Sí –confirmó él. Se había acercado a la ventana desde el jardín, sin hacer el menor ruido, ¡para vigilarlos mejor!, y los había divisado por entre las rendijas.

–¿Qué estaban haciendo?

El mulatón Ambrosio enarcó las cejas. No era muy bueno para hablar, quiso decir: no era lo que más le gustaba.

–Está bien –murmuró el arquitecto, agotado de cansancio, y le ordenó que se fuera a dormir y que no le dijera una palabra a nadie. ¡Ni a la Eufemia, ni a su propia sombra!

Desapareció el mulatón en la sombra del huerto. No volvimos a tener noticias suyas durante meses. En cuanto a él, apagó el velón de sebo y se quedó hundido entre la ropa de cama, con los ojos abiertos en la oscuridad. Pensó en levantarse, pero estaba seguro de que el hijo del coronel, a diferencia de Goycoolea, no se atrevería a entrar cuando él estaba en la casa. A la mañana siguiente, por la Eufemia, supo que el coronel, hacía un par de noches, había armado una tremenda trifulca en su terraza, a gritos, con el sable desenvainado, bajo la luz de la luna, vociferando insultos contra él, por ateo, y contra su mujer, por puta, que ahora se había puesto a corromper a su hijo, y que iba a pedirle al gobernador, y al obispo, y a Su Majestad el Rey, si era necesario, que los pusieran en la cala de un barco, encadenados como alimañas, y los desterraran para siempre. ¡O que se los entregaran al Santo Oficio para que los quemara vivos! ¡Porque había que hacer escarmiento! Y había pegado un sablazo en una puerta, y casi la había echado abajo, y después había entrado en su casa, y los perros se habían quedado ladrando en la noche, como desesperados.

X

Toesca posiblemente pensaba que la arquitectura era una defensa contra el tiempo, un dique de contención o algo parecido. Una defensa precaria, en todo caso, y que al final se desmoronaba. Pero de ahí venía su apego a los materiales nobles, a la piedra de cantería, a los ladrillos de gran tamaño, trabados con piedrecillas seleccionadas, aguas de vertiente, cales de Polpaico, de las caleras del mayorazgo Rojas, y claras de huevo. Su concuñado, Ignacio Andía y Varela, trabajaba la piedra y el fierro, materiales también destinados a durar, pero tenía una visión diferente, en cierto modo más ambiciosa. Sabía que la arquitectura y el tiempo no podían estar enfrentados, disociados, por mucho que los arquitectos soñaran, y le gustaba preguntarle a Toesca sobre las viejas catedrales que había visto en Europa, y oírlo hablar de la poesía de las ruinas, de las enredaderas que se abrían paso por encima de techos carcomidos, de las columnas rotas, de los arcos interrumpidos, fantasmas que se destacaban en los horizontes crepusculares, con su belleza inútil. En las ruinas, explicaba Toesca, el artista final y decisivo no ha sido el hombre, ha sido el tiempo, y Varela, sudoroso, con el martillo y el cincel en las manos, se quedaba con la boca abierta. ¡Pobre Toesca!, pensaba: Después de ver tanto, ¿quién le mandaría meterse por estos lados?

Él creía, como don Manuel, su primo jesuita, y a diferencia de Toesca y de sus amigos, a quienes la razón razonante, la obsesión de la época, les cortaba las alas, que en algún momento no demasiado lejano, y quizás al final del siglo, para lo cual ya no faltaba mucho, llegaría el Mesías en toda su gloria, tal como lo anunciaban una cantidad de signos concordantes, que sólo no veían los ciegos, y que el tiempo, entonces, se terminaría. Y los secuaces de la Bestia, que andaban por todas partes, disfrazados de contadores mayores, de agrimensores, de obispos, de capitanes generales, serían confundidos y probablemente pulverizados por una tempestad de rayos, o devorados por la tierra en algún terremoto. Lo creía, pero no lo decía, ya que don Manuel, su primo, había caído en desgracia y había sido expulsado, como los demás miembros de su orden, y él estaba obligado a defender el pan de su mujer y de sus hijos.

A propósito de Toesca, el Narrador observa que el fin de su vida, por lo menos en el desarrollo de este relato, coincide con la última etapa de la dictadura de los tiempos presentes. La protesta de las cacerolas, en cuyo estallido inicial lo vimos participar desde la cocina de su ex mujer, sólo fue un anuncio, una manifestación curiosamente leve, aunque de una levedad contundente, si se puede hablar así, y que el Narrador, con su memoria fresca de antiguas crónicas, comparó, tuvo el capricho de comparar, con el milagro de la estampita de la Virgen del Carmen, suceso no menos frágil y que también dividió, sin embargo, a los habitantes del Reino de Chile, haciendo sentir a muchos que algo había terminado y que otra era comenzaba. A partir de aquella primera protesta, sencilla, en cierto modo irreal, empezó a producirse un proceso de aceleración, una marcha contradictoria, con avances y retrocesos, atisbos de libertad y reapariciones súbitas de la barbarie, de manera que la gente como Cristina y sus amigos de izquierda o ultraizquierda, e incluso la gente como el Narrador, debido a su pasado comunista, pecado original que nunca se limpiaba, y a su parentela sospechosa, al hijo extrañamente desaparecido, no podía sentirse del todo segura. Era una aceleración comparable a la que se produjo en los últimos años coloniales, a partir de sucesos tan diversos como la conspiración de los Antonios, que parecían dos, en un comienzo, pero que la Historia bautizó más tarde como de los Tres Antonios, con lo cual el mayorazgo, el amigo de Toesca, resultó al final comprometido, y, desde el punto de vista de la Revolución, beneficiado, santificado, o como el caso de la estampita voladora, cuyos efectos en el alma criolla, sin distinción de clases, llegaron a inquietar a la Administración de la época. El Narrador (y nosotros con él, a pocos centímetros de distancia, mirando por encima de su hombro) se rasca la coronilla, mira por la ventana, observa el balcón por donde se asomaba en los últimos años de su vida don Arturo Alessandri Palma, con su nariz de cachiporra, sus grandes orejas, su bastón a la espalda, y deja el juicio en suspenso. Así, pues, entre calmas engañosas y recaídas de la violencia, degüellos atroces y repentinas balaceras, pasa el tiempo, y nos encontramos de pronto en vísperas del plebiscito del año 88, de agosto de 1988, para ser precisos. El plebiscito, que decidirá si el dictador se queda en su asiento de la Moneda o se va con toda clase de resguardos, con sus espaldas bien protegidas, pero dejando paso a un presidente elegido, es el principal tema de conversación, desde hace algún tiempo, en todos los sectores del país, los de un bando y los del otro. Es, además, como podrá imaginar el lector más o menos avispado, motivo de apasionadas discusiones entre Cristina y el Narrador, puesto que ella todavía no abandona, y la verdad es que no abandonará nunca, aunque se desplomen todos los Muros habidos y por haber, su estilo comunista, su manera ideologizada, apasionada, intransigente, de interpretar todas las cosas, y considera, por lo tanto, como consideraba su partido en todo el comienzo de la campaña, que participar en el plebiscito significa entrar en el juego de la dictadura, en buena medida, legitimarla. Cristina, en el fondo, cavila el Narrador, es persona confiable, buena mujer, lo cual resultará ampliamente comprobado en las horas que se aproximan, pero al mismo tiempo, piensa, es una jodida, una furiosa, una Pasionaria de estos lados, y el Narrador sabe que la familia suya, desde luego, con Mariana a la cabeza, Mariana y su boina, y sus misales, y sus acciones de la Bolsa de Comercio, no la tragará nunca.

Ha pensado en la familia porque acaba de encontrar en el cuaderno del teléfono, en la caligrafía torpe de la Filomena, el nombre de Mariana, y se ha dicho de inmediato, con una emoción extraña, con la sensación siempre inédita de los desenlaces definitivos, que deben de ser malas noticias de su padre. Ha calculado bien: Mariana le quería decir que su padre había perdido la conciencia la noche anterior, y que el médico de la familia, un optimista por naturaleza, como a él le constaba, y que tenía una confianza casi sobrenatural en las energías congénitas de don Ignacio, el papá, como decía Mariana, esta vez, después de un prolongado examen, había concluido que la situación era de una gravedad terminal. A don Ignacio, había dicho, sólo le faltan horas para entrar en un estado de precoma, si es que ya no ha entrado. Ella se tomó, entonces, la libertad de llamar a un sacerdote de su confianza (no necesitó decirle que don Ignacio, poco aficionado a misas y liturgias, y desconfiado, además, en años recientes, de los curas rojos, siempre se había proclamado católico y apostólico), y hacía pocos minutos le había puesto los santos óleos, vale decir, le había administrado el sacramento de la extremaunción.

–Voy corriendo –musitó el Narrador, y se cambió de traje y se puso corbata en cuestión de segundos, dejando sus papeles tirados.

Mariana lo recibió en la salita contigua al dormitorio principal, donde había fotografías de ellos en su infancia, de hombros pegados, de expresiones entre burlonas y reconcentradas, en un patio del fondo de la misma casa, o junto a un estero, debajo de un sauce; de doña María Luisa, su madre, que había muerto de una fulminante leucemia hacía veinte años (¡veinte años!, exclamaba él: ¡qué horror!); de sus abuelos maternos y paternos, iluminados y a la vez desteñidos, y hasta un gran retrato al óleo del bisabuelo, recién llegado al país, el fundador de la rama paterna de la familia, enmarcado en cortinajes rojos plegados y con un puerto chileno de mediados del siglo XIX, veleros y rompientes, una costa montañosa, ¿Coquimbo, Valparaíso?, como escenario de fondo. ¿De manera que la vida de su familia era una representación teatral, con un acto por cada generación, y necesitaba del correspondiente decorado, lo cual permitiría concluir que Ignacio chico, el Hijo, el Nieto, el Bisnieto, se había cansado de actuar y se había fugado, o se había propuesto colocar una bomba en la escena decisiva, un *Deus ex machina,* pero al revés de los cristianos?

Exit don Ignacio, el Hijo y el Padre, el Abuelo, se dijo ahora, al entrar, después de diversos preámbulos, a la habitación, y al divisarlo de perfil, hundido en la cama, con la boca semiabierta, con la nariz fuerte y los demás rasgos acentuados por la enfermedad, erosionados, y al escuchar el ligero estertor, al observar las manos gruesas, huesudas, probablemente parecidas, se dijo, a las de Ignacio Andía, el oso, el picapiedras, aun cuando nadie menos aficionado que don Ignacio a los estudios herméticos, a los vaticinios apocalípticos: manos que sin duda habían sido fuertes, voluntariosas, pero que ahora, cruzadas encima del pecho, unidas sin saberlo a un crucifijo, mostraban las coyunturas y los huesos salientes, la piel hundida, manchada, y de repente se movían, se agitaban, como impelidas por una ligera descarga, última señal de la vida que se extinguía.

Pensó en Cristina, la intrusa, la llegada de otro planeta (según decía su madre ya en aquellos años, y según decía todavía Mariana), y en la desaparición inquietante de Ignacio chico. Se deslizó entonces, en puntillas, sin decir una palabra, hasta el teléfono de la salita contigua, junto a la fotografía de hombros pegados y ojos turbios, y marcó el número del departamento de Santa Lucía. Después de dar la noticia, añadió, con entonación más bien torpe:

–Era bueno, me pareció, que tú lo sepas. Por muy separados que estemos...

–¡Por supuesto! –respondió ella, y él comprendió que había incurrido en un error de cálculo, en una vacilación infundada, puesto que ella, en contraste con él, se puso las pilas de inmediato, como habrían dicho Ignacio chico y sus amigos, como también solía decir el Cachalote Alcócer: de inmediato y sin necesidad de las justificaciones suyas. En otras palabras, ella, Cristina, frente al desenlace inminente, reaccionó como miembro de la familia, legítima esposa suya y madre de Ignacio el Menor. Reaccionó de ese modo sin necesidad de que él le pidiera nada, en virtud de uno de los misterios, una de las verdades no dichas de la sociedad chilena, que en los momentos de verdadera crisis, cuando la cosa va en serio, siempre se vuelve conservadora: a pesar del dirigente comunista griego, con su cara cortada a cuchillo, con el tabaco negro, pestilente, de sus *Gauloises,* que había causado los primeros conflictos serios en el matrimonio, en París, en años ya distantes, y a pesar de los amantes ocasionales, de los colegas de trabajo, de los compañeros de partido, que el Narrador intuía que habían pasado, en ausencia suya, por la cama de tamaño matrimonial del departamento de la calle Santa Lucía, y a pesar, además, de las diferencias doctrinarias, que no eran doctrinarias, sugería él, sino temperamentales y hasta hormonales, tesis que a ella la sacaba de quicio, que le parecía manifestación de un machismo asqueroso. Y a pesar de los domicilios separados, relativamente cercanos, a distancia de caminata, pero separados.

–¡Puchas! –exclamó Ignacio chico esa noche, desde el segundo o el tercero de sus piano bares, porque ahí lo encontraron ellos, por fin, después de llamarlo desde el teléfono de Cristina, de modo que los famosos piano bares no eran una pura coartada o un invento piadoso: el joven rebelde, el presunto guerrillero, se hallaba en vías de convertirse en el rey de la noche de Recife y de sus alrededores, y al paso que llevaba, de todo el nordeste del Brasil. ¿Actividades de fachada, o la fachada era lo otro, la supuesta clandestinidad, la Revolución bienamada?

–¿Qué dices ahora, Cristina? ¿Nuestro hijo es un yupi, o un terrorista, o ambas cosas?

Cristina, desarmada, abría las manos. Por el teléfono, que recogía los acordes ahogados de uno de los pianos, entre carcajadas y ruido de copas, Nacho había dicho que le gustaría mucho ver al viejo, a su abuelo, ¡a don Nacho!, antes de que las emprendiera. Porque tenían grandes diferencias sobre casi todo, pero cuando se ponían a conversar largo, encontraban puntos curiosos de acuerdo. En materias, por ejemplo, de cantantes de ópera, o de gastronomía, o de poesía francesa, porque hasta de poesía francesa sabía el viejo, o de gusto por los chambergos italianos y las bufandas escocesas. Él lo había llamado por teléfono varias veces, en la época en que todavía conservaba un resto de cabeza, detalle que Cristina y el Narrador ignoraban, y que contrastaba con la falta de llamados a ellos. ¿Y por qué don Ignacio no se los había comentado? ¿Por petición suya? El viejo, comentó Ignacio chico, estaba medio perplejo, pero orgulloso, en el fondo, de sus progresos en los negocios, fueran los que fueran, con el orgullo de un *capo di mafia* retirado y que seguía con chochera, con la baba colgando, las proezas del nieto. Mucho le gustaría, pues, verlo, antes de que estirara la pata, y aunque no podía tomar un avión en ese mismo minuto, trataría de hacer alguna combinación en São Paulo. A ver si llegaba.

–¡Ojalá! –repitió, antes de colgar, y se notó a la distancia, por encima de los acordes del piano y de los ruidos confusos, la emoción, el nudo en la garganta.

–¡Es un hijo normal! –concluyó el Narrador, ufano, en un tono parecido al que habría utilizado en sus buenos tiempos don Ignacio.

–¡Por descontado! –dijo Cristina–. El único, aquí, que no es un hijo normal, ni un marido normal, si es por eso, eres tú.

–¿Por qué? –preguntó él, con una expresión que la perplejidad había redondeado y en cierto modo depurado, y pensó en completar la pregunta, pero al fin la dejó en el aire. Se quedó con la boca abierta, con los ojos redondos fijos en el techo, que en ese departamento de la década del treinta tenía alrededor de cinco metros de altura, además de ángulos interesantes, poderosos, limpios.

–¡Por lo que sea! Porque eres un ensimismado, un ausente, una especie de autista, ¡yo qué sé! ¡Yo me limito a constatar el hecho!

–¿Una especie de artista?

–¡Autista! –corrigió ella, a gritos.

Esa noche no durmieron juntos, ¿por rabia, por respeto al cadáver de don Ignacio, quien había fallecido hacía poco rato y era velado en la iglesia de El Golf, por simple cansancio? En la misa de difuntos, celebrada en aquella misma iglesia a las cuatro de la tarde del día siguiente, y cuyo anuncio, a pesar de lo tardío de la hora del fallecimiento, alcanzó a ser insertado en la edición matutina de los diarios, hicieron acto de presencia viejos miembros de la familia, parientes cercanos y remotos, en muchos casos estrafalarios, salidos de no se sabía dónde, acompañados de hijos y de nietos que el Narrador no había visto ni en pintura, cuya existencia misma, en la mayoría de los casos, ignoraba, pero a quienes su hermana, por el contrario, les conocía el nombre y la filiación, el parentesco exacto, sin el menor tropiezo, aparte de una asombrosa cantidad de datos de sus respectivas biografías. También llegaron antiguos amigos del difunto, gente que parecía salir de sus tumbas, que hacía pensar en una resurrección de la carne y hasta de los trajes, además de personas no muy fáciles de ubicar, de posición incierta, y el Narrador distinguió de repente, entre la masa compacta de la asistencia, la cara filuda, neutra en apariencia, que lo observaba todo de reojo, que hacía volar la vista de ave de presa por encima de las cabezas, por entre los intersticios que dejaban hombros y brazos, con perfecto disimulo, con aplomo de hombre más mundano de lo que había creído en un principio, del inspector Jorquera. Su primera reacción fue, con el corazón en la boca, darle un codazo a Cristina, sentada al lado suyo y de traje de sastre gris oscuro, impecablemente vestida, maquillada y peinada, cosa poco frecuente en ella, pero se abstuvo, ya que al inspector no se le habría escapado el gesto, y ella, dentro del rol que había adoptado hacía pocas horas, habría podido ponerse nerviosa. Tragó saliva, pues, y trató de poner una expresión igualmente neutra, distante, mundana, mientras cruzaba los dedos para que la combinación por São Paulo que iba a tratar de alcanzar su hijo no resultara.

–No es tan tonto –murmuró para sí–. No van a agarrarlo así nomás.

–¿Qué dices? –preguntó Cristina.

–¡Nada! –exclamó, y se dijo que si agarraban a Ignacio chico, también podían tomarla a ella de nuevo, ya que estaba fichada, e interrogarlo a él mismo, colocarlo en la parrilla eléctrica y hacerle una pasada ligera. ¡Mierda!, murmuró entre dientes, y una señora de la fila de adelante lo miró de soslayo, con expresión molesta, porque las campanillas de la Consagración habían empezado a sonar. Poco después de las campanillas, Mariana y Manolo, su marido, el perfecto empresario católico, acompañados de todos sus hijos, se levantaron al unísono y se acercaron a recibir la comunión, mientras él y Cristina se quedaban en sus asientos, impávidos, con miradas perdidas en los cielos de estuco. Llegó el momento solemne, por fin, después de los responsos, en que los empleados de las pompas fúnebres retiran las coronas de flores y los miembros masculinos de la familia se disponen a cargar con el ataúd de lujo, recién rociado por algunas gotas de agua bendita. El Narrador, entonces, que había pasado a ser el primero de los Ignacios vivos de la familia, y que todavía no estaba seguro de que el otro, el chico, no llegara y fuera detenido en la entrada por los esbirros del inspector, a quienes ya había empezado a detectar en diferentes puntos estratégicos, y Manolo, el marido de Mariana, en compañía de Manuelito, su hijo mayor, y don

Luis Arturo Rojas, un hombre anciano, siempre vestido de franela gris y corbata de humita, enteramente británico de aspecto, amigo de confianza de don Ignacio y de la familia de su viuda, y descendiente directo, por lo demás, de don José Antonio, el presunto conspirador de hacía dos siglos, el dueño de Polpaico, el defensor y albacea de Toesca, además de otro caballero, un cirujano jubilado, bombero y hombre de club, quien también había sido íntimo de don Ignacio, avanzaron hasta el catafalco, que ya había sido despojado de sus numerosas coronas florales y de sus cirios eléctricos, y tomaron las manillas de bronce. El Narrador miraba para los lados de reojo, como si quisiera enterarse de la gente que había concurrido a los funerales de su padre, cuya solemnidad, cuya asistencia, lo dejaban, en cualquier caso, pensativo, pero lo hacía, más que nada, con la esperanza de no ver aparecer a su hijo, ya que el inspector Jorquera, como parecía evidente, no había venido solo, ni con el exclusivo afán de cumplir con obligaciones sociales.

Se abrieron las puertas de la iglesia del Golf sobre un día de sol del barrio alto de Santiago, con el perfume y el zumbido de los jardines de las cercanías, y la nutrida concurrencia, entre la cual se destacaban algunas caras conocidas del régimen, entre ellas un par de generales y dos o tres marinos de alta graduación, les dejó el camino del centro con actitud respetuosa. El Narrador se imaginaba lo que sucedía adentro de aquellas cabezas, detrás de aquellos rostros un poco pálidos, o congestionados, con los ojos salidos de las órbitas e inyectados en sangre, cuando pensaban en don Ignacio, encerrado en el cajón que se balanceaba rumbo a la salida, y lo veían en la compañía suya, un desclasado, un traidor, un habitante de catacumbas desaseadas, y de Cristina, que ahora se había presentado muy modosa y compuesta, pero que habría sido capaz, en circunstancias diferentes, de colocarles una carga de dinamita, mientras comentaban, quizás, la ausencia del hijo, que había pasado por la cárcel pública en calidad de delincuente subversivo,

¡un nieto del difunto!, y había optado, seguramente con buenas razones, por autoexiliarse. Se lo imaginaba, porque algo, sin duda, pasaba por aquellas cabezas, y a la vez le costaba imaginárselo. Prefería poner las cosas entre paréntesis, dejar el juicio en suspenso: mientras el roce del cajón contra el piso del vehículo gris del Hogar de Cristo producía un chirrido metálico, y mientras alguna gente, con expresiones fruncidas, se acercaba y lo saludaba, ¡a pesar de todo!, y mientras Cristina se encontraba con amigas de otro tiempo y entablaba conversación con ellas, de lo más tranquila, sorprendentemente mundana.

El viejo cirujano, de patillas blancas enroscadas, cuello duro, cara de payaso, se acercó al Narrador, Ignacio Segundo, quien ocupaba ahora el lugar del primero, y lo palmoteó en la espalda.

–¿Así que tú eres –dijo, en tono de pregunta–, el hijo de Ignacio: el que parecía tan inteligente en el colegio y que después, de repente, se puso tonto?

–Sí –respondió él, pensando que no podía, al lado del cadáver de su padre, darle un escupo o una palmada en la cara–. Exactamente. ¿Y usted, quién es?

–Yo he sido un gran amigo de tu padre, y hasta de tu abuelo, y de tu abuela. De toda tu familia. ¡De la gente bien de tu familia!

Agregó un nombre y un apellido de orígenes escoceses, nombre y apellido que el Narrador conocía de memoria, pero ahora, para molestar al payaso jubilado, el Narrador se encogió de hombros en forma ostentosa, como si aquellas señas no le dijeran absolutamente nada, y miró el cielo azul con algunas nubes. Murmuraba para sí que don Ignacio, instalado ya en su furgón final, de marca Mercedes Benz, y rodeado de coronas de lujo, nunca más contemplaría las nubes, ni aquellas ni las que vendrían más tarde, cosa obvia, pero que a él, en ese instante, le parecía extraña, inexplicable. Así como le parecía extraño que hubiera tantas cosas que don Ignacio ya nunca sabría. Y que él, quizás, tampoco sospecharía. Y que Ignacio chico, el gran ausente, estaba destinado, a lo mejor, con el paso del tiempo, a conocer un poco. Salvo que se destruyera a sí mismo o que los demás terminaran de reventarlo. Porque los hombres de la CNI, de trajes grises bajo los rayos del sol, de pelo corto, no descansaban, en tanto que el inspector Jorquera, de manos hundidas en los bolsillos de la chaqueta y pulgares salidos, pestañeando bajo la luz, se había puesto a conversar con una de las cabezas del régimen. El Narrador se imaginó una oficina, una taza de café, unos archivadores de metal, un dictado, mientras se escuchaban gritos al final de una galería. Evocó, enseguida, una estampa del Piranesi, un recinto más bien oscuro y húmedo. El chófer del furgón del Hogar de Cristo ya había puesto el motor en marcha y él tenía que dirigirse al automóvil que había alquilado para ir al cementerio con Cristina. Ve usted, quiso decirle al inspector: mi hijo Ignacio no pudo hacer, por fin, la combinación con el avión de São Paulo. Nosotros tenemos mucha paciencia, le contestaría el inspector. Y él pensó, enseguida, que el Piranesi vendía sus estampas, sus cárceles, sus ruinas, a pocos metros de la casa de la familia Toesca, junto a una esquina que servía en las noches de cagadero público, en un sucucho de mala muerte. En aquel lugar hacía incisiones en una plancha de metal, ajeno al resto del mundo, y nadie llegaba a molestarlo.

XI

Escuchaba desde su cama el tamboreo de fondo, ahogado por el bullicio de la gente, por los gritos y las carreras, los ladridos de los quiltros, por los cantos destemplados de las cantoras y los cantores, el sonido de las arpas y el rasgueo de las guitarras, que lo habían hecho acordarse, no sabía por qué, por el contraste y la distancia, pero también por el curioso parecido, como si todas las manifestaciones humanas se tocaran en algún punto, y como si su vida, mi vida, al acercarse a su desenlace, hiciera un resumen, una especie de selección de la memoria, de los cantos de los últimos castrados, coros que lo habían sorprendido una mañana, en una salida de la casa, en los sótanos de San Pedro. Estaba parado frente a una de las criptas, pensativo, y aquellas voces, tan diferentes de las cantoras del norte, con sus arpas y sus vihuelas, pero, a la vez, tan parecidas, habían avanzado desde el fondo, con una cruz dorada, con cirios, con vestiduras albas. Ahora, en cambio, después de un recorrido tan largo, escucho a las cantoras, muy lejos, pero me siento rodeado por un chivateo bárbaro, por carcajadas de borrachos, por ladridos y rebuznos, por los silbidos de un viento áspero arriba del techo, y lo peor, pensó, pensé, era que me había acostumbrado. Pero no sabía, en realidad, por efecto de la fiebre, qué era lo peor, o lo mejor, y cavilaba sobre el contraste entre el ruido de la fiesta y el silencio del fondo de la casa, de donde la Manuelita había salido sin decirle nada, sin pasar a despedirse, lo cual me hacía sospechar que ya no volvería nunca, sí, en tanto que la Palmira, la tonta, y la Eufemia, la malvada, habían ido a misa, y la negrita de los cojines de terciopelo miraba desde los portales del sur los toros toreados con lanzas por indios a caballo. Él había visto en los días de su llegada a un indio agónico, bajo la sombra de unos andamios, con la mitad sanguinolenta del intestino afuera, y me acuerdo hasta hoy de los ojos vidriosos, y de la gente que pasaba, miraba, y después seguía su camino.

Allá también nos matábamos, y algunos estaban obligados a dejarse matar, y no supo si esto ocurría de otra manera o, a pesar de todo, de la misma. En cualquier caso, cuando las cornetas desafinadas indicaron que habían retirado de la Plaza al último toro muerto, y cuando noté un rápido aumento de la bullanga, de los tamboreos y las huifas, como si el carnaval se acercara a su culminación, al punto en que la caída de la oscuridad empezaba a cambiar el cariz de las cosas, decidí levantarme, a pesar de que sentía mareos y de que la fiebre me volaba la cara.

Se levantó, en efecto, con las piernas enclenques, y al comprobar que era capaz de mantenerse en pie, se puso la casaca negra con estrías de hilo de terciopelo y con botones plateados, que sólo se ponía para las ocasiones importantes, se colocó al cinto el espadín de brigadier mayor de Ingenieros Militares, parecido al que había sostenido durante las ceremonias de su adolescencia, en la Escuela de Brigadieres del Milanesado, allá, y se cubrió, al fin, con el bicornio de terciopelo más oscuro, a sabiendas de que entrar a la Plaza, cuando el vino y la chicha habían corrido durante tantas horas, no carecía de riesgos, y sobre todo en esta facha, con estos arreos. Pero, ¿qué alternativa le quedaba? Si seguía en la cama, solo, esperando morirse, escuchando los ruidos de las junturas que crujían, del ventarrón, de los animales asustados, se desesperaba. Al salir conseguía un poco de respiro, una postergación, aunque sólo fuera ilusoria. Porque ya estaba condenado. Sólo le quedaba un poco de tiempo para despedirse.

Entró, pues, al centro de la fiesta, en el tierral, y nadie se fijaba en su aspecto medio fúnebre, con la mano izquierda sobre el espadín, la derecha sujetando el bicornio, dientes apretados, ojos atentos, al aguaite, aunque velados por la fiebre alta. Le ofrecieron un potrillo de chicha, mi caballero, o de pipeño blanco, del sur, ¡de Chillán pa' la costa, mi alma! Yo me zampé todo el pipeño, sin parar, con los ojos cerrados, abandonando el espadín, temblando, sintiendo que la brisa, que era traicionera, podía llevarme.

–¡Así me gusta! –dijo la vendedora, más que contenta, y unos campesinos que estaban al lado de ella, de ponchos a rayas de todos colores y chupallones altos, que se tambaleaban, no muy seguros en sus ojotas, se rieron todavía más, con las bocas desdentadas, y aplaudieron.

–¡Otro! –pidió él, pedí, sintiendo que las manos pálidas, febriles, que habían temblado sobre la empuñadura del espadín, ya no le temblaban.

–¿Del mismo, mi caballero?

–¡Del mismo!

Los campesinos volvieron a reírse, con los agujeros negros de sus bocas, y volvieron a aplaudir, tambaleándose, ajustando mal los aplausos. Yo no sabía, de repente no creía en lo que me pasaba. Me vino una feroz náusea, y una sacudida por dentro, que pareció que acababa conmigo, y le pasé el potrillo al huaso que estaba más cerca.

–Para usted, *signore* –le dije, porque hasta el castellano se me había olvidado.

–Gracias, *señore* –contestó el huaso, y se llevó un dedo mocho a la frente.

Me despedí de los campesinos y de la dueña de la ramada, que revolvía, rebosante de satisfacción, con una cuchara de palo, una jarra guatona de chicha de maíz, y escuché un rato a las arpistas y vihuelistas, a las cantoras y a los tamboreros, que entonaban cantos a lo humano y a lo divino. En ese momento, en una esquina, fuera de la fiesta, hacia el nororiente, me pareció divisar a don José Antonio y a don Manuel de Salas, su cuñado, en compañía de cuatro o cinco personas más, gente conspicua, a juzgar por las capas, por las hebillas, por los sombreros, que se había acercado a mirar los festejos populares. Conseguí esconderme entre la muchedumbre que se desplazaba, que cantaba y batía palmas, que se metía por todos lados. Tuve que esquivar a un par de huasos a caballo, con grandes estribos como cajas de madera, y me apoyé en una carreta tumbada donde vendían sandías. Creí ver que don Bernardo Llanete y su esposa, matrona de pechos gigantescos, vacunos, de papada triple, contemplaban el espectáculo desde un balcón, detrás de maceteros y banderolas, pero mi vista no me permitía estar seguro. Había gran número de enmascarados y enmascaradas confundidos con los campesinos, y uno que otro indio, algún cacique de Talagante o de Melipilla, de Vitacura, de tolderías cercanas, con todos sus adornos, y se divisaban dominós de buena seda, como en los remolinos que se formaban en la Piazza di Spagna, aun cuando la música era tan diferente, y un bufón gordo, pero ya no sé si acá o allá, o si la fiebre, el cansancio, con cascabeles en las dos puntas de un bonete rojo, de nariz y largos bigotes postizos, daba gritos sin sentido, aullidos de pajarraco, parecidos a los aullidos de pesadilla que lanzaban, contaron, las gallinas, los gallos, los gansos que bajaban por el río en los días de la avenida grande, en los años de su llegada.

Pensó en tantas cosas, imaginó el laberinto de las celdas y sus misterios, sus tormentos y hasta sus placeres, y pidió, para calmarse, otro poco de chicha. Los presos, pelados al rape, lívidos, con las caras tiznadas, se apiñaban contra los barrotes de uno de los boquetes de la cárcel, en los subterráneos de la Audiencia, y estiraban las manos. A veces les caía un mendrugo de pan, algunas cáscaras, una coronta de choclo a medio morder, y otras veces los verduleros, los carreteleros, los ociosos que pasaban por la vereda, trataban de alcanzarlos con un garrotazo, pero ellos sabían esconder las manos a tiempo. La torre central de la Real Audiencia se perfilaba contra el atardecer, iluminada por el último resplandor rojizo, y él, observado con curiosidad por el anciano que le había vendido la chicha, se dijo que no estaba mal, pese a todo, aquella estructura, aquella masa sólida, aquella torre alzada, fuerte y a la vez liviana, y se preguntó si la Manuelita, con su desvarío, había comprendido algo.

Quizás, se dijo, sobándose la barbilla, y en ese preciso momento, ella, con una falda llena de fruncidos, blusa de encaje blanco, el chalequillo verde que le trajo de Lima, pelo recogido en cuatro trenzas rematadas en cintas rojas, con una baratija brillante en cada una, azul, colorada, verde, lila, cintas y baratijas que se bamboleaban al aire, pasó a la carrera, muerta de risa, cubierta apenas por un antifaz, con la frente y las mejillas embadurnadas de polvos de arroz, con los labios pintarrajeados, y detrás de ella, pescoteándole la cintura sin el menor disimulo, corría el alférez imberbe, el hijo de su vecino el coronel, con un sombrero negro, aludo, lleno de vuelos, escarapelas, borlas, y una larga nariz postiza, de matices rojizos, burlesca. Él, ante la expresión alarmada del anciano, que trató de esconderse detrás de unos toneles, tiró su vaso de chicha al suelo y desenvainó la hoja filuda del espadín, que brilló en la penumbra. Hubo chillidos de mujeres, insultos, empujones y carreras, y la gente le abrió camino, asustada. Alcanzó a golpear al hijo de su vecino en la espalda y a sujetarlo de la capa, pero sólo cayó el sombrero aludo, con hebilla dorada sobre escarapela negra, mientras ellos, hasta ese instante risueños, le lanzaban por encima del hombro una mirada extraña y arrancaban a perderse.

Nos encontramos ahora, cuando la oscuridad ha caído sobre la Plaza del Rey, al cabo de tres días de jolgorio, en los momentos en que la fiesta empieza a disolverse, con Joaquín Toesca en los huesos, febril, profundamente alterado, en el centro de un círculo que calla, en contraste con los ruidos que todavía perduran en otros sectores, y que lo mira con fijeza. Da la impresión de que él, que se ha quedado con el sombrero de alas anchas y frondosas escarapelas, de espadachín de un siglo anterior, en la mano, está fuera de este mundo. Tiene la boca de labios finos abierta, los ojos encendidos, una mano agarrotada en las alas y los crespones, otra en la empuñadura. El gesto que sigue es el de envainar el espadín, con casi excesivo cuidado, con disimulado temblor, y el de caminar con pasos a la vez largos y lentos hacia la esquina norponiente, donde la silueta de los andamios de la Catedral se ha confundido con la noche. Lo siguen algunos murmullos y algunas risas más bien nerviosas, algunos niños. La negrita de los cojines se acerca, con los ojos redondos, y le pregunta si se le ofrece algo. Él no le contesta. Observa la fachada de la catedral, sin soltar el sombrero lleno de crespones, y se dice que ya no, que no tendrá tiempo.

–¿Y ese sombrero? –pregunta la Eufemia.

–¿Este sombrero?

Lo levanta y lo mira, como si lo mirara por primera vez. Con cierta extrañeza. Porque se le había olvidado. Lo deja caer en el suelo de tablas de su dormitorio, a los pies de su camastro. La Eufemia se acerca a recogerlo. Él, yo, de un solo grito, le ordeno que no lo mueva de ahí. Hasta que yo no se lo diga.

–¿Oíste? –y no agregué la palabra «bruja», pero ganas no me faltaron.

La Eufemia contestó que sí con un gesto, tragando saliva. Tiesa como una estaca, como si se hubiera tragado el palo de escoba. La Palmira y la negrita, desde la puerta, con cara de susto, tampoco se movían.

–No es más que un sombrero –dije, como si hablara con el aire–, y ahora, me voy a meter a la cama, y quiero que me traigas un plato de espárragos con un buen vaso de vino.

–¿Cómo? –rezonga ella, la bruja–. ¡No es tiempo de espárragos!

Aunque no fuera tiempo de espárragos, se hundió, Toesca, en las sábanas, y lanzó un quejido desde el fondo de su ser, como si le dolieran todos los huesos, las articulaciones, y todo lo que estaba detrás de los huesos, más al fondo. Habría sido mejor, quizás, despeñarse en la cordillera, ya que así no lo habrían acusado y no se habrían ensañado contra él, se habrían quedado tranquilos, pero la vida, por sorprendente que eso fuera y pareciera, todavía le gustaba. Por ejemplo, el aire fresco de la noche, el olor a azahares, y los restos de música de la Plaza, que aún no se habían extinguido. Le habría encantado contemplar la torre suya, iluminada por la luna creciente, pero lo haría después, cuando el carnaval se hubiera apagado del todo, en la Plaza silenciosa, alterada por el movimiento confuso de los presos en las mazmorras, por la sombra de algún aguatero tardío. Se refocilaría, entonces, escondido entre los portales, con la contemplación de la curva graciosa, la línea vertical, el juego macizo y sencillo de los ángulos, de las luces y las sombras, y se despediría, respirando mejor.

La Eufemia golpeó a la puerta con suavidad, con nudillos frágiles. Traía un plato de papas con acelgas y un copón de estaño lleno de vino tinto hasta los bordes. Él se comió las papas, se repitió dos veces el copón de vino, hablando solo, mirando de reojo el sombrero aludo, y durmió, sobresaltado, lleno de sueños que tendían a transformarse en pesadillas, hasta las doce del día. Después del episodio de la Plaza del Rey, Manuelita se había ido y no había vuelto. ¡Cuántas veces se había ido! El problema, ahora, era que el tiempo había empezado a terminarse. Él tosía, con desgarros, con dolores, en un estado semi inconsciente, y el fuelle de sus pulmones se acortaba.

En el anochecer, al final de una siesta prolongada que lo había dejado un poco mejor, recibió la visita de don José Antonio. Venía excitado, medio descompuesto, y le contó que se había pasado toda la mañana haciendo su defensa ante el Tribunal, donde pedían que restituyera el dinero que había gastado, malgastado, de acuerdo con el testimonio de los arrieros, y que creía que los había convencido.

–Muy bien –dijo Toesca, con las manos aferradas a las sábanas y con los ojos fijos en el suelo, en las hebillas de plata de los zapatos del mayorazgo, en el sombrero de alerones y escarapelas negras–. Entonces, le voy a pedir un señalado favor. Quiero que vaya a casa de misiá Clara Pando, aunque ahora sea de noche, y que le diga a la Manuelita que venga sin falta mañana al mediodía, y que no tenga ningún miedo, sólo es para despedirme, y que no traiga a misiá Clara por motivo alguno (tendrá usted que decírselo con la mayor delicadeza), y quiero que mañana a primera hora le diga a mi jefe de obras en la Moneda, el señor Olea, don Pedro, que venga también, y al maestro Pineda, el albañil principal, y a la señora Portales, ¿me oye?, la señora de la casa de la esquina poniente, que me manda fuentes tapadas con una servilleta cada vez que tiene locros falsos, porotos granados, moldes de higo con manjar blanco, que me van a hacer mucha falta en el otro lado, aunque usted se ría, y al jefe de la fábrica de ladrillos, el señor Fadrique, gran ejecutante de mis invenciones y persona exquisita, divertida, ¡ah!, y no se olvide, por favor, va a tener que traquetear toda la mañana, pero es lo último que le pido, de avisarle a mi cuñada, la Pepita, y a su marido, Ignacio, que es la mejor persona de todo este Reino. Y que no lo sepa por ningún motivo el coronel Díaz, mi vecino del costado oriente, usted me entiende, no quiero nada que me recuerdo ahora, en este extremo, las locuras de la Manuelita, porque no son más que locuras, enfermedades, y ella, si usted le quita su locura, es una niña encantadora, ¡una santa!, ¿sabía usted? Si yo no la quisiera con todos sus defectos, con la enfermedad de la mente, que cada cierto tiempo la ataca y la convierte en otra, diferente de la Manuelita dulce, delicada, que yo conozco, ¿qué gracia tendría? ¿Capisce?

–Capisco –dijo don José Antonio, moviendo la cabeza, impresionado, y ¿qué saco, pensó, con pedirle que se calme, que descanse? Ahorrar fuerzas, a estas alturas, o en estos abismos, mejor dicho, ¿qué sentido tenía? Y el maestro, que había estado enfermo, siempre, él mucho más que Manuelita, sacaba de repente energías de no se sabía dónde, y se incorporaba en su cama, como si estuviera viendo las torres de la ciudad del futuro que no había alcanzado a levantar, y de sus ojos brotaban luces, ascuas.

–Dígale también –agregó, y se dejó caer en el lecho revuelto–, a la señora del puesto de frutas de la esquina encontrada de la Plaza, que me conseguía chirimoyas muy buenas, y espárragos, ricos espárragos. –Y guardó silencio un rato, pensativo, porque Manuelita, después de todo, no había sido más que la mano del destino, cosa que ella nunca había entendido–. Y a la María Jesusa, ¿la conoce?, la viuda de Alcántara, y a don Francisco Pérez de Uriondo, que nos reunió y nos puso bien por encargo de Su Majestad, para que las obras de la Capitanía General no se vieran perturbadas, nunca se lo cuento a nadie, pero ahora, ¡qué más da! ¡Ah!, y no se olvide de don Bernardo Llanete (que conoció mi escarnio, mi humillación máxima), y de su esposa, que me quería mucho, que me mandaba alfajores y suspiros de monjas con una de sus negritas...

–¿No se murió su esposa?

–No lo sé. Averigüe con cuidado.

–¿Y a don Manuel de Salas? –preguntó don José Antonio.

–¿A don Manuel de Salas, el Ilustrado? –replicó él, con una mueca, con un resto de humor–: ¿Usted cree, mi querido Rojas, que estoy organizando una sesión de la Academia?

El mayorazgo se rió, diciéndose que don Manuel, en efecto, había salido a su madre, la pesada de su suegra, y Toesca, hundido debajo de la ropa de cama, sacó una mano de muerto y le hizo señas para que se fuera, para que corriera a cumplir con el pedido. Salió don José Antonio y entró la Eufemia, que debía de estar escuchando desde la sombra.

–Apágame el velón –ordenó él–, ¡y ándate!

Ella se encogió de hombros y dio un grito como de frío.

Él, en la penumbra, en un poco de luna que se colaba por la ventana, se levantó, con el pecho desgarrado por la tos, y recogió el sombrero. Se volvió a hundir en la cama y lo miró encima de su pecho, enorme, como un fantasma encrespado. Enseguida lo escondió debajo de las sábanas. Sintió una extraña excitación, el comienzo, incluso, de una erección, el último soplo de energía. Pero la energía, la vida, el deseo, lo abandonaban por todos sus poros. Tomó el sombrero, entonces, y lo arrojó lo más lejos que pudo. La luna parpadeaba, y a él le hacían falta, para mitigar ese momento, las cantoras petorquinas.

XII

En los días que siguieron a la muerte de don Ignacio, el Narrador vio a mucha gente del estilo del viejo cirujano de apellido escocés, gente que le tiraba las orejas y a la vez, con un encogimiento de hombros, con una sonrisa burlona, daba la impresión de perdonarlo, o de don Luis Arturo Rojas, el amigo de sus abuelos y de sus padres, el descendiente en línea directa de don José Antonio. *«Vous d'ont la bouche est faite à l'image de celle de Dieu»*, recitaba, exaltado: *«Bouche qui est l'ordre même»*, y sentía que sus neuronas habían entrado en caída libre. Recibió visitas de pésame en compañía de su hermana, en una especie de fraternidad recuperada, ¿falsa fraternidad?, en la casa familiar ahora vacía, cuyos muebles y objetos, figurillas y fotografías, iban a repartirse entre los dos dentro de muy poco, e incluso llegaron personas a su departamento de la Plaza de Armas, aun cuando el sitio, en la opinión expresada con insistencia por el Cachalote y seguramente callada por muchos otros, no fuera digno del primogénito del poderoso y rumboso desaparecido. Pero se veían tantas cosas, en los tiempos que corrían, ¡y eran tantas las que estaban por verse! Muchas de las visitas se anunciaron con la debida anticipación. Otras fueron previsibles, pero tampoco faltaron las imprevistas, inesperadas: gente que salió de ultratumba, de los patios del antiguo colegio de la calle Alonso de Ovalle, o de los márgenes, de los resumideros, o que se desplazó desde los centros neurálgicos, el Club de Golf o la Bolsa de Comercio, personas que el Narrador había olvidado, a pesar de lo centrales, de lo obvias que eran, y quizás por eso.

¡Como si aquí no hubiera pasado nada! Un caballero de historia larga, de presumible fortuna, se moría, y la gente le hacía visitas de pésame al hijo, ¡nada más natural! ¿Que el hijo vivía en un piso destartalado de la Plaza de Armas, después de largas décadas de ausencia? ¡Allá él! ¿Y que corrían rumores extraños acerca del nieto? ¿Ah, sí? ¡Pues ya nos haremos cargo del nieto! ¡Nadie, por el momento, ha pretendido visitar al cabrito del carajo, que Dios confunda, y que no tiene, por lo demás, paradero conocido!

No faltó, desde luego, la amiga de Cristina, Clara, la de la venta de baratijas, acompañada de su hijo Abraham, quien se puso para la ocasión una camisa convencional, blanca, y una visible y en cierto modo miserable corbata. Tampoco podía faltar «el abogado indispensable», Carlitos Hidalgo, que había salvado al Nacho, a Ignacio chico, de molestias y hasta de peligros graves, y a quien el Nacho, extraviado en su nube del nordeste brasileño, en su complejo creciente de piano bares, había olvidado (igual que a todos nosotros, sin que tú seas la excepción, Cristina). Y llamó, un buen día, la inefable Denise Novales, la Novalis del Nacho, y se presentó de visita en el departamento de la calle Santa Lucía, después de asegurarse de que sus presuntos suegros estarían ahí, prueba, se dijo el Narrador, del fuerte arraigo que alcanzan en la vida nuestra los rituales fúnebres. Fiel a sus costumbres, la Novalis bebió seis o siete pisco sauers cargados: las mejillas se le pusieron rojas, ardientes, y los ojos se le encendieron como lamparones. Al Narrador se le pasó por la cabeza la idea loca de salir de la casa al mismo tiempo que ella, con el pretexto, quizás, de acompañarla hasta un taxi, y de llevarla, en cambio, a un bar de los alrededores, a tomar otras copas. ¡Como en una novela japonesa! Pero el pecaminoso, disparatado proyecto, no prosperó. La Novalis había tenido la ocurrencia insensata (se dijo el Narrador), de enamorarse del Nacho, Ignacio chico, sin imaginarse en qué vericuetos, en qué selvas, en qué batallas oscuras, o en qué operaciones comerciales no menos oscuras, andaba el joven en los días que corrían.

Una tarde llegó de visita su anciana tía Carmela, la hermana mayor de su padre, a quien no veía desde años prehistóricos y que se desplazaba por los espacios de Santiago, supo, en micro, con energías singulares y con una notable capacidad de protesta, de hacer valer sus derechos de ciudadana de a pie, de usuaria de los servicios públicos. Le traía de regalo, la tía Carmela, un pesado libraco, de valor bibliográfico, se preocupó de aclarar, una Imitación de Cristo en edición española de los primeros años del siglo XIX, muy bien empastada, en negro con filetes dorados, y que había sido un regalo, dijo, del arzobispo tal y tal, un nombre de sonoridades vascas y conservadoras, «a mi bisabuela, es decir, a tu tatarabuela, que era sobrina suya». Ella, su tía, que ya había pasado de los noventa, sabía perfectamente que el Narrador se había alejado de la Iglesia Católica y Apostólica, a causa, pensaba, pensaría, quizás, de un exceso de celo de sus educadores, exceso que ahora no se conocía ni de vista, ¡el exceso era el contrario!, pero ella, en cualquier caso, sabía que el regalo, equivalente, a estas alturas de su edad, a un legado, quedaba en buenas manos. Por Cristina ni siquiera preguntó. ¡Ésa no tenía arreglo! Y tampoco preguntó por Ignacio chico, el joven díscolo, o no alcanzó a preguntar, porque en ese instante sonó el timbre. La Filomena, con las pantorrillas forradas en papel de diario, quejándose de dolor en las articulaciones, y con cáscaras de papas pegadas a las sienes, ¡p'al dolor de cabeza!, salió a abrir, y era, al Narrador le costó creerlo, de punta en blanco, el inspector Jorquera de la sección de Santiago Centro de la CNI, la institución sucesora de la DINA de los tiempos terribles.

–Yo ya me voy, hijito –dijo la tía Carmela–. Sólo venía a saludarte, y a entregarte este libro. Porque me acuerdo mucho de ti, a pesar de todo...

El Narrador y el inspector Jorquera cambiaron una mirada, un gesto de entendimiento frente a ese «a pesar de todo» tan lleno de significados y de virtuales consecuencias.

–Y además, como ya te conté –añadió la tía, bajando la voz y poniéndose a distancia prudente de la nueva visita, el caballero alto, flaco, de cara un poco extraña, un tanto cadavérica, y vestido en forma tan esmerada, de pañuelo de tonos granates en el bolsillo superior y de perla en la corbata–, rezo todos los días por ti, en la Santa Misa, ¡para que te conviertas! (como la Manuelita por su Juan Josef, pensó él), y estoy segura de que el Señor me va a escuchar, y de que tú –y le dio un pellizco en una mejilla–, te vas a asustar a medida de que pasen los años, de que te acerques a la tumba, ¡y vas a terminar golpeándote el pecho! ¡Porque siempre fuiste un buen niño!

Con una cara súbita de buen niño, casi con aureola de santidad, el Narrador dejó a su nonagenaria tía en el ascensor, una caja casi tan decrépita como ella, difícil de abrir y de cerrar, temblorosa, trepidante, y pensó que era una suerte que el tenor del vecindario estuviera en silencio. Salvo que fuera, en realidad, una mala suerte, ya que sus arpegios y sus gorjeos habrían servido para ablandar o para distraer a Jorquera.

–Disculpe –dijo, y el inspector le dio a entender que no tenía nada de qué disculparse. Al fin y al cabo, él estaba en su casa, atendiendo a sus visitas.

–He escuchado hablar muy bien de don Ignacio, a quien no tuve el gusto de conocer –dijo el inspector–. Así es que siento mucho... –y cerró la frase de una manera un poco vaga.

Ocurría, eso sí, y no se podía afirmar que por desgracia, pero sí, digamos, para complicar las cosas, que el nieto era harina de otro costal.

–¿Usted pensaba que llegaría a los funerales?

–No era imposible –murmuró el inspector–. Tenía tan buenas relaciones con el abuelo.

–Y usted, supongo, quería aprovechar la circunstancia para detenerlo.

El inspector se acomodó en su asiento con toda calma.

Le preguntó al Narrador si le molestaba el cigarrillo, sacando su pitillera de plata, y le ofreció uno. Él declaró que no fumaba y le ofreció, de vuelta, «un whisquicito», consciente de la abyección implícita en la oferta y en el uso del diminutivo. El inspector dijo que no. Más tarde, quizás. Antes, dio a entender, había que conversar con la cabeza clara. El motivo de su visita, primero que nada, era transmitirle sus condolencias y las de toda su institución, que estaba ahí para protegerlo, no para lo contrario, como pensaban cerebros desconformados, ¡sí, señor!, pero él suponía, claro está, y no tenía razones para no confiarle esta suposición, que no sería para él, por lo demás, ningún misterio, que su hijo podía estar metido hasta el cogote en actividades clandestinas. Había algunos indicios, y datos contradictorios, porque sus servicios también habían comprobado que la historia de los piano bares no era enteramente ficticia.

–El chico salió bueno para los negocios –aseveró el inspector, abriendo los brazos y clavando los ojos en el techo, como si no tuviera más remedio que admitirlo–, y sabemos a ciencia cierta que ya tiene tres o cuatro piano bares en la región del nordeste del Brasil, y que ha presentado un proyecto para arrendar por treinta y tres años la Ópera de Manaos, ¡qué le va pareciendo!, y que en los días que corren proyecta extender sus actividades hacia el centro de ese país, hacia las ciudades de Río de Janeiro y São Paulo.

–¡Menos mal!

–Sí –dijo el inspector, y subrayó su afirmación con un gesto de la cabeza–. Pero tenemos la sospecha de que también actúa en la clandestinidad armada, y con no menos audacia. ¿Me entiende?

–Me cuesta entenderle. Y la verdad, mi estimado inspector, es que no le creo.

–Los padres –dijo el inspector Jorquera, poniendo los ojos en blanco–, nunca conocen bien a sus hijos. Sobre todo en estos tiempos.

El Narrador levantó las manos al cielo. No quería que la

aureola se le destiñera. Llenó dos vasos de whisky y le pasó uno al inspector, a pesar de sus gestos de rechazo.

–Bueno –dijo el funcionario de la CNI, resignado, y sorbió un poco. Había que tener en cuenta la situación del momento. El momento histórico, quería decir, ni más ni menos. La época de la guerrilla, de las actividades clandestinas apoyadas por Cuba, de los contrabandos de armamento, empezaba a quedar atrás, por lo menos en esta parte del mundo. Había grupos aislados que sobrevivían, desde luego, y ellos («nosotros», dijo), tenían que tomar en cuenta la cercanía geográfica de Sendero Luminoso, un movimiento de «profesorsuchos de provincia transformados en criminales terroristas», pero el régimen había entrado en un proceso diferente, con el fracaso del atentado «contra el Caballero», e hizo un gesto de cansancio, de resignación, y los preparativos del plebiscito, y ellos, por otro lado («nosotros»), estaban convencidos de que el bloque comunista se encontraba en franco retroceso.

–Le advierto –dijo–, que si su hijo llega a Chile, no estaríamos en condiciones legales de hacer nada contra él. O nos veríamos abocados a un proceso difícil. Salvo que se acrimine por ahí...

–No creo que sea tan tonto –dijo el Narrador.

–Nosotros tampoco lo creemos. Sin embargo, todavía, de repente, pueden ocurrir cosas feas. Alguien se puede propasar, y después vienen los activistas de aquí y de todos lados y nos echan la culpa a nosotros.

–Llego a la conclusión, entonces –dijo el Narrador, revolviendo el hielo y tragando con cierta dificultad–, de que usted, inspector, tiene instrucciones de venir a amenazarme. Para que entre yo y su mamacita convenzamos al niño de que se quede lejos.

–¡Todo lo contrario! –exclamó el inspector–. Tengo instrucciones de protegerlo. Si toma contacto con su hijo, dígale que se cuide, que no se meta en cosas raras. Y que venga a poner sus piano bares en Santiago, donde la vida nocturna es tan aburrida...

–Entiendo –dijo el Narrador, y se puso de pie. Miró el atardecer sobre la Plaza, que nunca dejaba de gustarle. Regresó del balcón y comprobó que el inspector Jorquera no tenía intenciones de irse todavía. Había bebido más de la mitad de su whisky y parecía achispado, casi alegre. ¿No estaremos, se dijo el Narrador, en una sesión muy particular de tortura? Tortura con whisky, diría Cristina, con toda clase de cumplidos, y le tiraría el vaso por la cabeza. El inspector y el Narrador, entonces, hablaron del plebiscito, para el que ya sólo faltaban meses.

–Mis jefes –dijo el inspector Jorquera, y no señaló hacia la Moneda, ni hacia los cuarteles o las oficinas de los alrededores, sino hacia las nubes, hacia el cielo–, están seguros de que ganaremos. Pero yo tengo serias dudas.

–¿Por qué?

–Porque conozco este país.

–¿Cuál es su conclusión, entonces?

El Narrador miraba ahora a Jorquera casi con afecto, con ojos húmedos, pensando en el whisky de Escocia y en las atmósferas, en los enganches afectivos extraños, que suelen producirse en el interior recóndito de las dictaduras.

–Que el «no» puede ganar perfectamente –dijo el inspector, mirando un punto lejano–, y que no pasará nada. Volverán los señores políticos, como le gusta decir al Caballero, con sus discursos y sus majamamas, y los grandes, los peces gordos, se irán a sus casas con los bigotes bien arreglados. En cuanto a nosotros, a los mandos medios, nos reciclarán por ahí, o nos dejarán como bolas huachas, vaya uno a saber... A mí no me importa mucho –prosiguió, con una expresión que más bien revelaba lo contrario–. Tengo una parcelita por ahí en Colina. Me retiraré a sembrar papas, y a tomar mis vinitos, y a ver la tele, y a escuchar de vez en cuando música de cámara.

–¡Música de cámara!

–Me gusta la música de cámara, y prefiero, si me lo permite, Colina a la Plaza de Armas.

–El aire es más puro –asintió el Narrador.

–Y en vez de los automóviles y las micros, se escucha el canto de los pajaritos.

–Yo, la verdad, aunque no me agrada confesarlo –susurró el Narrador, sobándose la barbilla–, prefería la Plaza con toque de queda.

–¡Que no lo escuche su señora esposa!

El Narrador se rió de buena gana. Miró por las ventanas la sombra suave, amarillo rojiza, sedante, del atardecer. Canturreó versos antiguos, citados en forma incorrecta. Españoles, esta vez. Gongorinos.

–¡Salud! –exclamó, alzando su vaso y bebiendo el resto de su segundo whisky.

El inspector anunció que se retiraba. A pesar del giro imprevisto que había tomado la conversación, sabía ser discreto.

–¿Y no será –le dijo un poco más tarde el Narrador a su ex mujer–, que vino a pedirme ayuda?

–¡No seas bendito! –respondió ella–. Tu tía Carmela te dejó espirituado. El inspector llegó a tirarte la lengua, a sonsacarte cosas. ¡Quién se cree el cuento del plebiscito! Ellos lo tienen todo arreglado.

–Yo creo que no han arreglado nada, y que los grandes, como dijo Jorquera, van a pactar y se van a arreglar los bigotes, mientras los chicos, los pobres diablos, cagan pila. Lo curioso es que el personaje, con sus corbatones, no me cae tan mal.

–¡Es un conchas de su madre! –vociferó ella–. Mientras tú te extasiabas con el silencio del toque de queda, él se dedicaba a ponerle electricidad en los cocos a todo bicho que se movía.

–Mejor me despido –dijo él.

–¡Sí! –gritó Cristina–. Hoy en la mañana me fui a inscribir en los registros electorales. Para votar en tu famoso plebiscito. Pero ahora prefiero que desaparezcas. ¡Anda a tomarte otro whisky con tus amigos de las discotecas de la DINA!

Él se rascó la cabeza, irritado, fuera de su centro. En una de las esquinas de la Plaza de Armas, ¿de la Plaza del Rey?, una puta pechugona, sin dientes, de trasero grande y piernas flacas, lo invitó con gestos procaces, y él, desde lejos, con exquisita amabilidad, le respondió que no, que muchas gracias. Abrió la puerta de un bar cercano y divisó en la barra, en animada charla, a Santiago Costamagna, Neptuno, en compañía de dos amigos. Prefirió abstenerse. Se alejó y bebió una gran cerveza de presión en un expendio cualquiera. Ese día no estaba para historias. La visita de pésame de Jorquera y la conversación con su ex mujer lo habían dejado extenuado. Caminó hasta la parte poniente de la Alameda, la Cañada baja, para desintoxicarse, recitando versos. Pensó en la Denise Novales, la bella borrachina, y le dio risa. Y en Neptuno, con sus caballitos de mar enroscados en los pelos de la barba, con sus tridentes, con su tufo a whiskies cabezones.

XIII

un hombro donde solloza la muerte...

Federico García Lorca

Ahí estaba él, pues, apoyado en cojines, hundido, en un rincón, debajo de un grabado donde se vislumbraba un par de gruesas argollas adosadas a un muro, argollas que habían servido, o que servirían, para encadenar a prisioneros vestidos con pantalones anchos y ajustados en los tobillos, de paño grueso, y camisones sueltos y en tirillas, del mismo paño, y que tendrían caras de asesinos contumaces, o de herejes, o de perturbados mentales, y también estaba, con el sombrero en las manos callosas y expresión compungida, contrita, don Pedro Olea, jefe de obras, hombre de voluntad de oro, pero escéptico: nunca había creído que los planos de la Casa de Moneda pudieran levantarse del suelo en la ciudad de Santiago de Nueva Extremadura, frente a perspectivas de adobe y de teja modesta, de barro trajinado por ojotas o pies descalzos de indios, de patizambos, entre criollos quejumbrosos, pedigüeños. Acababa de contemplar, sin embargo, antes de acudir a la cita, con asombro y con orgullo, la línea de la fachada, con su prolongación adusta, su altura insólita, su profundidad, las gradaciones de luces y de sombras en los balcones, en las aristas y las cornisas, bajo los trofeos y las famas de mano de Varela y que ya empezaban a coronar cada pilastra. Y al lado de don Pedro, pero más adentro, más cerca de la cama, a un metro del sombrero encrespado y arremolinado, repolludo, se hallaba el maestro Pineda, con su cara ancha, inexpresiva en toda circunstancia, y por consiguiente en ésta, y su ayudante, el Juanillo, que olía mal, pero que había insistido en acompañarlo, en despedirse del maestro excelente, y cerca de Pineda, gordinflón, sudoroso, con expresión grave, se había instalado Santa María.

–¡Hola, Santa María! –murmuró Toesca, contento de verlo, el peor, el más torpe, y el mejor, y Santa María, conmovido, mudo, se acercó y le besó una mano.

La señora Portales, doña Eduvigis, la de los locros falsos y las porotadas con harto choclo, con zapallos tiernos, con hierbas bien perfumadas, estaba a los pies de la cama, llorosa, retorciendo la falda negra con los dedos gruesos, cobrizos, como si tuviera la necesidad de pellizcar algo, y él veía que pisoteaba con sus zapatones reventados los alerones del sombrero, las escarapelas burlonas, pero no atinaba a decirle nada, y junto a ella estaba Ignacio Andía y Varela, el gigantón, a quien habían llamado mientras trabajaba en el gran escudo de fierro con la corona y los distintivos reales. Detrás de él, la Pepita lloriqueaba y se sonaba, tan parecida a la Manuelita, su hermana mayor, pero sin la misma gracia, quién se le podía comparar, sin el fuego de los ojos, y la plenitud de las formas, y el pelo desbordante, esponjado, negro azabache, con reflejos, más bien, el de la Pepita, que tiraban a castaño. Más al fondo, en el umbral, medio escondidas, se habían ubicado la señora del puesto de frutas de la esquina, la que le conseguía las chirimoyas más jugosas y maduras, las más perfumadas, recién llegadas de Limache o de más arriba, y doña María Jesusa, que no lloriqueaba, pero rezaba, moviendo apenas los labios de pergamino reseco, y que para la ocasión había sacado de sus cajones un enorme rosario de cuentas negras. Don Bernardo Llanete, el de los cueros, el de los aceites de Andalucía, llegó un poco más tarde. Le hizo un saludo desde lejos al maestro moribundo y se quedó parado en el centro del dormitorio, absurdo, bovino, con la cabeza inclinada. Era rechoncho, de piernas cortas, de ojos saltados, y respiraba con dificultad. Su mujer, con sus grandes tetas y sus mostachos, todavía no se había muerto, pero no pudo ir, sin duda, porque se encontraba en las últimas. En cuanto a don Francisco Pérez de Uriondo, el intermediario, el componedor por encargo de Su Majestad, estaba en reunión de consejo, detrás de pesados portones reforzados con aldabas y listones de fierro: don José Antonio de Rojas, durante sus correrías de la mañana, no se había atrevido a interrumpirlo. Misiá Clara Pando, por su parte, había entendido de inmediato, sin necesidad de mayores explicaciones, que no estaba invitada, y don José Antonio adivinó en su cara que la desaparición del italiano, para ella, sería un alivio, un regalo del cielo: la Manuelita todavía estaba joven, fresca como un repollo, a pesar de sus tres o cuatro canas, fáciles de disimular con un poco de tintura, y a los caballeros del Reino, viejos y jóvenes, pobres y ricos, españoles y criollos, les trastornaba la cabeza.

Toesca le había pedido al cura Zamudio, el de la Merced, que se había presentado a primera hora de la madrugada y se lo había pasado rezando y comiendo galletas, queso de Chanco, piñones del sur, tiras de charqui, que se fuera, que por favor lo dejara solo («después vuelve en la tarde, si quiere, y me da la Extremaunción»), petición que le había costado un esfuerzo abrumador, temblores, tercianas, un estado de asfixia casi definitiva, y se había quedado, después, vacío de todo, como si el esfuerzo le hubiera desocupado la mente, con la vista fija en las alas ondulantes del sombrero del hijo del coronel, en el ribete de raso negro, en las escarapelas enroscadas, que parecían flotar por encima del rumor de su pieza, como un mar de oleaje tornasolado. Hubo, entonces, un revuelo, un murmullo general, y la Manuelita, conducida del brazo por don José Antonio, el mayorazgo, alto, acicalado, serio, hizo su entrada, provocando un ligero retroceso del resto de la asistencia. No se sabía si habían visto al Diablo en persona o a la Virgen amarrada en un trapito. Venía con una falda plisada azul oscura, blusa de encajes, zarcillos de azabache largos, medallón de plata con chispas de brillantes, peinado de rizos verticales y parte de la cabellera derramada hasta la cintura, y estaba pálida, con los ojos profundos, sombreados, con una hermosura que no era de aquí, de esta provincia, y que subvertía, se dijo él, daba la impresión, todo. Su respiración, que ya se producía con mucha debilidad, se adelgazó más todavía, y el corazón le dolió, como si sus pistones, sus poleas, sus canaletas, se estuvieran rompiendo. Se hundieron sus latidos en un pozo de agua sucia y residuos: una materia que los devoraba y los apagaba.

–Siéntate, Manuelita –murmuró, señalando la cama, en un susurro que sólo ella pudo entender, y después hizo un esfuerzo tremendo para incorporarse y colocó la mano derecha, que temblaba, pero que conservaba un resto de firmeza, en el hombro derecho de ella. Miró enseguida a toda la concurrencia, para lo cual tuvo que alzar la cabeza unos pocos centímetros (habían entrado unos niños del vecindario, y él hizo un gesto para que no los echaran, para que los dejaran escuchar: una niñita con cara de distraída, dos mocosos entierrados, sorprendidos), y con las manos increíblemente flacas, manchadas, disminuidas, les pidió a todos, incluyendo en forma especial a los tres niños, a los jefes de obras, al Juanillo, a la señora del puesto de frutas y a doña María Jesusa, a don Bernardo y don José Antonio, a Ignacio, el gigantón, y a la Pepita, y al mulatón Ambrosio, que había desaparecido hacía semanas, pero que acababa de reaparecer junto al marco de la puerta, convertido en un ancianito, con la cara chupada, a todos y a cada uno, que se acercaran. Quería que fueran testigos, todos, ¡hasta los niños!, para que dieran testimonio dentro de muchos años, bien entrado el siglo siguiente, si es que el mundo no se acababa, y la mano izquierda, después de llamarlos, se posó en los encajes del puño de la Manuelita y desde ahí se arrastró, reptó, hasta tocar la piel suave, balsámica, acolchada y tersa, del dorso de su mano derecha, mano que se dio vuelta y envolvió la suya en un calor benéfico, que lo consolaba y lo reconfortaba, que le transmitió, nos imaginamos, se imaginó el Narrador, un último resto de vida, un último recuerdo, más bien, de lo que había sido la vida, la verdadera vida.

–Manuelita –dijo él, en ese instante, con una voz que todos pudieron escuchar, una voz cuya energía, definitiva, salida de profundidades que no conocía ni él mismo, los asombró y los asustó a todos, como si ya no fuera él sino otro, un ser de ultratumba, un aparecido, el que hablaba–. Manuelita –repitió–: ¡Te amo y te perdono!

La humedad que se había acumulado en los ojos oscuros de la Manuelita se convirtió en gruesas, ardientes lágrimas. Así dicen las crónicas, por lo menos. Dicen que hundió la cabeza, con sus rizos exuberantes de color de azabache, en el pecho de Toesca, quien, después del esfuerzo, se había quedado con la boca semiabierta y exhalaba un ronquido leve, apenas audible, un vago estertor. También había acudido y asomaba desde el fondo su cara puntiaguda, cegatona, de pájaro bromista, pero en el fondo emotivo, sentimental, voluntarioso, el señor Fadrique, el de los ladrillos largos, capaces de contener las aguas torrentosas. Doña Josefa Fernández, la Pepita, lloraba a moco tendido y se sonaba a trompetazos, mientras doña María Jesusa se mantenía firme, sin llorar, pero rezando en voz más alta, y don Pedro Olea, de pronto, porque sabía de esas cosas, y porque había notado, detrás del cuerpo de la Manuelita, entre la piel blanca de su cara y sus frondosos rizos negros, algo que era, sin duda, el estertor final del maestro, el último suspiro, se hincó en el suelo de tablas y se persignó, y todos los demás, Santa María, el Gordo, e Ignacio Andía, y las mujeres, y hasta los niños, todos, hicieron lo mismo. El cura Zamudio, a quien Toesca le había pedido que se fuera, no quería morir acompañado por el ruido de su masticación de galletas y de piñones del sur, pero que había estado, por lo visto, al aguaite, se abrió paso, entonces, con mirada y movimientos solemnes, con una estola blanca y una cruz de madera de encina y clavado en la cruz un Cristo de marfil. La Manuelita, en un primer reflejo, se apartó, horrorizada, de la cabeza de Toesca, que ahora yacía sobre los almohadones, inerte, con los ojos y la boca abierta, y enseguida le besó la frente, le cerró los ojos, sollozando, y trató, sin resultado, de cerrarle la boca. La Pepita, su hermana, se acercó desde atrás, la abrazó y la empujó con suavidad para que se hincara.

–Voy a mandar llamar a mi mamita –le dijo al oído, y la Manuelita hizo un gesto de afirmación, como si tuviera necesidad de que misiá Clara, ahora que el señor Toesca no lo impedía, llegara pronto. Ignacio, entretanto, con sus manazas de picador de piedras, había cerrado con suavidad la boca del maestro, mirándolo con expresión de ternura. El señor Fadrique había conseguido hincarse en el centro de la habitación y miraba con curiosidad un dibujo, pegado encima de la cama, que representaba un entramado de poderosos ladrillos en un sector de los tajamares, bajo el perfil trazado a tinta china de un conjunto de nubes arremolinadas, unas curvas, pensó, pensaría el señor Fadrique, de las cuales el maestro, consecuente con sus teorías, con su lectura del Vitruvio ese, desconfiaba, pero que en realidad, sospechaba él, teorías aparte, le gustaban, le habían gustado, mejor dicho, durante su vida no muy larga y atormentada en exceso, mucho. Ignacio había retrocedido unos pasos, había cruzado las manos y parecía pasmado, anonadado. Recordaba palabras, expresiones, invenciones, soluciones que se le ocurrían al maestro, de repente, y que a él lo dejaban sorprendido. Pensaba en los acólitos del Anticristo, que pululaban por todas partes, hasta debajo de las mesas y detrás de las cortinas, y en los inocentes, los puros de corazón, las almas sencillas. El maestro había sido un inocente, sin duda, y la Manuelita, a su modo, también lo era: un fuego, un instinto, un amor constante. Por eso amaba tanto los pájaros, los perros, hasta las lagartijas, y por eso se le acercaban los niños, las ayudantas, las dulceras. Juanillo, el aprendiz, se golpeaba el pecho, y la señora del puesto de fruta se había retirado con discreción para ir a cuidar su negocio, pero iba con expresión seria, con un nudo apretado en la garganta, con la impresión de haber presenciado cosas que salían de lo común y corriente. A todo esto, Santa María, el Gordo, quien después de rezar un rato se había puesto de pie, miraba a la viuda con emoción intensa. El Gordo se decía, casi avergonzado de sí mismo, pero obstinado, resuelto, que esperaría un tiempo prudente y después, pasara lo que pasara, le propondría matrimonio. La protegería con todo su corazón y con todas sus fuerzas, se decía, y cuidaría de la misma manera, con igual pasión, del legado del maestro.

Las noticias, entretanto, que incluían siempre la frase final, el «te amo y te perdono», habían llegado a la casa del lado, la del coronel Díaz Muñoz, quien se había limitado a enroscarse los grandes bigotes, y la de su hijo, Juan Francisco Díaz y Salcedo, que se tiraba los pelos, caminando por su pieza a grandes zancadas, lejos de su padre, y hablaba solo como un orate. Un amanuense, a todo esto, entró a la sala de la Real Audiencia donde sesionaba el oidor y fiscal, don Francisco Pérez de Uriondo, y le susurró al oído la historia de la despedida y del perdón. El oidor tomó nota y siguió ocupado de un problema de canales de regadío. ¡La Colonia era tan árida como la cabeza de sus habitantes! Poco más tarde salió del palacio y atravesó la Plaza del Rey con paso firme, golpeándose los nudillos, espantando las palomas y los gorriones. Había ordenado que informaran de inmediato al excelentísimo señor gobernador y al ilustrísimo señor obispo, y había pedido que les comentaran, de paso, el episodio del amor y del perdón, algo nunca escuchado en estos parajes. Después contaron que el gobernador sacó su cajita de rapé de uno de los bolsillos del chaleco; que el obispo se persignó y se encogió de hombros, carraspeando, murmurando que sí, que estaba muy bien, pero con expresión rencorosa, con cara de mal agüero.

Por su lado, misiá Clara Pando corrió a ocuparse de los asuntos de su hijita, la Manuelita Fernández de Rebolledo, que era tan pánfila. Si no se ocupaba ella, quién se iba a ocupar. Se supo, entretanto, que Juan Joseph Goycoolea recibió las noticias tres o cuatro días después, en las ricas tierras de su suegro, que ahora se habían extendido a costa de algunos centenares de hectáreas que habían pertenecido a los jesuitas. ¡Qué bien expulsados están!, solía exclamar su suegro, sobre todo cuando galopaba en su alazán y miraba los potreros verdes, extendidos hasta los pies de la cordillera, y donde se escuchaban, en las madrugadas de invierno, rugidos lejanos de pumas. Juan Joseph, en sus arreos nuevos de huaso, con sus espuelas sonoras y su manta de colores, asentía.

–Yo voy a heredar sus trabajos pendientes –explicaba–, su lugar en la Capitanía. Me corresponde por derecho propio.

–¡Claro que sí! –respondía su suegro, entusiasmado–. ¡Por supuesto! ¡A quién otro le puede corresponder!

A Joaquín Toesca le hicieron una misa solemne en la Catedral, seguida de honras militares, y fue enterrado fuera de los muros del templo, en la parte del poniente. Ignacio Andía y Varela, su colaborador y concuñado, fue el encargado de esculpirle una lápida en piedra. Algunos días antes de morir, Toesca le había pedido que fuera sencilla y que sólo indicara la fecha de su muerte. Él no estaba muy seguro de la de su nacimiento.

–No estaba seguro de casi nada –dijo después Ignacio Varela–: ¡El pobre!

De todos modos, a pesar de estas instrucciones, le hizo en las dos esquinas de arriba, con mucho esmero, con un trabajo fino de su cincel, sendos querubines con alitas, como los de la fachada de la Catedral, aquellos que pertenecían, según el maestro, al taller de un italiano anterior a él, Borromini o algo parecido.

–Para memoria –dijo–. ¡Porque los traía desde allá, en su retina!

Y miró la cordillera, ensimismado, porque estaba cargada de presagios. Al menos para él. De signos, de sombras y luces que le hablaban.

Años después, durante las guerras de la Independencia,

la lápida con el nombre del arquitecto, con la fecha de su muerte y con los dos querubines en las esquinas de arriba, desapareció. Se la robarían, supuso el Narrador. O se partiría en pedazos. Y los huesos, como los de tanta y tanta gente, se dispersarían, volarían con los remolinos de polvo que se formaban en la Plaza del Rey en aquellos años, antes de que se transformara en Plaza de Armas y de que la cubrieran con baldosas y con adoquines.

Epílogo
La isla de las ratas

I

Los papeles del Narrador, los que estaban dispersos encima de su cama y desparramados por el suelo, cuando se durmió después del largo día anterior, el de la perturbadora conversación en el Club, el de la expulsión de la casa de Cristina y el bullicioso encuentro en un bar con Santiago Neptuno, estaban repartidos en la noche siguiente, una vez más, encima de la mesa del repostero. El toque de queda había desaparecido hacía tiempo, con su silencio y sus ocasionales disparos en la distancia, y ahora llegaban hasta las ventanas del quinto piso ecos difusos, ruidos de automóviles, risas que estallaban y se apagaban en una esquina o en las escaleras de un local nocturno. Aquellos papeles, documentos judiciales copiados con caligrafía minuciosa, patas de mosca curiosamente parecidas a las de Ignacio Varela, indicaban que el joven Juan Antonio Díaz Muñoz estuvo durante largo tiempo trastornado, enloquecido, enfermo de amor por la Manuelita Fernández. El episodio del sombrero en la Plaza, que el Narrador, cerca de doscientos años más tarde, imagina con la frente pegada a los vidrios fríos, con la vista fija en el mismo lugar, ahora bien pavimentado, iluminado por faroles eléctricos, cubierto por árboles de variada procedencia y por amenos arbustos, provisto de una glorieta para bandas municipales y de una fuente central con figuras alegóricas de bronce, Dianas y Minervas importadas de Francia hacia finales del siglo XIX, demuestra, desde luego, que Toesca no ignoró ni podía ignorar dichos amoríos, que a veces parecían adquirir la categoría de amores apasionados, anunciadores de lo que sería el siglo del romanticismo, el de las numerosas y reincidentes madamas Bovary, el de Aída, el de la Tosca, el de Margarita Gautier. Como Juan Antonio era menor de edad, puesto que sólo tenía diecinueve o veinte años y la mayoría legal en aquella época era de veinticinco, y como su padre, el coronel, en una reacción más que previsible, no le dio las dispensas necesarias para que contrajera matrimonio con la viuda, quien, por lo demás, ya había pasado hacía un rato de los treinta, lo cual, en aquellos años, significaba acercarse a territorios bastante difíciles, el joven tuvo la audacia insensata, ¿acicateado por la Manuelita misma, por misiá Clara, por el ejemplo de otros jóvenes que ya daban muestras de sufrir el mal del siglo, por la lectura de novelas libertinas o de infundios de pensadores ateos?, de entenderse con abogaduchos, con tinterillos desdentados, con procuradores saltarines, especie humana que todavía no deja de circular por los espacios que ahora contemplaba el Narrador, y recurrió a los tribunales de justicia, así, a cara descubierta, para dejar sin efecto el disenso del coronel Díaz y Salcedo. El coronel, hombre de malas pulgas, atrabiliario, autoritario hasta la médula de los huesos, español de puro bestia, como diría un verso peruano escrito cerca de un siglo y medio más tarde, a diferencia, justamente, de su hijo, quien había nacido en Santiago y de madre criolla, y de la misma Manuelita, podría parecerse a un militar de zarzuela madrileña. No le faltaría un aire de familia con el coronel Tejero, el del intento de golpe de Estado contra la nueva democracia de su país, una forma de gobierno que el coronel Díaz y Salcedo también habría odiado con toda el alma y hasta con las tripas: en la voz violenta, en los inmensos bigotes, en la truculencia de los ademanes. Pues bien, interpelado, notificado por la justicia de la demanda de su hijo, el coronel, como es de suponer, montó en sagrada cólera y entró en una campaña judicial febril. No le faltaban argumentos, o por lo menos apariencias, indicios graves, para demostrar que el matrimonio de su hijo con la Manuelita, alrededor de quince años mayor, y aparte de eso, adúltera reconocida, envenenadora de su marido, desvergonzada, arrastrada, ¡puta, Su Señoría, con perdón de la expresión!, sería una desgracia atroz para el joven y para toda su familia. No sólo había que impedir la boda. La paz colonial, el imperio de las buenas costumbres, exigían medidas mucho más drásticas: había que encarcelar al joven rebelde en su regimiento, en celda de castigo, a pan y agua, y mantener a la pecadora encerrada en la casa de su madre y con centinela de vista. El coronel no sólo sacó a luz, con lujo de detalles y con alta concurrencia de testigos, los escándalos y los crímenes pasados de la Manuelita. También argumentó que su hijo, inmaduro, ingenuo, inocentón, había sido víctima de sus malas artes. Insinuó manejos obscenos de parte de ella, y además de obscenos, oscuros, ya que no excluían, con ayuda de la madre, esa india sospechosa de paganismo, el recurso a la brujería, a la magia negra, a los poderes luciferinos. Con ayuda de un abogado de la curia, el coronel fue excesivo en sus alegaciones, tenebroso, barroco, añadiría el Narrador, y consiguió en definitiva lo que buscaba, aun cuando provocó, a la vez, más de alguna sonrisa burlona, de intención, de estilo, de tono quizás iluministas o racionalistas. Porque el coronel y sus iguales ya no las tenían todas consigo, aun cuando la Corona, en esa vuelta del siglo, percibiera turbulencias en la atmósfera y tratara de replegarse a contrafuertes estrictamente conservadores. Trataba, en realidad, pero de hecho no lo conseguía. El gusano había penetrado en la piel sólida de la manzana. Un doctor sesudo, con su bonete de fieltro y sus gafas corridas hasta la punta de la narizota, afirmaba en voz baja, mirando con precauciones hacia las puertas de los costados, que la reina y la duquesa de Alba estaban carcomidas. ¡Hasta el tuétano! ¿Acaso no se habían caído al suelo, como muñecas ancianas, pintarrajeadas y despaturradas, una, primero, y más tarde la otra, en uno de los saraos de la corte?

–Saquen ustedes sus conclusiones –había dicho el sesudo, el de las gafas y el bonete, el del lunar con pelos.

Alguien, en la casa del gobernador y presidente, dijo que el caso, sin duda sabroso, habría podido convertirse en una piedra de toque, en una *cause célèbre,* pero no estábamos en Madrid, no estábamos ni siquiera en el Virreinato de Lima. Estábamos en la desamparada provincia chilena, y esas cosas (en Chilito), se resolvían en la mediocridad, en el gris sostenido, afirmación que al Narrador, y también a nosotros, nos pareció curiosamente moderna. ¡Hasta postmoderna!

–Somos el país del no drama, del conflicto no formulado, del cadáver escondido en el fondo del armario –dijo ese alguien, y el Narrador no pudo saber si los vecinos de mesa habían estado de acuerdo, pero supuso que más de uno sí lo había estado.

El joven Juan Antonio Díaz, quien, entre gritoneos que iban, y amagos de bofetadas y de sablazos, y escritos en papel sellado que venían, había partido a vivir en casa de misiá Clara Pando con doña Manuelita, sin esperar los resultados de su acción judicial, perdió el juicio de disenso en primera instancia, como era fácil de suponer. Los tiempos cambiaban, pero el cambio se detenía en numerosos umbrales, en las puertas de casi todas las administraciones. Al día siguiente presentó apelación contra este fallo. Muchos, en los mentideros de la Colonia, bajo los portales del costado sur, en un almacén de ultramarinos donde vendían tazones de chocolate humeante acompañados de churros recién hechos, supusieron que la Fernández (como a menudo la mencionaban), le había exigido al joven que lo hiciera. ¡Se lo había exigido antes de volver a aceptarlo en su cama! Porque el coronel había alegado que ella no era digna de unirse con un hijo de su sangre, y eso constituía un agravio para la Manuelita y para toda su familia. ¡Ella, que descendía de cunas ilustres, de condes y marqueses! Existía el peligro, entretanto, de que los esbirros de los tribunales llegaran a detener a Juan Antonio a casa de misiá Clara, y de que dejaran a doña Manuela bajo arresto domiciliario. ¿Quién podía doblarle la mano a todo un coronel de Milicias Disciplinadas? Había llegado el fogoso coronel al extremo de pedir por escrito que se obligara «a la dicha Manuela Fernández» a devolver la ropa del uso de su hijo que guardaba en casa «sin la menor excusa, ni pretexto».

La perdición de los novios se vio precipitada en aquellos días por un episodio burlesco, tragicómico, mal calculado por parte de ellos, producto de la pasión irreflexiva, ¡oh, Manuelita!, y que se conoció en toda la ciudad, desde los palacios hasta los tenderetes del Portal y las chinganas de la Chimba, a medida que transcurrían las horas del día siguiente. En efecto, el Narrador se encontró entre los papeles dispersos en el repostero, junto a una zanahoria cruda, con la curiosa declaración del doctor don Francisco Boza, cura párroco de la iglesia de Nuestra Señora de Santa Ana, testimonio que demuestra el ingenuo formalismo de las prácticas religiosas en aquel final de siglo, amén del respeto que tenían nuestros personajes por aquellas exterioridades. Es probable que Joaquín Toesca no las hubiera respetado tanto, o que lo hubiera hecho con menos ingenuidad, con alguna dosis muy romana y muy vaticana de hipocresía. El día 19 de abril del año de gracia de 1800, el cura párroco Boza declaraba que la noche anterior, a eso de las diez y tres cuartos, se encontraba en casa de su amigo y vecino don Miguel del Fierro, ¿el hombre de la «calesa prebenida», el recadero con que se había iniciado la reclusión arbitraria en Peumo? Sería, para decir lo menos, una coincidencia interesante. Pues bien, un criado llegó a decirle que algunas personas se habían presentado en su domicilio y deseaban hablar con él. «Temeroso», declaró el cura, de que «quisiesen algunos de ellos contraher clandestinamente Matrimonio, caminé con lentitud, y con el mismo reselo, para mi casa». Antes de llegar supo que en la puerta lo aguardaban «Doña Manuela Rebolledo y otros disfrasados...» ¿Disfrazados, enmascarados, provistos de sombreros y espadines de las Milicias, en este caso indisciplinadas? El cura, arremangándose la sotana, se devolvió a la carrera a la casa del dicho don Miguel del Fierro, no dando lugar a que ellos lo alcanzaran, y lograran que él los conociese, y entendiese expresa y claramente las palabras por ellos pronunciadas y que habrían constituido, por ser la manifestación de la voluntad de ambos, «el Verdadero Matrimonio», para lo cual se tuvo que tapar «los oydos al mismo tiempo que iba corriendo; de modo que sólo percibí gritos sin saber quién los daba». Nosotros, claro está, sabemos perfectamente quién los daba, y en qué alocada carrera, y con qué disparatadas intenciones. Nos imaginamos a la pobre Manuelita corriendo sobre adoquines disparejos, doblándose los hermosos tobillos, y gritando, suplicando, diciendo que sí, que por favor, y el joven, ¡señor cura!, y ella, ¡no sea malo, señor cura, ayúdenos!

Porque no deseaban otra cosa que vivir en paz, y dentro de la comunión de los fieles. Pero el desenlace del episodio, con el representante de la iglesia escondido en el fondo de la casa de don Miguel del Fierro, sordo como una tapia, fue trágico para la Manuelita, aun más triste y más trágico de lo que ella misma y nosotros habríamos podido imaginarnos. Todavía le faltaba, y nos faltaba, comprender en forma completa su fragilidad, su desventaja. Porque los hechos se sucedieron a ritmo de golpes rápidos, demoledores. El intento de matrimonio clandestino había tenido lugar, como ya supimos, en la noche del 18 de abril. El 26 de mayo se decretó el arresto de ambos pretendientes. Doña Manuela fue recluida una vez más en el convento de las Claras, aquel de disciplina estricta al que la habían pasado hacía años, después de una temporada más bien placentera en las Agustinas. Al joven lo mandaron a un calabozo del cuartel de Milicias, pero a los pocos días, con el pretexto de una enfermedad perniciosa, lo trasladaron en secreto, en horas de la noche, a la casa de su padre. A partir de ese momento, el coronel Díaz, el de los grandes bigotes y los sables desenvainados, empezó a recuperar el control de su hijo. Y puso todo su empeño en separarlo de la Manuelita Fernández de Rebolledo para siempre. Desde el minuto mismo en que el joven Juan Antonio Díaz, aquejado de una enfermedad verdadera o simulada, transpuso de noche, llevado por el coronel y por un ordenanza, el umbral de la mansión paterna, la condena de Manuelita estaba oleada y sacramentada. La Real Audiencia tomó nota el día 10 de enero de 1801 de que el intento de matrimonio de la pareja, de acuerdo con la decisión de la curia eclesiástica, a pesar de los gritos, las carreras, las súplicas, no había tenido efecto alguno. Desde su encierro, a la desesperada, Manuelita presentó un último recurso de apelación, haciendo notar en el mismo escrito que los gastos de todo este juicio la habían dejado en la más extrema miseria. Aun cuando la documentación es confusa en este punto preciso, parecería que Juan Antonio, de alguna manera, desde la casa de su padre, todavía se las arregló para adherir al recurso presentado por doña Manuela. En cualquier caso, a fines de marzo de 1801 se desistió formalmente de dicho recurso y afirmó en la última línea de su escrito «que ya no tenemos como costear el desembolso de costas indispensable». Los papeles demuestran que la Manuelita, en esta etapa, se sintió cruelmente traicionada por Juan Antonio y abandonada por todos, salvo por su madre, aun cuando algunos indicios nos llevan a suponer que su madre, misiá Clara Pando Buendía, para colmo de males, dejó de existir en los primeros días de aquel otoño de 1801. El Narrador se imagina que doña Manuela fue notificada por la vía judicial del desistimiento del muchacho y que lloró a gritos, que se golpeó la cabeza contra las murallas de su celda, que le bajaron horribles tercianas. Juan Antonio fue enviado a petición del coronel a un regimiento del sur, a regiones de frontera de indios, para que sentara cabeza, para que se hiciera hombre, para que sintiera el olor de la pólvora en alguna escaramuza con araucanos, y ella, después de algunos meses de encierro, debilitada, con más canas que antes y con las primeras arrugas, cruzó una vez más la portezuela de las Claras, esto es, la puerta chica que se abría a un costado del portón principal, y regresó a la casa de Toesca, el último de los bienes que le quedaban, y que se encontraba, después de dos años de abandono, en ruinoso estado. No sabemos si la acompañaba su mamá, su «mamita de mi vida», como solía decirle, o si estaba muerta, y tampoco nos consta que su hermana e Ignacio Varela hayan estado presentes. Es probable, en cambio, que la haya ido a dejar hasta la puerta de su casa, que no estaba lejos del convento, alguna monja caritativa, acompañada de alguna novicia, y de la Palmira, la tonta, que le habría preparado una sopa y habría tratado de consolarla.

Dos o tres semanas más tarde supo que Juan Joseph Goycoolea se había casado, con toda la pompa, el boato, la circunstancia de este mundo, con la niña ricachona que pretendía desde hacía un tiempo. Le explicaron que era una Echazarreta de las Heras, Antonia de nombre, y que tenía la nariz excesivamente chica, y la frente manchada de pecas, pero que compensaba estos detalles, sin duda menores, con su juventud, con su buena salud, y con una de las haciendas más fértiles de la provincia de Colchagua, centenares y hasta miles de hectáreas de migajón puro. La Manuelita no dijo nada, como si esas cosas ya no le interesaran, pero pasó días enteros sentada a la sombra de un pimiento, jugando con el perrito que tenía desde los tiempos de su salida de Peumo y sorbiendo un poco de mate. El perrito estaba viejo, con la cara triste, y le había salido un tumor en el vientre que le hacía muy difícil evacuar sus orines y sus excrementos, sus «caquitas», como decía ella. Ella, por su lado, estaba pálida, el labio inferior se le caía un poco, y los que llegaban a verla, que no eran muchos, tenían la sensación de que había perdido la locuacidad, la gracia, la chispa de sus épocas mejores.

Un día le contaron que el Negro Goycoolea recorría muy contento las tierras de la Ñata Echazarreta, con su bonete, su poncho, sus espuelas de huaso rico, y ella se levantó y fue hasta el fondo del jardín de su casa, hasta el lugar donde estaba el taller de Toesca. Lo hizo con los ojos húmedos, porque lloraba mucho, casi tanto como en los años del Beaterio. Golpeó y enseguida entró al taller, donde siempre había gente que trabajaba. No le importaba que la vieran con los ojos hinchados. Ya no tenía nada que disimular ante nadie. Santa María, el Gordo, que estaba dedicado a dibujar unos planos, se puso de pie y la saludó con una reverencia.

–No quería interrumpirlo –dijo ella–. Siga, no más.

Él contestó que estaba encantado, que no era ninguna interrupción. ¿En qué podía servir a doña Manuelita? En nada. Ella sólo deseaba acordarse del taller, donde no había vuelto a entrar después de la muerte de su marido, y quería ver si podía recuperar unos dibujitos, un par de perritos que daban la impresión de que movían la cola, acezando (porque me gustan mucho los perros, ¿sabe?), y una torre puntiaguda que se perfilaba contra un cielo ocre, y que él, Joaquín (a quien ella, en vida, siempre había llamado Toesca en lugar de Joaquín), decía que era una fantasía de otro italiano anterior a él, una especie de capricho, algo así como un sueño.

El dibujo de la torre puntiaguda, parecida a una espiral que diera vueltas sobre sí misma, estaba en la pared, en el sitio de siempre, y también el de los dos perritos, que por poco movían la cola y ladraban, y que tenían la punta de la nariz mojada, y Santa María, que había engordado todavía más y que sudaba (¡el pobre!, se dijo ella), más nervioso y más atolondrado que nunca, con su melena colorina que ahora le llegaba hasta los hombros, le envolvió los dos dibujos en un pedazo de tela, los amarró con un cordel, y le dijo, cuando ella hizo ademán de tomarlos:

–¡Cómo se le ocurre, doña Manuelita! Yo se los llevo hasta la casa.

Él sabe, pensó ella, que estuve encerrada en varios conventos, y que acabo de salir de las Claras, se supone que por mala, por depravada, pero no le importa que lo vean conmigo, porque lo ven desde los patios vecinos y desde la calle, los mirones se asoman por todos lados, por entre las rejas y hasta por encima de las zarzamoras del fondo, y él hasta parece feliz, tiene la cara gordota, coloradota, iluminada como un farol.

–¿Necesita algo más, mi doña Manuelita? –preguntó, inclinándose hasta el suelo, y le dijo que nada, pero que estaba muy agradecida, que pasara del taller a la casa cuando no tuviera nada mejor que hacer. Nunca faltaría un matecito bien cebado para ofrecerle, y unos alfajores, unos suspiritos de monja, y mientras durara el tiempo de las chirimoyas, unas chirimoyas alegres.

–¡Bien alegres! –y soltó la risa, como si nunca le hubiera pasado nada, como si los cilicios con clavos amohosados y con papeles de lija, los barrotes de las celdas, el agua congelada, los rezos y los cantos en las madrugadas de hielo, no hubieran existido. Porque así era ella: la gozadora, la sentimental. A pesar de lo chuñusca que estaba. Porque él, el Gordo, tan bonachón, la veía con los mismos ojos de antes. Sin notar el cambio. Sin querer notarlo.

II

Cruzó por la vereda del frente, la de José Miguel de la Barra. Esperó la luz verde en la esquina de José Miguel de la Barra con Merced y atravesó en dirección al sur, hasta internarse por el lado oriental de Victoria Subercaseaux. Tuvo un breve pensamiento para don Benjamín y doña Victoria, apenas un destello, un bigote, unos encajes que revoloteaban por encima de un pecho abombado. Don Benjamín Vicuña Mackenna, marido de doña Victoria, en su época de alcalde de la ciudad, hizo la transformación del antiguo peñasco, que los indios mapuches conocían como Huelén, Dolor, en el paseo *kitsch,* con piletas andaluzas y campanarios góticos, que conocemos ahora. Hasta aquí las digresiones del Narrador, y las nuestras. Él, desde la calle Victoria Subercaseaux, vio que las luces del departamento de Cristina estaban encendidas. A través de las persianas bajas, no del todo cerradas, se alcanzaba a divisar un movimiento de sombras. Cristina, la militante, se dijo, acompañada de conmilitones varios. Ahora que el comunismo hacía agua por todos lados, las sombras se dedicaban al alcohol, al tango argentino, a la nostalgia o a los celos, aparte de lecturas tardías de Jorge Luis Borges, porque lo habían perdonado, o de Vicente Huidobro, perdonable por excelencia, o de Fernando Pessoa, a quien no habían alcanzado a condenar porque no lo conocían en el tiempo de las condenas. Algunos, profesores, psiquiatras, sociólogos, llegaban un poco más lejos: se codeaban con la transvanguardia, con Lacan, con la desconstrucción. Y de vez en cuando, pensó, cuando podían, hacían el amor, pero él no tenía derecho a sentir rabia. El Narrador era ubicuo, indiferente, o se dejaba dominar por una pasión que sólo podía ser formal, narrativa, de los ojos mentales, del oído interior, de la memoria no exclusivamente propia. Se acordó entonces de una fotografía de don Benjamín, en compañía de un grupo de revolucionarios cubanos, en una de las almenas de la cumbre del cerro, hacia 1898. Debajo de los tribunos del pueblo con sus sombreros de tarro y sus corbatas de plastrón se desplegaban las banderas de Cuba y de Chile.

El Narrador se alejó. La Revolución sacrosanta tenía ya una historia más que larga, y él podía olvidarse de ella por un rato. Bebió un vaso de vodka con hielo en la barra del Biógrafo, el bar que se había instalado frente a la casa de Raskolnikov y al que había entrado no sabía por qué. Lo hizo en amena conversación con su vecino de casi siempre, un barbudo cincuentón, amable, disponible, y le dijeron que a partir de las doce entraban en aplicación las normas de la jornada electoral.

–Pídete otro vodka –le aconsejó su vecino–, rápido, antes de que entremos a régimen de ley seca.

Alcanzó a beber menos de la mitad del otro y supo que la ley seca ya se hallaba en vigencia. Un camión blindado, lento, acababa de detenerse en la penumbra dudosa de Lastarria. Bajaron la plancha de protección de la parte trasera y empezaron a saltar a la calle soldados con cascos y metralletas.

–Hubo muchos rumores de golpe de Estado en la tarde –dijo el amable barbudo–. Estos soldaditos a lo mejor nos rodean, nos colocan en fila y nos fusilan uno por uno.

–Como en los buenos tiempos –dijo otro, con expresión ácida.

–Los gringos ya no están para estas huevadas –replicó el barbudo.

–Estuvieron, pero parece que ahora no están –murmuró una voz tercera, la de un hombre flaco, algo deforme, a quien se le enredaban las palabras entre los dientes mal cuidados y la lengua. Lo habían deformado, contaban, en la tortura y le habían hecho varios simulacros de fusilamiento, pero otros alegaban que todo aquello sólo formaba parte de la mitología del Biógrafo.

–Permiso –dijo el Narrador, y agarró el teléfono de la pared.

Le dijo a Cristina que la reunión en su casa parecía muy animada, y evitó en forma cuidadosa, al decirlo, que el tono de su voz revelara sorna, ironía, molestia.

–Cuatro gatos que ya se fueron –respondió Cristina–, listos para participar en el simulacro de mañana.

–¡Cuídate! –le dijo el Narrador–. Aquí estamos rodeados de milicos armados hasta los dientes. No asomes ni la nariz a la calle.

Quedaron de ir a votar al día siguiente y de juntarse después en Santa Lucía, y Cristina dijo que si ganaban, le encantaría contárselo por teléfono a Ignacio chico y tratar de convencerlo de que se viniera, detalle que le reveló al Narrador que Cristina, aunque no le gustara admitirlo, había entrado en el juego: Cristina, y también, por lo tanto, sus amigos, sus compañeros y compañeretes, sus compinches.

Al día siguiente, al llegar a pie, con tranco enérgico, desde la Plaza de Armas hasta las mesas de hombres de Providencia, el Narrador notó un silencio extraño. Era parecido al que había notado al regresar de Europa después de largos años de ausencia, a fines de la década de los setenta. Habían transcurrido alrededor de diez años, y aquellos silencios, el que lo había sorprendido al entrar por primera vez al metro de Santiago, en los días de su llegada, y el de ahora, el del principio y el del final, se encontraban y se contraponían. El del principio, en las estaciones y los carros del metro, en los paraderos de micros, en las galerías comerciales, en los vestíbulos de los edificios públicos, era un mundo de pisadas presurosas y de miradas fijas, preocupadas, ausentes de todo lo que no fuera su preocupación misma, poblado por seres parecidos a muñecos, a autómatas, como si al doctor Spalanzani, el fabricante de Copelia, le hubieran prestado una oficina y un laboratorio en pleno centro de Santiago, en Moneda, por ejemplo, cerca de Morandé o de Bandera, en el sector de los bancos, de la Bolsa de Comercio, de las casas de cambio: a Spalanzani, o al señor Apolinario Canales, o a quien fuera. Y el silencio del final, el de ahora, parecido al del comienzo en el carácter fantasmal de las pisadas, que se repetían a lo largo de la avenida Italia y después en los patios del Liceo Vicente Pérez Rosales, espacios vigilados por parejas de soldados que actuaban con discreción suma, manos enguantadas y voces en sordina, casi oblicuas, era, sin embargo, una atmósfera por la que transitaban personas vivas, seres elásticos, de musculatura flexible, que superaban los obstáculos, las fracturas de las calles, los pastelones levantados por las raíces de los árboles, con naturalidad, con el obvio propósito de no romperse un tobillo, y que se saludaban, de vez en cuando, en voz baja, con la reserva de antes, pero con el añadido, ahora, de una sonrisa abierta, y que podía querer decir: puesto que llegamos hasta aquí, hasta esta etapa del escabroso proceso, y si estamos en esto, y si no pasa, como ve usted, como tú ves, nada, significa simplemente que ganamos, que entramos a otro período, y hasta la amabilidad de los soldados, su actitud comedida, qué les indica a ustedes, qué te hace pensar, ¿podís decirme?

Al llegar a este punto, el Narrador se pregunta si no habrá un exceso de optimismo de parte suya. Porque no podían faltar, desde luego, entre los muñecos vivos que se desplazaban por las cercanías de las mesas de votación y que hasta sonreían, saludaban, formaban filas de la manera más correcta, los que votarían por el Número Uno, y aquellos que además de votar por el Número Uno, en su fuero interno, iracundos, deseaban que los tanques volvieran a salir a las calles, como se había escuchado a menudo, en circunstancias y en lugares diversos, en las últimas semanas. Y se plantea, entonces, el Narrador, una pregunta un poco más compleja: ¿no será que la voz narrativa, para existir, para salir de la nada, necesita de cierta dosis de optimismo, de algún principio de esperanza? Empezaríamos a comprender, en esta forma, al acercarnos a los acordes finales, su función en la historia, o si ustedes prefieren, si así les acomoda, en el texto. Él, desde su mesa del repostero, desde su puesto de observación frente a la Plaza sumida en la oscuridad, sería la condición de la Historia. Sin él, sin su voz, todo regresaría a la incoherencia, al caos primigenio. A la ceniza. Pero dejemos de lado estas lucubraciones. Olvidemos la ansiedad, la estéril manía interpretativa. Las filas de electores, bajo el sol débil del patio de la escuela, se veían tranquilas, y los conocidos, los que habían coincidido en este momento más avanzado, ya ni siquiera se saludaban, como lo habrían hecho en la calle, sino que se reconocían, nos reconocemos, pensó el Narrador, con apenas un guiño, un gesto, un alzamiento de cejas. Si se presentaba una persona despistada, un joven que nunca había votado antes, un anciano cegatón en busca de su mesa, o en silla de ruedas, lo ayudaban, lo ayudaba hasta el Narrador, que no era nada de ayudador en lugares o en circunstancias públicas, y que no debería ayudar, se supone, a sus personajes, por muy secundarios que sean, y alguien, una de esas caras conocidas de toda la vida y que han estado metidas en política desde que alcanzaron el uso de la razón, cara trabajada, de surcos hundidos, para ser más preciso, el Camión Arriaza, Manolo Arriaza, que venía, recuerda el Narrador, de los Padres Franceses, le susurró al oído que en las mesas de mujeres reinaba la misma calma, el mismo espíritu de solidaridad, de ayuda a la votante despistada, a la inexperta, a la vieja que se había olvidado hasta de cómo se llamaba y a la joven que no había tenido ocasión de votar en su puta o en su casta vida.

–Quiere decir que ganamos –comentó el Narrador, y Arriaza, el Camión, Manolo, con sus manazas peludas, hombrunas, de militante curtido en todas estas lides, amigote de

Cristina, y golpeado, le había contado ella, humillado hasta la saciedad, en los primeros tiempos, a pesar de lo cual se había negado a refugiarse en una embajada extranjera, este país es mío, y aquí me quedo, por la misma mierda, etcétera, había apretado el antebrazo del Narrador con fuerza y había corroborado con su voz baja, aguardentosa:

–¡Ganamos, compañero!

En otras circunstancias le habría molestado lo de compañero, ya que había dejado atrás, junto con tantas otras cosas, esos tratos, esos estilos, pero en ese momento, en la magia de aquel instante, no le importó un pepino, y hasta sospecha que lo conmovió, que lo transportó al pasado. Otra persona, ya no recuerda quién, en su camino de regreso, en la puerta del supermercado donde había entrado a comprar algunas provisiones y donde no le habían permitido adquirir una miserable botella de pisco, le contó que había visto esa mañana a Santiago Costamagna, hirsuto, inconmovible, callado, todavía sólido, a pesar de que ya rasguñaba o ya había pasado el cabo de los noventa, llevado del brazo por su vieja, sufrida, testaruda compañera, dirigiéndose a votar en las mesas de varones de la Plaza de Armas (cerca del sitio preciso donde el sombrero lleno de escarapelas había volado por los aires).

–Al comienzo no quería inscribirse, no le entraba en la cabeza, pero quién, después de todo lo que le pasó, de la desaparición de su hijo y de su nuera, podía privarlo del gusto de poner un No enorme.

–¡Quién!

Le contó lo de Santiago y su mujer a Cristina, para que viera que ellos, militantes más antiguos, más curtidos, con un hijo y una nuera en la lista de los detenidos desaparecidos y con el nieto huérfano a su cargo, habían acatado y habían partido arrastrando las patas a colocar su No del porte de un buque en la urna, pero ella, que parecía dar su brazo a torcer muchas veces y que al final, en el momento decisivo, no lo daba, o hacía como que no lo daba, entre cigarrillo y cigarrillo, más bruja que nunca, bebiendo sorbos de vino ordinario en un vaso inadecuado, excesivamente chico, grueso, tosco, afirmó que todavía no creía, y estaba segura de que el viejo Costamagna tampoco, que un dictador así, con esos antecedentes, un tirano sanguinario, fuera a permitir, primero (con el índice de la mano izquierda levantado y el de la derecha tocándolo, sacando la cuenta), una elección limpia, que acatara, segundo, un resultado desfavorable, y que fuera capaz, tercero, de abandonar el trono, el sillón de O'Higgins, al que le había tomado tantísima afición...

–Como todos.

–¡Más que todos! –gruñó ella, y no lo insultó en voz alta, pero sus labios modularon algo que se parecía mucho a un insulto.

... y entregárselo con una venia, con una sonrisa, al triunfador de las elecciones próximas, vale decir, a un miembro destacado de la oposición a su régimen, y a quien él habría mantenido bien cercado, bien vigilado, con alguna temporada, quizás, en la cárcel, o en el exilio... ¡Cuándo! ¡Cuándo se había visto! ¡Y dónde!

Ella, en todo caso, había cumplido. Se había inscrito en los registros electorales, en los últimos días hábiles, y esa mañana, disciplinada, con el pelo sin secar del todo y recogido en un moño, con cara de niña de las monjas catecas o de las Brigadas Ramona Parra, niña de cutis un poco arrugado, de voz excesivamente ronca, había buscado su mesa, había formado cola, con la mayor serenidad aparente, mirando las cabezas y calculando por los peinados, por el cuidado de las manos, por las actitudes, quiénes votarían que sí, quiénes que no, y después, con un gesto rotundo, había depositado su voto, para que no dijeran, para que no pensaran que había desaprovechado, por obcecación, por insuperable dogmatismo, esa posibilidad, ¡esa tan remota posibilidad!

–¡Nada de remota!

Cristina se encogió de hombros. ¡Qué iba a hacer! Le ofreció un trago de vino y sacó del mueble del comedor una copa verdosa de cristal cortado: una que había pertenecido a su padre, el amigo del Chicho, el compañero suyo en lides políticas y en logias masónicas. ¡El Narrador era tan melindroso, tan fijado en los detalles!

–Si sé –dijo–: Fui un huevón, un vacilante, un hombre de poca fe, hasta que me salí del partido, me saqué la máscara, y me convertí en lo que siempre, en el fondo de los fondos, había sido o habría debido ser: un momio, un anticomunista del carajo.

–Eres tú el que lo dice.

–¡Yo!

–¡Salud! –exclamó ella, y levantó su vaso chato. El Narrador levantó la copa llena de resplandores verdes. Merecería, quiso decir, un vino de calidad mejor. Después del almuerzo durmió una larga siesta en el dormitorio que había sido del Nacho, el ausente, el enigmático, y más tarde, hacia el anochecer, llamó por teléfono al Cachalote Alcócer. Quería saber qué opinaba un verdadero momio, le dijo, aun cuando él también hubiera llegado a serlo, y de los peores, como le decía Cristina, ¡de los que engañaban!

–Creo –añadió–, por mi parte, que ha ganado el No de aquí a Penco.

–¿Crees? –replicó el Cachalote–. Pues bien, quizás, por desgracia, no te equivocas, y ya tendrás ocasión de arrepentirte. Las acciones que acabas de heredar de tu padre se van a ir a la cresta. ¡Hasta la Cristina y tu hijo, el sumergido, el clandestino, te lo van a echar en cara!

–¡Eso sí que está bueno! –exclamó el Narrador.

Pero el Cachalote, a esa hora del día del plebiscito, y después de más de algún whisky cargado, no estaba para bromas. No le faltarían ganas, se imaginó él, de bajar a la calle a matar comunistas. ¡De nuevo! De volver a ver tanques y camiones blindados en las cercanías de la Moneda.

–Te llamaré más tarde –le dijo el Narrador–. Cuando las cosas estén más claras.

–O más oscuras –gruñó el Cachalote, y colgó el fono de un golpazo.

El secretario del Interior, un aplicado funcionario de apellido Villanueva o algo por el estilo, se encargó de oscurecerlas más todavía, ya que anunció resultados siempre favorables al gobierno, aun cuando corrían rumores de que el No había ganado con holgura, y de que el Caballero estaba encerrado en los cuartos interiores de la Moneda, presa de un peligroso ataque de nervios, atiborrado de píldoras antidepresivas y atendido por dos o tres de sus psiquiatras de cámara.

–¿Ves? –murmuró Cristina, monosílabo que suponía una confirmación, una comprobación de lo que había sostenido siempre, y él, a pesar de que ya no quedaba una gota de alcohol en la casa, se puso a recitar a voz en cuello, en el italiano original, los primeros tercetos del *Infierno* del Dante. Después de atender llamados por teléfono durante largo rato, Cristina anunció que los partidarios del No saldrían a la calle a celebrar su triunfo, a pesar de que los partidos, incluyendo el comunista, habían ordenado que no lo hicieran, y que los del Sí, alentados por los comunicados del señor Villanueva, o Villamediana, o Villatoro, harían lo mismo. El Caballero, entonces, desde el fondo de la habitación palaciega donde se comía las uñas (y cuyos gruesos muros, cuyos altos ventanales, correspondían al sector diseñado y levantado por Toesca con la ayuda de don Pedro Olea, del maestro Pineda, del Juanillo, de todos ellos), daría instrucciones para que los blindados salieran a la calle y restablecieran el orden, y eso, como se dice vulgarmente, sería todo.

–¡Las leseras que uno tiene que oír! –aulló el Narrador, tapándose los oídos.

Pero la situación confirmaba, más bien, las aprensiones de Cristina. El peligro se respiraba en el aire de la noche, en el silencio de los árboles del cerro, en la oscilación de los faroles, un peligro sólo parecido al de los días que siguieron a la elección de Salvador Allende, dieciocho años antes. Por las veredas no pasaba un alma, y los programas de televisión habían entrado a un punto de rutina, de espera. Llegó un momento, sin embargo, en que los comunicados del señor Villaespesa cambiaron de tono, cosa que sucedió después de que un general importante, al llegar a medianoche a la Moneda, debajo del pórtico de la parte norte, el que había recibido la máxima carga del bombardeo de la mañana del 11 de septiembre de 1973, declaró, frente al asedio de los periodistas nacionales e internacionales, de las cámaras y las grabadoras de todo el mundo, que para él las cosas estaban claras: el No había ganado.

–¿Oíste? –vociferó el Narrador, eufórico, batiendo palmas, y ella juntó las manos, abrió la boca, puso ojos redondos, pero recuperó de inmediato su posición, su rechazo obstinado. Acompañó al Narrador, de todos modos, por simple curiosidad, dijo, a una Secretaría del No que se había instalado para los efectos del plebiscito en un hotel del centro, y se abrazaron con diversas caras conocidas, celebrando, felicitándose, dándose besos. A pesar de que había, pensó el Narrador, en último término, un elemento de ambigüedad, puesto que Cristina, en su condición de comunista obcecada, por mucho que hubiera abandonado en tiempos recientes la militancia activa, no había hecho más que colocar palitos en las ruedas de la bicicleta, y él, el Narrador, ¿quién era, qué derecho tenía a celebrar nada, qué pito tocaba?

De regreso en el departamento, mientras contemplaba la escalinata de ladrillos gastados del cerro de don Benjamín, coronada por el escudo monárquico, el Narrador dijo que llamaran a Ignacio chico a Recife, ¡aunque estuviera durmiendo!, y puso de inmediato manos a la obra.

–Estaba «acordado» –respondió el Nacho–, y escuché los resultados en «a Rede Globo».

Comprendieron que el castellano se le había empezado a confundir con el portugués, a olvidar, y otras cosas también, porque les dijo que estaba muy contento, contentísimo, aun cuando esperaba que las nuevas autoridades no cambiaran el modelo económico.

–Ojalá –agregó–, que también se aplicara aquí en el Brasil, y con la misma decisión que en Chile.

Cristina colgó y se dejó caer en un sillón espacioso y descuajeringado. Las manos marcadas por la edad, menos frescas que los brazos, los hombros, las pantorrillas, le colgaron a los costados de los brazos del sillón, que estaban francamente raídos, carcomidos por el uso.

–¡El modelo económico! –chilló, entre furiosa y abrumada, como si el mundo se hubiera confabulado en su contra.

–Sí –confirmó el Narrador–: El modelo económico. ¡Los porfiados hechos!

–Se ha convertido en un momio espantoso –suspiró ella. Y como él se reía por lo bajo, agregó–: ¡Igual que tú! ¡Peor que tú!

–Yo no soy momio ni soy revolucionario –respondió él–. Yo soy el Narrador. Me corresponde estar en todas partes, en un lado y en el otro, y en ninguno.

–¡Quién te lo va a creer! Volviste a tu redil, y arrastraste a tu hijo, y tu padre, si estuviera vivo, mandaría matar varios corderos y abriría las mejores botellas de su bodega. Porque la vuelta del hijo pródigo, que parecía que se había postergado, al fin se produjo, ¡y con dos generaciones juntas!

Él se puso de pie con cierta solemnidad, con seriedad levemente burlona.

–Me voy –anunció.

–Nadie había pedido que te quedaras.

–Ni me quedaría. Aunque me lo pidieras.

Ella, entonces, con cara de furia, con ojos llameantes, con manos abiertas, lo empujó sin contemplaciones y cerró la puerta sin hacer ruido, pero con mano férrea, con serpientes enroscadas en el pelo, ¡en sus narices!

III

Ignacio Santa María, el Gordo, y la Manuelita, la viuda, Manuela Fernández de Rebolledo y Pando, se casaron alrededor de un año después de aquel encuentro fortuito en el taller de arquitectura, un sábado de septiembre al mediodía, en la iglesia vieja de la parroquia de Santa Ana. Los casó don Francisco Boza, el mismo cura párroco a quien vimos tapándose los oídos y huyendo a todo lo que le daban las piernas, con las sotanas arremangadas, para no escuchar los gritos de la Manuelita y del joven Juan Francisco Díaz, quienes habían tratado en vano de contraer matrimonio clandestino. En aquel cambio de siglo, la costumbre de estos matrimonios se había propagado como una verdadera epidemia. Así opinaban, según ha podido comprobar el Narrador, las autoridades eclesiásticas más conservadoras, además de los padres de familia cuya resistencia había sido burlada.

Con Ignacio, el Gordo, soltero, huérfano de padre y mayor de edad, aunque siete u ocho años menor que Manuelita por lo muy menos, el problema de la autorización ni siquiera se había planteado. Se dijo que su hermano mayor, de nombre José Luis, se había resistido con rabia, con golpetazos en la mesa, con gritos, pronosticando que a su hermano chico le pondrían un gorro del tamaño del cerro San Cristóbal, unos cuernos del porte del Aconcagua, a actuar como padrino suyo, pero resulta que este José Luis, querendón, buena gente, estaba muy lejos de tener la fuerza de carácter del coronel Díaz, el vecino, quien se había opuesto a la boda de su hijo y había prevalecido. José Luis incluso permitió que un niño suyo de siete años de edad, todo de blanco vestido, de calzas de satén y medias de seda blancas, un angelito rubio y de ojos azules, como Dios mandaba, llevara la cola del traje de la novia, con ayuda de la Pepita chica, hija de Ignacio Andía y Varela y de doña Josefa Fernández. Ha visto el Narrador, por otra parte, salvo que se haya confundido, cosa nada de improbable, que este niño, el paje masculino del casorio del Gordo Santa María con la Manuelita, sería en años futuros el papá del presidente Domingo Santa María, el del período liberal y las leyes laicas, el de las batallas campales con la Iglesia y con el bando católico, con un Chile pechoño que el Narrador había alcanzado a conocer en su infancia, sobre todo en el caserón de la calle Catedral abajo de sus abuelos maternos, mansión de un piso con capilla y hasta con huesos de muerto debajo del altar, con cura sentado a la derecha de la dueña de casa en los almuerzos de familia. Pasado que ahora, en el incierto presente, parecía que hubiera resucitado. Pero el Narrador, deseoso de no incurrir en el pecado del anacronismo, omite estos asuntos sin comentarios mayores.

–Veamos si los cuernos lo dejan salir por la puerta de la iglesia –dijo un chusco, botado a gracioso, que se había quedado junto a la pilastra de madera de la entrada, mientras levantaba la vista hacia el umbral, que en aquellos años todavía era bajo, de proporciones mezquinas, y como en ese momento hacía su aparición, muy compuesto, de corbata de plastrón azul marino y de sombrero de copa, Juan Josef Goycoolea, quien llevaba del brazo a su flamante mujer, la Ñata Echazarreta, se puso, el chusco aquel, a propinar codazos a sus vecinos y a poner caras raras, como si estuviera a punto de reventar de asombro y de risa.

–Les aseguro –murmuró una voz femenina–, que será una esposa modelo, y una católica ferviente. Miren cómo junta las manos, cómo mira al Santísimo, con los ojos transidos de fervor, y cómo baja la vista, ahora, y reza, emocionada, arrepentida...

–¡De los arrepentidos es el Reino de los Cielos! –clamó el chusco, el bufón del lado de las pilastras, que estaban muy lejos de ser todavía los contrafuertes de un barroco tardío, de una solidez más bien germánica, que se levantarían en el mismo sitio años más tarde.

Se supo, a todo esto, porque alguien echó a correr la voz desde los bancos de adelante, que Goycoolea y la Ñata habían mandado de regalo una espléndida colección de mates de plata peruana, colocados sobre una fuente de plata maciza, peruana o boliviana, detalle que alguno consideró alusivo a misiá Clara Pando, cuyos antepasados tenían ramificaciones en el Altiplano, en las tierras misteriosas del Tiahuantinsuyo, y que había sido la alcahueta de los antiguos amores de la Manuelita con el propio Goycoolea.

–¿Se acuerdan de la cara de india que se le había puesto en sus últimos años? –murmuró otro–. Era una machi vestida con encajes, con manitos de arcilla rojiza, manitos que habían bajado de Potosí por caminos de llamas. ¿No se habían fija'o?

Se habían fijado, sí, perfectamente, y la Manuelita, con sus pómulos fuertes, su tez mate, su pelo negro como el azabache, era, también, y no se les había ocurrido antes, pero ahora, con la edad, se le empezaba a notar, medio india, pero india mezclada con andaluza robusta, fogosa, de cuerpo soberbio, cuerpo de diosa del sur, de ríos exóticos, de mitologías desconocidas.

–Y a lo mejor, por eso –descubrieron–, había salido tan zafada, tan ajena a las normas.

–¡Tan recontra caliente! –incidió el chusco, el que hablaba desde atrás de una pilastra agujereada, tapándose la boca. Hubo risas, pero fueron interrumpidas por las campanillas de la consagración, por el rumor de la gente que se hincaba y bajaba la cabeza. Comulgaron todos, desde la Manuelita y el Gordo, la Pepita e Ignacio con sus hijos, y don José Antonio de Rojas con la Merceditas, su mujer, a pesar de que más de alguno murmuraba que el mayorazgo era masón y ateo, pero con los años y los sustos, decían otros, había cambiado, y el Colorado Infante, Goycoolea y la Ñata, todos. Salieron después a un jardín lateral, que ya tenía, en esos inicios de primavera, un olor pronunciado a azahares, a menta, a hierbabuena, a celebrar la boda, suceso que todos veían, a pesar de las bromas, como un final feliz: a beber ponches a la romana y mistelas, a engullir jamones serranos traídos de la Península, chorizos, unos pavos rellenos con ciruelas, con nueces, con tocino, que estaban de chuparse los dedos, y vinos de la Ermita, dulzones, y alojas, y limonadas, y huevos chimbos, jaleas, ponderaciones, dulces de San Estanislao, tortas de mil hojas. Y de repente, desde un costado, cuando el sol ya se acercaba a las montañas de la costa y revoloteaba por entre los arbustos una brisa fresca, avanzaron haciendo reverencias dos indios violinistas, con una manta de todos colores doblada sobre el hombro izquierdo, y una arpista cobriza, de trenza larga, picada de viruela, que tenía un ojo blanco, ciego, pero que se las ingeniaba con el ojo bueno y con dedos ágiles para arrancar sonidos que no parecían de este mundo.

–Bailamos hasta que las velas no ardieron –comentaron diversas voces al día siguiente, en lo mejor de un chocolate que ofreció doña Luisa Esterripa, la señora del nuevo gobernador y presidente de la Real Audiencia–, y comimos hasta que nos dio puntada, y nos tomamos hasta el agua de los floreros, y Santa María, el pobre gordinflón, de repente, se llevó a la Manuelita. Se la llevó a la rastra, porque todos teníamos la impresión de que ella se moría de ganas de seguir bailando, y cantando, y riéndose a gritos, y de que estaba medio trastornada, de que había terminado por quedar, después de tanta historia, de tanto dar bote de convento en convento, medio mala de la chaveta, y el gordinflón, loco de amor, no se daba ni cuenta, porque no quería, ¡y para qué necesitaba!

Santa María, en cualquier caso, ascendió rápido en su carrera de ingeniero militar, gracias a las matemáticas, no se cansaba de explicar, que le había enseñado Joaquín Toesca, su maestro, y consiguió que le dieran algunos trabajitos de arquitectura, pero no gran cosa. Porque parecía que todos los encargos importantes los acaparaba Goycoolea, Juan Joseph, quien había heredado, como él mismo lo había anunciado, el lugar de Toesca, pero con más honores todavía, sin sus debilidades, sus tormentos, y con una posición social, gracias a las tierras, a los dineros, a las frecuentes invitaciones que hacía la Ñata, muchísimo más encumbrada. A los pocos años de entrar en el siglo XIX, por ejemplo, le pidieron que hiciera los planos del templo nuevo para la parroquia de Santa Ana, la misma que acabamos de ver en el matrimonio de la Manuelita con el Gordo, celebrado todavía en la iglesia vieja, y Goycoolea dibujó una fachada con tres columnas exentas a cada lado del pórtico, ajustadas cada una al orden dórico y rematadas en un juego de cornisas parecido al de la Casa de Moneda, pero no alcanzó la plata y tuvo que adosar las columnas y convertirlas en pilastras, aunque no, claro está, de palo, como las dos míseras de la capilla antigua, perforadas por los bichos. Y la plata no alcanzó porque cuando terminó de dibujar los planos, de acuerdo con su idea original, que era, en definitiva, un homenaje a su maestro, el mismo a quien había hecho sufrir tanto con sus amoríos, ¿o no lo había hecho sufrir, como se creía, sino, a su manera, en su forma secreta y delirante, gozar?, y cuando entregó ya los dibujos, vinieron tiempos de crisis, de malas cosechas, de poco trabajo para los arquitectos y los ingenieros, de obras públicas abandonadas, y de agitación, de rumores alarmantes, de voces que anunciaban que los franceses, los seguidores de Napoleón Bonaparte, el nuevo Anticristo, habían invadido a España, y que a todos los aristócratas, por más que sus títulos sólo fueran coloniales, comprados a una Corona en ruinas, les iban a rebanar el pescuezo, igual como habían hecho los jacobinos en Francia.

Empezaron a decir, por otro lado, al año o al año y medio, que el matrimonio de Santa María, el Gordo, y de la

Manuelita, que no había tenido hijos, no andaba muy bien. Algunos observaban que ella se había puesto vieja, pero otros contestaban que el Gordo estaba ciego, trastornado por su pasión, y que la veía igual que en sus años juveniles, ¡en la flor de su belleza! Alguien la divisó hincada junto al altar de San Antonio de Padua, en la iglesia de San Francisco, y contó que estaba en los huesos, ojerosa. Cuando cesó de rezar y se puso de pie, ese alguien creyó notar que ya le faltaban dientes en la boca, y que llevaba el vestido, bastante sucio y a mal traer, amarrado con el cordón de San Francisco, signo de que había hecho alguna manda, de que estaba pidiendo algo, algún favor del santo, frente al altar construido, justamente, por uno de los discípulos más aventajados de su primer marido, un compañero de trabajo de su cuñado Ignacio Varela, el maestro Ambrosio de Santelices. También contaron que se había encontrado en la calle con Juan Joseph de Goycoolea, un día en que éste vigilaba trabajos que le había encomendado don Bernardo Llanete, terminaciones de una casa de gran lujo, un palacio de la Moneda en chico, mansión cuyos planos originales eran debidos a Toesca (nadie podría olvidarse, pensó el Narrador, de la tarde aciaga en que don Bernardo, de visita en la casa del maestro, se los había pedido), y que se había acercado y lo había insultado a grito limpio, a pesar de lo comedida que había estado con él en los días de su matrimonio con Santa María (pero al ver salir a la calle a don Bernardo, bastantes años más viejo, pero igualito, redondito, pelado, godo hasta la pared del frente, a ella se le despertaron memorias que no fue capaz de controlar). Los gritos destemplados se escucharon en toda la cuadra y hasta en los portales de la Plaza, ¡maricón!, ¡sinvergüenza!, ¡cabrón!, y después agarró unos cascotes de barro que tenían bosta fresca de caballo y se los tiró por la cabeza con una fuerza increíble, echando espumarajos por la boca, aunque con mala puntería.

Parece que también fue vista, y las gentes de las manzanas del centro, en un comienzo, se resistían a creerlo, pero fueron muchas las versiones que coincidieron, en los portales, entre los perros sueltos, los mendigos, los aguateros, las tortilleras, los puestos de vendedores de ojotas, con la cara medio tapada, pasándoles el sombrero negro, aludo, que algunos recordaban a los pies de la cama de Toesca agonizante, y que otros sabían que había pertenecido al hijo del coronel Díaz y Salcedo, a los transeúntes, a los caballeros y a las señoras que bajaban de la Audiencia o salían de entre los andamios de la Catedral, y moviéndolo, pidiendo, exigiendo casi, que pusieran ahí unos reales, cualquier cosa, un pedazo de pan, una fruta. Un miembro de la familia Santa María corrió a contarle al pobre Gordo, y él, al poco rato, llegó a buscarla, furioso, confundido, lacre de vergüenza, porque estaba mal de dineros, es cierto, escaso de trabajo, pero no tenía ninguna necesidad de que su mujer anduviera pidiendo limosna por los portales, él, ¡un Santa María!, ¡un Grajales!, ¡un Fuente Cuberta!, y la gente se preguntaba si la loca, la chiflada de su mujer, lo hacía por rabia, por despecho, para vengarse de Goycoolea, ahora que Goycoolea, el Negrito de sus cartas de antaño, de sus pasados amores, estaba rico, importante, o para castigarse a sí misma.

Parece que Santa María, el Gordo, apenas llegaron a la casa, la agarró a bofetadas y a patadas, fuera de sí, enfermo de humillación, olvidado de su obsequiosidad, de su dulzura habituales, porque ella lo había herido en la zona más profunda de su orgullo, a lo mejor adrede, y contaron que la loca de la Manuela, después de la paliza, desapareció durante cinco o seis días. Desesperado, enamorado de su Manuelita, a pesar de todo y por encima de todo, el Gordo no pudo dar con ella en ninguna parte, ni en la casa de Ignacio Varela y la Pepita, ni en el convento de las Claras, donde la monja superiora la conocía perfectamente, la recordaba incluso desde su primer encierro ahí, en sus años juveniles, y sentía debilidad por ella, un cariño que no disimulaba, ni en el de las Agustinas, ni en las chinganas de la Chimba, y es curioso que después de tocar la puerta de Ignacio y de la

Josefa, la Pepita, y de interrogar a una viejuca, un garbanzo que se había envuelto entre chalinas gastadas y que movía sin descanso la boca sin dientes, haya acudido, Santa María, a conventos y a chinganas, dos extremos, pero así parece que fue, así contaron, y algunos, los chuscos de los portales y del paseo de la Cañada, los bocones, los hocicones, se rieron e hicieron toda suerte de insinuaciones, de chistes de doble sentido. Otras personas comentaron que la Fernández era una mezcla extraordinaria de mística y de arrastrada, de santa y de puta, de putarraca, y un conocido de don José Antonio de Rojas, una persona que no faltaba nunca en la tertulia del gobernador y de su esposa, doña Luisa, un hombre gordo, de cara empolvada, afeminado, que solía cantar aires italianos con acompañamiento de pianola, y que componía petipiezas de temas mitológicos para que doña Luisa y sus amigos las representaran, dijo que a lo mejor, quién sabe, la Fernández, doña Manuela, era una precursora de los tiempos nuevos, de las sociedades libres, sinceras, que florecerían en diversas partes del mundo a medida que avanzara el siglo XIX.

El Narrador supone que doña Luisa, en un gesto muy suyo, sacudió las volandas de encaje que le sobresalían de los puños, se tocó el pecho con las manos pálidas, abrió mucho los ojos azulinos, y sus acompañantes tuvieron la impresión de que las emociones la embargaban, de que estaba sacudida por dentro por una vibración, por un éxtasis, incapaz de expresar con palabras lo que le sucedía. Una precursora, en resumidas cuentas, la Manuelita, y ella, doña Luisa, desde otro sector de la ciudad, detrás de sus cortinajes de damasco, frente a la Plaza del Rey, otra. Los acordes de la pianola habían cesado, los cortinajes del fondo habían quedado envueltos por la penumbra, pero los candelabros de plata maciza, en la mesa del centro, chisporroteaban, mientras Su Excelencia, encorvado, adelantando el índice tembloroso, contaba un chiste medio verde, medio judío, a un círculo divertido y atento.

La Manuelita apareció una tarde, muy demacrada, más flaca que nunca, temblorosa de fiebre, sucia, despeinada, con el vestido roto. Entre la Palmira, la tonta, y una de las negritas de la mano, la metieron a la cama y le dieron caldos de substancia caliente, pero ella no cesaba de temblar. Decía que Toesca estaba en la pieza, vestido de negro, y que traía un atado de cadenas con que la iba a encadenar a unas argollas, en un recinto húmedo. Preguntó por el perrito, el Goiquito, y cuando le contaron que se había muerto y que estaba enterrado en el fondo del jardín, junto a las tapias, lanzó gritos desconsolados y se tiró de los pelos, con cara de demente.

Después de dos días de fiebre y delirio, aquejada, según los médicos, de un enfriamiento y una melancolía incurables, murió en los brazos de Santa María, el Gordo, que estaba desconsolado y que lloraba a mares, sin poder perdonarse por haber perdido el control cuando supo que andaba en los portales pidiendo limosna. Antes de morir, en un momento de lucidez amarga, con los pulmones atravesados por puñales de salmuera, sanguinolentos, deshechos, pidió, por favorcito, por grandes que hubieran sido sus pecados, que la enterraran en San Francisco vestida con el hábito franciscano, y los miembros de la orden, que sabían que se había arrepentido y que la veían rezar durante horas, con los ojos anegados en llanto, en las cercanías del altar de San Antonio de Padua, le asignaron uno de los mejores lugares de la iglesia, en el costado oriente de dicho altar. Al entierro no fue demasiada gente, pero no faltó don José Antonio de Rojas con doña Merceditas Salas, su mujer, y el hermano mayor del Gordo Santa María, el que en un comienzo se había opuesto tanto al matrimonio, con toda su familia, y se asomó a la salida de la misa de difuntos, por un lado, con la cabeza inclinada, cojeando, estropeado, con una pata en la tumba, el mulatón Ambrosio, el que había tenido que vigilarla, el que había visto más cosas que nadie, y más tarde se presentó en el último patio de la casa y le dieron sopa, y él rogó que le regalaran unos zapatos viejos de doña Manuelita, o un pañuelo, una cintita, cualquier cosa, para recordarla.

Ahí, pues, junto al altar de San Antonio, reposarán todavía los huesos de doña Manuela Fernández de Rebolledo y Pando, viuda, primero, de Joaquín Toesca, y de Ignacio Santa María, su discípulo, más tarde, se dice el Narrador, convertidos ahora en polvillo irreconocible, envueltos en los restos de la tela parda y tosca del hábito y en las hilachas, si es que alguna, microscópica, se conservaba, del cordón franciscano con que los vecinos de Santiago de Nueva Extremadura la habían visto pasear por las calles en las últimas semanas de su vida. A todo esto, en el día de los funerales, Goycoolea andaba en el sur, ocupado de un asunto de ingeniería de caminos, pero su mujer, la Ñata Echazarreta, sorda a las habladurías, mandó una enorme corona de flores envuelta en lazos de terciopelo negro y con el nombre suyo y de su marido escritos en una cartulina gruesa, con caracteres donde la tinta había chorreado, y con el consabido: «Muy sentido pézame». Ya sabemos que los restos de Joaquín Toesca y Ricci, el maestro, el romano, reposaban en el otro extremo de la ciudad, a dos metros del puesto desde donde había emprendido el vuelo la estampita milagrosa de la Virgen del Carmen, que todavía flotaba, decían, a pesar de todo lo que había ocurrido, por encima de los barriales pecaminosos de la Chimba. Después de tantos conflictos y de tantos dolores, Toesca había deseado que por lo menos la muerte lo uniera con la Manuelita, a quien en verdad había amado y había perdonado, pero una vez más, y ahora para siempre, por los siglos de los siglos, había fracasado en su deseo.

IV

Ignacio chico se decidió al fin a venir de visita, pero sólo de visita, advirtió, que conste, tres o cuatro años más tarde, a comienzos de los noventa, cuando calculó, suponemos, que nadie podía volver a encadenarlo por las muñecas y por los tobillos, como a los forzados de las antiguas historias, y cuando le aseguraron, quizás, puesto que ya había manifestado una sorprendente inquietud a este respecto, por fax, o en conversaciones trasnochadas de larga distancia con Carlitos Hidalgo, o con el Nono, o con la sublime y bella Novalis, la apasionada, la conmovedora, la borracha, que el tan mentado modelo económico, el de la libertad de mercado y la apertura al universo de las finanzas internacionales, no sería modificado.

–¿Por qué? –le preguntó el Nono, estupefacto.

–Porque me quedé enfermo –contestó Ignacio chico.

–¿De qué?

–No sé de qué. ¡Averígualo tú!

–No entiendo para nada a este cabro –dijo Cristina, cuya voz se había puesto más ronca todavía, un poco cavernosa, de ultratumba–. No me calza. En lugar de preocuparse de los crímenes de la dictadura, del Informe Rettig, como perseguido que fue, me sale con el mercado, con las tasas de interés, con otras payasadas. ¡Es un enigma completo!

–Un enigma político –replicó el Narrador, y lo dijo riéndose, porque el humor, la pluma de la broma, para citar a uno de sus autores favoritos, nunca le fallaba–, y un enigma económico.

Y yo, se murmuraba a sí mismo, se soplaba al oído, si este gesto fuera posible, también lo soy: un enigma social, una interrupción, una trizadura. Y se encogía de hombros, porque sabía que aquella pluma de la broma escribía con mala tinta, con tinta de mala sangre. Después de heredar a don Ignacio, habría podido trasladarse con toda tranquilidad al Barrio Alto, como le correspondía, según insistía Nina, Mariana, con una mezcla de amor fraternal, retrospectivo, y de pesadez indudable, pero él se aferraba como una lapa, en forma incomprensible para los demás, a su destartalado quinto piso de la Plaza de Armas, entre estanterías combadas por el peso de los mamotretos, por el polvo, por las polillas, y piezas de guardar atiborradas de papeles, y rodeado de vecinos más que dudosos: no sólo el cantante lírico de contoneos afeminados, de pelo pintado de color de choclo, de amistades heterogéneas, sino también, desde hacía pocas semanas, unas niñas de faldas cortas, de miradas turbias, instaladas a dos puertas de distancia y que ejercían, por lo visto, el más antiguo de los oficios. Al frente, las copas de los árboles parecían agobiadas por la mugre, y los profetas del techo de la Catedral, con sus libracos de piedra, no profetizaban nada, aun cuando Ignacio Andía, al esculpirlos, habría pensado, seguro, en profecías complicadas y que ponían los pelos de punta. Si se asomaba al balcón, alcanzaba a divisar la torre colonial, pero ya cercana a los primeros años de la República, del edificio del consulado, destinado ahora a cumplir funciones de Museo Histórico, y obra, detalle que no terminaba de provocarle una sonrisa, de Juan Joseph Goycoolea, el discípulo adulterino, el de pellejo pecaminoso. Abajo continuaba el hormigueo de los peatones, de los niños vagos, de los cuidadores y colocadores de automóviles, especie humana movediza, más bien parlanchina, a menudo deforme, patizamba, curcuncha, ¡y santiaguina, pensó, *par excellence!*

Pero los papeles, los legajos amarillentos, la mina escondida o la torre al revés, el Cubo del Historiador, conectados con el pasado y sus misterios, con la memoria ajena enterrada, no cesaban nunca de gustarle y de hablarle, de modo que él, aun cuando no tendría tiempo para leerlo todo, nunca, recorría sin descanso los callejones y los sucuchos más inverosímiles en busca de nuevos papeles y nuevos libracos, y se pasaba las noches, en aquella ciudad tan machacada y que había escogido, por reacción defensiva, la indiferencia, en aquel país amnésico, en compañía de ellos, recorriendo las páginas impresas, o escritas a mano, o las delgadas copias de máquina de escribir en caracteres azulinos, y tenía miedo, a veces, de haberse deslizado sin querer para el otro lado, de que el seso se le hubiera empezado a derretir, ¡a él también!

Solía dormir desde las ocho o nueve de la mañana, incluso desde las once o las doce, hasta bien pasadas las cuatro de la tarde, y bajaba a almorzar a horas absurdas en los comedores o los abrevaderos de los alrededores, a escasa distancia de la pileta de agua y del patíbulo que habían desaparecido de la Plaza, pero que él se imaginaba contra un fondo de tierra y de lejanos andamios, con un par de peones de ojotas, una verdulera gorda, un huaso de a caballo, con bonete maulino y estribos de madera, escapados de alguna estampa de mediados del siglo anterior. A veces encontraba a algún amigo de otros tiempos, un aparecido, ya que no los tenía de los tiempos actuales, y sostenía una conversación minuciosa e inútil, haciéndole el quite a los asuntos escabrosos, conflictivos, como se decía ahora, que nunca faltaban. Rudecindo Tal, abogado de alemanes del sur, o Bienvenido Cabrera, ex bombero. Después regresaba a sus antesalas, que la Filomena había trapeado y despejado, bebía un vaso adicional de vino tinto, echaba una siesta en el gran salón con olor a rata y a caramelo rancio, y al despertar se ponía a leer hasta que caía la oscuridad. Escuchaba, mientras leía, una radio vieja, alta, de techo curvo, que le habría servido a su antecesor para conocer las noticias de la ocupación nazi de Polonia, o de los bombardeos de Londres, o de las elecciones presidenciales entre Gustavo Ross Santa María, el Pela'o (¿otro pariente del Gordo?), y Pedro Aguirre Cerda, don Tinto: sólo un rumor de fondo, un piano chopiniano, unas cuerdas brahmsianas, una flauta de Juan Sebastián Bach, la voz de un locutor afectado. Se asomaba después al balcón de las cagarrutas y aprovechaba los últimos resplandores del crepúsculo, acercando el libro a los ojos, para terminar un capítulo, porque encender las luces implicaba aceptar el paso del día a la noche, y eso le daba una pereza extraña. Había gente que lo miraba desde los balcones del lado del oriente, a la distancia, y él experimentaba una sensación de marginalidad, un placer un tanto perverso. Se lo había comentado una vez al Cachalote Alcócer, y el Cachalote, con su aspereza habitual, le había dicho que era un pajero.

–¿Un qué?

–Un pajero, un onanista de porquería.

–«Cosas hay que sabe Onán» –recitó él–, «y que las ignora don Juan.»

Citaba de memoria al heterónimo de un poeta a quien habían acusado aquí, en América, de polvoriento, de polvoroso. Lo citaba, y se reía a carcajadas.

Cuando ya estaba oscuro, tenía la costumbre de refrescarse, de cambiarse de camisa, de ponerse una corbata buena, porque era, a pesar de sus desviaciones, un corbatista convencido, y salía a dar una vuelta. A veces conseguía regresar con alguna visita nocturna, no necesariamente erótica, algún alma extraviada en los mesones de Lastarria o de la Alameda, desesperada, o por lo menos desconcertada, como la suya: un par de periodistas con mucha sed y poco trabajo, actores de teatro sin trabajo alguno, locuaces, bulliciosos, y con las lenguas paradójicamente trabadas, alguna aspirante a actriz o a modelo, de omóplatos salientes, piel lechosa, ojos inquietos e inciertos, y que sólo sabía fijar su atención por espacio de segundos breves, fugaces, cuando se trataba de liar un pucho de marihuana. En otras ocasiones marcaba el número de teléfono de Costamagna, Santiago, Poseidón, porque el hombre, a pesar de la edad avanzada, o precisamente a causa de ella, recordaba con más vivacidad que nunca sus historias de los mares del sur, sus correrías juveniles por la Patagonia chilena y argentina, sus cacerías de lobos marinos, alguna gresca descomunal en un prostíbulo de Valparaíso, pocos años antes de la segunda guerra, gresca en la que le habían volado un diente que todavía le faltaba, y parecía que aquellos relatos transfiguraban el paisaje de muros sucios, de adoquines rotos. El hueco del diente era una prueba del pasado, así como una flor es prueba del viaje al futuro en *La máquina del tiempo,* la novela de H.G. Welles que le gustaba tanto a Borges y que al Narrador no le disgustaba. Otras veces, en cambio, se armaba de valor, le hacía un gesto al portero de noche y subía a visitar a Cristina.

–Te he dicho que avises antes de pasar –protestaba ella en el momento de abrir la puerta.

–¿Por qué? ¿Corro el riesgo de encontrarme con alguno de tus amantes?

–¿Y por qué no?

–¡Cabrona! –exclamaba él, devorado, la verdad, por los celos, y pensaba en las rarezas de los viejos matrimonios, en los secretos de la naturaleza humana, a pesar de que ella se veía un poco ajada, algo pasada para esos trotes. En alguna oportunidad se había cruzado, de hecho, con un profesor de filosofía descamisado, melenudo, de extravagante gorra de fieltro blancuzco, un Lenin de provincia, uno que nunca había dejado en su fuero más íntimo de admirar a Stalin, dijeran lo que dijeran, y que todavía, por supuesto, por nostalgia, por obstinación intelectual, por el motivo que fuera, militaba en el Partido.

Ella, en cualquier caso, parecía menos extremista que antes, más olvidada de sus obsesiones, de sus crispaciones, por efecto de la edad, del cansancio, y también, a lo mejor, de la caída del Muro de Berlín y del bloque soviético en su conjunto, con todo lo que aquello había significado, aun cuando había llegado al capricho, y a la arrogancia, de sostener que la caída del Muro podía tener todas las consecuencias que uno quisiera en la realidad, en el socialismo real, digamos, pero que en la teoría no tenía ninguna.

–¿Ninguna?

–¡Ninguna!

–¿Así que tu famosa teoría no tiene la menor necesidad de someterse a la prueba de los hechos?

–¡Mira, huevón! –replicaba Cristina, y la rabia le hinchaba las arterias del cuello y le ponía la cara más vieja, aun cuando los muslos gordotes, bien formados, en las medias negras caladas y de dibujos romboidales, se mantenían más o menos intactos–: ¡No tengo paciencia para discutir con reaccionarios de tu laya!

–Como argumentación –replicaba él, mirándole las piernas con el mayor descaro–, no puede ser más convincente.

Eran, sin embargo, los estertores, o más bien las mejorías finales, de su militancia antigua, de gritos roncos, de carreras para escapar de los carros lanzaaguas, de puños cerrados. Había momentos, cuando caía la tarde lentamente y amainaba el calor sofocante, agravado durante el día por las extensiones del asfalto, del cemento, de los metales maltratados, y cuando bebía el primer pisco sauer, o entraba ya en la curva del segundo, en que se ponía divertida, simpática, ocurrente, con una chispa en los ojos y una expresión en la boca que a él le traían recuerdos juveniles, recuerdos que en el fondo, para qué lo iba a negar, lo emocionaban, le provocaban oleadas de nostalgia. Estoy mejor con ella, al fin y al cabo, se decía a sí mismo, y sus labios alcanzaban a formar las palabras, que con los curagüillas de los mesones y los fumaderos de Lastarria, de Rosal, de Villavicencio, los Puccini Puccini de antaño, o con las putingas descaderadas, las de omóplatos pálidos y pestañas artificiales, que no cobran directamente, pero que al final piden el doble, ¡prestado, claro está!, para pagar una cuenta del teléfono o del dentista, o se dejan caer con el aval de un crédito que después desconocen desde el primero de sus vencimientos. Conseguía, entonces, aprovechando la buena onda, insistiendo, cargoseando un poco, viajando al repostero para llevarle un poco más de tinto, convencer a Cristina de que le permitiera dormir en su cama. ¡Con los vinos, el departamento de la Plaza de Armas se veía tan lejos! Eso sí, dormir, a consecuencia de la fatiga, de la fiebre, del sedimento de los años, no siempre significaba hacer el amor. Solía ocurrir que ella saliera del baño, perfumada, con su camisón de noche vaporoso, con sus hombros, sus pechos, sus muslos todavía firmes, y que el Narrador, con la boca abierta, de espaldas en la cama, sin zapatos, pero vestido, con la corbata apenas desanudada, con un hilo de baba en la comisura de los labios, roncara.

–¡Qué boludo! –solía exclamar ella.

Ignacio, a todo esto, después de comunicar su propósito de «pegarse una asomada a Chile» (así dijo, ¡el perlas!), anunció su llegada por medio de llamados contradictorios: la voz de una secretaria, un mensaje impreciso dejado en el contestador de Carlitos Hidalgo, un fax ilegible, ¿parte, todo, de una humorada, de «un deseo nunca satisfecho de joder» (opinión del Narrador), o de un sistema de precauciones desfasado, innecesario, ahora que el inspector Jorquera gozaba del retiro de una chacra de árboles frutales en los alrededores de Colina? ¡Métodos cubanos, guerrilleros, propios de grandes especialistas, y que en el Chile de la postdictadura y de la postmodernidad estaban fuera de tiesto!

El caso es que Ignacio chico, el Tercero, el Pródigo Segundo, bajó del avión sin haber dado los datos de su vuelo a nadie, se instaló en la suite presidencial o imperial del Hotel de las Altas Cumbres o de las Nubes Flotantes, algo así: un amplio espacio sumergido en una luz subacuática, provisto de cómodas con incrustaciones, estatuillas de bronce, espejos de marcos dorados. Alquiló al llegar, o había alquilado desde allá, un automóvil negro, coludo, con chófer de traje oscuro y de gorra niquelada, para todo el tiempo de su estada. Llamó, en la tarde, después de haber descansado y de haber dado una vuelta a pie por el barrio, un primer reconocimiento del terreno, y se presentó a la media hora, sin dar tiempo para nada (¡el monstruo!, como chilló Nina, su tía por el lado paterno, al saberlo), en el departamento de su madre. Lo hizo vestido de gabardina verde botella, camisa de seda de un marrón verdoso difícil de definir, con iniciales cosidas en hilo de una seda un poco más acentuada, corbata de colorinches, sombrero de alas anchas, flexible, de color lúcuma, que le daba un aire de vaquero retro (como se empezaba a decir), y mocasines de cuero marrón encarrujado. El Narrador, a quien Cristina llamó de urgencia, vuelta loca, vio el sombrero en la silla de la entrada del departamento de Santa Lucía y pensó que era un equivalente moderno del sombrero de Juan Antonio Díaz, el de los alerones y escarapelas, el de la batalla a golpes de espadín y el de la agonía al pie de la cama. A pesar de la aparente improvisación de su llegada, Ignacio chico traía un bonito collar antiguo, de doble vuelta de azabache, con algunos brillantes y esmeraldas, de los tiempos, dijo, del Imperio de allá, el de uno de los Pedros de la Casa de Braganza, de regalo para Cristina. Al Narrador le obsequió una espléndida bufanda de cachemira roja, *Made in England*, y una corbata todavía más roja, de seda italiana, de un tono que el Narrador nunca se había atrevido a llevar hasta entonces. En una bolsa de Duty Free, para el consumo inmediato, venía una impresionante botella de *champagne*, una Dom Perignon Magnum, y una no menos imponente lata de *foie gras* con trufas. También le había traído un engañito, contó, a la vieja Filomena, la empleada del Narrador, y otro a la Petronila, la de Cristina, aparte de buenos regalos a Carlitos y al Nono. En cuanto a la Novalis, la insensata y dulce, le había comprado un par de foulards de gran marca, pero había decidido advertirle que no se hiciera la menor de las ilusiones matrimoniales. ¡Por si las moscas!

–Eres el más perfecto de los nuevos ricos –dijo el Narrador–, cosa que va muy bien con tus ideas acerca del mercado, con los tiempos que corren aquí en Chilito.

La verdad, hay que admitirlo, es que lo dijo con simpatía, con un brillo de chochera en la mirada, y el Nacho, con una especie de cansancio prematuro que había adquirido en su exilio, en su aventura ignorada y al parecer solitaria, se limitó a encogerse de hombros, como mascullando: Sí lo soy, y qué...

Cristina, a todo esto, estaba nerviosa, fuera de control, con la complicada batería de sus defensas habituales hecha pebre. Se le cayó con escandaloso estruendo un jarro de pisco sauer en las baldosas de la cocina, un desastre, una mezcolanza de vidrios rotos y de espuma azucarada, y después, tocando los colorinches de la corbata de su hijo, un poco temblorosa y tartamuda, le contó que en Chile corría el rumor de que él se había metido en alguna guerrilla, en alguna aventura política peligrosa, o en alguna combinación de guerrilla y narcotráfico. Todos creían que aquello de los piano bares y de las altas finanzas era puro cuento, fachada pura.

–Una cosa –insinuó el Nacho–, no tendría por qué excluir la otra.

El revolucionario, en realidad, tenía poco aspecto de revolucionario, aunque así eran, a lo mejor, los revolucionarios de verdad, los que de veras cambiaban el mundo. Parado entre Cristina y el Narrador, vestido, como hemos visto, en forma impecable, algo exagerada y chillona para los hábitos chilenos, de espléndida facha, ya mostraba entradas en las sienes, comienzos de calvicie que le daban un curioso parecido con el padre de Cristina y abuelo suyo, el doctor Elorza, el amigo de Aguirre Cerda, de González Videla, de Salvador Allende, y ya se le había formado, por añadidura, una ligera panza o curva de la bienaventuranza. El Narrador dijo que si se descuidaba, iba a terminar convertido en el Cachetón del Puro, un emblema del capitalismo de los años de su infancia. La observación suscitó risas, protestas, bromas, e Ignacio chico, después de hacerle una entrega más o menos solemne de la bufanda de cachemira roja y de la corbata granate, de resplandeciente seda, ¡a ver si se atrevía a usarla!, entró a la cocina y regresó con el botellón Magnum. El sonido de explosión y el derrame de espuma fueron excepcionales, orgiásticos, y Cristina, a la media hora, tenía los ojos llorosos, pero no se sabía bien si de alegría, de euforia, de borrachera, de tristeza.

–¡De todo junto! –exclamó Ignacio chico, quien la abrazó y la besó repetidas veces.

–Me gustaría mucho que converses con mi amigo de infancia, el Cachalote –dijo el Narrador.

¿Para qué? Para que le diera orientaciones. Para que lo ayudara a tomar el pulso de los negocios. ¡Ya que le había bajado por eso! Cristina levantaba la copa de *champagne*, salpicándolo todo, y protestaba. El famoso Cachalote, alegaba a voz en cuello, era un pelotudo, un fascista de porquería. Ignacio chico se reía a carcajadas. Sonó el timbre, él corrió a abrir la puerta, porque estaba en el secreto, y aparecieron todos: la Novalis inefable, con sus brazos de serpiente, sus ojos capotudos, sus piernas delicadas, y Carlitos Hidalgo, el abogado precoz, con su barbilla de joven Mefistófeles, y el Nono, con su corazón en el lado izquierdo. Ignacio chico reveló que había escondido otro botellón Magnum en el fondo del refrigerador. También había traído un galón de Etiqueta Negra, para Santiago, el Dios del tridente. Santiago Costamagna tocó el timbre a las doce de la noche y se abrazó con todo el mundo, de mejillas húmedas, violáceas, apretadas.

–La próxima vez –anunció el Nacho, desde arriba de una silla–, voy a invitarlos a todos al Brasil, para que hagamos una fiesta de las buenas.

–¿Y yo? –preguntó la Novalis, haciendo un puchero.

Ella también, desde luego, pero lo que ella quería decir era otra cosa. Ella quería que Ignacio chico se la llevara ahora. No sabía si tendría paciencia para esperar hasta la fiesta siguiente. Ignacio puso cara de pregunta, y los demás hicieron bromas y se rieron con poco disimulo. El único que no entendió nada fue Santiago, quien anunció que no bebía *champagne* y saludó con alegría, en cambio, con aplausos de niño, el Etiqueta Negra. En medio del jolgorio, la Novalis se había quedado extrañamente sola en el centro de la sala, de brazos cruzados, con un resplandor tierno y absurdo en los ojos, delgada y bonita, pese a todo, bajo las luces indirectas.

V

Año de ratas, año impuro...

Pablo Neruda

Nos encontramos con don José Antonio de Rojas, el mayorazgo, el criollo perfecto, el resentido superior, en los primeros capítulos, y ahora parece que vamos a terminar con él. O cerca de él. Lo conocimos cuando golpeaba puertas en la polvorienta corte de Madrid, cuando hacía interminables antesalas, cuando ofrecía sus servicios en América, ¿qué servicios, en qué Capitanías perdidas? A estas alturas, don José Antonio se nos presenta como una mezcla curiosa, en cierto modo divertida, pero también patética, reflejo, por un lado, de su tiempo, y, a la vez, caricatura, deformación: aceptación entusiasmada de su época, de la fiebre de su época, de sus sueños, y después, en un segundo momento, involución, rechazo temeroso. ¿Conciencia excesiva, hamletiana, con su cobardía consiguiente? En un principio, el mayorazgo de cutis sonrosado, de cara mofletuda, de ojos azulinos, se cree capaz de manejar las fuerzas de la naturaleza. En beneficio de la Utopía, del Progreso, del Futuro. En contra del presente miserable. Es hombre de las Luces, pero lo es en versión provinciana, ¡polpaiquina! A poco andar, sin embargo, o a medio andar, los movimientos de la historia, que a menudo parecen obra del puro azar, se ponen a jugar con él. Lo convierten pronto en monigote. Es una marioneta que se asoma a un escenario pobretón, con aires de suficiencia, con una ingenuidad de la que no es consciente. Porque los que mueven los hilos, aquellos que dictan sus gestos ampulosos, de una hinchazón cómica, son otros. Pues bien, el mayorazgo, que ya había gastado mucho dinero en sus años de peticionario en Madrid, se empobreció aún más después de su regreso a Chile. Quemó enormes energías en pleitos sucesivos y variados. Litigó más que nada contra su suegra, doña Mercedes Carvajal de Salas, por cuestiones de herencias, de precedencias, de dominios, asuntos en los que salió más o menos trasquilado. No sabemos qué era: una falla de su cabeza, una manía enfermiza, una necesidad de evasión. Porque sólo podía vivir, parecía, en calidad de eterno demandante, de pedigüeño siempre contrariado. Cuando se produjo el cabildo abierto del 18 de septiembre de 1810, el primer conato de independencia de la Colonia, manifestación, como todos saben, mitigada, de esencia monarquista, conservadora, participó en los sucesos con apasionado entusiasmo, con ilusiones sin duda excesivas. Le gustaba que el cabildo proclamara la fidelidad de los súbditos de Chile a Fernando VII, el rey depuesto por los usurpadores franceses. Así se abría la posibilidad de instalar un gobierno criollo autónomo, en el cual los méritos de personas como él y como sus amigos serían reconocidos, en lugar de escarnecidos y burlados.

Don José Antonio inflaba el pecho frente a sus almácigos, a sus parrones, al olor a bosta y al mosquerío de sus establos. Ya se veía ennoblecido, marqués o conde, vizconde de Polpaico o de las Lomas de Huechuraba, por lo muy menos, y calculaba, de paso, que la libertad de comercio con Inglaterra y con las ex colonias de América del Norte le dejaría pingües beneficios. La cal de sus caleras no sólo entraría en la argamasa de los muros que se levantaban en Santiago y a veces en Mendoza y en Lima. Los barcos del siglo nuevo, movidos por máquinas portentosas, la transportarían hasta las torres inglesas, hasta las plazas fuertes holandesas, quizás todavía más lejos.

Poco después, cuando hizo su aparición en el pequeño tablado santiaguino José Miguel Carrera, el brigadier, el autodesignado Húsar de la Muerte, en compañía de sus hermanos, de sus numerosos allegados y amigos, don José Antonio sintió que las cosas emprendían un rumbo peligroso. Había conocido a los Carrera hacía tiempo y los había visitado alguna vez en sus casas de El Monte, pero se había quedado con una impresión de gente pendenciera, revoltosa, que se creía con derechos superiores a los del resto de los mortales. El espíritu revolucionario que les había bajado de repente era una curiosa novedad, puesto que pertenecían a una de las familias más acaudaladas y más pechoñas del Reino. Él recordaba al joven José Miguel, antes de que viajara a España a continuar sus estudios, persiguiendo indios mapuches a perdigonazo limpio. Y ahora, ¿de dónde salían estos arrestos, estas proclamas incendiarias, esta jerigonza?

El Narrador, por su lado, se pregunta si la Revolución y la jerga, la jerigonza, tienen que andar siempre de la mano. ¿Qué dices tú, Cristina?, pregunta, y se imagina una respuesta rabiosa. Agarra una cabeza de ajo y la olisquea. De cuando en cuando, en la profundidad de la noche, pasa un automóvil por el pavimento mojado. Él siente nostalgia, como le ha sucedido más de alguna vez, del silencio, de las calles dormidas de los años negros. Reconoce que es una nostalgia perversa, inconfesable. Se imagina, enseguida, los recados del ínclito don José Antonio a la gente que consideraba seria dentro de la Capitanía General: al marqués de Larraín, a Talavera, a los Irarrázaval y los Correa de Saa, a don Bernardo Llanete, quien ya salía poco de la Moneda chica que le había construido Toesca, a Manuel de Salas, su cuñado, que estaba indeciso, ¡como siempre!, con sus dolores a los riñones y a los juanetes, con su aliento putrefacto, pero que no cesaba de protestar porque los Carrera, con José Miguel a la cabeza y con el marimacho huesudo y bigotudo de doña Javiera, eran unos imberbes, unos señoritingos que jugaban a la Revolución, a la guerra a muerte. Se supo, en vísperas del primer aniversario del cabildo abierto, a comienzos de septiembre de 1811, que don José Miguel había invitado a una fiesta de conmemoración en el edificio del consulado, con cartones de invitación impresos para cada familia, y arriba del cartón, con buena caligrafía, se sugería que las señoras principales, sus mercedes, fueran vestidas a la usanza araucana.

Don José Antonio recibió el cartón que le correspondía y estalló en santa cólera. Fue a comentar la novedad a la casa de Salas y después a la de Infante. ¡Así que íbamos a dejar de ser españoles no para convertirnos en chilenos, en Señores de Chile, sino en indios salvajes! ¡Íbamos a cambiar la pianola de doña Laura Esterripa, que había sonado en tiempos de vísperas con sonidos tan bonitos, casi celestiales, por la trutruca, por las trompas de Michimalonco! Y los Carrera, hace muy poco, ¿no se acriminaban con los pobres mapuches que se atrevían a asomarse a sus dominios de El Monte?

Durante la fiesta, en efecto, a la que más de alguna señora de linaje, por caerle en gracia al nuevo director supremo, asistió vestida de araucana, con trarilongos de plata maciza en la frente, detalle que acrecentó la indignación de muchos de los señorones, se escuchó sonido de trutrucas en los patios que daban a la Plaza del Rey, bautizada ya como Plaza de Armas, puesto que una de las fiebres que había dominado el mundo, en todas las latitudes, en aquel comienzo incierto del siglo nuevo, era la fiebre bautizadora.

–¿Qué habría dicho el arquitecto Toesca, que en paz descanse? –se le ocurrió preguntar a una persona, un coronel, o un protonotario, y él, don José Antonio, experto en la materia, confidente del romano, defensor suyo ante el Tribunal de Cuentas, albacea en su testamento, respondió:

–Nada. Absolutamente nada. Él sólo pensaba en sus edificios, en sus monumentos permanentes o efímeros, en sus planos, en sus ladrillos de tamaño excepcional y en la mezcla con que había que ensamblarlos –y añadió, bajando la voz–, y en el coño de la Manuelita, ¡que descanse en la paz de Nuestro Señor!

Algunos de los contertulios, incluso los de caras más severas, los más irritados con el tam tam de los atambores, con los alaridos lastimeros de las machis, con la presencia en el patio de honor de tres embajadores araucanos, sonrieron, pero todos se santiguaron, y hubo, de pronto, una pausa prolongada, como si el rito hubiera entrado en una etapa de silencio: sólo se escuchó el viento en las ramas de los árboles del costado norponiente de la Catedral, los del parque del coronel Díaz, quien había huido rumbo al sur, y los del antiguo huerto y taller del maestro Toesca, además del cacareo de las gallinas, que se acercaban, picoteando el suelo, a la pileta de piedra y a la tarima de madera, de la que habían retirado el patíbulo, símbolo del pasado negro, y el rebuzno ocasional, espasmódico, de algún burro.

Después del desastre de la plaza de Rancagua, defendida por don Bernardo, el hijo huacho de don Ambrosio O'-Higgins, nuestro conocido (se dijo el Narrador, acariciándose la barbilla), y de la precipitada huida del bando insurgente por los pasos cordilleranos, él, don José Antonio, y la gente de su compañía, de su frecuentación, incluyendo a don Manuel de Salas, su cuñado, y a su nuevo amigo Juan Egaña, hombre de muchas letras, y a Ignacio Andía y Varela, quien había participado en todos aquellos años en la continuación de los trabajos de la Casa de Moneda, pensaron que por fin volvería a imponerse la cordura, que la gente como el Gordo Santa María, el viudo, que había corrido a ponerse a las órdenes del joven O'Higgins, recapacitaría, sentaría cabeza, y que volverían a predominar las ideas del cabildo Abierto de 1810, tan cercano y tan lejano, ideas que eran, después de todo, perfectamente razonables, compatibles, como quien dice. A Ignacio, el hombrote, las nuevas autoridades lo confirmaron, de hecho, gracias, quizás, a sus conexiones con el obispo, en su cargo de administrador de las rentas del tabaco de San Felipe, ciudad donde se dedicó, además, a dibujar el paisaje circundante y a terminar su trabajo de copista de los escritos de su primo jesuita, don Manuel de Lacunza, quien, según se había sabido, había fallecido hacía años en un pueblo de Italia, por distracción, por no fijarse dónde pisaba y caerse a una laguna, y sólo había dejado aquellos papeles enrevesados, que llegaban hasta la Colonia por caminos misteriosos.

Con su optimismo de toda la vida, el mayorazgo sonrosado pensaba que todo, en última instancia, dijeran lo que dijeran, había sido para mejor. Pero una de aquellas mañanas, cuando se hallaba sentado en una de las galerías del primer patio de su casa de Santiago, mirando un libro de trajes de las regiones de España, bebiendo un poco de aloja, recordando murmuraciones de la tarde anterior, porque don Casimiro Marcó del Pont, el nuevo gobernador y capitán general, había traído otra pianola de palo de rosa, que se sumaba a la que había dejado la Esterripa, y un coche de gran lujo, y, detalle insólito, cinco bacinicas de porcelana floreada, detalle revelador de que no podía ser otra cosa que un afeminado, un maricantunga, golpearon a su puerta con fuerza pavorosa, como si los que golpeaban estuvieran resueltos a derribarla a lanzazos. Abrió él mismo, alarmado, y se encontró con cinco o seis soldados de uniformes blancos, con bayonetas caladas en las puntas de los fusiles, con expresiones tercas, al mando de un oficial godo, espeso, patilludo, pasado a ajo, quien desplegó un bando escrito y que llevaba la firma de don Casimiro, el adamado.

En resumen, don José Antonio, don Manuel de Salas, don Mariano y don Juan Egaña, junto con uno de los Ovalle y con don José Santiago Portales, que había tenido el pésimo criterio de unirse en el último momento a la facción de los Carrera, además de algunos otros, incluyendo un par de curas de regular fama, fueron encerrados en el patio de un cuartel, a empellones y culatazos, como los detenidos de los años setenta, se dijo el Narrador. A la madrugada siguiente fueron enviados, no en camiones blindados, sino en carretas arrastradas por bueyes, a Valparaíso, bajo custodia militar y en las condiciones más míseras: con un atado de ropa cada uno, y sin derecho a llevar libros civiles, sólo misales y devocionarios, textos que el oficialote pasado a ajo examinaba hundiendo la nariz entre las páginas amarillentas, como si quisiera detectar el olor a sacristía y porque tenía, probablemente, dificultades para leer de corrido. De Valparaíso fueron transportados en una embarcación desvencijada, cuyos maderos crujían sobre la mar gruesa como si fueran a reventar, a la isla de Juan Fernández, la de Alejandro Selkirk y Robinson Crusoe, transformada para estos efectos, en un rapto de imaginación precursora, en improvisado presidio. Ahí vivieron en cabañas miserables, asediados por invasiones de ratas, sometidos a ventoleras que les volaban los techos y les arrancaban las ventanas de cuajo, comiendo porotos apestados y lentejas enanas mezcladas con piedras, bebiendo un agua verdosa que les provocaba diarreas homicidas, y esperando desde la mañana a la noche, oteando el horizonte, haciéndole señas frenéticas a algún barco de bandera inglesa que de repente, cada treinta o cuarenta días, aparecía en alta mar, y que al cabo de tres o cuatro horas desaparecía. Las autoridades españolas de la isla, comprobaron, eran obtusas como mulas, cerradas como candados, de cabezas tercas. Algunos de los desterrados hablaban de la misericordia divina, otros lloriqueaban, y otros, reunidos debajo de unas piedras monumentales que habían bautizado como el Pórtico, escuchaban relatos antiguos y fabulosos, como la historia de un Talopín de Siam que estaba dotado de poderes mágicos y que había convertido a una campesina rústica en reina de una provincia. La reina campesina no se acostumbraba y le pedía al Talopín que la devolviera a su condición anterior, en su cabaña, con su marido, sus hijos, su chiquero con un par de cerdos y su gallinero con seis o siete gallinas ponedoras. Los desterrados celebraban la historia, sacaban sus conclusiones, discutían hasta que caía la oscuridad, comían una sopa magra y después se dispersaban rumbo a sus casuchas míseras. Si no llovía, si no soplaba la ventolera, podían obtener, con suerte, algunas horas de sueño.

Él, don José Antonio, a pesar de las distracciones que algunos trataban de inventar para engañar a la desgracia, no se resignaba. ¡Tiempos negros, clamaba, tiempos traidores! Un caballero precavido, un tal Jorquera, había traído a una negrita para la mano, bonitita, con la que vivía en su cabaña y retozaba, le contaron, todo el día, con cara de sátiro reblandecido. Baboso, pero contento. ¡Él, en cambio, tan solemne, tan lleno de sueños, de máquinas, de perspectivas que se habían hecho humo!

–Le permitieron viajar con la negrita –comentó alguien–, porque es un infiltrado.

–¿Un qué?

–Un agente doble: un inspector encargado de vigilarnos todo el día, de contar todo lo que decimos y hacemos.

–¿Jorquera? Nunca lo había escuchado nombrar.

–Seguro que es un nombre inventado.

–¿Y usted sabe, cuñado –le preguntó Salas al día siguiente–, qué pasó con su amigo el francés, el profesor, el que nos proponía instaurar una república igualitaria?

–Supongo –dijo don José Antonio–, que habrá conseguido volver a su tierra.

–¿Volver a su tierra? ¡Las ocurrencias suyas! Se pudrió en un calabozo labrado en una roca, en Cádiz, y lo tiraron al mar metido en una caja de palo llena de piedras.

–Después de todo –murmuró don José Antonio–, el *Ancien Régime* también se las trae.

–¡Sí que se las trae! –exclamó Salas, y empuñó sus manos menudas, paliduchas. Con la caída de la oscuridad, las montañas altas, en forma de tirabuzones, parecían callejones del infierno. Las ratas se comunicaban entre ellas con pequeños chillidos, y en la mar, que se había puesto de un color plomizo, no se perfilaba un solo barco.

VI

Quedaron, en efecto, de ir a visitar al Cachalote, por hacerle una que otra consulta, por pedirle datos de negocios, por lo que fuera, e Ignacio chico apareció en el departamento de la Plaza de Armas a primera hora de la tarde siguiente. A pesar de la euforia de la reunión nocturna, el joven Ignacio, ajeno a las mitologías alcohólicas de la generación de sus padres, consciente y hasta orgulloso de serlo, había bebido muy poco. El Narrador, en cambio, acribillado por acideces, desvelos, retazos de pesadillas, había dormido la mona hasta la una de la tarde. Después, ante los gruñidos de la Filomena, con un dolor insidioso en la nuca, con gusto a medalla en la boca, había tomado un café con leche acompañado de huevos revueltos, un par de tostadas, un poco de jamón, y había sacado del fondo del refrigerador una cerveza sureña. Un pelo de la cola del caballo que te mordió, había dicho, o algo parecido.

–¡No tienes remedio! –exclamó el Nacho, cuando vio la bandeja vacía del desayuno, y el Narrador aceptó esta conclusión de su hijo con un sentimiento de resignación. No tenía remedio, y ya no era tiempo de tener remedio.

Nacho había llegado ahora en una vestimenta digna de un nieto de don Ignacio el Primero: traje azul oscuro, corbata de rayas clásica, zapatos con hebilla y con agujeros calados que parecían de procedencia inglesa. Los jóvenes de esta generación pueden ser revolucionarios o reaccionarios, se dijo el Narrador, siguiendo a su hijo con la mirada, con una vaga ternura, pero hay algo que a nosotros nos agobió y que ellos no conocen ni de vista, y que es la mala conciencia.

Ignacio chico, a todo esto, le contó que lo había llamado al hotel un tal Jorquera, y que había llegado a visitarlo hacía poco rato.

–¡Jorquera!

–Sí –dijo el Nacho, con toda calma–. Se presentó como inspector jefe de no sé qué y como amigo tuyo. A mí me dio la impresión de que era un policía medio retirado, de capa caída, debido a las circunstancias, supongo, pero todavía al aguaite, listo para saltarnos al cuello de nuevo.

–Y no te equivocaste.

–También capté que la suite presidencial o imperial, tan siuticaza, le hacía mella, ¡ahora que el horno ya no está para bollos! Porque lo hice pasar, le ofrecí café en una tacita de porcelana de lo más monona, o un agua mineral, o un whisky de doce años de antigüedad, lo que quisiera, y le dije, enseguida, arreglándome los puños de la camisa, las colleras de oro macizo, que sólo disponía de diez minutos para atenderlo.

–¡Muy bien! –exclamó el Narrador, pensando que él no habría sabido comportarse de esa manera, y que la herencia del abuelo, transmitida por generación saltada, no era, después de todo, tan desdeñable.

Al llegar a la oficina del Cachalote, en las cercanías de la Bolsa y del Club de la Unión, un Wall Street en mucho más pequeño, más pobre, más sucio, con bares donde vendían pequenes y donde se hacían apuestas mutuas, o con tiendas de relojes o de bisutería barata, los hicieron pasar por un túnel estrecho, alto, donde los archivadores llegaban hasta el cielo raso, y subir, enseguida, al fondo del túnel, por una escalera de caracol. Ignacio chico, de manos en los bolsillos, mirándolo todo, hizo una broma acerca del carácter laberíntico de la madriguera del Cachalote. ¡Él venía de los sertones legendarios, de las grandes ensenadas, de líneas de rascacielos a la orilla de playas de arena blanca! Se encontraron, al fin, en un altillo más bien espacioso, con alfombras de buena procedencia, paneles de madera de calidad, grabados de mansiones inglesas y de caballos de fina sangre, sillones victorianos, de caoba y cuero repujado, y un gran escritorio dotado de un formidable tintero de cristal de roca y de una estatuilla de bronce emblemática: un jinete con su gorra y con su fusta levantada. Aquí, después de todo, parecía decirles el jinete, agitando la fusta, la ocupación central es el juego, el productivo y el reproductivo, con sus inherentes riesgos y con sus minutos de gloria. Detrás del tintero y del jinete, a sus anchas, fumando un puro, rojo como un tomate, los observó entrar, burlón, Alberto Alcócer, conocido desde tiempos remotos como el Cachalote, personaje que había sido famoso en los patios del San Ignacio, se dijo el Narrador, riéndose, porque se defendía, cada vez que lo atacaban, cosa que sucedía con relativa frecuencia, con despiadados alfilerazos y con certeras y feroces patadas en las canillas, todo acompañado de chivateos araucanos o de verdaderos rebuznos, de sacadas de lengua y visajes furiosos. Ahora se le presentaba reencarnado como todo un personaje de la gran empresa, de las finanzas, de la rabiosa actualidad, mientras él se dedicaba a los papeles, pero no a los de la Bolsa: a los de la nada. Ignacio chico, entretanto, paseaba la vista por los materiales nobles, las estanterías bien trabajadas, llenas de anuarios inútiles, pero encuadernados en pastas, en cueros auténticos, en polvillos de oro puro.

–¡No está mal! –exclamó, y empleó el tono de la persona que llegaba de otra parte, de cifras y dimensiones diferentes, y descubría, no sin sorpresa, que los ricos chilenos, escondidos en sus cuevas, en sus burbujas, no estaban, sin embargo, tan atrasados de noticias.

El Narrador ratificó la misma idea, y el Cachalote, entonces, después de escupir una brizna de tabaco, lleno de saliva en los labios, le preguntó al Nacho, en un tono confianzudo, que recordaba el de las agresiones pasadas, si también había salido comunista, y agregó:

–¡Como el huevón de tu padre!

No has cambiado nada, Cachalote bendito, pensó el Narrador, ni una coma. Así se lo dijo, y el otro, después de aspirar una bocanada profunda, azulina, lanzó una carcajada alegre, que terminó, sin embargo, por estremecerlo, por volverlo todavía más rojo y provocarle un acceso de tos, casi un atoro, acompañado de nuevos escupos en una escupidera oculta, de una expresión de locura parecida a la de los patios colegiales.

–No –contestó con toda calma Ignacio chico, observando en detalle el cuero del sillón en el que había tomado asiento, sacando con la punta de los dedos una pelusa–. A pesar de lo cual, si quieres saberlo (tuteándolo sin la menor autorización, con escaso respeto), la dictadura de los milicos, que a ti te entusiasma tanto, me tuvo preso durante más de quince días, y después, cuando fui a pedir un pasaporte para salir a respirar un poco, me metieron al chucho de nuevo, asegurado con grilletes en los pies y en las manos, como lo hacen con los criminales peligrosos.

–Alguna yaya tendrías –dijo el Cachalote.

–Si vas a seguir fumando ese «charuto» inmundo –replicó el Nacho–, podrías, por lo menos, abrir la ventana.

El Narrador, acalorado, se pasó el dedo por adentro del cuello de la camisa. Conocía a su hijo, a pesar de los desencuentros, y tuvo miedo de que la conversación terminara antes de haber comenzado.

–No te traje al Nacho, Cachalote, para que le hagai' un examen. Como te dije por el teléfono, el cabro salió bueno para los negocios, y yo pensé que podrías orientarlo un poco. Pero si me equivoqué, nos vamos, y aquí no ha pasado nada.

–Tranquilo, viejito –replicó el Cachalote.

Se dio vuelta en su sillón, con el puro maloliente pegado a los labios, y abrió la parte alta de una ventana cortada por el piso y que daba, a través de rejas labradas, sobre callejuelas grises, medio húmedas, donde las pisadas y las voces parecían estirarse, esponjarse, y sumergirse, al fin, en una especie de vacío viscoso.

–¿A qué te has dedicado? –preguntó enseguida, en un tono menos agresivo, dispuesto a escuchar con interés, incluso con buena voluntad.

–Vendí todo lo que tenía en Santiago, cuatro pilchas, más un auto de tercera o cuarta mano, me fui a Brasil en un bus, con mi plata escondida en las zapatillas de tenis, y me dediqué a trabajar mi capitalito en la Bolsa de São Paulo.

–¡En la Bolsa de São Paulo!

–Sí –dijo–. Un corredor de allá me agarró confianza y me dio crédito. ¡Por pura tincada! Algo que tú no harías en tu puta vida...

El Cachalote, víctima de un alfilerazo que no había previsto, hizo un gesto raro, como si el humo de su puro, de su «charuto», se hubiera convertido de repente en una amenaza.

–Después, cuando ya había multiplicado el capital inicial unas cuantas veces...

–¡Unas cuantas veces! ¿No nos estará tomando el pelo, este mocoso de porquería?

–Me salí de la Bolsa y me instalé en Recife, en el nordeste, con una red de piano bares que ha ido creciendo y con algunos otros negocios.

–¡Piano bares! –exclamó el Cachalote, mirando en forma teatral para todos lados, como si hubiera una audiencia invisible detrás de paredes acolchadas, y el Narrador tuvo la sensación de que había vuelto a escuchar uno de sus rebuznos pretéritos, un alarido en pleno corazón de la selva financiera–. ¿Y no tenís, también, casas de putas?

–No me he dedicado a ese rubro –contestó el Nacho–. ¿Por qué? ¿A ti te interesa?

El Cachalote Alcócer aplastó el puro, que en realidad apestaba, en un cenicero no menos formidable que el tintero. Tenía dedos gordos, manchados de nicotina, peludos, pero con las uñas barnizadas.

–Vende esas huevadas que tenís en Brasil –dijo–, si es que valen algo, y vente a trabajar a Chile.

Ignacio chico se sobó la cara, como si se hubiera hundido en sus cavilaciones. Quizás, dijo, invertiría un poco en Chile. Era, al fin y al cabo, un mercado «ordenadito», y el diminutivo provocó un intercambio de miradas, en parte perplejas, en parte irritadas, en parte divertidas, entre el Narrador y el Cachalote. Alcócer, al fin, levantó las manos, como si dijera: ¡Me doy por vencido! ¡Renuncio a lidiar con este cabro del carajo! ¿Qué pretende? ¿Para qué me lo trajiste?

–Para nada –le contestó el Narrador, por el teléfono, dos o tres horas más tarde.

–¿Sabís? –le dijo el Cachalote.

–¿Qué?

–El cabro, en el fondo, me gustó. Es un farsante, además de insolente, pero no me cayó mal. Además, ¿sabís?, lo encontré igualito a don Ignacio. Mucho más parecido que tú.

–Eso no te lo discuto.

–Y si él es comunista, yo soy chino.

–¡No tienes remedio, Cachalote!

–¡Ni tú tampoco, Pelaíto!

Ninguno de nosotros, se dijo el Narrador, tiene remedio. ¡No tenemos remedio! Por su lado, Ignacio chico, en las horas y los días que siguieron a este encuentro, no hizo el menor comentario. Había envuelto al Cachalote Alcócer, Alberto Alcócer, con su burbuja de buenas maderas, con el humo maloliente de sus charutos, con sus grabados de caballos de fina sangre y su jinete de bronce policromado, con todo lo que aquello representaba, en un vasto encogimiento de hombros, y lo había suprimido, o lo había puesto entre paréntesis, en condición de anécdota secundaria.

–Tiene un mérito –admitió.

–¿Cuál?

–Está en escala. Con su sucucho de lujo, y sus puros apestosos.

–Se lo voy a decir –prometió el Narrador–. ¡Para que se vaya ubicando!

Entre aquella tarde y el día siguiente, Ignacio chico tuvo tiempo de encontrarse con la Denise Novales, la Novalis inefable, incorregible, autora de Himnos a la Noche y otras cuantas cosas, quien tomó media docena de pisco sauers catedralicios, al estilo peruano, y terminó desencajada, llorosa, convertida en una flor de histeria, para citar otra vez a Rubén Darío. En la noche, Mariana, su tía, lo llamó por teléfono. Había sabido que le estaba yendo muy bien, «recontra bien», dijo, porque el lenguaje acriollado, para ella, cumplía la misma función que los porotos granados y los choros zapatos para el Cachalote, y lo invitaba a almorzar a su casa, con su marido y con todos sus hijos, ese viernes o ese sábado, a elección suya. Él contestó que le habría encantado, pero que sus compromisos lo obligaban a regresar. ¡Cómo!, exclamó Nina, desolada, como si aquel rechazo no fuera posible, pero el joven Ignacio colgó sin mayores contemplaciones.

Partió de regreso en la madrugada subsiguiente, y fue despedido en el aeropuerto por Cristina, quien se comportó con algo muy parecido al estoicismo, con firmeza, con un repliegue húmedo en los ojos, por el Narrador, que también, en el fondo, casi a pesar de sí mismo, estaba impresionado, a milímetros del llanto, y por sus dos amigos, el Nono y Carlitos. La Novalis, que a las cuatro de aquella madrugada se encontraba borracha, de rodillas, desnuda, vomitando en las baldosas de un baño de lujo, no pudo acompañarlo. Poco antes de pasar por el control de la policía, Carlitos le dijo:

–Oye, Nacho: después de tu desaparición de Chile, y con todo lo que te había pasado, muchos creían que habías entrado en algún grupo armado clandestino, que lo de Recife y los piano bares era una pura chiva. Algunos hasta creyeron –añadió, en voz baja–, que estabas metido en el atentado contra el Viejo.

Ignacio chico se encogió de hombros, en un gesto que no excluía, pensaron todos, nada, y el Narrador tuvo la sensación de que el inspector Jorquera se encontraba junto a la caseta de la policía, detrás de un tabique, comprobando su salida del país y tomando nota de todos los detalles. Al fin y al cabo, lo de su retiro a una parcela de Colina o de Pocochay, lo de su dedicación a ver a don Francisco o a escuchar música de flauta de la familia Bach, podía no ser más que un cuento. ¡Otra chiva! Para un policía secreto, un juego de niños. Fuera como fuera, el Narrador se despidió de su hijo con un abrazo torpe, acompañado de un par de absurdos golpes de puño en la panza, y le dijo que volviera, no seas leso, Chile se va p'arriba, y Brasil es otro mundo, un monstruo demasiado complicado para gente como nosotros.

–Anda tú para allá –replicó el joven–. Eres mi invitado.

¡Cabro'e mierda!, habría resoplado el Cachalote.

–Yo creo –declaró Cristina, a la salida del aeropuerto–, que tu idea de llevarlo a conversar con ese huevón fue fatal. ¡Qué desatino más grande!

El Narrador movió la cabeza. Miró al Nono y a Carlitos Hidalgo, como para comentarles alguna cosa, y al final no les comentó nada. Se despidió de Cristina con un beso fruncido, con el propósito de no volver a verla durante largo tiempo. Quizás para siempre, porque las cosas, pensaba, ¡habían entrado en la etapa de los para siempre! Algunos días después, sin embargo, en una de aquellas tardes primaverales que habían empezado a ponerse demasiado cálidas, con pieles sudorosas, con zumbidos de abejorros que chocaban contra los vidrios y no atinaban a encontrar el rumbo de las ventanas abiertas, marcó su número de teléfono, que se sabía de memoria, archi de memoria, y le anunció visita.

Entró dos horas más tarde al departamento de la calle Santa Lucía, se sacó la chaqueta, se subió las mangas de la camisa, y dijo, sin mayores preámbulos, sin saber demasiado bien por qué lo decía, con la vista clavada en parejas de adolescentes de poblaciones, calzados con chancletas, que subían al cerro tomadas de la mano:

–Quiero hacer una declaración seria. Muy seria. Antes de que comencemos a emborracharnos.

–A ver –dijo Cristina.

–Quiero declarar que me rindo. Que depongo las herramientas. Que tiro la esponja, o que boto el arpa. ¡Lo que más te guste!

–¿Y esto?

–Esto significa –afirmó el Narrador con solemnidad, mirándola a los ojos, saliendo de su papel de Narrador y entrando, en ese minuto decisivo, en la categoría de Personaje–, que te pido que me permitas regresar a tu casa, a tu techo, a tus ollas. Que te lo pido humildemente.

La expresión de Cristina fue, creemos, reflejo de sentimientos encontrados. No demasiada sorpresa, desde luego. Enseguida, un relativo escepticismo, una sonrisa ligeramente burlona. Por último, algo de ternura, pero una ternura conocida, ¡más que conocida!, repetida, y que no determinaba, por lo tanto, una reacción, un movimiento cualquiera, un cambio digno de mencionarse.

Él, entonces, el Narrador, el Personaje, se hincó en la alfombra, frente a ella, como en las ilustraciones de antaño, y juntó las manos:

–Prometo –declaró–, a partir de hoy, ser un marido discreto, atento, cariñoso. Y, sobre todo, *last but not least,* responsable.

Con los ojos redondos, las cejas enarcadas, la boca plegada, sin reírse, pero sin dar señales de estar convencida, con un rictus que no era habitual, Cristina no dijo una palabra.

–¿Aceptas?

–Voy a pensarlo.

–Piensa todo lo que quieras, pero contesta que sí.

–Tengo mis dudas –insistió ella–: mis dudas más o menos fundadas.

Después bebieron, como siempre, o como casi siempre, y

conversaron de asuntos diversos. Conversaron, sobre todo, de ellos mismos, de la vida que les había tocado vivir, de los largos años, a veces divertidos y a veces endiablados, sórdidos, con sus temores, sus dolores, sus desencuentros, sus alegrías, sus frecuentes malos entendidos y disparates. Porque no habían tenido, quizás, líneas de acción suficientemente claras.

–Yo sí –protestó ella–. La tuve, siempre, y sólo ahora se me ha empezado a borronear, ¡y no me gusta nada!

Se dejó besar por él, después de oponer alguna resistencia, y le propuso, como para cambiar de asunto, para entrar en cuestiones menos alambicadas, que comieran una crema de espinacas. También había un resto de queso mantecoso.

–Pero tú, a pesar de todo –dijo él–, me quieres. ¿Por qué no lo reconoces?

Habría podido agregar: «Me amas y me perdonas». Pero ella, que escuchaba las historias del pasado con atención más bien escasa, no habría entendido. Además, no se sabía si era ella, Cristina, la que habría podido pronunciar aquellas palabras, o él. O ninguno de los dos. El presente, se dijo el Personaje, siempre es más confuso, más incierto, menos ficticio. Siempre cuesta más introducirle un poco de coherencia.

–Comamos tu espinaca –musitó, para darse una tregua, y ella, robusta, con las mejillas coloradas, pechugona, alisándose la falda, se puso de pie con energía.

Como si hubiera adivinado algo, Ignacio chico llamó desde Recife pasada la medianoche. Sonó el teléfono en un momento en que el Narrador, o el Personaje, si ustedes quieren, y Cristina, después de haber probado la crema de espinacas y de haberse dado nuevos besos en la boca y por todos lados, se habían metido a la cama de matrimonio, en definitiva contentos, emocionados, desarmados. El Nacho, desde tan lejos, les dijo que Chile, a pesar de las cicatrices pasadas, era un país *muito* simpático, pero, agregó, *muito estreito*, angosto en demasiado. Si él se instalara a vivir «en un paisito así» (y el diminutivo sonaba otra vez como una revancha), tendría la sensación de que iba a caerse al mar en cualquier instante. De que se iba a producir un terremoto seguido de un maremoto y no iba a quedar nada. ¡Ni el boleto!

Vamos a quedar nosotros, pensé, pensó el Narrador y Personaje, y le dijo que se viniera, que no fuera testarudo como su madre. Aquí le conseguirían una novia bonita, bien educada, y que no fuera una lunática, una magnético epiléptica, como decía un amigo suyo de los años cincuenta.

Lo dijo, y adivinó al otro lado de la línea, en el otro extremo del continente, la semisonrisa, la sorna, el movimiento de cabeza, en medio de voces y de humo, de abundantes cubos de hielo, en una penumbra bien refrigerada, puesto que el piano bar, o la cadena de piano bares, en algún lugar del planeta, en la noche enorme, existían, o parecía que existían.

–Yo no creo –murmuró Cristina, con la voz ahogada por las sábanas–. Yo creo que son puros inventos.

–Pero crees, en cambio, en el Viejito Pascuero –replicó él, y le acarició la cabeza con una suavidad que era, pese a todo, compasiva. Enseguida, a propósito del Nacho, y del Brasil, y de la lengua portuguesa, recitó con gran énfasis, levantando los brazos descarnados, mirando las sombras de los pimientos del cerro a través de las junturas de las persianas:

–*O mito é o nada que é tudo!*

Trató de acordarse de los versos que seguían. El poema hablaba del cuerpo de Dios. Con rima consonante. ¿De qué más hablaba? Cristina no tenía la menor idea. Era capaz de saborear las palabras de un poema leído por él, incluso en un idioma que no conocía, pero no siempre, y menos en las cercanías de las tres de la madrugada. Ahora, más bien, le daba la espalda, que se había puesto corpulenta, y que había sufrido, como sabemos, golpes y humillaciones, además de los efectos del alcohol, del tabaco, de los años. Pero que aún conservaba restos de hermosura, ondulaciones, montes y valles. Para él, por lo menos. ¡Tenía que reconocerlo! Le daba la espalda, y en lugar de escuchar sus disquisiciones, de captar su emoción, roncaba profundamente, ¡cercana y lejana!

VII

Vegetaron en aquella isla maldita, la isla de las ratas, hasta que llegó al atracadero, casi tres años después, cuando el mayorazgo Rojas, envejecido, con el pelo y la barba enteramente blancos, con grandes dolores al caminar, hernias que lo dejaban seco, lloriqueaba todo el día, ¡de aquí nunca saldremos vivos!, una corbeta tripulada por diez o doce españoles, que poco sabían de navegación y que traían un papel mojado con el indulto del Rey, y por tres o cuatro pescadores de la desembocadura del río Aconcagua, de la región que los mapuches conocían como Con Con, que sí sabían navegar, al menos a su manera, chupándose un dedo y colocándolo en el aire para saber por dónde soplaba el viento, y los llevaron de vuelta al continente. El caballero de la negrita para la mano, Jorquera de apellido, había muerto de agotamiento, con ojos encendidos por la demencia, y otro del grupo había sido fulminado por la diarrea de melenas coloradas. Los demás desterrados, restablecidos en sus hogares, pero debilitados, desajustados, tuvieron tiempo de celebrar las noticias de la batalla en la que el general argentino José de San Martín, con la ayuda del chileno Bernardo O'Higgins (el hijo de don Ambrosio), al mando del ejército que habían formado al otro lado de los Andes, en Mendoza, derrotaron en Chacabuco, justo a la bajada de la cordillera, a las tropas realistas, porque ahora el enemigo no era Napoleón, ni el Anticristo: era el Rey de España, ningún otro. Los años del vasallaje, dijo alguien, habían terminado. Para ellos, por lo menos, las ventoleras y los ratones de Juan

Fernández habían puesto las cosas en su sitio. Pero no habían cesado de celebrar cuando se enteraron, con terror, de la sorpresa y derrota de Cancha Rayada, y empezaron a liar sus bártulos a toda prisa, convencidos de que ahora sí que habría que huir para siempre. Llegaron hasta el puente de Cal y Canto y Manuel Rodríguez, el guerrillero, trataba de convencer a la gente, a gritos, a empujones, para que se devolviera y agarrara sus fusiles, pero no siempre conseguía convencerla.

El que no podía ni soñar con escapar era don José Antonio. Había caído a la cama a su regreso de la isla de pesadilla, aquejado de congestión cerebral, con calambres y escalofríos que lo atravesaban igual que los chisporroteos de su máquina de fabricar electricidad. Desde su lecho de enfermo supo que Ignacio Andía, ya viudo, e indiferente a la guerra y a sus afanes, ni tan español, ni tan patriota, porque Dios, decía, andaba por otra parte, se había metido al fin de cura, a pesar de las reticencias de algunos sectores de la Iglesia, y que oficiaba la misa en su capilla en miniatura de Conchalí, entre dos columnas dóricas, su homenaje callado al maestro. Con los años se había achicado, le contaron, y se había puesto más morenito, y nunca dejaba de escudriñar las cumbres, porque algo, algún fenómeno, anunciaba, tendría que producirse.

También supo don José Antonio, y el detalle le dio un poco de risa y a la vez le reconfortó el corazón, que el joven Díaz Muñoz, José Francisco, Juan Antonio, ya no se acordaba del nombre de pila, el hijo del coronel, el último amor de la Manuelita antes de su matrimonio con el Gordo Santa María, había subido desde las guarniciones del sur y se había alistado, ni corto ni perezoso, lanzando insultos cada vez que pasaba delante de la casa de su padre, que estaba cerrada a machote, con el portón principal cruzado por listones de madera, en el bando revolucionario. Alguien contó que el coronel había conocido la noticia después de ser derrotado en Yerbas Buenas, donde había combatido contra su hijo sin darse cuenta, en medio de la neblina, de la confusión, del olor a pólvora, y que se cayó de su caballo, fulminado por la rabia. Pero eran tiempos de rumores, de invenciones, de anuncios que a cada rato se contradecían.

Pocos meses más tarde, a la vuelta del año, algunos de los compañeros de destierro de don José Antonio, personajes mayores, gente del siglo anterior, anacrónica en su manera de hablar y de vestirse, en sus levitas y sus corbatas de plastrón, en su andar fachoso y sus venias exageradas, se encontraban en la casa solariega de uno de ellos, un caballero de apellido Rosales o Rosaleda, no nos acordamos muy bien, terrateniente rico, dueño de comercios variados, en el momento en que un enjambre de mozos vestidos de etiqueta y que sudaban la gota gorda, llevaba a la mesa los mejores manjares; en que la vajilla de los días de fiesta brillaba ante un sol de comienzos de otoño, y en que toda la concurrencia esperaba la llegada del argentino San Martín y la de O'Higgins, el huacho, aclaró uno de ellos, tapándose la boca, quien había sufrido una herida en un brazo en Cancha Rayada y vendría con sus vendajes, para celebrar la derrota decisiva que habían propinado a las tropas españolas en los llanos y lomajes de Maipú, al pie de los cerros de Chena.

Uno de los que esperaba, y que acababa de contar que también asistirían dos oficiales franceses que habían combatido en los ejércitos de Bonaparte, preguntó si don José Antonio de Rojas vendría, y le contestaron, ¿usted no sabía?, que el mayorazgo había muerto hacía pocos meses, en medio de la confusión sembrada por las noticias de Cancha Rayada, y que había sido enterrado en la parte nueva del Cementerio Católico, hacia el norte, entre gallos y medianoche.

–Nosotros –dijo un tercero, y no se supo si era uno de los Ovalle, o un Infante, o un español republicano que siempre andaba por ahí, uno que inventaba Constituciones–, los que iniciamos toda esta historia, vamos bajando, acercándonos al final, y los que suben ahora son otros, ¡gente nueva!

Hubo murmullos, sonrisas, movimientos afirmativos. Si el Narrador se hubiera encontrado ahí, habría observado que Juan Josef Goycoolea, quien hizo su aparición en el salón principal dos minutos antes que los generales, con la cabeza cubierta por un vistoso gorro tricolor, como muchos de los asistentes, y con su Ñata Echazarreta del brazo, a quien habían peinado las trenzas pelirrojas hacia arriba, en estilo del Primer Imperio, ya que las señoras casadas tenían derecho a levantar moño, era uno de los que sin duda subían, mientras que el porvenir de José Ignacio de Santa María, el Gordo, el viudo desconsolado, que se pegaba un plantón junto a la entrada, ansioso por ser de los primeros en saludar a O'Higgins, no se veía tan claro. Después de la muerte de la Manuelita, hacía ya alrededor de diez años, sus pellejerías habían continuado, ¡quién iba a pensar en construirse casas o en proyectar edificios en los tiempos que corrían!, y se había tenido que refugiar en el fundo de uno de sus hermanos, al sur de San Vicente de Tagua Tagua, no muy lejos, justamente, de los naranjales y los limonares de Peumo, de los parronales del Beaterio donde la Manuelita había suspirado, y orado, y escrito cartas con lágrimas, y con sangre, y hasta con pelos.

Un niño, sobrino del dueño de casa, desde una altura no muy superior a la de las copas de pies esbeltos, a la de las jaleas rojizas o amarillentas, en forma de torres babilónicas, a la de los pavos con cabezas teñidas de polvos dorados y con banderas de la Patria Nueva en los picos, a la de los huevos chimbos erizados de dientes de almendra y las cuñas de queso de Chanco, dirigiría sobre todo aquello, sobre aquel campo de otras batallas, una mirada entre apasionada y distante, ajena y a la vez metida, comprometida, dotada de la frescura, del sentimiento de sorpresa, del candor propios de su edad, y lo relataría en sus memorias muchísimos años más tarde, hacia el final del siglo que entonces, en el día de la celebración de los hechos de armas de Maipú, sólo había cumplido dieciocho años. El relato del anciano personaje de fines del XIX, antiguo periodista, contrabandista de ganado, buscador de oro, convertido en aquellas postrimerías en honorable senador de la República, hablaría del jolgorio, de los abrazos bien palmoteados y comentados, de los discursos y los brindis, en los cuales muchas de las copas de cristal fueron sacrificadas, del ruido de los corchos de los vinos espumosos, de los chacolíes, de los asoleados, de los gritos de alegría que provocaba la espuma derramada, y del minuto culminante en el que don José de San Martín, el general en jefe, con ojos enrojecidos, achispados, después de pedir permiso al dueño y a la dueña de casa, avanzó unos pasos, con taconeo marcial, golpeó las manos con fuerza para pedir atención, y cantó con voz bien timbrada, aunque un tanto engolada, no la canción nacional argentina, como lo había hecho después de Chacabuco, en un festejo que había demostrado ser todavía prematuro, sino un aria en italiano aprendida en el Viejo Mundo y alusiva a pasiones y a destinos heroicos.

La asistencia quedó desconcertada, atónita, porque los republicanos de Chile ya comenzaban a sufrir de vergüenza por todo, a diferencia, quizás, de los de Buenos Aires, y después aplaudió a rabiar, lanzando vivas de toda clase y estrellando más copas contra el suelo. Fue un momento de culminación, pero alguien, en voz muy baja, con aire grave, comentó el fusilamiento de Manuel Rodríguez, el guerrillero, el que le había jugado toda clase de malas pasadas a Casimiro Marcó del Pont, el afeminado, el de las bacinicas, y el que había levantado la moral de la gente después de Cancha Rayada. La ejecución acababa de tener lugar, dijeron, en el pueblucho de Til Til, hacia las lomas de la costa, y de un tiro, murmuraban, disparado por la espalda. ¿Por qué? Porque, susurraron, era demasiado popular, además de díscolo, revoltoso, y el huacho O'Higgins, a pesar de toda la pechuga que había sacado, le tenía miedo, y quizás, debido a su éxito entre la gente simple, entre los niños y las vendedoras de pescado seco, un poco de envidia. El hecho se había conocido en Santiago hacía pocas horas, y el que hablaba, un hombre flaco y chico, de corbatón gris y escarapela en el ojal, pero sin gorro tricolor, sostenía con todas sus letras que se trataba de un asesinato vulgar, un acto de consumada barbarie, un crimen que no presagiaba nada bueno para el futuro. Al lado suyo, otra persona, con la cara iluminada por las libaciones, extasiada, un siútico de los primeros tiempos (podríamos colegir), dijo que era extraño, además de conmovedor, asistir al nacimiento de una nueva República, en un siglo en el que las Repúblicas, felizmente, florecerían, igual, con parecida intensidad y profusión, a como florecerían los faroles eléctricos y las máquinas más portentosas, máquinas que caminarían solas y hasta hablarían, en las ciudades del porvenir.

Las memorias del anciano senador, viejo libro que el Narrador había encontrado en una de sus correrías por la calle San Diego, describían un ambiente de furioso optimismo, de fervor patriótico imposible de superar, digno de óperas y de poemas dramáticos que todavía no se habían escrito, en el que unos hablaban de la Canción Nacional que había que componer, y otros del diseño del nuevo escudo y de la nueva bandera, y algunos, los sesudos, los que hoy día llamaríamos, se dijo el Narrador, posiblemente, intelectuales, discutían sobre la Constitución que habría que darse, y si convenía más la forma de gobierno federativa o la unitaria, y si había que establecer un voto censitario o permitir que votaran todos, hasta los indios salvajes, alternativa que provocaba murmullos reticentes, movimientos mal disimulados de rechazo.

A todo esto, de Joaquín Toesca y Ricci, el arquitecto, fallecido en las últimas semanas del siglo anterior, ya no se acordaba nadie, o casi nadie. Y menos de sus amores y de sus dolores, del polvillo de huesos en el que se había convertido la Manuelita, inolvidable y olvidada, salvo por Santa

María, el Gordo, quien terminaría sus días llorando por ella, medio demente, con las grasas de la cara y del cuerpo caídas, pobre de solemnidad, y sin que nadie se atreviera a salir a los portales a pasar el sombrero por él. ¡Quién se iba a acordar! Y no hablemos de Ignacio Varela, extraviado en su parroquia y entre los papeles místicos de su primo, o del maestro Santelices y de la señora de la esquina de Toesca, la de las chirimoyas. La casa de don Bernardo Llanete, su Moneda en chico, la que le había encargado al maestro en una ocasión tan poco oportuna, sería destruida muy pronto por la picota de las demoliciones. ¡La inagotable, la terrible picota chilena! Y la fachada de la Catedral, adornada con guirnaldas neoclásicas y angelitos del Borromini, sería afrentada, infamada por toda clase de torreones y pegotes híbridos. En cambio, las grandes trabazones de ladrillos de los viejos tajamares resistirían durante años y décadas los embates del Mapocho en sus crecidas invernales, que todos olvidaban y que nunca dejaban de reproducirse cada cierto número de años, pero nadie se cuidaría de llevar a término el proyecto de un paseo con estatuas, con monolitos, con miradores, en la ribera sur y rumbo a los Andes. En cuanto a la idea de levantar otra Moneda más chica en el segundo patio, a fin de prolongar la primera en un juego de espejos, proponiendo así a los santiaguinos la noción de un espacio abierto hacia el sur del mundo, en cierto modo infinito, o capaz de transmitir, al menos, una vaga noción de lo infinito, sería desechada de una plumada, por absurda, por inútil, puesto que los administradores de la República no serían menos mezquinos y obtusos que sus antecesores coloniales, y en las primeras décadas del siglo veinte se añadiría un cuerpo de edificio que no tendría nada que ver con las líneas, con el estilo, con el equilibrio del original. Desde luego, nadie se percataría de la diferencia, de la aberración estética, o sólo personas escasas y poco escuchadas. Seres con fama de excéntricos o de algo todavía peor: desconformados cerebrales, para emplear la expresión de un publicista muy leído en la primera mitad del siglo. Aquella fachada original, por otra parte, sería bombardeada desde el aire, con precisión electrónica, y por el lado, precisamente, que había levantado el maestro. Los cohetes, en imágenes que recorrerían las pantallas del mundo (mundo transformado en una multiplicación de pantallas, fenómeno que ni siquiera don José Antonio de Rojas habría podido vislumbrar), entrarían por las ventanas que el maestro había dibujado con tanto cuidado y cuya construcción había seguido después en forma tan atenta, y retorcerían los hierros, los barandales, los marcos y espoletas que él mismo había encargado a la Península con indicaciones tan precisas, y que habían llegado de Cádiz embalados en cajas de confección y madera tan estupendas. Algunos años después sería restaurada, pero nunca, desde luego, volvería a ser la misma: aquella casa donde tanto se sufría, como le gustaba decir a uno de sus ocupantes, donde la gente atravesaba por los patios con toda tranquilidad para pasar del sur de la Alameda al centro, y de donde los presidentes, después de almorzar sus choclos cocidos y sus cazuelas de ave, solían salir a pie, acompañados de algún amigo y seguidos a distancia prudente por un par de guardianes discretos, confundidos con el paisaje urbano, con los letreros mal pintados, con los quiltros, con los suplementeros y las puesteras, con los racimos de gente que colgaban de micros destartalados.

El Narrador, si todavía estuviera entre nosotros, si no hubiera resuelto, en una de las páginas finales, ingresar al orden, podría mordisquear un pedazo de pan duro y mirar por su ventana. ¡Cuántas historias!, exclamaría en voz baja, y nosotros con él. Pensaría en los muertos y en los vivos, en las memorias recuperadas y en las perdidas para siempre. En las cosas que habían pasado. ¡En el dolor de las cosas, que ya no tendría vuelta! ¡En su falta de redención!

Santiago, Zapallar, Calafell, octubre de 1999

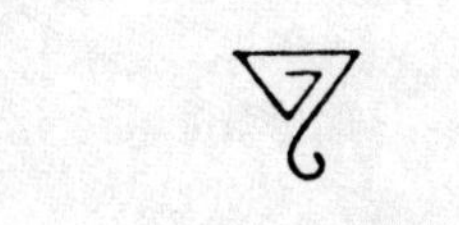

FEMINISM WITHOUT BORDERS

Chandra Talpade Mohanty

FEMINISM WITHOUT BORDERS

Decolonizing Theory, Practicing Solidarity

DUKE UNIVERSITY PRESS   DURHAM & LONDON 2003

5th printing, 2006

Printed in the United States of America on acid-free paper ∞

Designed by Rebecca Giménez Typeset in Quadraat by Tseng Information Systems, Inc. Library of Congress Cataloging-in-Publication Data appear on the last printed page of this book.

CONTENTS

Acknowledgments, vii

Introduction: Decolonization, Anticapitalist Critique, and Feminist Commitments, 1

Part One. Decolonizing Feminism

1. Under Western Eyes: Feminist Scholarship and Colonial Discourses, 17
2. Cartographies of Struggle: Third World Women and the Politics of Feminism, 43
3. What's Home Got to Do with It? (with Biddy Martin), 85
4. Sisterhood, Coalition, and the Politics of Experience, 106
5. Genealogies of Community, Home, and Nation, 124

Part Two. Demystifying Capitalism

6. Women Workers and the Politics of Solidarity, 139
7. Privatized Citizenship, Corporate Academies, and Feminist Projects, 169
8. Race, Multiculturalism, and Pedagogies of Dissent, 190

Part Three. Reorienting Feminism

9. "Under Western Eyes" Revisited: Feminist Solidarity through Anticapitalist Struggles, 221

Notes, 253
Bibliography, 275
Index, 295

ACKNOWLEDGEMENTS

This book has been a long time in the making, and it would not have been possible without the community of feminist, social justice activists and scholars to whom I am profoundly indebted. For their integrity, friendship, and generosity in walking this path with me, I thank Jacqui Alexander, Zillah Eisenstein, Ayesha Kagal, Elizabeth Minnich, Satya Mohanty, Margo Okazawa-Rey, and Susan Sanchez Casal. Affection, support, and conversations over the years with numerous disparate individuals played a significant role in my thinking in this volume. I have learned much from Ann Russo, Ella Shohat, Avtar Brah, Gail Lewis, Liliane Landor, Leslie Hill, Paula Rothenberg, Audre Lorde, Rhoda Linton, Papusa Molina, Linda Carty, Piya Chatterjee, Gloria Joseph, Si Kahn, Minnie Bruce Pratt, Norman Rosenberg, Gwyn Kirk, Melanie Kaye-Kantrówitz, Lisa Lowe, Gloria Watkins (bell hooks), Biddy Martin, Risa Lieberwitz, Leslie Roman, Paula Moya, Nancy Rabinowitz, Margaret Gentry, Wendy Jones, Shelley Haley, Amie Macdonald, Angela Davis, Amber Hollibaugh, Beverly Guy-Sheftall, Saraswati Sunindyo, Vivyan Adair, and Leila Farrah.

Sue Kim was a wonderful early reader of my essays, and I thank her, Amy Gowans, Nick Davis, and Mag Melvin for their invaluable help with sections of the manuscript. The many, many students I have taught and learned from over these two decades at Oberlin College and Hamilton College occupy a special place in my heart—they always challenged me to greater clarity. My dear friend Zillah Eisenstein read, reread, and offered feedback on numerous drafts of these chapters—I thank her for her boundless heart and spirit as well as hard work on my behalf. Thanks to Wendy Jones and Amie Macdonald for their generous and perceptive responses to parts of this book.

My family has nurtured and sustained me in their own unique ways and in multiple languages and foods over the years—my parents, Pramila and Madhukar; my brother, Salil; sister-in-law, Medha, my cousins Ela, Roopa, and Sonali; my mother-in-law, Kamala, and the entire Mohanty clan in Bhubaneswar and Cuttack; and Lal, Tilu, and the kids. I thank them all for their unwavering affection and presence in my life. Last, but certainly not least, I thank Satya Mohanty for over two decades of love, companionship, challenge, and superb vacation planning. He remains my truest and most valuable reader and critic. My daughter, Uma Talpade Mohanty, brings enormous joy, curiosity, and unanswerable questions and conundrums into my life—I thank her for the gift of parenting. And of course Shakti, our chocolate lab, who brings boundless energy and affection into our life at home—he too sustains me in his own way.

INTRODUCTION

Decolonization, Anticapitalist Critique, and Feminist Commitments

This volume is the product of almost two decades of engagement with feminist struggles. It is based on a deep belief in the power and significance of feminist thinking in struggles for economic and social justice. And it owes whatever clarity and insight the reader may find in these pages to a community of sisters and comrades in struggle from whom I have learned the meaning, joy, and necessity of political thinking. While many of the ideas I explore here are viewed through my own particular lenses, all the ideas belong collectively to the various feminist, antiracist, and anti-imperialist communities in which I have been privileged to be involved. In the end, I think and write in conversation with scholars, teachers, and activists involved in social justice struggles. My search for emancipatory knowledge over the years has made me realize that ideas are always communally wrought, not privately owned. All faults however, are mine, for seeking the kind of knowledge that emerges in these pages brings with it its own gaps, faults, opacities. These I accept in the hope that they too prove useful to the reader.

Feminist Commitments

Why "feminism without borders?" First, because it recalls "doctors without borders," an enterprise and project that embodies the urgency, as well as the internationalist commitment[1] that I see in the best feminist praxis. Second, because growing up as part of the postindependence generation in India meant an acute awareness of the borders, boundaries, and traces of British colonialism on the one hand, and of the unbounded promise of decolonization on the other. It also meant living the contradiction of the promise of nationalism and its various limits and failures in postcolonial India. Borders suggest both containment and safety, and women often pay a price for daring to claim the integrity, security, and safety of our bodies and our living spaces. I choose "feminism without borders," then, to stress that our most expansive and inclusive visions of feminism need to be attentive to borders while learning to transcend them.

Feminism without borders is not the same as "border-less" feminism. It acknowledges the fault lines, conflicts, differences, fears, and containment that borders represent. It acknowledges that there is no one sense of a border, that the lines between and through nations, races, classes, sexualities, religions, and disabilities, are real—and that a feminism without borders must envision change and social justice work across these lines of demarcation and division. I want to speak of feminism without silences and exclusions in order to draw attention to the tension between the simultaneous plurality and narrowness of borders and the emancipatory potential of crossing through, with, and over these borders in our everyday lives.

In my own life, borders have come in many guises, and I live with them inside as well as across racialized women's communities. I grew up in Mumbai (Bombay), where the visible demarcations between India and Pakistan, Hindu and Muslim, rich and poor, British and Indian, women and men, Dalit and Brahmin were a fact of everyday life. This was the same Mumbai where I learned multiple languages and negotiated multiple cultures in the company of friends and neighbors, a Mumbai where I went to church services—not just Hindu temples—and where I learned about the religious practices of Muslims and Parsees. In the last two decades, my life in the United States has exposed some new fault-lines—those of race and sexuality in particular. Urbana, Illinois, Clinton, New York, and Ithaca, New York, have been my home places in the United States, and in all three sites I have learned to read and live in relation to the racial, class, sexual, and national scripts embedded in North American culture. The presence of borders in my life has been both exclusionary and enabling, and I strive to envision a critically transnational (internationalist) feminist praxis moving through these borders.

I see myself as an antiracist feminist. Why does antiracist feminism[2] matter in struggles for economic and social justice in the early twenty-first century? The last century was clearly the century of the maturing of feminist ideas, sensibilities, and movements. The twentieth century was also the century of the decolonization of the Third World/South,[3] the rise and splintering of the communist Second World, the triumphal rise and recolonization of almost the entire globe by capitalism, and of the consolidation of ethnic, nationalist, and religious fundamentalist movements and nation-states. Thus, while feminist ideas and movements may have grown and matured, the backlash and challenges to feminism have also grown exponentially.

So in this political/economic context, what would an economically and socially just feminist politics look like? It would require a clear understanding that being a woman has political consequences in the world we live in; that there can be unjust and unfair effects on women depending on our economic and social marginality and/or privilege. It would require recognizing that sexism, racism, misogyny, and heterosexism underlie and fuel social and political institutions of rule and thus often lead to hatred of women and (supposedly justified) violence against women. The interwoven processes of sexism, racism, misogyny, and heterosexism are an integral part of our social fabric, wherever in the world we happen to be. We need to be aware that these ideologies, in conjunction with the regressive politics of ethnic nationalism and capitalist consumerism, are differentially constitutive of all of our lives in the early twenty-first century. Besides recognizing all this and formulating a clear analysis and critique of the behaviors, attitudes, institutions, and relational politics that these interwoven systems entail, a just and inclusive feminist politics for the present needs to also have a vision for transformation and strategies for realizing this vision.

Hence decolonization, anticapitalist critique, and solidarity.[4] I firmly believe an antiracist feminist framework, anchored in decolonization and committed to an anticapitalist critique, is necessary at this time. In the chapters that follow I develop antiracist feminist frameworks or ways of seeing, interpreting, and making connections between the many levels of social reality we experience. I outline a notion of feminist solidarity, as opposed to vague assumptions of sisterhood or images of complete identification with the other. For me, such solidarity is a political as well as ethical goal.

Here is a bare-bones description of my own feminist vision: this is a vision of the world that is pro-sex and -woman, a world where women and men are free to live creative lives, in security and with bodily health and integrity, where they are free to choose whom they love, and whom they set up house with, and whether they want to have or not have children; a world where pleasure rather than just duty and drudgery determine our choices, where free and imaginative exploration of the mind is a fundamental right; a vision in which economic stability, ecological sustainability, racial equality, and the redistribution of wealth form the material basis of people's well-being. Finally, my vision is one in which democratic and socialist practices and institutions provide the conditions for public participation and decision making for people regardless of economic and social location. In strategic terms, this vision entails putting in place antiracist feminist and democratic principles of participation and relationality, and it means working on many fronts, in many different kinds of collectivities in order to organize against repressive systems of rule. It also means being attentive to small as well as large struggles and processes that lead to radical change—not just working (or waiting) for a revolution. Thus everyday feminist, antiracist, anticapitalist practices are as important as larger, organized political movements.

While I have no formulas or easy answers, I am a firm believer in the politics of solidarity, which I discuss in some depth in the chapters that follow. But no vision stands alone, and mine owes much to the work of numerous feminist scholars and activists around the world. A brief and very partial genealogy of feminist theoretical frames that have influenced my own thinking illustrates this debt to a vital and challenging transnational feminist community.

In the 1970s and 1980s, socialist feminist thinkers including Michelle Barrett, Mary McIntosh, Zillah Eisenstein, Dorothy Smith, and Maria Mies pointed out the theoretical limitations of an implicitly masculinist Marxism. These scholars clarified the intricate relationship between production and reproduction, the place of the "family" and the "household" in the economic and social relations of capitalist society, and the relation of capitalism to patriarchy (Zillah Eisenstein coined the term "capitalist patriarchy").[5] At the same time, scholars such as Gloria Joseph and Jill Lewis theorized the racialization of gender and class in their early work entitled *Common Differences: Conflicts in Black and White Feminist Perspectives*. And in the United Kingdom, Kumkum Bhavnani and Margaret Coulson critiqued the theoretical limitations of such socialist feminist concepts as "family" and "household" on Eurocentric grounds. Similarly, Valerie Amos and Pratibha Parmar wrote eloquently about the race blindness of "imperial feminism"—socialist, radical, and liberal. In the United States, lesbians of color such as Audre Lorde, Barbara Smith, Cherrie Moraga, Merle Woo, Paula Gunn Allen, and Gloria Anzaldúa faced head-on the profound racism and heterosexism of the women's movement, and of U.S. radical and liberal feminist theory of the second wave of feminism.[6] Arguments about the race, color, class, and sexual dimensions of gender in the building of feminist analysis and community took center stage in the work of these U.S. feminists of color. The Barnard Conference in the early 1980s inaugurated the so-called sex wars, which brought the contradictions of sex, sexuality, erotica, pornography, and such marginalized sexual practices as sadomasochism to the forefront of feminist debate.[7]

The 1980s also saw the rise of standpoint epistemology, especially through the work of Nancy Hartsock, Dorothy Smith, and Sandra Harding. This work defined the link between social location, women's experiences, and their epistemic perspectives. And then there were the feminists from Third World/South nations who had a profound influence on my own understanding of the relationship of feminism and nationalism, and of the centrality of struggles for decolonization in feminist thought. Kumari Jayawardena, Nawal el Saadawi, Fatima Mernissi, Isabel Letelier, and Achola Pala all theorized the specific place of Asian, Middle Eastern, Latin American, and African women in national struggles for liberation, and in the economic development and democratization of previously colonized countries.[8]

More contemporaneously, the work of feminist theorists Ella Shohat, Angela Davis, Jacqui Alexander, Linda Alcoff, Lisa Lowe, Avtar Brah, bell hooks, Zillah Eisenstein, Himani Bannerji, Patricia Bell Scott, Vandana Shiva, Kumkum Sangari, Ruth Frankenberg, Inderpal Grewal, Caren Kaplan, Kimberle Crenshaw, Elizabeth Minnich, Leslie Roman, Lata Mani, Uma Narayan, Minnie Bruce Pratt, and Leila Ahmed, among many others, has charted new ground in the theorization of feminism and racism, immigration, Eurocentrism, critical white studies, heterosexism, and imperialism.[9] While there are many scholars and activists who remain unnamed in this brief genealogy, I offer this partial history of ideas to anchor, in part, my own feminist thinking and to clarify the deeply collective nature of feminist thought as I see it. Let me now turn briefly to the limits and pitfalls of feminist practice as I see them in my own context and then move on to a discussion of decolonization and feminist anticapitalist critique. Finally, a road map introduces the reader to the organization of the book.

Feminist practice as I understand it operates at a number of levels: at the level of daily life through the everyday acts that constitute our identities and relational communities; at the level of collective action in groups, networks, and movements constituted around feminist visions of social transformation; and at the levels of theory, pedagogy, and textual creativity in the scholarly and writing practices of feminists engaged in the production of knowledge. While the last few decades have produced a theoretically complex feminist practice (I refer to examples of these throughout the book), they have also spawned some problematic ideologies and practices under the label "feminist."

In my own context I would identify three particular problematic directions within U.S.-based feminisms. First, the increasing, predominantly class-based gap between a vital women's movement and feminist theorizing in the U.S. academy has led in part to a kind of careerist academic feminism whereby the boundaries of the academy stand in for the entire world and feminism becomes a way to advance academic careers rather than a call for fundamental and collective social and economic transformation. This gap between an individualized and narrowly professional understanding of feminism and a collective, theoretical feminist vision that focuses on the radical transformation of the everyday lives of women and men is one I actively work to address. Second, the increasing corporatization of U.S. culture and naturalization of capitalist values has had its own profound influence in engendering a neoliberal, consumerist (protocapitalist) feminism concerned with "women's advancement" up the corporate and nation-state ladder. This is a feminism that focuses on financial "equality" between men and women and is grounded in the capitalist values of profit, competition, and accumulation.[10] A protocapitalist or "free-market" feminism is symptomatic of the "Americanization" of definitions of feminism—the unstated assumption that U.S. corporate culture is the norm and ideal that feminists around the world strive for. Another characteristic of protocapitalist feminism is its unstated and profoundly individualist character. Finally, the critique of essentialist identity politics and the hegemony of postmodernist skepticism about identity has led to a narrowing of feminist politics and theory whereby either exclusionary and self-serving understandings of identity rule the day or identity (racial, class, sexual, national, etc.) is seen as unstable and thus merely "strategic." Thus, identity is seen as either naive or irrelevant, rather than as a source of knowledge and a basis for progressive mobilization.[11] Colonizing, U.S.- and Eurocentric privileged feminisms, then, constitute some of the limits of feminist thinking that I believe need to be addressed at this time. And some of these problems, in conjunction with the feminist possibilities and vision discussed earlier, form the immediate backdrop to my own thinking in the chapters that follow.

On Solidarity, Decolonization, and Anticapitalist Critique

I define solidarity in terms of mutuality, accountability, and the recognition of common interests as the basis for relationships among diverse communities. Rather than assuming an enforced commonality of oppression, the practice of solidarity foregrounds communities of people who have chosen to work and fight together. Diversity and difference are central values here—to be acknowledged and respected, not erased in the building of alliances. Jodi Dean (1996) develops a notion of "reflective solidarity" that I find particularly useful. She argues that reflective solidarity is crafted by an interaction involving three persons: "I ask you to stand by me over and against a third" (3). This involves thematizing the third voice "to reconstruct solidarity as an inclusive ideal," rather than as an "us vs. them" notion. Dean's notion of a communicative, in-process understanding of the "we" is useful, given that solidarity is always an achievement, the result of active struggle to construct the universal on the basis of particulars/differences. It is the praxis-oriented, active political struggle embodied in this notion of solidarity that is important to my thinking—and the reason I prefer to focus attention on solidarity rather than on the concept of "sisterhood." Thus, decolonization, anticapitalist critique, and the politics of solidarity are the central themes of this book. Each concept foregrounds my own commitments and emerges as a necessary component of an antiracist and internationalist feminism—without borders. In particular, I believe feminist solidarity as defined here constitutes the most principled way to cross borders—to decolonize knowledge and practice anticapitalist critique.

In what is one of the classic texts on colonization, Franz Fanon (1963) argues that the success of decolonization lies in a "whole social structure being changed from the bottom up"; that this change is "willed, called for, demanded" by the colonized; that it is a historical process that can only be understood in the context of the "movements which give it historical form and content"; that it is marked by violence and never "takes place unnoticed, for it influences individuals and modifies them fundamentally"; and finally that "decolonization is the veritable creation of new men." In other words, decolonization involves profound transformations of self, community, and governance structures. It can only be engaged through active withdrawal of consent and resistance to structures of psychic and social domination. It is a historical and collective process, and as such can only be understood within these contexts. The end result of decolonization is not only the creation of new kinds of self-governance but also "the creation of new men" (and women). While Fanon's theorization is elaborated through masculine metaphors (and his formulation of resistance is also profoundly gendered),[12] the framework of decolonization that Fanon elaborates is useful in formulating a feminist decolonizing project. If processes of sexism, heterosexism, and misogyny are central to the social fabric of the world we live in; if indeed these processes are interwoven with racial, national, and capitalist domination and exploitation such that the lives of women and men, girls and boys, are profoundly affected, then decolonization at all the levels (as described by Fanon) becomes fundamental to a radical feminist transformative project. Decolonization has always been central to the project of Third World feminist theorizing—and much of my own work has been inspired by these particular feminist genealogies.

Jacqui Alexander and I have written about the significance of decolonization to feminist anticolonial, anticapitalist struggle[13] and I want to draw on this analysis here. At that time we defined decolonization as central to the practice of democracy, and to the reenvisioning of democracy outside free-market, procedural conceptions of individual agency and state governance. We discussed the centrality of self-reflexive collective practice in the transformation of the self, reconceptualizations of identity, and political mobilization as necessary elements of the practice of decolonization.[14] Finally, we argued that history, memory, emotion, and affectional ties are significant cognitive elements of the construction of critical, self-reflective, feminist selves and that in the crafting of oppositional selves and identities, "decolonization coupled with emancipatory collective practice leads to a rethinking of patriarchal, heterosexual, colonial, racial, and capitalist legacies in the project of feminism and, thus, toward envisioning democracy and democratic collective practice such that issues of sexual politics in governance are fundamental to thinking through questions of resistance anchored in the daily lives of women, that these issues are an integral aspect of the epistemology of anticolonial feminist struggle" (xxxviii). The chapters that follow draw on these particular formulations of decolonization in the context of feminist struggle. A formulation of decolonization in which autonomy and self-determination are central to the process of liberation and can only be achieved through "self-reflexive collective practice."

I use the term "anticapitalist critique" for two reasons. First, to draw attention to the specificities of global capitalism and to name and demystify its effects in everyday life—that is, to draw attention to the anticapitalist practices we have to actively engage in within feminist communities. And second, to suggest that capitalism is seriously incompatible with feminist visions of social and economic justice. In many ways, an anticapitalist feminist critique has much in common with earlier formulations of socialist feminism. But this is a racialized socialist feminism, attentive to the specific operations and discourses of contemporary global capitalism: a socialist feminist critique, attentive to nation and sexuality—and to the globalized economic, ideological, and cultural interweaving of masculinities, femininities, and heterosexualities in capital's search for profit, accumulation, and domination.

To specify further, an anticapitalist critique fundamentally entails a critique of the operation, discourse, and values of capitalism and of their naturalization through neoliberal ideology and corporate culture. This means demystifying discourses of consumerism, ownership, profit, and privatization—of the collapse of notions of public and private good, and the refashioning of social into consumer identities within corporate culture. It entails an anti-imperialist understanding of feminist praxis, and a critique of the way global capitalism facilitates U.S.- and Eurocentrism as well as nativism and anti-immigrant sentiment. This analysis involves decolonizing and actively combating the naturalization of corporate citizenship such that democratic, socialist, antiracist feminist values of justice, participation, redistribution of wealth and resources, commitment to individual and collective human rights and to public welfare and services, and accountability to and responsibility for the collective (as opposed to merely personal) good become the mainstay of transformed local, national, and transnational cultures. In this frame, difference and plurality emerge as genuinely complex and often contradictory, rather than as commodified variations on Eurocentric themes.Chapters 6, 7, 8, and 9 develop these ideas in some detail.

Feminism without Borders: A Road Map

The book is organized around two interlocking themes, which form the first two parts of the book: decolonizing feminism and demystifying capitalism. The questions of experience, identity, and solidarity run centrally though both parts. While they are also more or less chronologically organized in terms of my own engagement with the vicissitudes of feminist struggle, together the two parts take up some of the most urgent questions facing a transnational feminist praxis today. A third and final part, "Reorienting Feminism," picks up the issues explored in chapter 1, "Under Western Eyes," and reorients them in the context of feminist scholarship, pedagogy, and politics in the early years of this century. My intellectual preoccupations in the 1980s focused on the way the "West" colonizes gender, in particular, its colored, racial, and class dimensions. Now, almost two decades later, I am concerned with the way that gender matters in the racial, class, and national formations of globalization. The three parts of this book, "Decolonizing Feminism," "Demystifying Capitalism," and "Reorienting Feminism," mark this movement in my own thinking. The chapters themselves encourage both a personal and a larger, collective genealogy of feminist practice, which moves through the enforced boundaries of race, color, nation, and class. I write in conversation with and for progressive, left, feminist, and anti-imperialist scholars, intellectuals, and activists around the world. A few intellectual themes emerge in these chapters:

- the politics of difference and the challenge of solidarity
- the demystification of the workings of power and strategies of resistance in scholarship, pedagogy, grassroots movements, and academic institutions
- the decolonizing and politicizing of knowledge by rethinking self and community through the practice of emancipatory education
- the building of an ethics of crossing cultural, sexual, national, class, and racial borders
- and finally, theorizing and practicing anticapitalist and democratic critique in education, and through collective struggle.

PART I: DECOLONIZING FEMINISM

The practice of feminism across national and cultural divisions is the primary focus of this part of the book. The five chapters that comprise it together stage various dialogues between "Western," First World/North and Third World/South feminisms. These chapters offer a critique of Eurocentrism and of Western developmentalist discourses of modernity, especially through the lens of the racial, sexual, and class-based assumptions of Western feminist scholarship. Simultaneously, these chapters foreground genealogies of Third World/South feminisms, exploring the histories, experiences, and politics of identity embedded in nonhegemonic feminist practice. Chapter 1, "Under

Western Eyes," engages Western feminist discourses on women in the Third World, calling for a radical decolonization of feminist cross-cultural scholarship. This chapter appears in its original 1986 version and is the occasion for the reflections in part 3, "Reorienting Feminism." Chapter 2, "Cartographies of Struggle," was originally written as a companion piece to chapter 1, and provides an account of the emergence and consolidation of Third World women's feminist politics in the late twentieth century. It examines issues of definition and context in the emergence of Third World feminisms, and explores the notion of "common interests" and a "common context of struggle" in crafting feminist solidarities. Chapter 2 has an organic relation to chapter 1 in that it is the critique of Eurocentrism within feminist theory that allows me to move toward the specification of Third World feminism and toward a vision of common contexts of struggle. Chapter 3, "What's Home Got To Do with It?," written with Biddy Martin, offers a close reading of Minnie Bruce Pratt's autobiographical narrative "Identity: Skin, Blood, Heart" (Pratt 1984a). It poses questions dealing with the configuration of home, identity, and community in the construction of whiteness and heterosexuality. Questions of racialized and sexualized difference and the ethics and politics of crossing borders are refracted through the lens of experience, history, and struggle for community. Chapter 4, "Sisterhood, Coalition, and the Politics of Location," continues the discussion of experience, identity, and difference, this time staging a dialogue between texts written by Robin Morgan and Bernice Johnson Reagon, which address directly the question of cross-cultural, cross-national differences among women and the politics of sisterhood and solidarity. A third, more recent text on the challenge of local feminisms by Amrita Basu (1995) serves as a counterpoint to these earlier discussions of "global sisterhood." Finally, in chapter 5, "Genealogies of Community, Home, and Nation" I return to the issues of home, identity, and community, but this time through a more individual, personal lens. Here I craft my own personal/political genealogy through feminism and the borders of nation-states, class, race, and religion. Location, community, and collective struggle all emerge as fundamental in this analysis. Thus decolonizing feminism involves a careful critique of the ethics and politics of Eurocentrism, and a corresponding analysis of the difficulties and joys of crossing cultural, national, racial, and class boundaries in the search for feminist communities anchored in justice and equality.

PART 2: DEMYSTIFYING CAPITALISM

Part 2 revolves around the analysis of global capitalist relations of rule and the ideal of transnational feminist solidarity. Chapter 6, "Women Workers and the Politics of Solidarity," is anchored in the conceptual framework of a common context of struggle, and offers a comparative feminist analysis of women workers at different ends of the global assembly line. It develops a vision of anticapitalist feminist solidarity based on the theorization of the common interests, historical location, and social identity of women workers under global capitalism. Chapters 7 and 8 turn to the U.S. academy and focus on the issues of multiculturalism, globalization, and corporatization. Chapter 7, "Privatized Citizenship, Corporate Academies, and Feminist Projects," focuses on the landscape of the U.S. academy and analyzes the commodification of knowledge and the complex racial and gendered effects of global economic and political restructuring on the North American academy. It engages questions of experience, power, knowledge, and democracy and develops a feminist anticapitalist critique of the academy and the ethics and politics of knowledge production. Finally, chapter 8, "Race, Multiculturalism, and Pedagogies of Dissent," examines the challenges posed to U.S. higher education by a "race industry" anchored in a corporate model of conflict management rather than in the values of social justice. It analyzes the genealogies of interdisciplinary programs such as women's studies and race and ethnic studies and explores pedagogies of decolonization and dissent as a counter to multiculturalist discourses and practices of accommodation. The chapter delves deeper into the politics of knowledge, curricular and pedagogical practices, and their effects on marginalized communities in the academy.

PART 3: REORIENTING FEMINISM

Part 3 consists of one chapter, " 'Under Western Eyes' Revisited," which reexamines the ideas in chapter 1, "Under Western Eyes," to deepen, widen, and move through a different, albeit related, landscape of transnational feminist struggle. Here I recast the cross-cultural feminist project I explored almost twenty years ago, by reengaging with its concerns. While I focused then on the Eurocentric assumptions of Western feminist practice and its too easy claiming of sisterhood across national, cultural, and racial differences, my concerns now focus on antiracist feminist engagement with the multiple effects of globalization and on building solidarities. I suggest that we reorient transnational feminist practice toward anticapitalist struggles, by examining feminist pedagogies and scholarship on globalization and by exploring the implications of the absence of racialized gender and feminist politics in antiglobalization movements. This section weaves together numerous strands that run through the book: the politics of difference and solidarity, the crossing of borders, the relation of feminist knowledges and scholarship to organizing and social movements, crafting a transnational feminist anticapitalist critique, decolonizing knowledge, and theorizing agency, identity, and resistance in the context of feminist solidarity. Rather than providing a conclusion, "Reorienting Feminism" opens outward to new possibilities and maps new beginnings.

The book has a spiral structure, since chapters move in and out of similar queries, but at many different levels. I look again at genealogies and commitments of feminism defined in the closing decades of the last century. And I return time and again to the ideas, politics, and genealogies of feminism that have inspired me over the years. Whereas my concerns remain the same, my vision, my experiences, and my communities, have in part changed because of shifts in my own location, and in the post-1989 global political and economic landscape. It is this shifting and changing that I wish to share in the hope that the questions that have preoccupied me (and many other feminist comrades in struggle) over the last two decades emerge clearly and powerfully in these pages—and that my journeys through various feminist narratives, projects, and agendas prove useful to others engaged in similar struggles for social justice.[15]

PART ONE

Decolonizing Feminism

CHAPTER ONE

Under Western Eyes: Feminist Scholarship and Colonial Discourses

Any discussion of the intellectual and political construction of "Third World feminisms" must address itself to two simultaneous projects: the internal critique of hegemonic "Western" feminisms and the formulation of autonomous feminist concerns and strategies that are geographically, historically, and culturally grounded. The first project is one of deconstructing and dismantling; the second is one of building and constructing. While these projects appear to be contradictory, the one working negatively and the other positively, unless these two tasks are addressed simultaneously, Third World feminisms run the risk of marginalization or ghettoization from both mainstream (right and left) and Western feminist discourses.

It is to the first project that I address myself here. What I wish to analyze is specifically the production of the "Third World woman" as a singular, monolithic subject in some (Western) feminist texts. The definition of colonization I wish to invoke here is a predominantly discursive one, focusing on a certain mode of appropriation and codification of scholarship and knowledge about women in the Third World through the use of particular analytic categories employed in specific writings on the subject that take as their referent feminist interests as they have been articulated in the United States and Western Europe. If one of the tasks of formulating and understanding the locus of Third World feminisms is delineating the way in which they resist and work against what I am referring to as "Western feminist discourse," then an analysis of the discursive construction of Third World women in Western feminism is an important first step.

Clearly, neither Western feminist discourse nor Western feminist political practice is singular or homogeneous in its goals, interests, or analyses. However, it is possible to trace a coherence of effects resulting from the implicit assumption of "the West" (in all its complexities and contradictions) as the primary referent in theory and praxis. My reference to "Western feminism" is by no means intended to imply that it is a monolith. Rather, I am attempting to draw attention to the similar effects of various textual strategies used by writers that codify others as non-Western and hence themselves as (implicitly) Western. It is in this sense that I use the term "Western feminist." Similar arguments can be made about middle-class, urban African or Asian scholars who write about their rural or working-class sisters and assume their own middle-class cultures at the norm and codify working class histories and cultures as other. Thus, while this chapter focuses specifically on what I refer to as "Western feminist" discourse on women in the Third World, the critiques I offer also pertain to Third World scholars who write about their own cultures and employ identical strategies.

It ought to be of some political significance that the term "colonization" has come to denote a variety of phenomena in recent feminist and left writings in general. From its analytic value as a category of exploitative economic exchange in both traditional and contemporary Marxisms (see, in particular, Amin 1977, Baran 1962, and Gunder-Frank 1967) to its use by feminist women of color in the United States to describe the appropriation of their experiences and struggles by hegemonic white women's movements (see especially Joseph and Lewis 1981, Moraga 1984, Moraga and Anzaldúa 1981, and Smith 1983), colonization has been used to characterize everything from the most evident economic and political hierarchies to the production of a particular cultural discourse about what is called the Third World.[1] However sophisticated or problematical its use as an explanatory construct, colonization almost invariably implies a relation of structural domination and a suppression—often violent—of the heterogeneity of the subject(s) in question.

My concern about such writings derives from my own implication and investment in contemporary debates in feminist theory and the urgent political necessity of forming strategic coalitions across class, race, and national boundaries. The analytic principles discussed below serve to distort Western feminist political practices and limit the possibility of coalitions among (usually white) Western feminists, working-class feminists, and feminists of color around the world. These limitations are evident in the construction of the (implicitly consensual) priority of issues around which apparently all women are expected to organize. The necessary and integral connection between feminist scholarship and feminist political practice and organizing determines the significance and status of Western feminist writings on women in the Third World, for feminist scholarship, like most other kinds of scholarship, is not the mere production of knowledge about a certain subject. It is a directly political and discursive practice in that it is purposeful and ideological. It is best seen as a mode of intervention into particular hegemonic discourses (e.g., traditional anthropology, sociology, and literary criticism); it is a political praxis that counters and resists the totalizing imperative of age-old "legitimate" and "scientific" bodies of knowledge. Thus, feminist scholarly practices (reading, writing, critiquing, etc.) are inscribed in relations of power—relations that they counter, resist, or even perhaps implicitly support. There can, of course, be no apolitical scholarship.

The relationship between "Woman" (a cultural and ideological composite other constructed through diverse representational discourses—scientific, literary, juridical, linguistic, cinematic, etc.) and "women" (real, material subjects of their collective histories) is one of the central questions the practice of feminist scholarship seeks to address. This connection between women as historical subjects and the representation of Woman produced by hegemonic discourses is not a relation of direct identity or a relation of correspondence or simple implication.[2] It is an arbitrary relation set up by particular cultures. I would like to suggest that the feminist writings I analyze here discursively colonize the material and historical heterogeneities of the lives of women in the Third World, thereby producing/representing a composite, singular "Third World woman"—an image that appears arbitrarily constructed but nevertheless carries with it the authorizing signature of Western humanist discourse.[3]

I argue that assumptions of privilege and ethnocentric universality, on the one hand, and inadequate self-consciousness about the effect of Western scholarship on the Third World in the context of a world system dominated by the West, on the other, characterize a sizable extent of Western feminist work on women in the Third World. An analysis of "sexual difference" in the form of a cross-culturally singular, monolithic notion of patriarchy or male dominance leads to the construction of a similarly reductive and homogeneous notion of what I call the "Third World difference"—that stable, ahistorical something that apparently oppresses most if not all the women in these countries. And it is in the production of this Third World difference that Western feminisms appropriate and colonize the constitutive complexities that characterize the lives of women in these countries. It is in this process of discursive homogenization and systematization of the oppression of women in the Third World that power is exercised in much of recent Western feminist discourse, and this power needs to be defined and named.

In the context of the West's hegemonic position today—the context of what Anouar Abdel-Malek (1981) calls a struggle for "control over the orientation, regulation and decision of the process of world development on the basis of the advanced sector's monopoly of scientific knowledge and ideal creativity" (145)—Western feminist scholarship on the Third World must be seen and examined precisely in terms of its inscription in these particular relations of power and struggle. There is, it should be evident, no universal patriarchal framework that this scholarship attempts to counter and resist—unless one posits an international male conspiracy or a monolithic, ahistorical power structure. There is, however, a particular world balance of power within which any analysis of culture, ideology, and socioeconomic conditions necessarily has to be situated. Abdel-Malek is useful here, again, in reminding us about the inherence of politics in the discourses of "culture":

> Contemporary imperialism is, in a real sense, a hegemonic imperialism, exercising to a maximum degree a rationalized violence taken to a higher level than ever before—through fire and sword, but also through the attempt to control hearts and minds. For its content is defined by the combined action of the military-industrial complex and the hegemonic cultural centers of the West, all of them founded on the advanced levels of development attained by monopoly and finance capital, and supported by the benefits of both the scientific and technological revolution and the second industrial revolution itself. (145–46)

Western feminist scholarship cannot avoid the challenge of situating itself and examining its role in such a global economic and political framework. To do any less would be to ignore the complex interconnections between First and Third World economies and the profound effect of this on the lives of women in all countries. I do not question the descriptive and informative value of most Western feminist writings on women in the Third World. I also do not question the existence of excellent work that does not fall into the analytic traps with which I am concerned. In fact, I deal with an example of such work later on. In the context of an overwhelming silence about the experience of women in these countries, as well as the need to forge international links between women's political struggles, such work is both pathbreaking and absolutely essential. However, I want to draw attention here both to the explanatory potential of particular analytic strategies employed by such writing and to their political effect in the context of the hegemony of Western scholarship. While feminist writing in the United States is still marginalized (except from the point of view of women of color addressing privileged white women), Western feminist writing on women in the Third World must be considered in the context of the global hegemony of Western scholarship—that is, the production, publication, distribution, and consumption of information and ideas. Marginal or not, this writing has political effects and implications beyond the immediate feminist or disciplinary audience. One such significant effect of the dominant "representations" of Western feminism is its conflation with imperialism in the eyes of particular Third World women.[4] Hence the urgent need to examine the political implications of our analytic strategies and principles.

My critique is directed at three basic analytic principles that are present in (Western) feminist discourse on women in the Third World. Since I focus primarily on the Zed Press Women in the Third World series, my comments on Western feminist discourse are circumscribed by my analysis of the texts in this series.[5] This is a way of focusing my critique. However, even though I am dealing with feminists who identify themselves as culturally or geographically from the West, what I say about these presuppositions or implicit principles holds for anyone who uses these methods, whether Third World women in the West or Third World women in the Third World writing on these issues and publishing in the West. Thus I am not making a culturalist argument about ethnocentrism; rather, I am trying to uncover how ethnocentric universalism is produced in certain analyses. As a matter of fact, my argument holds for any discourse that sets up its own authorial subjects as the implicit referent, that is, the yardstick by which to encode and represent cultural others. It is in this move that power is exercised in discourse.

The first analytic presupposition I focus on is involved in the strategic location of the category "women" vis-à-vis the context of analysis. The assumption of women as an already constituted, coherent group with identical interests and desires, regardless of class, ethnic, or racial location, or contradictions, implies a notion of gender or sexual difference or even patriarchy that can be applied universally and cross-culturally. (The context of analysis can be anything from kinship structures and the organization of labor to media representations.) The second analytical presupposition is evident on the methodological level, in the uncritical way "proof" of universality and cross-cultural validity are provided. The third is a more specifically political presupposition underlying the methodologies and the analytic strategies, that is, the model of power and struggle they imply and suggest. I argue that as a result of the two modes—or, rather, frames—of analysis described above, a homogeneous notion of the oppression of women as a group is assumed, which, in turn, produces the image of an "average Third World woman." This average Third World woman leads an essentially truncated life based on her feminine gender (read: sexually constrained) and her being "Third World" (read: ignorant, poor, uneducated, tradition-bound, domestic, family-oriented, victimized, etc.). This, I suggest, is in contrast to the (implicit) self-representation of Western women as educated, as modern, as having control over their own bodies and sexualities and the freedom to make their own decisions.

The distinction between Western feminist representation of women in the Third World and Western feminist self-presentation is a distinction of the same order as that made by some Marxists between the "maintenance" function of the housewife and the real "productive" role of wage labor, or the characterization by developmentalists of the Third World as being engaged in the lesser production of "raw materials" in contrast to the "real" productive activity of the First World. These distinctions are made on the basis of the privileging of a particular group as the norm or referent. Men involved in wage labor, First World producers, and, I suggest, Western feminists who sometimes cast Third World women in terms of "ourselves undressed" (Rosaldo 1980), all construct themselves as the normative referent in such a binary analytic.

Women as a Category of Analysis; or, We Are All Sisters in Struggle

The phrase "women as a category of analysis" refers to the crucial assumption that all women, across classes and cultures, are somehow socially constituted as a homogeneous group identified prior to the process of analysis. This is an assumption that characterizes much feminist discourse. The homogeneity of women as a group is produced not on the basis of biological essentials but rather on the basis of secondary sociological and anthropological universals. Thus, for instance, in any given piece of feminist analysis, women are characterized as a singular group on the basis of a shared oppression. What binds women together is a sociological notion of the "sameness" of their oppression. It is at this point that an elision takes place between "women" as a discursively constructed group and "women" as material subjects of their own history. Thus, the discursively consensual homogeneity of women as a group is mistaken for the historically specific material reality of groups of women. This results in an assumption of women as an always already constituted group, one that has been labeled powerless, exploited, sexually harassed, and so on, by feminist scientific, economic, legal, and sociological discourses. (Notice that this is quite similar to sexist discourse labeling women as weak, emotional, having math anxiety, etc.) This focus is not on uncovering the material and ideological specificities that constitute a particular group of women as "powerless" in a particular context. It is, rather, on finding a variety of cases of powerless groups of women to prove the general point that women as a group are powerless.

In this section I focus on six specific ways in which "women" as a category of analysis is used in Western feminist discourse on women in the Third World. Each of these examples illustrates the construction of "Third World women" as a homogeneous "powerless" group often located as implicit victims of particular socioeconomic systems. I have chosen to deal with a variety of writers—from Fran Hosken, who writes primarily about female genital mutilation, to writers from the Women in International Development (WID) school, who write about the effect of development policies on Third World women for both Western and Third World audiences. The similarity of assumptions about Third World women in all these texts forms the basis of my discussion. This is not to equate all the texts that I analyze, nor is it to equalize their strengths and weaknesses. The authors I deal with write with varying degrees of care and complexity; however, the effect of their representation of Third World women is a coherent one. In these texts women are defined as victims of male violence (Fran Hosken); as universal dependents (Beverly Lindsay and Maria Cutrufelli); victims of the colonial process (Maria Cutrufelli); victims of the Arab familial system (Juliette Minces); victims of the Islamic code (Patricia Jeffery); and, finally, victims of the economic development process (Beverley Lindsay and the [liberal] WID school). This mode of defining women primarily in terms of their object status (the way in which they are affected or not affected by certain institutions and systems) is what characterizes this particular form of the use of "women" as a category of analysis. In the context of Western women writing/studying women in the Third World, such objectification (however benevolently motivated) needs to be both named and challenged. As Valerie Amos and Pratibha Parmar argue quite eloquently, "Feminist theories which examine our cultural practices as 'feudal residues' or label us 'traditional,' also portray us as politically immature women who need to be versed and schooled in the ethos of Western feminism. They need to be continually challenged" (1984, 7).[6]

WOMEN AS VICTIMS OF MALE VIOLENCE

Fran Hosken, in writing about the relationship between human rights and female genital mutilation in Africa and the Middle East, bases her whole discussion/condemnation of genital mutilation on one privileged premise: that the goal of this practice is to "mutilate the sexual pleasure and satisfaction of woman" (1981, 11). This, in turn, leads her to claim that woman's sexuality is controlled, as is her reproductive potential. According to Hosken, "male sexual politics" in Africa and around the world shares "the same political goal: to assure female dependence and subservience by any and all means" (14). Physical violence against women (rape, sexual assault, excision, infibulation, etc.) is thus carried out "with an astonishing consensus among men in the world" (14). Here, women are defined consistently as the victim of male control—as the "sexually oppressed."[7] Although it is true that the potential of male violence against women circumscribes and elucidates their social position to a certain extent, defining women as archetypal victims freezes them into "objects-who-defend-themselves," men into "subjects-who-perpetrate-violence," and (every) society into powerless (read: women) and powerful (read: men) groups of people. Male violence must be theorized and interpreted within specific societies in order both to understand it better and to organize effectively to change it.[8] Sisterhood cannot be assumed on the basis of gender; it must be forged in concrete historical and political practice and analysis.

WOMEN AS UNIVERSAL DEPENDENTS

Beverly Lindsay's conclusion to the book *Comparative Perspectives of Third World Women: The Impact of Race, Sex, and Class* (1983) states that "dependency relationships, based upon race, sex, and class, are being perpetuated through social, educational, and economic institutions. These are the linkages among Third World Women." Here, as in other places, Lindsay implies that Third World women constitute an identifiable group purely on the basis of shared dependencies. If shared dependencies were all that was needed to bind Third

World women together as a group, they would always be seen as an apolitical group with no subject status. Instead, if anything, it is the common context of political struggle against class, race, gender, and imperialist hierarchies that may constitute Third World women as a strategic group at this historical juncture. Lindsay also states that linguistic and cultural differences exist between Vietnamese and black American women, but "both groups are victims of race, sex, and class" (306). Again, black and Vietnamese women are characterized by their victim status.

Similarly, examine statements such as "My analysis will start by stating that all African women are politically and economically dependent" (Cutrufelli 1983, 13); "Nevertheless, either overtly or covertly, prostitution is still the main if not the only source of work for African women" (Cutrufelli 1983, 33). All African women are dependent. Prostitution is the only work option for African women as a group. Both statements are illustrative of generalizations sprinkled liberally through Maria Cutrufelli's book *Women of Africa: Roots of Oppression.* On the cover of the book, Cutrufelli is described as an Italian writer, sociologist, Marxist, and feminist. Today, is it possible to imagine writing a book entitled *Women of Europe: Roots of Oppression?* I am not objecting to the use of universal groupings for descriptive purposes. Women from the continent of Africa can be descriptively characterized as "women of Africa." It is when "women of Africa" becomes a homogeneous sociological grouping characterized by common dependencies or powerlessness (or even strengths) that problems arise—we say too little and too much at the same time.

This is because descriptive gender differences are transformed into the division between men and women. Women are constituted as a group via dependency relationships vis-à-vis men, who are implicitly held responsible for these relationships. When "women of Africa" as a group (versus "men of Africa" as a group?) are seen as a group precisely because they are generally dependent and oppressed, the analysis of specific historical differences becomes impossible, because reality is always apparently structured by divisions—two mutually exclusive and jointly exhaustive groups, the victims and the oppressors. Here the sociological is substituted for the biological, in order, however, to create the same—a unity of women. Thus it is not the descriptive potential of gender difference but the privileged positioning and explanatory potential of gender difference as the origin of oppression that I question. In using "women of Africa" (as an already constituted group of oppressed peoples) as a category of analysis, Cutrufelli denies any historical specificity to the location of women as subordinate, powerful, marginal, central, or otherwise, vis-à-vis particular social and power networks. Women are taken as a unified "powerless" group prior to the analysis in question. Thus it is merely a matter of specifying the context after the fact. "Women" are now placed in the context of the family or in the workplace or within religious networks, almost as if these systems existed outside the relations of women with other women, and women with men.

The problem with this analytic strategy is that it assumes men and women are already constituted as sexual-political subjects prior to their entry into the arena of social relations. Only if we subscribe to this assumption is it possible to undertake analysis that looks at the "effects" of kinship structures, colonialism, organization of labor, and so on, on "women," defined in advance as a group. The crucial point that is forgotten is that women are produced through these very relations as well as being implicated in forming these relations. As Michelle Rosaldo argues, "[W]oman's place in human social life is not in any direct sense a product of the things she does (or even less, a function of what, biologically, she is) but the meaning her activities acquire through concrete social interactions" (1980, 400). That women mother in a variety of societies is not as significant as the value attached to mothering in these societies. The distinction between the act of mothering and the status attached to it is a very important one—one that needs to be stated and analyzed contextually.

MARRIED WOMEN AS VICTIMS OF THE COLONIAL PROCESS

In Claude Lévi-Strauss's theory of kinship structure as a system of the exchange of women, what is significant is that exchange itself is not constitutive of the subordination of women; women are not subordinate because of the fact of exchange but because of the modes of exchange instituted and the values attached to these modes. However, in discussing the marriage ritual of the Bemba, a Zambian matrilocal, matrilineal people, Cutrufelli in *Women of Africa* focuses on the fact of the marital exchange of women before and after Western colonization, rather than the value attached to this exchange in this particular context. This leads to her definition of Bemba women as a coherent group affected in a particular way by colonization. Here again, Bemba women are constituted rather unilaterally as victims of the effects of Western colonization.

Cutrufelli cites the marriage ritual of the Bemba as a multistage event "whereby a young man becomes incorporated into his wife's family group as he takes up residence with them and gives his services in return for food and maintenance" (43). This ritual extends over many years, and the sexual relationship varies according to the degree of the girl's physical maturity. It is only after she undergoes an initiation ceremony at puberty that intercourse is sanctioned and the man acquires legal rights over her. This initiation ceremony is the more important act of the consecration of women's reproductive power, so that the abduction of an uninitiated girl is of no consequence, while heavy penalty is levied for the seduction of an initiated girl. Cutrufelli asserts that European colonization has changed the whole marriage system. Now the young man is entitled to take his wife away from her people in return for money. The implication is that Bemba women have now lost the protection of tribal laws. The problem here is that while it is possible to see how the structure of the traditional marriage contract (versus the postcolonial marriage contract) offered women a certain amount of control over their marital relations, only an analysis of the political significance of the actual practice that privileges an initiated girl over an uninitiated one, indicating a shift in female power relations as a result of this ceremony, can provide an accurate account of whether Bemba women were indeed protected by tribal laws at all times.

It is not possible, however, to talk about Bemba women as a homogeneous group within the traditional marriage structure. Bemba women before the initiation are constituted within a different set of social relations compared to Bemba women after the initiation. To treat them as a unified group characterized by the fact of their "exchange" between male kin is to deny the sociohistorical and cultural specificities of their existence and the differential value attached to their exchange before and after their initiation. It is to treat the initiation ceremony as a ritual with no political implications or effects. It is also to assume that in merely describing the structure of the marriage contract, the situation of women is exposed. Women as a group are positioned within a given structure, but no attempt is made to trace the effect of the marriage practice in constituting women within an obviously changing network of power relations. Thus women are assumed to be sexual-political subjects prior to entry into kinship structures.

WOMEN AND FAMILIAL SYSTEMS

Elizabeth Cowie (1978), in another context, points out the implications of this sort of analysis when she emphasizes the specifically political nature of kinship structures that must be analyzed as ideological practices that designate men and women as father, husband, wife, mother, sister, and so on. Thus, Cowie suggests, women as women are not located within the family. Rather, it is in the family, as an effect of kinship structures, that women as women are constructed, defined within and by the group. Thus, for instance, when Juliette Minces (1980) cites the patriarchal family as the basis for "an almost identical vision of women" that Arab and Muslim societies have, she falls into this very trap (see esp. 23). Not only is it problematical to speak of a vision of women shared by Arab and Muslim societies (i.e., over twenty different countries) without addressing the particular historical, material, and ideological power structures that construct such images, but to speak of the patriarchal family or the tribal kinship structure as the origin of the socioeconomic status of women is to assume again that women are sexual-political subjects prior to their entry into the family. So while, on the one hand, women attain value or status within the family, the assumption of a singular patriarchal kinship system (common to all Arab and Muslim societies) is what apparently structures women as an oppressed group in these societies! This singular, coherent kinship system presumably influences another separate and given entity, "women." Thus, all women, regardless of class and cultural differences, are affected by this system. Not only are all Arab and Muslim women seen to constitute a homogeneous oppressed group, but there is no discussion of the specific practices within the family that constitute women as mothers, wives, sisters, and so on. Arabs and Muslims, it appears, don't change at all. Their patriarchal family is carried over from the times of the prophet Muhammad. They exist, as it were, outside history.

WOMEN AND RELIGIOUS IDEOLOGIES

A further example of the use of "women" as a category of analysis is found in cross-cultural analyses that subscribe to a certain economic reductionism in describing the relationship between the economy and factors such as politics and ideology. Here, in reducing the level of comparison to the economic relations between "developed and developing" countries, any specificity to the question of women is denied. Mina Modares (1981), in a careful analysis of women and Shiism in Iran, focuses on this very problem when she criticizes feminist writings that treat Islam as an ideology separate from and outside social relations and practices, rather than as a discourse that includes rules for economic, social, and power relations within society. Patricia Jeffery's (1979) otherwise informative work on Pirzada women in purdah considers Islamic ideology a partial explanation for the status of women in that it provides a justification for purdah. Here, Islamic ideology is reduced to a set of ideas whose internalization by Pirzada women contributes to the stability of the system. However, the primary explanation for purdah is located in the control that Pirzada men have over economic resources and the personal security purdah gives to Pirzada women.

By taking a specific version of Islam as *the* Islam, Jeffery attributes a singularity and coherence to it. Modares notes: " 'Islamic Theology' then becomes imposed on a separate and given entity called 'women.' A further unification is reached: Women (meaning *all women*), regardless of their differing positions within societies, come to be affected or not affected by Islam. These conceptions provide the right ingredients for an unproblematic possibility of a cross-cultural study of women" (63).

Marnia Lazreg (1988) makes a similar argument when she addresses the reductionism inherent in scholarship on women in the Middle East and North Africa:

> A ritual is established whereby the writer appeals to religion as the cause of gender inequality just as it is made the source of underdevelopment in much of modernization theory in an uncanny way, feminist discourse on women from the Middle East and North Africa mirrors that of theologians' own interpretation of women in Islam. The overall effect of this paradigm is to deprive women of self-presence, of being. Because women are subsumed under religion presented in fundamental terms, they are inevitably seen as evolving in nonhistorical time. They virtually have no history. Any analysis of change is therefore foreclosed. (87)

While Jeffery's analysis does not quite succumb to this kind of unitary notion of religion (Islam), it does collapse all ideological specificities into economic relations and universalizes on the basis of this comparison.

WOMEN AND THE DEVELOPMENT PROCESS

The best examples of universalization on the basis of economic reductionism can be found in the liberal literature about women in international development. Proponents of this school seek to examine the effect of development on Third World women, sometimes from self-designated feminist perspectives. At the very least, there is an evident interest in and commitment to improving the lives of women in "developing" countries. Scholars such as Irene Tinker and Michelle Bo Bramsen (1972), Ester Boserup (1970), and Perdita Huston (1979) have all written about the effect of development policies on women in the Third World.[9] All four women assume "development" is synonymous with "economic development" or "economic progress." As in the case of Minces's patriarchal family, Hosken's male sexual control, and Cutrufelli's Western colonization, development here becomes the all-time equalizer. Women are affected positively or negatively by economic development policies, and this is the basis for cross-cultural comparison.

For instance, Huston (1979) states that the purpose of her study is to describe the effect of the development process on the "family unit and its individual members" in Egypt, Kenya, Sudan, Tunisia, Sri Lanka, and Mexico. She states that the "problems" and "needs" expressed by rural and urban women in these countries all center around education and training, work and wages, access to health and other services, political participation, and legal rights (116). Huston relates all these "needs" to insensitive development policies that exclude women as a group or category. For her, the solution is simple: implement improved development policies that emphasize training for women field-workers; use women trainees and women rural development officers; encourage women's cooperatives; and so on (119–22). Here again, women are assumed to be a coherent group or category prior to their entry into "the development process." Huston assumes that all Third World women have similar problems and needs. Thus, they must have similar interests and goals. However, the interests of urban, middle-class, educated Egyptian housewives, to take only one instance, could surely not be seen as being the same as those of their uneducated, poor maids. Development policies do not affect both groups of women in the same way. Practices that characterize women's status and roles vary according to class. Women are constituted as women through the complex interaction between class, culture, religion, and other ideological institutions and frameworks. They are not "women"—a coherent group—solely on the basis of a particular economic system or policy. Such reductive cross-cultural comparisons result in the colonization of the specifics of daily existence and the complexities of political interests that women of different social classes and cultures represent and mobilize.

It is revealing that for Huston, women in the Third World countries she writes about have "needs" and "problems" but few if any have "choices" or the freedom to act. This is an interesting representation of women in the Third

World, one that is significant in suggesting a latent self-presentation of Western women that bears looking at. She writes, "What surprised and moved me most as I listened to women in such very different cultural settings was the striking commonality—whether they were educated or illiterate, urban or rural—of their most basic values: the importance they assign to family, dignity, and service to others" (115). Would Huston consider such values unusual for women in the West?

What is problematical about this kind of use of "women" as a group, as a stable category of analysis, is that it assumes an ahistorical, universal unity between women based on a generalized notion of their subordination. Instead of analytically demonstrating the production of women as socioeconomic political groups within particular local contexts, this analytical move limits the definition of the female subject to gender identity, completely bypassing social class and ethnic identities. What characterizes women as a group is their gender (sociologically, not necessarily biologically, defined) over and above everything else, indicating a monolithic notion of sexual difference. Because women are thus constituted as a coherent group, sexual difference becomes coterminous with female subordination and power is automatically defined in binary terms: people who have it (read: men) and people who do not (read: women). Men exploit, women are exploited. Such simplistic formulations are historically reductive; they are also ineffectual in designing strategies to combat oppressions. All they do is reinforce binary divisions between men and women.

What would an analysis that did not do this look like? Maria Mies's work illustrates the strength of Western feminist work on women in the Third World that does not fall into the traps discussed above. Mies's study (1982) of the lace-makers of Narsapur, India, attempts to analyze carefully a substantial household industry in which "housewives" produce lace doilies for consumption in the world market. Through a detailed analysis of the structure of the lace industry, production and reproduction relations, the sexual division of labor, profits and exploitation, and the overall consequences of defining women as "nonworking housewives" and their work as "leisure-time activity," Mies demonstrates the levels of exploitation in this industry and the impact of this production system on the work and living conditions of the women involved in it. In addition, she is able to analyze the "ideology of the housewife," the notion of a woman sitting in the house, as providing the necessary subjective and sociocultural elements for the creation and maintenance of a production system that contributes to the increasing pauperization of women and keeps them totally atomized and disorganized as workers. Mies's analysis shows the effect of a certain historically and culturally specific mode of patriarchal organization, an organization constructed on the basis of the definition of the lace-makers as nonworking housewives at familial, local, regional, statewide, and international levels. The intricacies and the effects of particular power networks not only are emphasized but form the basis of Mies's analysis of how this particular group of women is situated at the center of a hegemonic, exploitative world market.

Mies's study is a good example of what careful, politically focused, local analyses can accomplish. It illustrates how the category of women is constructed in a variety of political contexts that often exist simultaneously and overlaid on top of one another. There is no easy generalization in the direction of "women in India" or "women in the Third World"; nor is there a reduction of the political construction of the exploitation of the lace-makers to cultural explanations about the passivity or obedience that might characterize these women and their situation. Finally, this mode of local, political analysis, which generates theoretical categories from within the situation and context being analyzed, also suggests corresponding effective strategies for organizing against the exploitation faced by the lace-makers. Narsapur women are not mere victims of the production process, because they resist, challenge, and subvert the process at various junctures. Here is one instance of how Mies delineates the connections between the housewife ideology, the self-consciousness of the lace-makers, and their interrelationships as contributing to the latent resistances she perceives among the women:

> The persistence of the housewife ideology, the self-perception of the lace-makers as petty commodity producers rather than as workers, is not only upheld by the structure of the industry as such but also by the deliberate propagation and reinforcement of reactionary patriarchal norms and institutions. Thus, most of the lace-makers voiced the same opinion about the rules of *purdah* and seclusion in their communities which were also propagated by the lace exporters. In particular; the *Kapu* women said that they had never gone out of their houses, that women of their community could not do any other work than housework and lace work etc., but in spite of the fact that most of them still subscribed fully to the patriarchal norms of the *gosha* women, there were also contradictory elements in their con-

sciousness. Thus, although they looked down with contempt upon women who were able to work outside the house—like the untouchable *Mala* and *Madiga* women or women of other lower castes—they could not ignore the fact that these women were earning more money precisely because they were not respectable housewives but workers. At one discussion, they even admitted that it would be better if they could also go out and do coolie work. And when they were asked whether they would be ready to come out of their houses and work—in one place in some sort of a factory—they said they would do that. This shows that the purdah and housewife ideology, although still fully internalized, already had some cracks, because it has been confronted with several contradictory realities. (157)

It is only by understanding the contradictions inherent in women's location within various structures that effective political action and challenges can be devised. Mies's study goes a long way toward offering such analysis. While there are now an increasing number of Western feminist writings in this tradition,[10] there is also, unfortunately, a large block of writing that succumbs to the cultural reductionism discussed earlier.

Methodological Universalisms; or, Women's Oppression As a Global Phenomenon

Western feminist writings on women in the Third World subscribe to a variety of methodologies to demonstrate the universal cross-cultural operation of male dominance and female exploitation. I summarize and critique three such methods below, moving from the simplest to the most complex.

First, proof of universalism is provided through the use of an arithmetic method. The argument goes like this: the greater the number of women who wear the veil, the more universal is the sexual segregation and control of women (Deardon 1975, 4–5). Similarly, a large number of different, fragmented examples from a variety of countries also apparently add up to a universal fact. For instance, Muslim women in Saudi Arabia, Iran, Pakistan, India, and Egypt all wear some sort of a veil. Hence, the argument goes, sexual control of women is a universal fact in those countries (Deardon 1975, 7, 10). Fran Hosken writes, "Rape, forced prostitution, polygamy, genital mutilation, pornography, the beating of girls and women, purdah (segregation of women) are all violations of basic human rights" (1981, 15). By equating purdah with rape, domestic violence, and forced prostitution, Hosken asserts that purdah's "sexual control" function is the primary explanation for its existence, whatever the context. Institutions of purdah are thus denied any cultural and historical specificity and contradictions, and potentially subversive aspects are totally ruled out.

In both these examples, the problem is not in asserting that the practice of wearing a veil is widespread. This assertion can be made on the basis of numbers. It is a descriptive generalization. However, it is the analytic leap from the practice of veiling to an assertion of its general significance in controlling women that must be questioned. While there may be a physical similarity in the veils worn by women in Saudi Arabia and Iran, the specific meaning attached to this practice varies according to the cultural and ideological context. In addition, the symbolic space occupied by the practice of purdah may be similar in certain contexts, but this does not automatically indicate that the practices themselves have identical significance in the social realm. For example, as is well known, Iranian middle-class women veiled themselves during the 1979 revolution to indicate solidarity with their veiled, working-class sisters, while in contemporary Iran, mandatory Islamic laws dictate that all Iranian women wear veils. While in both these instances, similar reasons might be offered for the veil (opposition to the Shah and Western cultural colonization in the first case and the true Islamization of Iran in the second), the concrete meanings attached to Iranian women wearing the veil are clearly different in both historical contexts. In the first case, wearing the veil is both an oppositional and a revolutionary gesture on the part of Iranian middle-class women; in the second case, it is a coercive, institutional mandate (see Tabari 1980 for detailed discussion). It is on the basis of such context specific differentiated analysis that effective political strategies can be generated. To assume that the mere practice of veiling women in a number of Muslim countries indicates the universal oppression of women through sexual segregation not only is analytically reductive but also proves quite useless when it comes to the elaboration of oppositional political strategy.

Second, concepts such as reproduction, the sexual division of labor, the family, marriage, household, patriarchy, and so on are often used without their specification in local cultural and historical contexts. Feminists use these concepts in providing explanations for women's subordination, apparently assuming their universal applicability. For instance, how is it possible to refer to "the" sexual division of labor when the content of this division changes radically from one environment to the next and from one historical juncture to another? At its most abstract level, it is the fact of the differential assignation of tasks according to sex that is significant; however, this is quite different from the meaning or value that the content of this sexual division of labor assumes in different contexts. In most cases the assigning of tasks on the basis of sex has an ideological origin. There is no question that a claim such as "Women are concentrated in service-oriented occupations in a large number of countries around the world" is descriptively valid. Descriptively, then, perhaps the existence of a similar sexual division of labor (where women work in service occupations such as nursing, social work, etc., and men in other kinds of occupations) in a variety of different countries can be asserted. However, the concept of the "sexual division of labor" is more than just a descriptive category. It indicates the differential value placed on men's work versus women's work.

Often the mere existence of a sexual division of labor is taken to be proof of the oppression of women in various societies. This results from a confusion between and collapsing together of the descriptive and explanatory potential of the concept of the sexual division of labor. Superficially similar situations may have radically different, historically specific explanations and cannot be treated as identical. For instance, the rise of female-headed households in middle-class America might be construed as a sign of great independence and feminist progress, the assumption being that this increase has to do with women choosing to be single parents, with an increasing number of lesbian mothers, and so on. However, the recent increase in female-headed households in Latin America,[11] which might at first be seen as indicating that women are acquiring more decision-making power, is concentrated among the poorest strata, where life choices are the most constrained economically. A similar argument can be made for the rise of female-headed families among black and Chicana women in the United States. The positive correlation between this and the level of poverty among women of color and white working-class women in the United States has now even acquired a name: the feminization of poverty. Thus, while it is possible to state that there is a rise in female-headed households in the United States and in Latin America, this rise cannot be discussed as a universal indicator of women's independence, nor can it be discussed as a universal indicator of women's impoverishment. The meaning of and explanations for the rise obviously vary according to the sociohistorical context.

Similarly, the existence of a sexual division of labor in most contexts cannot be sufficient explanation for the universal subjugation of women in the workforce. That the sexual division of labor does indicate a devaluation of women's work must be shown through analysis of particular local contexts. In addition, devaluation of women must also be shown through careful analysis. In other words, the "sexual division of labor" and "women" are not commensurate analytical categories. Concepts such as the sexual division of labor can be useful only if they are generated through local, contextual analyses (see Eldhom, Harris, and Young 1977). If such concepts are assumed to be universally applicable, the resultant homogenization of class, race, religion, and daily material practices of women in the Third World can create a false sense of the commonality of oppressions, interests, and struggles between and among women globally. Beyond sisterhood there are still racism, colonialism, and imperialism.

Finally, some writers confuse the use of gender as a superordinate category of analysis with the universalistic proof and instantiation of this category. In other words, empirical studies of gender differences are confused with the analytical organization of cross-cultural work. Beverly Brown's (1983) review of the book *Nature, Culture and Gender* (Strathern and McCormack 1980) best illustrates this point. Brown suggests that nature:culture and female:male are superordinate categories that organize and locate lesser categories (such as wild:domestic and biology:technology) within their logic. These categories are universal in the sense that they organize the universe of a system of representations. This relation is totally independent of the universal substantiation of any particular category. Brown's critique hinges on the fact that rather than clarify the generalizability of nature:culture :: female:male as superordinate organization categories, *Nature, Culture and Gender* construes the universality of this equation to lie at the level of empirical truth, which can be investigated through fieldwork. Thus, the usefulness of the nature:culture :: female:male paradigm as a universal mode of the organization of representation within any particular sociohistorical system is lost. Here, methodological universalism is assumed on the basis of the reduction of the nature:culture :: female:male analytic categories to a demand for empirical proof of its existence in different cultures. Discourses of representation are confused with material realities, and the distinction made earlier between "Woman" and "women" is lost. Feminist work that blurs this distinction (which is, interestingly enough, often present in certain Western feminists' self-representation) eventually ends up constructing monolithic images of "Third World women" by ignoring the complex and mobile relationships between their historical materiality on the level of specific oppressions and political choices, on the one hand, and their general discursive representations, on the other.

To summarize: I have discussed three methodological moves identifiable in feminist (and other academic) cross-cultural work that seeks to uncover a universality in women's subordinate position in society. The next and final section pulls together the previous ones, attempting to outline the political effects of the analytical strategies in the context of Western feminist writing on women in the Third World. These arguments are not against generalization as much as they are for careful, historically specific generalizations responsive to complex realities. Nor do these arguments deny the necessity of forming strategic political identities and affinities. Thus, while Indian women of different religions, castes, and classes might forge a political unity on the basis of organizing against police brutality toward women (see Kishwar and Vanita 1984), any analysis of police brutality must be contextual. Strategic coalitions that construct oppositional political identities for themselves are based on generalization and provisional unities, but the analysis of these group identities cannot be based on universalistic, ahistorical categories.

The Subject(s) of Power

This section returns to my earlier discussion of the inherently political nature of feminist scholarship and attempts to clarify my point about the possibility of detecting a colonialist move in the case of a hegemonic connection between the First and Third Worlds in scholarship. The nine texts in Zed Press's Women in the Third World series that I have discussed[12] focused on the following common areas in examining women's "status" within various societies: religion, family/kinship structures, the legal system, the sexual division of labor, education, and, finally, political resistance. A large number of Western feminist writings on women in the Third World focus on these themes. Of course the Zed texts have varying emphases. For instance, two of the studies, *We Shall Return: Women of Palestine* (Bendt and Downing 1982) and *We Will Smash This Prison: Indian Women in Struggle* (Omvedt 1980), focus explicitly on female militancy and political involvement, while *The House of Obedience: Women in Arab Society* (Minces 1980) deals with Arab women's legal, religious, and familial status. In addition, each text evidences a variety of methodologies and degrees of care in making generalizations. Interestingly enough, however, almost all the texts assume "women" as a category of analysis in the manner designated above.

Clearly this is an analytical strategy that is neither limited to these Zed Press publications nor symptomatic of Zed Press publications in general. However, each of the texts in question assumes that "women" have a coherent group identity within the different cultures discussed, prior to their entry into social relations. Thus Gail Omvedt can talk about "Indian women" while referring to a particular group of women in the state of Maharashtra; Cutrufelli can discuss "women of Africa," and Minces can talk about "Arab women"—all as if these groups of women have some sort of obvious cultural coherence, distinct from men in these societies. The "status" or "position" of women is assumed to be self-evident because women as an already constituted group are placed within religious, economic, familial, and legal structures. However, this focus whereby women are seen as a coherent group across contexts, regardless of class or ethnicity, structures the world in ultimately binary, dichotomous terms, where women are always seen in opposition to men, patriarchy is always necessarily male dominance, and the religious, legal, economic, and familial systems are implicitly assumed to be constructed by men. Thus, both men and women are always apparently constituted whole populations, and relations of dominance and exploitation are also posited in terms of whole peoples—wholes coming into exploitative relations. It is only when men and women are seen as different categories or groups possessing different already constituted categories of experience, cognition, and interests as groups that such a simplistic dichotomy is possible.

What does this imply about the structure and functioning of power relations? The setting up of the commonality of Third World women's struggles across classes and cultures against a general notion of oppression (rooted primarily in the group in power—i.e., men) necessitates the assumption of what Michel Foucault (1980, 135–45) calls the "juridico-discursive" model of power, the principal features of which are "a negative relation" (limit and lack), an "insistence on the rule" (which forms a binary system), a "cycle of [illegible]" the "logic of censorship," and a "uniformity" of the apparatus [illegible] t different levels. Feminist discourse on the Third World that as- [illegible] ogeneous category—or group—called women necessarily oper- [illegible] the setting up of originary power divisions. Power relations are [illegible] terms of a unilateral and undifferentiated source of power and a cumulative reaction to power. Opposition is a generalized phenomenon created as a response to power—which, in turn, is possessed by certain groups of people.

The major problem with such a definition of power is that it locks all revolutionary struggles into binary structures—possessing power versus being powerless. Women are powerless, unified groups. If the struggle for a just society is seen in terms of the move from powerlessness to power for women as a group, and this is the implication in feminist discourse that structures sexual difference in terms of the division between the sexes, then the new society would be structurally identical to the existing organization of power relations, constituting itself as a simple inversion of what exists. If relations of domination and exploitation are defined in terms of binary divisions—groups that dominate and groups that are dominated—then surely the implication is that the accession to power of women as a group is sufficient to dismantle the existing organization of relations. But women as a group are not in some sense essentially superior or infallible. The crux of the problem lies in that initial assumption of women as a homogeneous group or category ("the oppressed"), a familiar assumption in Western radical and liberal feminisms.[13]

What happens when this assumption of "women as an oppressed group" is situated in the context of Western feminist writing about Third World women? It is here that I locate the colonialist move. By contrasting the representation of women in the Third World with what I referred to earlier as Western feminisms' self-presentation in the same context, we see how Western feminists alone become the true "subjects" of this counterhistory. Third World women, in contrast, never rise above the debilitating generality of their "object" status.

While radical and liberal feminist assumptions of women as a sex class might elucidate (however inadequately) the autonomy of particular women's struggles in the West, the application of the notion of women as a homogeneous category to women in the Third World colonizes and appropriates the pluralities of the simultaneous location of different groups of women in social class and ethnic frameworks; in doing so it ultimately robs them of their historical and political agency. Similarly, many Zed Press authors who ground themselves in the basic analytic strategies of traditional Marxism also implicitly create a "unity" of women by substituting "women's activity" for "labor" as the primary theoretical determinant of women's situation. Here again, women are constituted as a coherent group not on the basis of "natural" qualities or needs but on the basis of the sociological "unity" of their role in domestic production and wage labor (see Haraway 1985, esp. 76). In other words, Western feminist discourse, by assuming women as a coherent, already constituted group that is placed in kinship, legal, and other structures, defines Third World women as subjects outside social relations, instead of looking at the way women are constituted through these very structures.

Legal, economic, religious, and familial structures are treated as phenomena to be judged by Western standards. It is here that ethnocentric universality comes into play. When these structures are defined as "underdeveloped" or "developing" and women are placed within them, an implicit image of the "average Third World woman" is produced. This is the transformation of the (implicitly Western) "oppressed woman" into the "oppressed Third World woman." While the category of "oppressed woman" is generated through an exclusive focus on gender difference, "the oppressed Third World woman" category has an additional attribute—the "Third World difference." The Third World difference includes a paternalistic attitude toward women in the Third World.[14] Since discussions of the various themes I identified earlier (kinship, education, religion, etc.) are conducted in the context of the relative "underdevelopment" of the Third World (a move that constitutes nothing less than unjustifiably confusing development with the separate path taken by the West in its development, as well as ignoring the directionality of the power relationship between the First and Third Worlds), Third World women as a group or category are automatically and necessarily defined as religious (read: not progressive), family-oriented (read: traditional), legally unsophisticated (read: they are still not conscious of their lights), illiterate (read: ignorant), domestic (read: backward), and sometimes revolutionary (read: their country is in a state of war; they must fight!). This is how the "Third World difference" is produced.

When the category of "sexually oppressed women" is located within particular systems in the Third World that are defined on a scale that is normed through Eurocentric assumptions, not only are Third World women defined in a particular way prior to their entry into social relations, but, since no connections are made between First and Third World power shifts, the assumption is reinforced that the Third World just has not evolved to the extent that the West has. This mode of feminist analysis, by homogenizing and systematizing the experiences of different groups of women in these countries, erases all marginal and resistant modes and experiences.[15] It is significant that none of the texts I reviewed in the Zed Press series focuses on lesbian politics or the politics of ethnic and religious marginal organizations in Third World women's groups. Resistance can thus be defined only as cumulatively reactive, not as something inherent in the operation of power. If power, as Michel Foucault has argued, can be understood only in the context of resistance,[16] this misconceptualization is both analytically and strategically problematical. It limits theoretical analysis as well as reinforces Western cultural imperialism. For in the context of a First/Third World balance of power, feminist analyses that perpetrate and sustain the hegemony of the idea of the superiority of the West produce a corresponding set of universal images of the Third World woman, images such as the veiled woman, the powerful mother, the chaste virgin, the obedient wife, and so on. These images exist in universal, ahistorical splendor, setting in motion a colonialist discourse that exercises a very specific power in defining, coding, and maintaining existing First/Third World connections.

To conclude, let me suggest some disconcerting similarities between the typically authorizing signature of such Western feminist writings on women in the Third World and the authorizing signature of the project of humanism in general—humanism as a Western ideological and political project that involves the necessary recuperation of the "East" and "Woman" as others. Many contemporary thinkers, including Michel Foucault (1978, 1980), Jacques Derrida (1974), Julia Kristeva (1980), Gilles Deleuze and Felix Guattari (1977), and Edward Said (1978), have written at length about the underlying anthropomorphism and ethnocentrism that constitute a hegemonic humanistic problematic that repeatedly confirms and legitimates (Western) man's centrality. Feminist theorists such as Luce Irigaray (1981), Sarah Kofman (see Berg 1982), and Helene Cixous (1981) have also written about the recuperation and absence of woman/women within Western humanism. The focus of the work of all these thinkers can be stated simply as an uncovering of the political interests that underlie the binary logic of humanistic discourse and ideology, whereby, as a valuable essay puts it, "the first (majority) term (Identity, Universality, Culture, Disinterestedness, Truth, Sanity, Justice, etc.), which is, in fact, secondary and derivative (a construction), is privileged over and colonizes the second (minority) term (difference, temporality, anarchy, error, interestedness, insanity, deviance, etc.), which is, in fact, primary and originative" (Spanos 1984). In other words, it is only insofar as "woman/women" and "the East" are defined as others, or as peripheral, that (Western) man/humanism can represent him/itself as the center. It is not the center that determines the periphery, but the periphery that, in its boundedness, determines the center. Just as feminists such as Kristeva and Cixous deconstruct the latent anthropomorphism in Western discourse, I have suggested a parallel strategy in this in uncovering a latent ethnocentrism in particular feminist writings on women in the Third World.[17]

As discussed earlier, a comparison between Western feminist self-presentation and Western feminist representation of women in the Third World yields significant results. Universal images of the Third World woman (the veiled woman, chaste virgin, etc.), images constructed from adding the "Third World difference" to "sexual difference," are predicated upon (and hence obviously bring into sharper focus) assumptions about Western women as secular, liberated, and having control over their own lives. This is not to suggest that Western women are secular, liberated, and in control of their own lives. I am referring to a discursive self-presentation, not necessarily to material reality. If this were material reality, there would be no need for political movements in the West. Similarly, only from the vantage point of the West is it possible to define the Third World as underdeveloped and economically dependent. Without the overdetermined discourse that creates the Third World, there would be no (singular and privileged) First World. Without the "Third World woman," the particular self-presentation of Western women mentioned above would be problematical. I am suggesting, then, that the one enables and sustains the other. This is not to say that the signature of Western feminist writings on the Third World has the same authority as the project of Western humanism. However, in the context of the hegemony of the Western scholarly establishment in the production and dissemination of texts, and in the context of the legitimating imperative of humanistic and scientific discourse, the definition of "the Third World woman" as a monolith might well tie into the larger economic and ideological praxis of "disinterested" scientific inquiry and pluralism that are the surface manifestations of a latent economic and cultural colonization of the "non-Western" world. It is time to move beyond the Marx who found it possible to say: they cannot represent themselves; they must be represented.

CHAPTER TWO

Cartographies of Struggle: Third World Women and the Politics of Feminism

The US and the USSR are the most
powerful countries
in the world
but only 1/8 of the world's population.
African people are also 1/8 of the world's
population.
of that, 1/4 is Nigerian.
1/2 of the world's population is Asian.
1/2 of that is Chinese.
There are 22 nations in the middle east.
Most people in the world are Yellow, Black, Brown, Poor, Female, Non-Christian
and do not speak English.
By the year 2000 the 20 largest cities in the world will have one thing in common
none of them will be in Europe none in the United States.
—Audre Lorde, January 1, 1989

I begin this essay with Audre Lorde's words as a tribute to her courage in consistently engaging the very institutional power structures that define and circumscribe the lives of Third World women.[1] The poem also has deep personal significance for me: Lorde read it as part of her commencement remarks at Oberlin College, where I used to teach, in May 1989. Her words provide a poetic cartography of the historical and political location of Third World peoples and document the urgency of our predicament in a Eurocentric world. Lorde's language suggests with a precise force and poignancy the contours of the world we occupy now: a world that is definable only in relational terms, a world traversed with intersecting lines of power and resistance, a world that can be understood only in terms of its destructive divisions of gender, color, class, sexuality, and nation, a world that must be transformed through a necessary process of "pivoting the center" (to use Bettina Aptheker's words), for the assumed center (Europe and the United States) will no longer hold. But it is also a world with powerful histories of resistance and revolution in daily life and as organized liberation movements. And it is these contours that define the complex ground for the emergence and consolidation of Third World women's feminist politics. (I use the term "Third World" to designate geographical location and sociohistorical conjunctures. It thus incorporates so-called minority peoples or people of color in the United States.)

In fact, one of the distinctive features of contemporary societies is the internationalization of economies and labor forces. In industrial societies, the international division of economic production consisted in the geographical separation of raw material extraction (in primarily the Third World) from factory production (in the colonial capitals). With the rise of transnational corporations that dominate and organize the contemporary economic system, however, factories have migrated in search of cheap labor, and the nation-state is no longer an appropriate socioeconomic unit for analysis. In addition, the massive migration of excolonial populations to the industrial metropolises of Europe to fill the need for cheap labor has created new kinds of multiethnic and multiracial social formations similar to those in the United States. Contemporary postindustrial societies, thus, invite cross-national and cross-cultural analyses for explanation of their own internal features and socioeconomic constitution. Moreover, contemporary definitions of the Third World can no longer have the same geographical contours and boundaries they had for industrial societies. In the postindustrial world, systemic socioeconomic and ideological processes position the peoples of Africa, Asia, Latin America, and the Middle East, as well as "minority" populations (people of color) in the United States and Europe, in similar relationships to the state.

Thus, charting the ground for an analysis of Third World women and the politics of feminism is no easy task. First, there are the questions of definition: Who/what is the Third World? Do Third World women make up any kind of a constituency? On what basis? Can we assume that Third World women's political struggles are necessarily "feminist"? How do we/they define feminism? And second, there are the questions about context: Which/whose history do we draw on to chart this map of Third World women's engagement with feminism? How do questions of gender, race, and nation intersect in determining feminisms in the Third World? Who produces knowledge about colonized peoples and from what space/ location? What are the politics of the production of this particular knowledge? What are the disciplinary parameters of this knowledge? What are the methods used to locate and chart Third World women's self and agency? Clearly, questions of definition and context overlap; in fact, as we develop more complex, nuanced modes of asking questions and as scholarship in a number of relevant fields begins to address histories of colonialism, capitalism, race, and gender as inextricably interrelated, our very conceptual maps are redrawn and transformed. How we conceive of definitions and contexts, on what basis we foreground certain contexts over others, and how we understand the ongoing shifts in our conceptual cartographies—these are all questions of great importance in this particular cartography of Third World feminisms.

I write this cartography from my own particular political, historical, and intellectual location, as a Third World feminist trained in the United States, interested in questions of culture, knowledge production, and activism in an international context. The maps I draw are necessarily anchored in my own discontinuous locations. In this chapter, then, I attempt to formulate an initial and necessarily noncomprehensive response to the above questions. Thus this chapter offers a very partial conceptual map: it touches upon certain contexts and foregrounds particular definitions and strategies. I see this as a map that will of necessity have to be redrawn as our analytic and conceptual skills and knowledge develop and transform the way we understand questions of history, consciousness, and agency. This chapter will also suggest significant questions and directions for feminist analysis—an analysis that is made possible by the precise challenges posed by "race" and postcolonial studies to the second wave of white Western feminisms, and by feminist anticapitalist critique to economic globalization and neoliberalism. I believe that these challenges suggest new questions for feminist historiography and epistemology, as well as point toward necessary reconceptualizations of ideas of resistance, community, and agency in daily life.

Definitions: Third World Women and Feminism

Unlike the history of Western (white, middle-class) feminisms, which has been explored in great detail over the last few decades, histories of Third World women's engagement with feminism are in short supply. There is a large body of work on "women in developing countries," but this does not necessarily engage feminist questions. A substantial amount of scholarship has accumulated on women in liberation movements, or on the role and status of women in individual cultures. However, this scholarship also does not necessarily engage questions of feminist historiography. Constructing such histories often requires reading against the grain of a number of intersecting progressive discourses (e.g., white feminist, Third World nationalist, and socialist), as well as the politically regressive racist, imperialist, sexist discourses of slavery, colonialism, and contemporary capitalism. The very notion of addressing what are often internally conflictual histories of Third World women's feminisms under a single rubric, in one chapter, may seem ludicrous—especially since the very meaning of the term "feminism" is continually contested. For, it can be argued, there are no simple ways of representing these diverse struggles and histories. Just as it is difficult to speak of a singular entity called "Western feminism," it is difficult to generalize about "Third World feminisms." But in much of my scholarship, I have chosen to foreground "Third World women" as an analytical and political category; thus I want to recognize and analytically explore the links among the histories and struggles of Third World women against racism, sexism, colonialism, imperialism, and monopoly capital. I am suggesting, then, an "imagined community" of Third World oppositional struggles—"imagined" not because it is not "real" but because it suggests potential alliances and collaborations across divisive boundaries, and "community" because in spite of internal hierarchies within Third World contexts, it nevertheless suggests a significant, deep commitment to what Benedict Anderson, in referring to the idea of the nation, calls "horizontal comradeship."[2]

The idea of imagined community is useful because it leads us away from essentialist notions of Third World feminist struggles, suggesting political rather than biological or cultural bases for alliance. It is not color or sex that constructs the ground for these struggles. Rather, it is the way we think about race, class, and gender—the political links we choose to make among and between struggles. Thus, potentially, women of all colors (including white women) can align themselves with and participate in these imagined communities. However, clearly our relation to and centrality in particular struggles depend on our different, often conflictual, locations and histories. This, then, is what indelibly marks this discussion of Third World women and the politics of feminism together: imagined communities of women with divergent

histories and social locations, woven together by the political threads of opposition to forms of domination that are not only pervasive but also systemic. An example of a similar construct is the notion of "communities of resistance," which refers to the broad-based opposition of refugee, migrant, and black groups in Britain to the idea of a common nation: Europe 1992 (now the European Union). "Communities of resistance," like "imagined communities," is a political definition, not an essentialist one. It is not based on any ahistorical notion of the inherent resistance and resilience of Third World peoples. It is, however, based on a historical, material analysis of the concrete disenfranchising effects of Europe 1992 on Third World communities in Britain and the necessity of forming "resistant/oppositional" communities that fight this. However, while such imagined communities are historically and geographically concrete, their boundaries are necessarily fluid. They have to be, since the operation of power is always fluid and changing. Thus I do not posit any homogeneous configuration of Third World women who form communities because they share a "gender" or a "race" or a "nation." As history (and recent feminist scholarship) teaches us, "races" and "nations" haven't been defined on the basis of inherent, natural characteristics; nor can we define "gender" in any transhistorical, unitary way.[3] So where does this leave us?

Geographically, the nation-states of Latin America, the Caribbean, sub-Saharan Africa, South and Southeast Asia, China, South Africa, and Oceania constitute the parameters of the non-European Third World. In addition, black, Latino, Asian, and indigenous peoples in the United States, Europe, and Australia, some of whom have historic links with the geographically defined Third World, also refer to themselves as Third World peoples. With such a broad canvas, racial, sexual, national, economic, and cultural borders are difficult to demarcate, shaped politically as they are in individual and collective practice.

Third World Women as Social Category

As I argue in chapter 1, scholars often locate "Third World women" in terms of the underdevelopment, oppressive traditions, high illiteracy, rural and urban poverty, religious fanaticism, and "overpopulation" of particular Asian, African, Middle Eastern, and Latin American countries. Corresponding analyses of "matriarchal" black women on welfare, "illiterate" Chicana farmworkers, and "docile" Asian domestic workers also abound in the context of the United States. Besides being normed on a white, Western (read: progressive/modern) or non-Western (read: backward/traditional) hierarchy, these analyses freeze Third World women in time, space, and history. For example, in analyzing indicators of Third World women's status and roles, Momsen and Townsend (1987) designate the following categories of analysis: life expectancy, sex ratio, nutrition, fertility, income-generating activities, education, and the new international division of labor. Of these, fertility issues and Third World women's incorporation into multinational factory employment are identified as two of the most significant aspects of "women's worlds" in Third World countries.

While such descriptive information is useful and necessary, these presumably "objective" indicators by no means exhaust the meaning of women's day-to-day lives. The everyday, fluid, fundamentally historical and dynamic nature of the lives of Third World women is here collapsed into a few frozen "indicators" of their well-being. Momsen and Townsend (1987) state that in fact fertility is the most studied aspect of women's lives in the Third World (36). This particular fact speaks volumes about the predominant representations of Third World women in social-scientific knowledge production. And our representations of Third World women circumscribe our understanding and analysis of feminism as well as of the daily struggles women engage in these circumstances.

For instance, compare the analysis of fertility offered by Momsen and Townsend (as a social indicator of women's status) with the analysis of population policy and discussions on sexuality among poor Brazilian women offered by Barroso and Bruschini (1991). By analyzing the politics of family planning in the context of the Brazilian women's movement, and examining the way poor women build collective knowledge about sex education and sexuality, Barroso and Bruschini link state policy and social movements with the politics of everyday life, thus presenting us with a dynamic, historically specific view of the struggles of Brazilian women in the barrios. I address some of these methodological questions in more detail later on. For the present, however, suffice it to say that our definitions, descriptions, and interpretations of Third World women's engagement with feminism must necessarily be simultaneously historically specific and dynamic, not frozen in time in the form of a spectacle.

Thus if the above "social indicators" are inadequate descriptions/interpretations of women's lives, on what basis do Third World women form any constituency? First, just as Western women or white women cannot be defined as coherent interest groups, Third World women also do not constitute any automatic unitary group. Alliances and divisions of class, religion, sexuality, and history, for instance, are necessarily internal to each of the above groups. Second, ideological differences in understandings of the social mediate any assumption of a natural bond between women. After all, there is no logical and necessary connection between being female and becoming feminist.[4] Finally, defining Third World women in terms of their "problems" or their "achievements" in relation to an imagined free white liberal democracy effectively removes them (and the liberal democracy) from history, freezing them in time and space.

A number of scholars in the United States have written about the inherently political definition of the term "women of color" (a term often used interchangeably with "Third World women," as I am doing here).[5] This term designates a political constituency, not a biological or even sociological one. It is a sociopolitical designation for people of African, Caribbean, Asian, and Latin American descent, and native peoples of the United States. It also refers to "new immigrants" to the United States in the last three decades: Arab, Korean, Thai, Laotian, and so on. What seems to constitute "women of color" or "Third World women" as a viable oppositional alliance is a common context of struggle rather than color or racial identifications. Similarly, it is Third World women's oppositional political relation to sexist, racist, and imperialist structures that constitutes our potential commonality. Thus it is the common context of struggles against specific exploitative structures and systems that determines our potential political alliances. It is this common context of struggle, both historical and contemporary, that the next section charts and defines.

Why Feminism?

Before proceeding to consider the structural, historical parameters that lead to Third World women's particular politics, we should understand how women in different sociocultural and historical locations formulate their relation to feminism. The term "feminism" is itself questioned by many Third World women. Feminist movements have been challenged on the grounds of cultural imperialism and of shortsightedness in defining the meaning of gender in terms of middle-class, white experiences, internal racism, classism, and homophobia. All of these factors, as well as the falsely homogeneous representation of the movement by the media, have led to a very real suspicion of "feminism" as a productive ground for struggle. Nevertheless, Third World women have always engaged with feminism, even if the label has been rejected in a number of instances. In the introduction to a collection of writings by black and Third World women in Britain (*Charting the Journey*, 1988), the editors are careful to focus on the contradictions, conflicts, and differences among black women, while emphasizing that the starting point for all contributors has been "the historical link between us of colonialism and imperialism" (Grewal et al. 1988, 6). The editors maintain that this book, the first publication of its kind, is about the "idea of Blackness" in contemporary Britain:

> An idea as yet unmatured and inadequately defined, but proceeding along its path in both "real" social life and in the collective awareness of many of its subjects. Both as an idea and a process it is, inevitably, contradictory. Contradictory in its conceptualization because its linguistic expression is defined in terms of colour, yet it is an idea transcendent of colour. Contradictory in its material movements because the unity of action, conscious or otherwise, of Asians, Latin Americans and Arabs, Caribbeans and Africans, gives political expression to a common "colour," even as the State-created fissures of ethnicity threaten to engulf and overwhelm us in islands of cultural exclusivity. (1)

This definition of the idea of "Blackness" in Britain, and of "the unity of action" as the basis for black and Third World women's engagement with feminist politics, echoes the idea of a common context of struggle. British colonialism and the migration of colonized populations to the "home country" form the common historical context for British Third World women, as do, for instance, contemporary struggles against racist immigration and naturalization laws.[6]

The text that corresponds to *Charting the Journey* in the U.S. context was published a few years earlier, in 1981: *This Bridge Called My Back: Writings by Radical Women of Color*.[7] In the introduction to this groundbreaking book, Cherrie Moraga and Gloria Anzaldúa delineate the major areas of concern for a broad-based political movement of U.S. Third World women:

- how visibility/invisibility as women of color forms our radicalism;
- the ways in which Third World women derive a feminist political theory specifically from our racial/cultural background and experience;
- the destructive and demoralizing effects of racism in the women's movement;
- the cultural, class, and sexuality differences that divide women of color;
- Third World women's writing as a tool for self-preservation and revolution; and
- the ways and means of a Third World feminist future. (Moraga and Anzaldúa 1983, xxiv)

A number of ideas central to Third World feminisms emerge from these two passages. Aida Hurtado (1989) adds a further layer: in discussing the significance of the idea "the personal is political" to communities of white women and women of color in the United States, she distinguishes between the relevance of the public/private distinction for American white middle- and upper-class women, and working-class women and women of color who have always been subject to state intervention in their domestic lives:

> Women of Color have not had the benefit of the economic conditions that underlie the public/private distinction. Instead the political consciousness of women of Color stems from an awareness that the public is *personally* political. Welfare programs and policies have discouraged family life, sterilization programs have restricted reproduction rights, government has drafted and armed disproportionate numbers of people of Color to fight its wars overseas, and locally, police forces and the criminal justice system arrest and incarcerate disproportionate numbers of people of Color. There is no such thing as a private sphere for people of Color except that which they manage to create and protect in an otherwise hostile environment. (Hurtado 1989, 849)

Hurtado introduces the contemporary liberal, capitalist state as a major actor and focus of activity for women of color in the United States. Her discussion suggests that in fact, the politics of "personal life" may be differently defined for middle-class whites and for people of color.[8] Finally, Kumari Jayawardena, writing about feminist movements in Asia in the late nineteenth and early twentieth centuries, defines feminism as "embracing movements for equality within the current system and significant struggles that have attempted to change the system" (Jayawardena 1986, 2). She goes on to assert that these movements arose in the context of the formulation and consolidation of national identities that mobilized anti-imperialist movements during independence struggles and the remaking of precapitalist religious and feudal structures in attempts to "modernize" Third World societies. Here again, the common link between political struggles of women in India, Indonesia, and Korea, for instance, is the fight against racist, colonialist states and for national independence.

To sum up, Third World women's writings on feminism have consistently focused on the idea of the simultaneity of oppressions as fundamental to the experience of social and political marginality and the grounding of feminist politics in the histories of racism and imperialism; the crucial role of a hegemonic state in circumscribing their/our daily lives and survival struggles; the significance of memory and writing in the creation of oppositional agency; and the differences, conflicts, and contradictions internal to Third World women's organizations and communities. In addition, they have insisted on the complex interrelationships between feminist, antiracist, and nationalist struggles. In fact, the challenge of Third World feminisms to white, Western feminisms has been precisely this inescapable link between feminist and political liberation movements. In fact, black, white, and other Third World women have very different histories with respect to the particular inheritance of post-fifteenth-century Euro-American hegemony: the inheritance of slavery, enforced migration, plantation and indentured labor, colonialism, imperial conquest, and genocide. Thus, Third World feminists have argued for the rewriting of history based on the specific locations and histories of struggle of people of color and postcolonial peoples, and on the day-to-day strategies of survival utilized by such peoples.

The urgency of rewriting and rethinking these histories and struggles is suggested by A. Sivanandan in his searing critique of the identity politics of the 1980s social movements in Britain, which, he argues, leads to a flight from class:

> For [the poor, the black, the unemployed] the distinction between the mailed fist and the velvet glove is a stylistic abstraction, the defining limit between consent and force a middle-class fabrication. Black youth in the inner cities know only the blunt force of the state, those on income support have it translated for them in a thousand not so subtle ways. If we are to

> extend the freedoms in civil society through a politics of hegemony, those who stand at the intersection of consent and coercion should surely be our first constituency and guide—a yardstick to measure our politics by. How do you extend a "politics of food" to the hungry, a "politics of the body" to the homeless, a "politics of the family" for those without an income? How do any of these politics connect up with the Third World? . . . Class cannot just be a matter of identity, it has to be the focus of commitment. (Sivanandan 1990, 18–19)

In foregrounding the need to build our politics around the struggles of the most exploited peoples of the world, and in drawing attention to the importance of a materialist definition of class in opposition to identity based social movements and discourses, Sivanandan underscores both the significance and the difficulty of rewriting counterhegemonic histories. His analysis questions the contemporary identity-based philosophy of social movements that define "discourse" as an adequate terrain of struggle. While discursive categories are clearly central sites of political contestation, they must be grounded in and informed by the material politics of everyday life, especially the daily life struggles for survival of poor people—those written out of history.

But how do we attempt such a history based on our limited knowledges? After all, it is primarily in the last two or three decades that Third World historians have begun to reexamine and rewrite the history of slavery and colonialism from oppositional locations. The next section sketches preliminary contexts for feminist analysis within the framework of the intersecting histories of race, colonialism, and capitalism. It offers methodological suggestions for feminist analysis, without attempting definitive answers or even a comprehensive accounting of the emergence of Third World women's struggles. It also addresses, very briefly, issues of experience, identity, and agency, focusing especially on the significance of writing for Third World feminists—the significance of producing knowledge for ourselves.

History, the State, and Relations of Rule

Do Third World feminisms share a history? Surely the rise of the post-independence women's movement in India is historically different from the emerging feminist politics in the United Kingdom or the United States. The major analytic difference in the writings on the emergence of white, Western, middle-class liberal feminism and the feminist politics of women of color in the United States is the contrast between a singular focus on gender as a basis for sexual rights and a focus on gender in relation to race and/or class as part of a broader liberation struggle. Often the singular focus of the former takes the form of definitions of femininity and sexuality in relation to men (specifically white privileged men). Hurtado's (1989) analysis of the effects of the different relationships of white middle- and upper-class women and working-class women and women of color to privileged white men is relevant here in understanding the conditions of possibility of this singular focus on gender. Hurtado argues that it is the (familial) closeness of white (heterosexual) women to white men and the corresponding social distance of women of color from white men that lead to the particular historical focus of white women's feminist movements. Since the relationships of women of color to white men are usually mediated by state institutions, they can never define feminist politics without accounting for this mediation. For example, in the arena of reproductive rights, because of the race- and class-based history of population control and sterilization abuse, women of color have a clearly ambivalent relation to the abortion rights platform. For poor women of color, the notion of a "woman's right to choose" to bear children has always been mediated by a coercive, racist state. Thus, abortion rights defined as a woman's right versus men's familial control can never be the only basis of feminist coalitions across race and class lines. For many women of color, reproductive rights conceived in its broadest form, in terms of familial male/female relationships, but also, more significantly, in terms of institutional relationships and state policies, must be the basis for such coalitions. Thus, in this instance, gender defined as male/female domestic relations cannot be a singular focus for feminists of color. However, while Hurtado's suggestion may explain partially the exclusive focus on gender relationships in (heterosexual) white women's movements, this still does not mean that this unitary conceptualization of gender is an adequate ground for struggle for white middle- and upper-class feminists.

In fact, in terms of context, the history of white feminism is not very different from the history of the feminisms of Third World women: all of these varied histories emerge in relation to other struggles. Rich, layered histories of the second wave of white feminism in the United States incorporate its origins in the civil rights and new left movements. However, often in discussing such origins, feminist historians focus on "gender" as the sole basis of struggle (the feminist part) and omit any discussion of the racial consolidation of the struggle (the white part). The best histories and analyses of the second wave of U.S. white feminism address the construction of whiteness in relation to the construction of a politicized gender consciousness.[9] Thus, it is not just Third World women who are or should be concerned about race, just as feminism is not just the purview of women (but of women and men).

Above all, gender and race are relational terms: they foreground a relationship (and often a hierarchy) between races and genders. To define feminism purely in gendered terms assumes that our consciousness of being "women" has nothing to do with race, class, nation, or sexuality, just with gender. But no one "becomes a woman" (in Simone de Beauvoir's sense) purely because she is female. Ideologies of womanhood have as much to do with class and race as they have to do with sex. Thus, during the period of American slavery, constructions of white womanhood as chaste, domesticated, and morally pure had everything to do with corresponding constructions of black slave women as promiscuous, available plantation workers. It is the intersections of the various systemic networks of class, race, (hetero)sexuality, and nation, then, that position us as "women." Herein lies a fundamental challenge for feminist analysis once it takes seriously the location and struggles of Third World women, and this challenge has implications for the rewriting of all hegemonic history, not just the history of people of color.

The notion of an interdependent relationship between theory, history, and struggle is not new. What I want to emphasize, however, is the urgent need for us to appreciate and understand the complex relationality that shapes our social and political lives. First and foremost this suggests relations of power, which anchor the "common differences" between and among the feminist politics of different constituencies of women and men. The relations of power I am referring to are not reducible to binary oppositions or oppressor/oppressed relations. I want to suggest that it is possible to retain the idea of multiple, fluid structures of domination that intersect to locate women differently at particular historical conjunctures, while insisting on the dynamic oppositional agency of individuals and collectives and their engagement in "daily life." It is this focus on dynamic oppositional agency that clarifies the intricate connection between systemic relationships and the directionality of power. In other words, systems of racial, class, and gender domination do not have identical effects on women in Third World contexts. However, systems of domination operate through the setting up of (in Dorothy Smith's terms) particular, historically specific "relations of ruling" (Smith 1987, 2). It is at the intersections of these relations of ruling that Third World feminist struggles are positioned. It is also by understanding these intersections that we can attempt to explore questions of consciousness and agency without naturalizing either individuals or structures.

Dorothy Smith introduces the concept of relations of ruling while arguing for a feminist sociology that challenges the assumed coincidence of the standpoint of men and the standpoint of ruling by positing "the everyday world as problematic":

> "Relations of ruling" is a concept that grasps power, organization, direction, and regulation as more pervasively structured than can be expressed in traditional concepts provided by the discourses of power. I have come to see a specific interrelation between the dynamic advance of the distinctive forms of organizing and ruling contemporary capitalist society and the patriarchal forms of our contemporary experience. When I write of "ruling" in this context I am identifying a complex of organized practices, including government, law, business and financial management, professional organization, and educational institutions as well as discourses in texts that interpenetrate the multiple sites of power. (Smith 1987, 3)

Although Smith's analysis pertains specifically to Western (white) capitalist patriarchies, I find her conceptualization of "relations of ruling" a significant theoretical and methodological development, which can be used to advantage in specifying the relations between the organization and experience of sexual politics and the concrete historical and political forms of colonialism, imperialism, racism, and capitalism. Smith's concept of relations of ruling foregrounds forms of knowledge and organized practices and institutions, as well as questions of consciousness, and agency. Rather than posit any simple relation of colonizer and colonized, or capitalist and worker, the concept "relations of ruling" posits multiple intersections of structures of power and emphasizes the process or form of ruling, not the frozen embodiment of it (as, for instance, in the notion of "social indicators" of women's status), as a focus for feminist analysis. In fact, I think this concept makes possible an analysis that takes seriously the idea of simultaneous and historicized exploitation of Third World women without suggesting an arithmetic or even a geometric analysis of gender, race, sexuality, and class (which are inadequate in the long run). By emphasizing the practices of ruling (or domination), it makes possible an analysis that examines, for instance, the very forms of colonialism and racism, rather than one that assumes or posits unitary definitions of them. I think this concept could lead us out of the binary, often ahistorical binds of gender, race, and class analyses.

Thus I use Dorothy Smith's definition of relations of rule to suggest multiple contexts for the emergence of contemporary Third World feminist struggles. I discuss the following socioeconomic, political, and discursive configurations: (1) colonialism, class, and gender, (2) the state, citizenship, and racial formation, (3) multinational production and social agency, (4) anthropology and the Third World woman as "native," and (5) consciousness, identity, and writing. The first three configurations focus on state rule at particular historical junctures, identifying historically specific political and economic shifts such as decolonization and the rise of national liberation movements; the constitution of white, capitalist states through a liberal gender regime and racialized immigration and naturalization laws; and the consolidation of a multinational economy as both continuous and discontinuous with territorial colonization. I want to suggest that these shifts, in part, constitute the conditions of possibility for Third World women's engagement with feminism. The fourth configuration identifies one hegemonic mode of discursive colonization of Third World women, anthropology, and outlines the contours of academic, disciplinary knowledge practices as a particular form of rule which scholarly Third World feminist praxis attempts to understand and take apart. The last configuration briefly introduces the question of oppositional practice, memory, and writing as a crucial aspect of the creation of self-knowledges for Third World feminists. The first two are developed in more detail than the last three, and all the configurations are intentionally provisional. My aim is to suggest ways of making connections and asking better questions rather than to provide a complete theory or history of Third World women's engagement with feminisms.

COLONIALISM, CLASS, GENDER

> The case might be argued that imperial culture exercised its power not so much through physical coercion, which was relatively minimal though always a threat, but through its cognitive dimension: its comprehensive symbolic order which constituted permissible thinking and action and prevented other worlds from emerging. —Helen Callaway, *Gender, Culture, and Empire*

> The history of feminism in India . . . is inseparable from the history of antifeminism. —Kumkum Sangari and Sudesh Vaid, *Recasting Women*

Colonial states and imperial cultures in the nineteenth century were consolidated through specific relations of ruling involving forms of knowledge and institutions of sexual, racial, and caste/class regulation—institutions, which, in turn, solicited their own modes of individual and collective resistance. Here, I briefly discuss the following symptomatic aspects of the operation of imperial rule: (1) the ideological construction and consolidation of white masculinity as normative and the corresponding racialization and sexualization of colonized peoples; (2) the effects of colonial institutions and policies in transforming indigenous patriarchies and consolidating hegemonic middle-class cultures in metropolitan and colonized areas; and (3) the rise of feminist politics and consciousness in this historical context within and against the framework of national liberation movements. I draw on British colonial rule partly because it is impossible to make generalizations about all colonial cultures, but mainly because I am interested in providing an example of a historically specific context for the emergence of feminist politics (in this case, to a large extent, I draw on material about India) rather than in claiming a singular history for the emergence of feminisms in Third World contexts. However, I believe this analysis suggests methodological directions for feminist analysis that are not limited to the British-Indian context.

Dorothy Smith describes the ruling apparatus in this way:

> The ruling apparatus is that familiar complex of management, government administration, professions, and intelligentsia, as well as the textually mediated discourses that coordinate and interpenetrate it. Its special capacity is the organization of particular places, persons, and events into generalized and abstracted modes vested in categorical systems, rules, laws, and conceptual practices. The former thereby become subject to an abstracted and universalized system of ruling mediated by texts. (Smith 1987, 108)

Smith is referring to a capitalist ruling apparatus, but the idea of abstracting particular places, people, and events into generalized categories, laws, and policies is fundamental to any form of ruling. It is in this very process of abstraction that the colonial state legislates racial, sexual, and class/caste ideologies. For instance, in drawing racial, sexual, and class boundaries in terms of social, spatial, and symbolic distance, and actually formulating these as integral to the maintenance of colonial rule, the British defined authority and legitimacy through the difference rather than commonality of rulers and "natives." This, in turn, consolidated a particular, historically specific notion of the imperial ruler as a white, masculine, self-disciplined protector of women and morals.

In recent years, feminist scholars have examined the constitution of this imperial (white) masculine self in the project of Western colonialism. The institutions of direct control of colonial rule—the military, the judiciary, and, most important, the administrative service—have always been overwhelmingly masculine. White men in colonial service embodied rule by literally and symbolically representing the power of the empire. There was no work/leisure distinction for colonial officers; they were uniformed and "on duty" at all times. As Helen Callaway (1987) states in her study of European women in colonial Nigeria, white women did not travel to the colonies until much later, and then too they were seen as "subordinate and unnecessary appendages," not as rulers (6). Thus, the British colonial state established a particular form of rule through the bureaucratization of gender and race specifically in terms of the institution of colonial service. This particular ruling apparatus made certain relations and behaviors visible, for instance, the boundaries of the relations between white men in the colonial bureaucracy and "native" men and women, and the behavior of imperial rulers who seemed to "rule without actually exerting power."[10] Thus, the embodiment of the power of empire by officers in colonial service led to particular relations of rule and forms of knowledge. This was accomplished through the creation of the "English gentleman" as the natural and legitimate ruler—a creation based on a belief system that drew on social Darwinism, evolutionary anthropology, chivalry myths, Christianity, medical and "scientific" treatises, and the literary tradition of empire.

Institutionally, colonial rule operated by setting up visible, rigid, and hierarchical distinctions between the colonizers and the colonized. The physical and symbolic separation of the races was deemed necessary to maintain social distance and authority over subject peoples. In effect, the physical details (e.g., racial and sexual separation) of colonial settings were transmuted to a moral plane: the ideal imperial agent embodied authority, discipline, fidelity, devotion, fortitude, and self-sacrifice. This definition of white men as "naturally" born to rule is grounded in a discourse of race and sexuality that necessarily defined colonized peoples, men and women, as incapable of self-government.

The maintenance of strong sexual and racial boundaries was thus essential to the distinctions that were made between "legitimate rulers" and "childlike subjects." These boundaries were evident in the explicit and implicit regulation against the intermingling of the races in colonized countries as well as, for instance, in another, very different colonial context, in the miscegenation laws of American plantation slavery. South African apartheid was also founded on the delineation of these kinds of boundaries.

In 1909 a confidential circular was issued by Lord Crewe to colonialists in Africa. This circular, which became known as the "Concubinage Circular," stated moral objections to officers' consorting with native women, claiming that this practice diminished the authority of colonials in the eyes of the natives, thus lowering their effectiveness as administrators (Callaway 1987). The last copy of this circular was destroyed in 1945, but its contents were kept alive as folklore, as unwritten rules of conduct. Here is an excellent example of the bureaucratization of gender and race through a particular form of colonial rule. The circular constructs and regulates a specific masculinity of rulers—a masculinity defined in relation to "native women" (forbidden sexuality) and to "native men" (the real object of British rule). Furthermore, it is a masculinity also defined in relation to white women, who, as the real consorts of colonial officers, supposedly legitimate and temper the officers' authority as administrators (rulers) capable of restraint and also form the basis of the Victorian code of morality.

The effect of the consolidation of this bureaucratic masculinity was of course not necessarily restraint. Sexual encounters between white men and native women often took the form of rape. This racialized, violent masculinity was in fact the underside of the sanctioned mode of colonial rule. In fact, it is only in the last two decades that racialized sexual violence has emerged as an important paradigm or trope of colonial rule. Jacqui Alexander argues this point in a different postcolonial context, Trinidad and Tobago. Her analysis (1991) of the racialized construction of masculinity, in part through state legislation in the form of the Sexual Offences Bill, substantiates the historical continuity between colonial and postcolonial tropes of (hetero)sexuality and conjugal relations. Similarly, Angela Gilliam's discussion in her essay (1991) on rape and the issue of sex/color lines in Latin America specifies the relation of racialized violent masculinity to the class/gender system.

Thus colonial states created racially and sexually differentiated classes conducive to a ruling process fundamentally grounded in economic surplus extraction. And they did this by institutionalizing ideologies and knowledges that legitimated these practices of ruling. Clearly, one such form of knowledge fundamental to colonial rule in Asia, Africa, and Latin America was/is the discourse of race and racism.[11] Racism in the context of colonialism and imperialism takes the form of simultaneous naturalization and abstraction. It works by erasing the economic, political, and historical exigencies that necessitate the essentialist discourse of race as a way to legitimate imperialism in the first place. The effects of this discourse, specifically its enforcement through the coercive institutions of colonial rule (e.g., police and legal systems), has been documented by a number of Third World intellectuals, including Frantz Fanon, Albert Memmi, W. E. B. Du Bois, and Zora Neale Hurston. But colonial rule did not operate purely at the level of discourse. All forms of ruling operate by constructing, and consolidating as well as transforming, already existing social inequalities. In addition to the construction of hegemonic masculinities as a form of state rule, the colonial state also transformed existing patriarchies and caste/class hierarchies.

Historians and critics have examined the operation of colonial rule at the level of institutional practices, policies, and laws. There are numerous studies on the effect of colonial policies on existing sexual divisions of labor, or on sexually egalitarian relations.[12] One of the best analyses of the relation of caste/class hierarchies to patriarchies under British colonialism is offered by KumKum Sangari and Sudesh Vaid in their introduction to a book of essays on Indian colonial and postcolonial history (1989, 1–26).[13] Sangari and Vaid begin by stating that patriarchies are not systems that are added on to class and caste but are intrinsic to the very formation of and transformations within these categories. In other words, they establish a dynamic, necessary relation between understandings of class/caste and patriarchies under British rule. An example of this is a rich analysis of colonial regulation of agrarian relations.

Analysis of agrarian regulations usually focuses on the construction, transformation, and management of class/caste relations. However, by drawing on essays that analyze British intervention (rules and laws) in land settlements as well as in local patriarchal practices, Sangari and Vaid are able to point to the effect of agrarian regulation on the process of the restructuring and reconstitution of patriarchies across class/caste hierarchies. For instance, some of the effects of colonial policies and regulations are the reempowering of landholding groups, the granting of property rights to men, the exclusion of women from ownership, and the "freezing" of patriarchal practices of marriage, succession, and adoption into laws. The cumulative effect of these particular institutions of colonial rule is thus, at least partially, an aggravation of existing inequalities as well as the creation of "new" ones.

The complex relationship between the economic interests of the colonial state and gender relations in rural Indian society are examined by Prem Chowdhry (in Sangari and Vaid 1989). Writing about colonial Haryana (then in the province of Punjab), Chowdhry demonstrates how the "apparent contradiction in the coexistence of indices of high status and low status" for Haryanavi peasant women is explainable in terms of the agrarian political economy. Peasant women were much sought after as partners in agricultural labor, and physically strong women were much in demand as brides. Scriptural sanctions against widow remarriage were, understandably, generally disregarded; indeed, such remarriage was encouraged by custom and folk proverbs. But since widows could inherit their husband's property, there was considerable restriction placed on whom they could marry. The primary interest was in retaining the land in the family, and thus male elders circumvented the law by forcing them to remarry within the family (a practice known as *karewa*).

The colonial state, which had an economic interest in seeing landholdings stable (to ensure revenue collection), actively discouraged unmarried widows from partitioning landholdings. It even strengthened *karewa*, ostensibly in the name of the avowed policy of "preserv[ing the] village community" and the "cohering [of] tribes." Even when the patriarchal custom was challenged legally by the widows themselves, the colonial state sanctified the custom by depending on a "general code of tribal custom." The official British argument was that although this was a "system of polyandry[,] . . . probably the first stage in development of a savage people after they have emerged from a mere animal condition of promiscuity" (*Rohtak District Gazetteer*, quoted in Chowdhry 1989, 317), the rural population of Haryana itself did not follow either the Hindu or the Muslim law and should therefore be allowed to determine "its" own customs. But the catch was that these customs were complied with and codified (as Chowdhry points out) "in consultation with the village headmen of each landowning tribe in the district, these being acknowledgedly 'men of most influential families in the village' " (317). Thus patriarchal practices were shaped to serve the economic interests of both the landowning classes and the colonial state; even the seemingly progressive customs such as widow remarriage had their limits determined within this gendered political economy.[14]

Another effect of British colonial rule in India was the consolidation of public and private spheres of the Indian middle class in the nineteenth century, a process that involved a definite project of sexualization. In their introduction, Sangari and Vaid (1989, 1–26) draw on the work of Partha Chatterjee and Sumanta Banerjee to discuss the creation of the middle-class "private" sphere of the Bhadralok. The Bhadralok notion of middle-class Indian womanhood draws on Victorian ideas of the purity and homebound nature of women but is specifically constructed in opposition to both Western materialism and lower-caste/class sexual norms. For instance, the process of the "purification" of the vernacular language in the early nineteenth century was seen as simultaneous Sanskritization and Anglicization. Similarly, nineteenth-century versions of female emancipation arose through the construction of middle-class Indian womanhood and were inextricably tied to national regeneration. Sangari and Vaid maintain that the formation of desired notions of spirituality (caste/class-related) and of womanhood (gender-related) is part of the formation of the middle class itself.

This, then, is the historical context in which middle-class Indian feminist struggles arise: nationalist struggles against an imperial state, religious reform and "modernization" of the Indian bourgeoisie, and the consolidation of an Indian middle class poised to take over as rulers. In fact it is Indian middle-class men who are key players in the emergence of "the woman question" within Indian nationalist struggles. Male-led social reform movements were thus preoccupied with legislating and regulating the sexuality of middle-class women, and selectively encouraging women's entry into the public sphere, by instituting modes of surveillance that in turn controlled women's entry into the labor force and into politics. This particular configuration also throws up the question of the collusion of colonialist and nationalist discourses in constructions of Indian middle-class womanhood.

The early history of the emergence of women's struggles in India thus encapsulates tensions between progressive and conservative ideas and actions. After all, histories of feminism also document histories of domination and oppression. No noncontradictory or "pure" feminism is possible. In India, the middle-class women's movement essentially attempted to modernize earlier patriarchal regulation of women and pave the way for middle-class women to enter the professions and participate in political movements. On the other hand, what Sangari and Vaid call "democratizing" women's movements focused on gender equality in the home and workplace and questioned both feudal and colonial structures but were nevertheless partially tied to middle-class familial ideologies and agendas as well as to feudal patriarchal norms. This formulation is of course a partial one and illustrates one mode of examining the relations of colonialism, class, and gender as a significant context for the emergence of the organized struggles of, in this case, Indian women against a racist, paternal, imperial state (Britain) and a paternal, middle-class, national liberation movement.

In outlining the operation of relations of ruling at this historical moment, I am attempting to suggest a way of understanding and a mode of feminist inquiry that is grounded in the relations among gender, race, class, and sexuality at a particular historical moment. Feminist struggles are waged on at least two simultaneous, interconnected levels: an ideological, discursive level that addresses questions of representation (womanhood/femininity), and a material, experiential, daily-life level that focuses on the micropolitics of work, home, family, sexuality, and so on. Colonial relations of rule form the backdrop for feminist critiques at both levels, and it is the notion of the practice of ruling that may allow for an understanding of the contradictory sex, race, class, and caste positioning of Third World women in relation to the state, and thus may suggest ways of formulating historically the location of Third World women's feminist struggles.

THE STATE, CITIZENSHIP, AND RACIAL FORMATION

Unlike the colonial state, the gender and racial regimes of contemporary liberal capitalist states operate through the ostensibly "unmarked" discourses of citizenship and individual rights. In contrast to the visible racialized masculinity of nineteenth- and early twentieth-century territorialist imperialism, white capitalist patriarchies institute relations of rule based on a liberal citizenship model with its own forms of knowledge and impersonal bureaucracies. According to R. W. Connell, the contemporary Euro-American state operates through the setting up of a "gender regime": a regime whereby the state is the primary organizer of the power relations of gender.[15] In other words, the state delimits the boundaries of personal/domestic violence, protects property, criminalizes "deviant" and "stigmatized" sexuality, embodies masculinized hierarchies (e.g., the gendered bureaucracy of state personnel), structures collective violence in the police force, prisons, and wars, and sometimes allows or even invites the countermobilization of power.

While imperial rule was constructed on the basis of a sharp sexual division of labor whereby (white) masculinity was inseparable from social authority and masculine adventure was followed by masculinized rule, the notion of citizenship created by bourgeois liberal capitalism is predicated on an impersonal bureaucracy and a hegemonic masculinity organized around the themes of rationality, calculation, and orderliness. Thus, Connell argues, contemporary liberal notions of citizenship are constitutively dependent on and supported by the idea of the patriarchal household, and formulated around the notion of a "rationalized" hegemonic masculinity (in contrast to the violent masculinity of colonial rule or of the military). This rationalized masculinity is evident in the bureaucratic sexual division of labor of people employed by the state: 80 to 90 percent of the political elite, civil service bureaucracy (railways, maritime services, power, and construction), judiciary, and military are male, while women are overwhelmingly employed in the human services (education, nursing, social work, etc.) and secretarial arms of the state.

Besides instituting this particular gender regime, the state also regulates gender and sexual relations by instituting policies pertaining to the family, population, labor force and labor management, housing, sexual behavior and expression, provision of child care and education, taxation and income redistribution, and the creation and use of military forces.

However, to return to Connell, this complex analysis of the gender and sexualized regime of the state excludes any discussion of racial formation. Thus, Connell provides at best a partial analysis of citizenship. White liberal capitalist patriarchies have always been the focus of feminist resistance. But to fully appreciate and mobilize against the oppressive rule of this state, the relations of rule of the state must be understood and analyzed in terms of gender, class, and sexual as well as racial formation. In fact, this is essential if we are to explain why the state is a significant nexus for the mobilization of feminist constituencies in overwhelmingly racialized cultures.

A conceptualization of race and racism is thus essential to any contemporary discussion of feminist politics in, for instance, the United States and Britain. In the U.S. context, Elizabeth Higginbotham (1983) defines racism as an ideology within which people of color in the United States have to live. It is an ideology that legitimates the exclusion of nonwhite people from particular areas of social and economic life, simultaneously promoting a tolerance of these inequities on the part of the ruling class. In effect, at the economic level, the definition of labor ("free" vs. "slave"), the differential allocation of workers, the composition of the "underclass" and "welfare recipients," are all constitutively dependent on race as an organizing principle. In addition, race is a primary consideration in the definition of ideas of "citizenship" and the regulation of these through immigration and naturalization laws. Drawing on three specific contexts, the United States, Britain, and South Africa, Higginbotham's discussion briefly delineates the relations of rule of the state and racial formation through immigration and nationality laws. Her analysis of historicized ideologies of gendered and racialized citizenship in these countries illustrates a particular form of rule of contemporary (white) capitalist states and, taken in conjunction with Connell's discussion of the state as the arbiter of patriarchies, simultaneously defines an important context for contemporary Third World feminist struggles. Higginbotham's discussion is thus an extension of the earlier discussion of Connell's argument regarding the gender regime of the state.

Historically, (white) feminist movements in the West have rarely engaged questions of immigration and nationality (one exception is Britain, which has a long history of black feminist organizing around such issues). In any event, I would like to suggest that analytically these issues are the contemporary metropolitan counterpart of women's struggles against colonial occupation in the geographical Third World. In effect, the construction of immigration and nationality laws, and thus of appropriate racialized, gendered citizenship, illustrates the continuity between relationships of colonization and white, masculinist, capitalist state rule.

In an important study of U.S. racial trajectories, Michael Omi and Howard Winant[16] introduce the idea of "racial formation," which "refer[s] to the process by which social, economic and political forces determine the content and importance of racial categories, and by which they are in turn shaped by racial meanings" (Omi and Winant 1986, 61). Omi and Winant maintain that in the contemporary United States, race is one of the central axes of understanding the world. Particular racial myths and stereotypes change, but the underlying presence of a racial meaning system seems to be an anchoring point of American culture. While racial formation is a matter of the dynamic between individual identities and collective social structures, the racial parameters of the United States include citizenship and naturalization laws, and social and welfare policies and practices that often arise as a response to oppositional movements. Historically, citizenship and immigration laws and social policies have always been connected to economic agendas and to the search for cheap labor. These state practices are anchored in the institutions of slavery, capitalist neocolonialism, and, more recently, monopoly and multinational capitalism. Thus, racism is often the product of a colonial situation, although it is not limited to it. Blacks and Latinos in the United States, Asians and West Indians in Britain, and North Africans in France, all share similarly oppressive conditions and the status of second-class citizens.

A comparison of the history of the immigration of white people and of the corresponding history of slavery and indentured labor of people of color in the United States indicates a clear pattern of racialization tied to the ideological and economic exigencies of the state. White men were considered "free labor" and could take a variety of jobs. At the same time, black men and women were used as slave labor to develop the agriculture of the South, and Mexican-Americans were (and still are) paid much lower wages than whites for their work in mines, railroads, lumber camps, oil extraction, and agriculture in the Southwest. These relations of inequality are the context for the entry of women of color into the U.S. labor force—usually in domestic or laundry work, or labor in the fields. In part it is this history of low-wage, exploitative occupations that have been the lot of U.S. Third World women and that contributes to the racist definitions they must endure vis-à-vis a dominant white, middle-class, professional culture.

In effect, then, citizenship and immigration laws are fundamentally about defining insiders and outsiders. The U.S. Naturalization Law of 1790, the state's original attempt to define citizenship, maintained that only free, "white" immigrants could qualify. It took the Walter-McCarran Act of 1952 to grant Japanese Americans U.S. citizenship. Racial categorization has remained very fluid and dependent on labor needs throughout the nineteenth and twentieth centuries. For instance, in the nineteenth century there were three racial categories: white, Negro, and Indian. Mexicans were legally accorded the status of "free white persons" after the 1848 treaty of Guadalupe Hidalgo, while the California supreme court ruled in 1854 that the Chinese, who were a major source of cheap labor on the west coast, were to be considered "Indian" (Omi and Winant 1986, 75).

The most extensive work on feminism and racial formation in the U.S. concerns black-white relations and history. In fact, the recent historiography on slavery and contemporary black feminist thought is one of the most exciting, insightful, and well-documented fields in feminist and antiracist scholarship. Historians such as Eugene Genovese (1979), Elizabeth Fox-Genovese (1988), John Blassingame (1979), Paula Giddings (1984), and Jacqueline Jones (1985) and critics such as bell hooks (1984, 1988), Hortense Spillers (1987), Judith Rollins (1987), and Audre Lorde (1984) laid down the groundwork with their analyses of the intersection of racial formations with sexual, class, and economic structures (see also Okihiro 1986). Instead of summarizing their work, I would like to look closely at a different context of racialization in the United States: the history of immigration and naturalization, which parallels the process of racialization that has occurred through the history of slavery and civil rights (black-white relations). Some of the history of slavery and contemporary racism in the United States is encapsulated by Barbara Smith (1983). In analyzing the representation of black lesbians in the work of Alice Walker, Gloria Naylor, and Audre Lorde, Smith reads against the grain of both racist, patriarchal texts and the texts of black feminists, discussing in some detail historical constructions of black womanhood, specifically the conjuncture of racist and heterosexist characterizations of black women.

A chronological listing of the U.S. Exclusion Acts illustrates the intersection of morality and race, class, gender, and sexuality in the construction of Asian peoples as the "yellow peril."[17] It was the 1870 hearings on Chinese prostitution that led to "An Act to Prevent the Kidnapping and Importation of Mongolian, Chinese, and Japanese Females for Criminal and Demoralizing Purposes." This act granted immigration officers the right to determine if women who chose to immigrate were "persons of correct habits and good character." It also assumed that all "Oriental women" wanting to immigrate would engage in "criminal and demoralizing acts." While the general purpose of the exclusion acts is clear—to keep Asians (and possibly other non-European "foreigners") out—the focus on defining the morality of Asian women as a basis for entry into the country indicates the (hetero)sexism and racism underlying U.S. immigration and naturalization laws. The purpose of the prostitution acts may well be different from that of the exclusion acts. However, both are fundamentally anchored in definitions of gender, race, and sexuality. The ideological definition of women's morality thus has significant material effects in this situation.

The first law explicitly based on nationality was the 1882 Chinese Act. Following this act were the 1907 Gentlemen's Agreement, which curtailed Japanese and Korean immigration; a 1917 act that restricted Asian Indian immigration; the 1924 Oriental Exclusion Act, which terminated all labor immigration from mainland Asia; and the 1934 Tydings-McDuffie Act, which restricted Filipino immigration to the United States. Citizenship through naturalization was denied to all Asians from 1924 to 1943. Beginning in 1943, and until the mid-1960s, when immigration laws were liberalized, the state instituted a quota system for Asian immigrants. Quotas were available only for professionals with postsecondary education, technical training, and specialized experience. Thus, the replacement of the "yellow peril" stereotype by a "model minority" stereotype is linked to a particular history of immigration laws that are anchored in the economic exigencies of the state and systemic inequalities.

In the contemporary American context, the black-white line is rigidly enforced. This is evident in the 1980s legal cases on affirmative action, where the basis for affirmative action as a form of collective retribution has been challenged on grounds of "reverse discrimination," an argument based on individual rather than collective demands. These arguments have been made and upheld in spite of the ostensibly liberal, pluralist claims of the American state.[18] On the other hand, racial categorization in Brazil varies along a black-white color continuum which signifies status and privilege differences. Similarly, in South Africa under apartheid, Chinese people had the same status as Asians (or "coloreds"), while Japanese were referred to as "honorary whites." Omi and Winant's (1986) notion of racial formation allows us to account for the historical determinants of these ideological definitions of race.

The most developed discussion of the state's regulation of Third World peoples through immigration and naturalization laws can be found in the United Kingdom. Third World feminists in Britain position the racist state as a primary focus of struggle. British nationality and immigration laws define and construct "legitimate" citizenship—an idea that is constitutively racialized and gender-based. Beginning in the 1950s, British immigration laws were written to prevent black people (Commonwealth citizens from Africa, Asia, the Far East, Cyprus, and the Caribbean) from entering Britain, thus making the idea of citizenship meaningless. These laws were entirely constructed around a racist, classist ideology of a patriarchal nuclear family, where women are never accorded subject status but are always assumed to be legal appendages of men.[19] For instance, the 1968 Commonwealth Immigrants Act, in which ancestry was decisive, permitted only black men with work permits to enter Britain and assumed that men who were the "heads of families" could send for their "wives," but not vice versa. The focus on familial configurations also indicates the implicit heterosexual assumptions written into these laws. Women can be defined only in relation to men and through the heterosexual nuclear family model. Similarly, the 1981 British Nationality Act translated immigration legislation into nationality law whereby three new kinds of race- and gender-specific citizenships were created: British citizenship, dependent territories citizenship, and British overseas citizenship.

The effects of this act on women's citizenship were substantial: it took away the automatic right of women married to British men to register as citizens; it disenfranchised all children born in Britain who were originally entitled to automatic citizenship (children were entitled to citizenship only if one of their parents was born or settled in Britain); and it allowed British women to pass on citizenship to children born abroad for the first time in history. Thus, as the Women, Immigration and Nationality Group (WING) argues, immigration and nationality laws in Britain are feminist issues, as they explicitly reflect the ideology of (white) women as the reproducers of the nation. The construction of such legislation thus is a central form of state rule and clearly a crucial location for black women's struggles. The WING group describes the significance of the laws thus:

> The intermeshed racism and sexism of British immigration legislation affects black and immigrant women in all areas of their lives. As wives, they are assumed to live wherever their husbands reside and to be dependent on them. As mothers, particularly single mothers, they have difficulty in bringing their children to join them. As workers, they are forced to leave their families behind. . . . It is this system of immigration control which legitimizes institutionalized racism in Britain today. It has far-reaching effects not only for black and third world people seeking to enter Britain but also for those living here who are increasingly subject to internal immigration controls. (WING 1985, 148)

Finally, racial formation took its most visibly violent and repressive form in apartheid South Africa. Here, the very language of apartheid (and of course the denial of "citizenship" to black people)—"separate but equal development," "white areas" and "Bantustans" (which comprised less than 13 percent of the land), black women workers as superfluous appendages—captured the material force of ideological definitions of race. Working-class solidarity across racial lines was impossible under apartheid because of racialization, as Sivanandan notes: "[T]he racist ideology of South Africa is an explicit, systematic, holistic ideology of racial superiority—so explicit that it makes clear that the White working class can only maintain its standard of living on the basis of a Black underclass, so systemic as to guarantee that the White working class will continue to remain a race for itself, so holistic as to ensure that the color line is the power line is the poverty line" (Sivanandan 1981, 300). Sivanandan's equation of the color line with the power line with the poverty line[20] encapsulates the contours of racial formation under apartheid, and it is this context that determined the particular emergence of the struggles of South African women: struggles around racial, political, and economic liberation, work, domestic life, housing, food, and land rights. Racist ideology has the hegemonic capacity to define the terms whereby people understand themselves and their world. The project of decolonization thus involves the specification of race in political, economic, and ideological terms, for the meanings of race are necessarily shaped as much in collective and personal practice (identity politics) as by the state (colonial or contemporary capitalist).

In this discussion of immigration, naturalization, and nationality laws I have sketched the relationships between the liberal capitalist state and gender and racial formations. By analyzing the discourse and concept of citizenship as constructed through immigration and nationality laws, I have attempted to specify the gender and racial regime of the contemporary Euro-American liberal democratic state and its relations of rule. The fact that notions of sexuality (morality of women), gender (familial configurations), and race ("Oriental") are implicitly written into these laws indicates the reason why this particular aspect of the contemporary state is a crucial context for Third World women's feminist struggles, and provides a method of feminist analysis that is located at the intersections of systemic gender, race, class, and sexual paradigms as they are regulated by the liberal state. My examination of these issues also demonstrates the relationships between the economic exigencies of the state (the original reason for migration/immigration) and its gender and racial regimes.

MULTINATIONAL PRODUCTION AND SOCIAL AGENCY

Questions of gender and race take on a new significance at the turn of the century, when, as a consequence of the massive incorporation of Third World women into a multinational labor force and into domestic service, feminist theorists have had to rethink such fundamental concepts as the public/private distinction in explanations of women's oppression. Indeed, questions pertaining to the situation of "Third World" women (both domestic and international), who are often the most exploited populations, are some of the most urgent theoretical challenges facing the social and political analysis of gender and race in postindustrial contexts. Of course, no discussion of the contemporary contexts of Third World women's engagement with feminism could omit a sketch of the massive incorporation and proletarianization of these women in multinational factories. While this location is not just a social indicator of Third World women's economic and social status (Momsen and Townsend 1987), it is a significant determinant of the micropolitics of daily life and self-constructions of massive numbers of Third World women employed in these factories. In fact, the 1960s expansion of multinational export-processing labor-intensive industries to the Third World and the U.S.-Mexican border is the newest pernicious form of economic and ideological domination.

World market factories relocate in search of cheap labor and find a home in countries with unstable (or dependent) political regimes, low levels of unionization, and high unemployment. What is significant about this particular situation is that it is young Third World women who overwhelmingly constitute the labor force. And it is these women who embody and personify the intersection of sexual, class, and racial ideologies.

Numerous feminist scholars have written about the exploitation of Third World women in multinational corporations.[21] While a number of studies provide information on the mobilization of racist and (hetero)sexist stereotypes in recruiting Third World women into this labor force, relatively few address questions of the social agency of women who are subjected to a number of levels of capitalist discipline. In other words, few studies have focused on women workers as subjects—as agents who make choices, have a critical perspective on their own situations, and think and organize collectively against their oppressors. Most studies of Third World women in multinationals locate them as victims of multinational capital as well as of their own "traditional" sexist cultures.

Aihwa Ong (1987) provides an analysis that goes against the grain of constructing Third World women workers as pure victims. Ong's analysis illustrates (1) how the lives of factory women in Malaysia are determined in part by economic and ideological assumptions on an international scale, (2) the historical links of the colonial (British) and the postcolonial state in the construction of a social space for women workers, and (3) the construction of Third World women's resistance and subjectivities in the context of deep material and structural transformations in their lives.

Tracing the introduction of new relations of production and exchange from the days of British colonial administration, Ong analyzes a corresponding construction of Malay identity in relation to subsistence agriculture, land, and other social structures. She goes on to delineate the role of the contemporary Malaysian state as the manager of different structures of power where multinational corporate investments were incorporated into ideological state apparatuses that policed the new Malay working-class women:

> [This study] discussed novel power configurations in domains such as the family, factory, *kampung*, and state institutions which reconstructed the meanings of Malay female gender and sexuality. In Japanese factories, the experiences of Malay women workers could be understood in terms of their use as "instruments of labor," as well as reconstitution by discursive practices as sexualized subjects. Discipline was exercised not only through work relations but also through surveillance and the cooperation of village elders in managing the maidens and their morality. Assailed by public doubts over their virtue, village-based factory women internalized these disparate disciplinary schemes, engaging in self- and other-monitoring on the shopfloor, in *kampung* society and within the wider society. (Ong 1987, 220)

Ong's work illustrates the embodiment of sexist, racist stereotypes in the recruitment of young Malay village women into factory work, and delineates factors pertaining to their subjectivities. Thus, Malay women face economic exploitation, sexual harassment, and various levels of discipline and surveillance as workers. Ong's discussion of their sexuality and morality recall earlier discussions of the morality of immigrant women in the United States. These particular constructions of morality to which Third World women are subject inform their notions of self, their organizing, and their day-to-day resilience.

The counterparts to world market factories in Third World countries are garment sweatshops in U.S. cities and electronics industries in the Silicon Valley in California. These sweatshops operate illegally to avoid unemployment insurance, child labor laws, and regulations. For instance, 90 percent of garment workers are women, the majority being immigrants from the Caribbean, Latin America, and Asia. They have few alternatives—as heads of households, mothers without daycare, women on welfare—in other words, they are poor Third World women. Like the Malaysian factory workers, these women are subject to racist and sexist stereotypes such as "sewing is a women's job," and "Third World women are more docile and obedient." Here again, a number of scholars have detailed the effects of this particular proletarianization of Third World women in the United States. Suffice it to say that constructions of self and agency in this context too are based on indigenous social and ideological transformations managed by the state in conjunction with multinational corporate capitalism. Within this framework of multinational employment, it is through an analysis of the ideological construction of the "Third World woman worker" (the stereotypical [ideal] worker employed by world market factories) that we can trace the links of sexist, racist, class-based structures internationally. It is also this particular context and juncture that suggest a possible coalition among Third World women workers.[22]

Thus an analysis of the employment of Third World women workers by multinational capital in terms of ideological constructions of race, gender, and sexuality in the very definition of "women's work" has significant repercussions for feminist cross-cultural analysis. In fact, questions pertaining to the social agency of Third World women workers may well be some of the most challenging questions facing feminist organizing today. By analyzing the sexualization and racialization of women's work in multinational factories and relating this to women's own ideas of their work and daily life, we can attempt a definition of self and collective agency that takes apart the idea of "women's work" as a naturalized category. Just as notions of "motherhood" and "domesticity" are historical and ideological rather than "natural" constructs, in this particular context, ideas of "Third World women's work" have their basis in social hierarchies stratified by sex/gender, race, and class. Understanding these constructions in relation to the state and the international economy is crucial because of the overwhelming employment of Third World women in world market factories, sweatshops, and home work. Thus, this forms another important context for understanding the systemic exploitation of poor Third World women, and provides a potential space for cross-national feminist solidarity and organizing. These questions are elaborated in more detail in chapter 6.

ANTHROPOLOGY AND THE THIRD WORLD WOMAN AS "NATIVE"

One of the most crucial forms of knowledge produced by, indeed born of, colonial rule is the discipline of anthropology. While I do not intend to offer a comprehensive analysis of the origins of this discipline in the racialized and sexualized relations of colonial rule, a brief example of these links clarifies my point. I want to suggest that anthropology is an important discursive context in this cartography and that it is an example of disciplinary knowledge that signifies the power of naming and the contests over meaning of definitions of the self and other. Trinh T. Minh-ha (1989) formulates the racial and sexual basis of the "object of anthropological study" thus:[23]

> It seems clear that the favorite object of anthropological study is not just any man but a specific kind of man: the Primitive, now elevated to the rank of the full yet needy man, the Native. Today, anthropology is said to be "conducted in two ways: in the pure state and in the diluted state." . . . The "conversation of man with man" is, therefore, mainly a conversation of "us" with "us" about "them," of the white man with the white man about the primitive-native man. The specificity of these three "man" grammatically leads to "men"; a logic reinforced by the modem anthropologist who, while aiming at the generic "man" like all his colleagues, implies elsewhere that in this context, man's mentality should be read as men's mentalities. (Trinh 1989, 64–65)

The quotation illustrates both the fundamentally gendered and racial nature of the anthropological project during colonial rule and the centrality of the white, Western masculinity of the anthropologist. A number of anthropologists have engaged the discursive and representational problems of classical anthropology in recent years. In fact, one of the major questions feminist anthropology has had to address is precisely the question of both representing Third World women in anthropological texts (as a corrective to masculinist disciplinary practices) and simultaneously speaking for Third World women.[24] As Trinh states, we must be concerned with the question of Third World women:

> Why do we have to be concerned with the question of Third World women? After all it is only one issue among others. Delete "Third World" and the sentence immediately unveils its value-loaded cliches. Generally speaking, a similar result is obtained through the substitution of words like *racist* for *sexist*, or vice versa, and the established image of the Third World Woman in the context of (pseudo-) feminism readily merges with that of the Native in the context of (neo-colonialist) anthropology. The problems are interconnected. (Trinh 1989, 85)

Here Trinh suggests that there is a continuity between definitions of the "Native" (male) and the "Third World Woman." Both draw on sexist and racist stereotypes to consolidate particular relations of rule. In both cases, gender and race (white men and white women) are central to the definition of superior/inferior. This, then, is an example of the interconnectedness of the processes of racialization and sexualization in the production of knowledge conducive to colonial rule. Anthropology and its "nativization" of Third World women thus forms a significant context for understanding the production of knowledge "about" Third World women. Knowledge production in literary and social-scientific disciplines is clearly an important discursive site for struggle. The practice of scholarship is also a form of rule and of resistance, and constitutes an increasingly important arena of Third World feminisms. After all, the material effects of this knowledge production have ramifications for institutions (e.g., laws, policies, educational systems) as well as the constitution of selves and of subjectivities. For instance, Rey (1991) addresses such paradigms when she suggests that Chinese women "disappear" in popular and academic discourses on China, only to reappear in "case studies" or in the "culture garden." Similarly, in chapter 1, I discuss the discursive production of the "Third World woman" in the discourse of international development studies. Questions of definition and self-definition inform the very core of political consciousness in all contexts, and the examination of a discourse (anthropology) that has historically authorized the objectification of Third World women remains a crucial context to map Third World women as subjects of struggle.

CONSCIOUSNESS, IDENTITY, WRITING

Numerous texts on Third World women's political struggles have focused on their participation in organized movements, whether in nationalist or antiracist liberation struggles, organized peasant working-class movements, middle-class movements pertaining to the legal, political, and economic rights of women, or struggles around domestic violence. In fact, the focus of the three previous sections detailing historical and contextual issues (colonialism, class, gender; citizenship, the state, and racial formation; and multinational production and social agency) has also been on such macrostructural phenomena and organized movements. However, not all feminist struggles can be understood within the framework of "organized" movements. Questions of political consciousness and self-identity are a crucial aspect of defining Third World women's engagement with feminism. And while these questions have to be addressed at the level of organized movements, they also have to be addressed at the level of everyday life in times of revolutionary upheaval as well as in times of "peace."

This section foregrounds the interconnections of consciousness, identity, and writing and suggests that questions of subjectivity are always multiply mediated through the axes of race, class/caste, sexuality, and gender. I do not provide a critique of identity politics here, but I do challenge the notion "I am, therefore I resist!" That is, I challenge the idea that simply being a woman, or being poor or black or Latino, is sufficient ground to assume a politicized oppositional identity. In other words, while questions of identity are crucially important, they can never be reduced to automatic self-referential, individualist ideas of the political (or feminist) subject.

This section focuses on life story–oriented written narratives, but this is clearly only one, albeit important, context in which to examine the development of political consciousness. Writing is itself an activity marked by class and ethnic position. However, testimonials, life stories, and oral histories are a significant mode of remembering and recording experience and struggles. Written texts are not produced in a vacuum. In fact, texts that document Third World women's life histories owe their existence as much to the exigencies of the political and commercial marketplace as to the knowledge, skills, motivation, and location of individual writers.

For example, critics have pointed to the proliferation of experientially oriented texts by Third World women as evidence of "diversity" in U.S. feminist circles. Such texts now accompany "novels" by black and Third World women in women's studies curricula. However, in spite of the fact that the growing demand among publishers for culturally diverse life (hi)stories indicates a recognition of plural realities and experiences as well as a diversification of inherited Eurocentric canons, often this demand takes the form of the search for more "exotic" and "different" stories in which individual women write as truth-tellers and authenticate "their own oppression," in the tradition of Euro-American women's autobiography. In other words, the mere proliferation of Third World women's texts, in the West at least, owes as much to the relations of the marketplace as to the conviction to "testify" or "bear witness." Thus, the existence of Third World women's narratives in itself is not evidence of decentering hegemonic histories and subjectivities. It is the way in which they are read, understood, and located institutionally that is of paramount importance. After all, the point is not just to record one's history of struggle, or consciousness, but how they are recorded; the way we read, receive, and disseminate such imaginative records is immensely significant. It is this very question of reading, theorizing, and locating these writings that I touch on in the examples below.

The consolidation and legitimation of testimonials as a form of Latin American oral history (history from below) owes as much to the political imperatives of such events as the Cuban revolution as to the motivations and desires of the intellectuals and revolutionaries who were/are the agents of these testimonials. The significance of representing "the people" as subjects of struggle is thus encapsulated in the genre of testimonials, a genre that is, unlike traditional autobiography, constitutively public, and collective (for and of the people).[25]

Similarly, in the last two decades, numerous publishing houses in different countries have published autobiographical or life story–oriented texts by Third World feminists. This is a testament to the role of publishing houses and university and trade presses in the production, reception, and dissemination of feminist work, as well as to the creation of a discursive space where (self-)knowledge is produced by and for Third World women. Feminist analysis has always recognized the centrality of rewriting and remembering history, a process that is significant not merely as a corrective to the gaps, erasures, and misunderstandings of hegemonic masculinist history but because the very practice of remembering and rewriting leads to the formation of politicized consciousness and self-identity. Writing often becomes the context through which new political identities are forged. It becomes a space for struggle and contestation about reality itself. If the everyday world is not transparent and its relations of rule—its organizations and institutional frameworks—work to obscure and make invisible inherent hierarchies of power (Smith 1987), it becomes imperative that we rethink, remember, and utilize our lived relations as a basis of knowledge. Writing (discursive production) is one site for the production of this knowledge and this consciousness.

Written texts are also the basis of the exercise of power and domination. This is clear in Barbara Harlow's (1989) delineation of the importance of literary production (narratives of resistance) during the Palestinian intifada. Harlow argues that the Israeli state has confiscated both the land and the childhood of Palestinians, since the word "child" has not been used for twenty years in the official discourse of the Israeli state. This language of the state disallows the notion of Palestinian "childhood," thus exercising immense military and legal power over Palestinian children. In this context, Palestinian narratives of childhood can be seen as narratives of resistance, which write childhood, and thus selfhood, consciousness, and identity, back into daily life. Harlow's analysis also indicates the significance of written or recorded history as the basis of the constitution of memory. In the case of Palestinians, the destruction of all archival history, the confiscation of land, and the rewriting of historical memory by the Israeli state mean not only that narratives of resistance must undo hegemonic recorded history, but that they must also *invent* new forms of encoding resistance, of remembering. Honor Ford-Smith,[26] in her introduction to a book on "life stories of Jamaican women," encapsulates the significance of this writing:

> The tale-telling tradition contains what is most poetically true about our struggles. The tales are one of the places where the most subversive elements of our history can be safely lodged, for over the years the tale tellers convert fact into images which are funny, vulgar, amazing or magically real. These tales encode what is overtly threatening to the powerful into covert images of resistance so that they can live on in times when overt struggles are impossible or build courage in moments when it is. To create such tales is a collective process accomplished within a community bound by a particular historical purpose. . . . They suggest an altering or re-defining of the parameters of political process and action. They bring to the surface factors which would otherwise disappear or at least go very far underground. (Sistren with Ford-Smith 1987, 3–4)

I quote Ford-Smith's remarks because they suggest a number of crucial elements of the relation of writing, memory, consciousness, and political resistance: the codification of covert images of resistance during nonrevolutionary times; the creation of a communal (feminist) political consciousness through the practice of storytelling; and the redefinition of the very possibilities of political consciousness and action through the act of writing. One of the most significant aspects of writing against the grain in both the Palestinian and the Jamaican contexts is thus the invention of spaces, texts, and images for encoding the history of resistance. Therefore, one of the most significant challenges here is the question of decoding these subversive narratives. Thus, history and memory are woven through numerous genres: fictional texts, oral history, and poetry, as well as testimonial narratives—not just what counts as scholarly or academic ("real"?) historiography. An excellent example of the recuperation and rewriting of this history of struggle is the 1970s genre of U.S. black women's fiction that collectively rewrites and encodes the history of American slavery and the oppositional agency of African American slave women. Toni Morrison's *Beloved* and Gayl Jones's *Corregidora* are two examples that come to mind.

Ford-Smith's discussion also suggests an implicit challenge to the feminist individualist subject of much of liberal feminist theory, what Norma Alarcon, in a different context, calls "the most popular subject of Anglo-American feminism . . . an autonomous, self-making, self-determining subject who first proceeds according to the logic of *identification* with regard to the subject of consciousness, a notion usually viewed as the purview of man, but now claimed for women" (Alarcon 1989, 3). Alarcon goes on to define what she calls the "plurality of self" of women of color as subjects in the book *This Bridge Called My Back* (1981) in relation to the feminist subject of Anglo-American feminism. Both Ford-Smith and Alarcon suggest the possibility, indeed the *necessity*, of conceptualizing notions of collective selves and consciousness as the political practice of historical memory and writing by women of color and Third World women. This writing/speaking of a multiple consciousness, one located at the juncture of contests over the meanings of racism, colonialism, sexualities, and class, is thus a crucial context for delineating Third World women's engagement with feminisms. This is precisely what Gloria Anzaldúa refers to as a "mestiza consciousness" (Anzaldúa 1987).[27] A mestiza consciousness is a consciousness of the borderlands, a consciousness born of the historical collusion of Anglo and Mexican cultures and frames of reference. It is a plural consciousness in that it requires understanding multiple, often opposing ideas and knowledges, and negotiating these knowledges, not just taking a simple counterstance:

> At some point, on our way to a new consciousness, we will have to leave the opposite bank, the split between the two mortal combatants somewhat healed so that we are on both shores at once, and at once see through the serpent and the eagle eyes. . . . The work of mestiza consciousness is to break down the subject-object duality that keeps her a prisoner and to show in the flesh and through the images in her work how duality is transcended. The answer to the problem between the white race and the colored, between males and females, lies in healing the split that origi-

nates in the very foundation of our lives, our culture, our languages, our thoughts. A massive uprooting of dualistic thinking in the individual and collective consciousness is the beginning of a long struggle, but one that could, in our best hopes, bring us to the end of rape, of violence, of war. (Anzaldúa 1987, 78–80)

This notion of the uprooting of dualistic thinking suggests a conceptualization of consciousness, power, and authority that is fundamentally based on knowledges that are often contradictory. For Anzaldúa, a consciousness of the borderlands comes from a recentering of these knowledges—from the ability to see ambiguities and contradictions clearly, and to act collectively, with moral conviction. Consciousness is thus simultaneously singular and plural, located in a theorization of being "on the border." Not any border, but a historically specific one: the United States–Mexican border. Thus, unlike a Western, postmodernist notion of agency and consciousness that often announces the splintering of the subject, and privileges multiplicity in the abstract, this is a notion of agency born of history and geography. It is a theorization of the materiality and politics of the everyday struggles of Chicanas.

Some of these questions are also taken up by Lourdes Torres in her 1991 essay on the construction of the self in U.S. Latina autobiographies. Torres speaks of the multiple identities of Latinas and of the way particular autobiographical narratives create a space to theorize the intersection of language and sexuality, and to examine and define the historical and cultural roots of survival in Anglo society.

Finally, the idea of plural or collective consciousness is evident in some of the revolutionary testimonials of Latin American women, speaking from within rather than for their communities. Unlike the autobiographical subject of Anglo-American feminism characterized by Alarcon, testimonials are strikingly nonheroic and impersonal. Their primary purpose is to document and record the history of popular struggles, foreground experiential and historical "truth" which has been erased or rewritten in hegemonic, elite, or imperialist history, and bear witness in order to change oppressive state rule. Thus testimonials do not focus on the unfolding of a singular woman's consciousness (in the hegemonic tradition of European modernist autobiography); rather, their strategy is to speak *from within* a collective, as participants in revolutionary struggles, and to speak with the express purpose of bringing about social and political change. As Doris Sommer argues, testimonials are written so as to produce complicity in the reader. Thus they are fundamentally about constructing relationships between the self and the reader, in order to invite and precipitate change (revolution). Sommer identifies the "plural" or "collective" self of Latin American women's testimonials as "the possibility to get beyond the gap between public and private spheres and beyond the often helpless solitude that has plagued Western women even more than men since the rise of capitalism" (Sommer 1988, 110).

Alarcon, Ford-Smith, Anzaldúa, and Sommer thus together pose a serious challenge to liberal humanist notions of subjectivity and agency. In different ways, their analyses foreground questions of memory, experience, knowledge, history, consciousness, and agency in the creation of narratives of the (collective) self. They suggest a conceptualization of agency that is multiple and often contradictory but always anchored in the history of specific struggles. It is a notion of agency that works not through the logic of identification but through the logic of opposition. This is a complex argument that I want to introduce rather than work through here.

At the furthest limit of the question of oppositional agency is a problem addressed by Rosalind O'Hanlon (1988) in her analysis of the work of the South Asian subaltern studies group which focuses on the histories of peasants, agricultural laborers, factory workers, and tribals. In her examination of the "history from below" project of *Subaltern Studies*, O'Hanlon suggests the crux of the difficulty in defining and understanding the subjectivity of the subaltern as outside the purview of liberal humanism:

> In speaking of the presence of the subaltern, we are, of course, referring primarily to a presence which is in some sense resistant: which eludes and refuses assimilation into the hegemonic, and so provides our grounds for rejecting elite historiography's insistence that the hegemonic itself is all that exists with the social order. Our question, therefore, must in part be what kind of presence, what kind of practice, we would be justified in calling a resistant one: what is the best figure for us to cast it in, which will both reflect its fundamental alienness, and yet present it in a form which shows some part of that presence at least to stand outside and momentarily to escape the constructions of dominant discourse. (O'Hanlon 1988, 219)

O'Hanlon suggests one aspect of the dilemma with which I began this discussion: how do we theorize and locate the links between history, consciousness, identity, and experience in the writings of Third World women, writings and narratives that are constitutively about remembering and creating alternative spaces for survival, which figure self- and political consciousness? If, as I suggested earlier, certain narratives by Third World women operate not through a logic of identification but through one of opposition, how is domination and resistance theorized? Firstly, resistance clearly accompanies all forms of domination. However, it is not always identifiable through organized movements; resistance inheres in the very gaps, fissures, and silences of hegemonic narratives. Resistance is encoded in the practices of remembering, and of writing. Agency is thus figured in the small, day-to-day practices and struggles of Third World women. Coherence of politics and of action comes from a sociality that itself perhaps needs to be rethought. The very practice of remembering against the grain of "public" or hegemonic history, of locating the silences and the struggle to assert knowledge that is outside the parameters of the dominant, suggests a rethinking of sociality itself.

Perhaps Dorothy Smith's concept of relations of rule can provide a way of linking institutions and structures with the politics of everyday life that is the basis of this formulation of struggle and agency. For instance, the notion "the personal is political" must be rethought if we take seriously the challenge of collective agency posed by these narratives. Similarly, the definition of personal/public life as it has been formulated in feminist theoretical work has to undergo a radical reexamination. I introduce these questions here in an attempt to suggest that we need to renegotiate how we conceive of the relation of self- and collective consciousness and agency; and specifically the connections between this and historical and institutional questions. These narratives are thus an essential context in which to analyze Third World women's engagement with feminism, especially since they help us understand the epistemological issues which arise through the politicization of consciousness, our daily practices of survival and resistance.

To summarize, the first part of this chapter delineates the urgency and necessity to rethink feminist praxis and theory within a cross-cultural, international framework, and discusses the assumption of Third World women as a social category in feminist work and definitions and contests over feminism among Third World women. The second part suggests five provisional contexts for understanding Third World women's engagement with feminism. The first three chart political and historical junctures: decolonization and national liberation movements in the Third World, the consolidation of white, liberal capitalist patriarchies in Euro-America, and the operation of multinational capital within a global economy. The last two contexts for understanding Third World women's engagement with feminism focus on discursive contexts: first, on anthropology as an example of a discourse of dominance and self-reflexivity, and second, on storytelling or autobiography (the practice of writing) as a discourse of oppositional consciousness and agency. Again, these are necessarily partial contexts meant to be suggestive rather than comprehensive—this is, after all, one possible cartography of contemporary struggles. And it is admittedly a cartography which begs numerous questions and suggests its own gaps and fissures. However, I write it in an attempt to "pivot" the center of feminist analyses, to suggest new beginnings and middles, and to argue for more finely honed historical and context-specific feminist methods. I also write out of the conviction that we must be able and willing to theorize and engage the feminist politics of women, for these are the very understandings we need to respond seriously to the challenges of race, class, and our postcolonial condition.

CHAPTER THREE

What's Home Got to Do with It? (with Biddy Martin)

Biddy Martin and I began working on this project after visiting our respective "homes" in Lynchburg, Virginia, and Mumbai, in the fall of 1984—visits fraught with conflict, loss, memories, and desires that we both considered to be of central importance in thinking about our relationship to feminist politics. In spite of significant differences in our personal histories and academic backgrounds and in the displacements we both experience, the political and intellectual positions we share made it possible for us to work on, indeed to write, this essay together. Our separate readings of Minnie Bruce Pratt's autobiographical narrative "Identity: Skin Blood Heart" (1984a) became the occasion for thinking through and developing more precisely some of the ideas about feminist theory and politics that have occupied us. We are interested in the configuration of home, identity, and community; more specifically, in the power and appeal of "home" as a concept and a desire, its occurrence as metaphor in feminist writings, and its challenging presence in the rhetoric of the New Right.

Both leftists and feminists have realized the importance of not handing over notions of home and community to the Right. Far too often, however, both male leftists and feminists have responded to the appeal of a rhetoric of home and family by merely reproducing the most conventional articulations of those terms in their own writings. In her work, Zillah Eisenstein (1984) identifies instances of what she labels revisionism within liberal, radical, and socialist feminist writings: texts by women such as Betty Friedan, Andrea Dworkin, and Jean Bethke Elshtain, in which the pursuit of safe places and ever-narrower conceptions of community relies on unexamined notions of home, family, and nation, and severely limits the scope of the feminist inquiry and struggle. The challenge, then, is to find ways of conceptualizing community differently without dismissing its appeal and importance.

It is significant that the notion of "home" has been taken up in a range of writings by women of color, who cannot easily assume "home" within feminist communities as they have been constituted.[1] Bernice Johnson Reagon's (1984) critique of white feminists' incorporation of "others" into their "homes" is a warning to all feminists that "we are going to have to break out of little barred rooms" and cease holding tenaciously to the invisible and only apparently self-evident boundaries around that which we define as our own, "if we are going to have anything to do with what makes it into the next century." Reagon does not deny the appeal and the importance of "home" but challenges us to stop confusing it with political coalition and suggests that it takes what she calls an old-age perspective to know when to engage and when to withdraw, when to break out and when to consolidate.[2]

For our discussion of the problematics of "home," we chose a text that demonstrates the importance of both narrative and historical specificity in the attempt to reconceptualize the relations between "home," "identity," and political change. The volume in which Pratt's essay appears, *Yours in Struggle: Three Feminist Perspectives on Anti-Semitism and Racism*, is written by Elly Bulkin, Minnie Bruce Pratt, and Barbara Smith, each of whom ostensibly represents a different experience and identity and consequently a different (even if feminist) perspective on racism and anti-Semitism. What makes this text unusual, in spite of what its title may suggest, is its questioning of the all-too-common conflation of experience, identity, and political perspective.

What we have tried to draw out of this text is the way in which it unsettles not only any notion of feminism as an all-encompassing home but also the assumption that there are discrete, coherent, and absolutely separate identities—homes within feminism, so to speak—based on absolute divisions between various sexual, racial, or ethnic identities. What accounts for the unsettling of boundaries and identities, and the questioning of conventional notions of experience, is the task that the contributors have set for themselves: to address certain specific questions and so to situate themselves in relation to the tensions between feminism, racism, and anti-Semitism. The "unity" of the individual subject, as well as the unity of feminism, is situated and specified as the product of the interpretation of personal histories; personal histories that are themselves situated in relation to the development within feminism of particular questions and critiques.

Pratt's autobiographical narrative is the narrative of a woman who identifies herself as white, middle-class, Christian-raised, southern, and lesbian.

She makes it very clear that unity through incorporation has too often been the white middle-class feminist's mode of adding on difference without leaving the comfort of home. What Pratt sets out to explore are the exclusions and repressions that support the seeming homogeneity, stability, and self-evidence of "white identity," which is derived from and dependent on the marginalization of differences within as well as "without."

Our decision to concentrate on Pratt's narrative has to do with our shared concern that critiques of what is increasingly identified as "white" or "Western" feminism unwittingly leave the terms of West/East, white/nonwhite polarities intact; they do so, paradoxically, by starting from the premise that Western feminist discourse is inadequate or irrelevant to women of color or Third World women. The implicit assumption here, which we wish to challenge, is that the terms of a totalizing feminist discourse are adequate to the task of articulating the situation of white women in the West. We would contest that assumption and argue that the reproduction of such polarities only serves to concede "feminism" to the "West" all over again. The potential consequence is the repeated failure to contest the feigned homogeneity of the West and what seems to be a discursive and political stability of the hierarchical West-East divide.

Pratt's essay enacts as much as it treats the contradictory relations between skin, blood, heart, and identity and between experience, identity, and community in ways that we would like to analyze and discuss in more detail. Like the essays by Smith and Bulkin that follow it, it is a form of writing that not only anticipates and integrates diverse audiences or readers but also positions the narrator as reader. The perspective is multiple and shifting, and the shifts in perspective are enabled by the attempts to define self, home, and community that are at the heart of Pratt's enterprise. The historical grounding of shifts and changes allows for an emphasis on the pleasures and terrors of interminable boundary confusions, but insists, at the same time, on our responsibility for remapping boundaries and renegotiating connections. These are partial in at least two senses of the word: politically partial, and without claim to wholeness or finality.

It is this insistence that distinguishes the work of a Reagon or a Pratt from the more abstract critiques of "feminism" and the charges of totalization that come from the ranks of antihumanist intellectuals. For without denying the importance of their vigilante attacks on humanist beliefs in "man" and Absolute Knowledge wherever they appear, it is equally important to point out the political limitations of an insistence on "indeterminacy" that implicitly, when not explicitly, denies the critic's own situatedness in the social, and in effect refuses to acknowledge the critic's own institutional home.

Pratt, on the contrary, succeeds in carefully taking apart the bases of her own privilege by resituating herself again and again in the social, by constantly referring to the materiality of the situation in which she finds herself. The form of the personal historical narrative forces her to reanchor herself repeatedly in each of the positions from which she speaks, even as she works to expose the illusory coherence of those positions. For the subject of such a narrative, it is not possible to speak from, or on behalf of, an abstract indeterminacy. Certainly, Pratt's essay would be considered a "conventional" (and therefore suspect) narrative from the point of view of contemporary deconstructive methodologies, because of its collapsing of author and text, its unreflected authorial intentionality, and its claims to personal and political authenticity.

Basic to the (at least implicit) disavowal of conventionally realist and autobiographical narrative by deconstructionist critics is the assumption that difference can emerge only through self-referential language, that is, through certain relatively specific formal operations present in the text or performed upon it. Our reading of Pratt's narrative contends that a so-called conventional narrative such as Pratt's is not only useful but essential in addressing the politically and theoretically urgent questions surrounding identity politics. Just as Pratt refuses the methodological imperative to distinguish between herself as actual biographical referent and her narrator, we have at points allowed ourselves to let our reading of the text speak for us.

It is noteworthy that some of the American feminist texts and arguments that have been set up as targets to be taken apart by deconstructive moves are texts and arguments that have been critiqued from within "American" feminist communities for their homogenizing, even colonialist gestures; they have been critiqued, in fact, by those most directly affected by the exclusions that have made possible certain radical and cultural feminist generalizations. Antihumanist attacks on "feminism" usually set up "American feminism" as a "straw man" and so contribute to the production—or, at the very least, the reproduction—of an image of "Western feminism" as conceptually and politically unified in its monolithically imperialist moves.

We do not wish to deny that too much of the conceptual and political work of "Western" feminists is encumbered by analytic strategies that do indeed homogenize the experiences and conditions of women across time and culture; nor do we wish to deny that "Western" feminists have often taken their own positions as referent, thereby participating in the colonialist moves characteristic of traditional humanist scholarship. However, such critiques run the risk of falling into culturalist arguments, and these tend to have the undesired effect of solidifying the identification of feminism with the West rather than challenging the hegemony of specific analytic and political positions. The refusal to engage in the kind of feminist analysis that is more differentiated, more finely articulated, and more attentive to the problems raised in poststructuralist theory makes "bad feminism" a foil supporting the privilege of the critics' "indeterminacy." Wary of the limitations of an antihumanism that refuses to rejoin the political, we purposely chose a text that speaks from within "Western feminist discourse" and attempts to expose the bases and supports of privilege even as it renegotiates political and personal alliances.[3]

One of the most striking aspects of "Identity: Skin Blood Heart" is the text's movement away from the purely personal, visceral experience of identity suggested by the title to a complicated working out of the relationship between home, identity, and community that calls into question the notion of a coherent, historically continuous, stable identity and works to expose the political stakes concealed in such equations. An effective way of analyzing Pratt's conceptualization of these relationships is to focus on the manner in which the narrative works by grounding itself in the geography, demography, and architecture of the communities that are her "homes"; these factors function as an organizing mode in the text, providing a specific concreteness and movement for the narrative.

Correspondingly, the narrative politicizes the geography, demography, and architecture of these communities—Pratt's homes at various times of her history—by discovering local histories of exploitation and struggle. These are histories quite unlike the ones she is familiar with, the ones with which she grew up. Pratt problematizes her ideas about herself by juxtaposing the assumed histories of her family and childhood, predicated on the invisibility of the histories of people unlike her, to the layers of exploitation and struggles of different groups of people for whom these geographical sites were also home.

Each of the three primary geographical locations—Alabama (the home of her childhood and college days), North Carolina (the place of her marriage and coming out as a lesbian), and Washington, D.C. (characterized by her acute awareness of racism, anti-Semitism, class, and global politics)—

is constructed on the tension between two specific modalities: being home and not being home. "Being home" refers to the place where one lives within familiar, safe, protected boundaries; "not being home" is a matter of realizing that home was an illusion of coherence and safety based on the exclusion of specific histories of oppression and resistance, the repression of differences even within oneself. Because these locations acquire meaning and function as sites of personal and historical struggles, they work against the notion of an unproblematic geographic location of home in Pratt's narrative. Similarly, demographic information functions to ground and concretize race, class, and gender conflicts. Illusions of home are always undercut by the discovery of the hidden demographics of particular places, as demography also carries the weight of histories of struggle.

Pratt speaks of being "shaped" in relation to the buildings and streets in the town in which she lived. Architecture and the layouts of particular towns provide concrete, physical anchoring points in relation to which she both sees and does not see certain people and things in the buildings and on the streets. However, the very stability, familiarity, and security of these physical structures are undermined by the discovery that these buildings and streets witnessed and obscured particular race, class, and gender struggles. The realization that these "growing-up places" are home towns where Pratt's eye "has only let in what I have been taught to see" politicizes and undercuts any physical anchors she might use to construct a coherent notion of home or her identity in relation to it.

Each of us carries around those growing-up places, the institutions, a sort of backdrop, a stage set. So often we act out the present against the backdrop of the past, within a frame of perception that is so familiar, so safe that it is terrifying to risk changing it even when we know our perceptions are distorted, limited, constricted by that old view.

The traces of her past remain with her but must be challenged and reinterpreted. Pratt's own histories are in constant flux. There is no linear progression based on "that old view," no developmental notion of her own identity or self. There is instead a constant expansion of her "constricted eye," a necessary reevaluation and return to the past in order to move forward to the present. Geography, demography, and architecture, as well as the configuration of her relationships to particular people (her father, her lover, her workmate), serve to indicate the fundamentally relational nature of identity and the negations on which the assumption of a singular, fixed, and essential self is based. For the narrator, such negativity is represented by a rigid identity such as that of her father, which sustains its appearance of stability by defining itself in terms of what it is not: not black, not female, not Jewish, not Catholic, not poor, and so on. The "self" in this narrative is not an essence or truth concealed by patriarchal layers of deceit and lying in wait of discovery, revelation, or birth.[4]

It is this very conception of self that Pratt likens to entrapment, constriction, a bounded fortress that must be transgressed, shattered, opened onto that world that has been made invisible and threatening by the security of home. While Pratt is aware that stable notions of self and identity are based on exclusion and secured by terror, she is also aware of the risk and terror inherent in breaking through the walls of home. The consciousness of these contradictions characterizes the narrative.

In order to indicate the fundamentally constructive, interpretive nature of Pratt's narrative, we have chosen to analyze the text following its own narrative organization in three different scenarios: scenarios that are characterized not by chronological development but by discontinuous moments of consciousness. The scenarios are constructed around moments in Pratt's own history which propel her in new directions through their fundamental instability and built-in contradictions.

Scenario 1

> I live in a part of Washington, D.C that white suburbanites called "the jungle" during the uprising of the '60s—perhaps still do, for all I know. When I walk the two-and-a-half blocks to H St. NE, to stop in at the bank, to leave my boots off at the shoe-repair-and-lock shop, I am most usually the only white person in sight. I've seen two other whites, women, in the year I'ved lived here. [This does not count white folks in cars, passing through. In official language, H St. NE, is known as "The H Street Corridor," as in something to be passed through quickly, going from your place, on the way to elsewhere.] (11)

This paragraph of the text locates Minnie Bruce Pratt in a place that does not exist as a legitimate possibility for home on a white people's map of Washington, D.C.: H Street N.E., "the jungle," "the H. Street Corridor as in something to be passed through quickly, going from your place to elsewhere" (11). That, then, is potentially Pratt's home, the community in which she lives. But this "jungle," this corridor, is located at the edge of homes of white folk. It is a place outside the experience of white people, where Pratt must be the outsider because she is white. This "being on the edge" is what characterizes her "being in the world as it is," as opposed to remaining within safe bounded places with their illusion of acceptance. "I will try to be at the edge between my fear and outside, on the edge at my skin, listening, asking what new thing will I hear, will I see, will I let myself feel, beyond the fear," she writes. It is her situation on the edge that expresses the desire and the possibility of breaking through the narrow circle called home without pretense that she can or should "jump out of her skin" or deny her past.

The salience of demography, a white woman in a black neighborhood, afraid to be too familiar and neighborly with black people, is acutely felt. Pratt is comforted by the sounds of the voices of black people, for they make her "feel at home" and remind her of her father's southern voice, until she runs into Mr. Boone, the janitor with the downcast head and the "yes ma'ams," and Pratt responds in "the horrid cheerful accents of a white lady." The pain is not just the pain of rejection by this black man; it is the pain of acknowledging the history of the oppression and separation of different groups of people that shatters the protective boundaries of her self and renders her desire to speak with others problematic. The context of this personal interaction is set immediately in terms of geographical and political history. Mr. Boone's place of origin (hometown) is evoked through the narration of the history of local resistance struggles in the region from which he comes. He's a dark, red-brown man from the Yemessee in South Carolina—that swampy land of Indian resistance and armed communities of fugitive slaves, that marshy land at the headwaters of the Combahee, once site of enormous rice plantations and location of Harriet Tubman's successful military action that freed many slaves.

This history of resistance has the effect of disrupting forever all memories of a safe, familiar southern home. As a result of this interaction, Pratt now remembers that home was repressive space built on the surrendering of all responsibility. Pratt's self-reflection, brought on by a consciousness of difference, is nourished and expanded by thinking contextually of other histories and of her own responsibility and implication in them. What we find extraordinary about Pratt as narrator (and person) is her refusal to allow guilt to trap her within the boundaries of a coherent "white" identity. It is this very refusal that makes it possible for her to make the effort to educate herself about the histories of her own and other peoples—an education that indicates to her her own implication in those histories. Pratt's approach achieves significance in the context of other white feminists' responses to the charge of racism in the women's movement. An all-too-common response has been self-paralyzing guilt and/or defensiveness; another has been the desire to be educated by women of color. The problem is exacerbated by the tendency on the part of some women of color to assume the position of ultimate critic or judge on the basis of the authenticity of their personal experience of oppression. An interesting example of the assignment of fixed positions—the educator/critic (woman of color) and the guilty and silent listener (white woman)—is an essay by Elizabeth Spelman and Maria Lugones (1983). The dynamics set up would seem to exempt both parties from the responsibilities of working through the complex historical relations between and among structures of domination and oppression.

In this scenario, the street scene is particularly effective, both spatially and metaphorically. The street evokes a sense of constant movement, change, and temporality. For instance, Pratt can ask herself why the young black woman did not speak to her, why she herself could not speak to the professional white woman in the morning but does at night, why the woman does not respond—all in the space of one evening's walk down three blocks. The meetings on the street also allow for a focus on the racial and ethnic demography of the community as a way of localizing racial, sexual, and class tensions. Since her present location is nowhere (the space does not exist for white people), she constantly has to problematize and define herself anew in relation to people she meets in the street. There is an acute consciousness of being white, woman, lesbian, and Christian-raised and of which of these aspects is salient in different "speakings": "Instead, when I walk out in my neighborhood, each speaking to another person has become fraught for me, with the history of race and sex and class; as I walk I have a constant interior discussion with myself, questioning how I acknowledge the presence of another, what I know or don't know about them, and what it means how they acknowledge me" (12). Thus, walking down the street and speaking to various people—a young white man, young black woman, young professional white woman, young black man, older white woman are all rendered acutely complex and contradictory in terms of actual speakings, imagined speakings, and actual and imagined motivations, responses, and implications—there is no possibility of a coherent self with a continuity of responses across these different "speaking-to's." History intervenes. For instance, a respectful answer from a young black man might well be "the response violently extorted by history." The voices, sounds, hearing, and sight in particular interactions or within "speaking-to's" carry with them their own particular histories; this narrative mode breaks the boundaries of Pratt's experience of being protected, of being a majority.

Scenario 2

> Yet I was shaped by my relation to those buildings and to the people in the buildings, by ideas of who should be in the Board of Education, of who should be in the bank handling money, of who should have the guns and the keys to the jail, of who should be in the jail; and I was shaped by what I didn't see, or didn't notice, on those streets. (17)

The second scenario is constructed in relation to Pratt's childhood home in Alabama and deals very centrally with her relation to her father. Again, she explores that relationship to her father in terms of the geography, demography, and architecture of the hometown; again, she reconstructs it by uncovering knowledges, not only the knowledge of those others who were made invisible to her as a child but also the suppressed knowledge of her own family background. The importance of her elaborating the relation to her father through spatial relations and historical knowledges lies in the contextualization of that relation, and the consequent avoidance of any purely psychological explanation. What is affected, then, is the unsettling of any self-evident relation between blood, skin, heart. And yet, here as elsewhere, the essential relation between blood, skin, heart, home, and identity is challenged without dismissing the power and appeal of those connections.

Pratt introduces her childhood home and her father in order to explain the source of her need to change what she was born into to explain what she, or any person who benefits from privileges of class and race, has to gain from change. This kind of self-reflexivity characterizes the entire narrative and takes the form of an attempt to avoid the roles and points of enunciation that she identifies as the legacy of her culture: the roles of judge, martyr, preacher, and peacemaker, and the typically white, Christian, middle-class, and liberal pretense of a concern for others, an abstract moral or ethical concern for what is right. Her effort to explain her own need to change is elaborated through the memory of childhood scenes, full of strong and suggestive architectural/spatial metaphors that are juxtaposed with images suggesting alternative possibilities. The effort to explain her motivation for change reminds her of her father: "When I try to think of this, I think of my father" (16). Pratt recounts a scene from her childhood in which her father took her up the marble steps of the courthouse in the center of the town, the courthouse in which her grandfather had judged for forty years, to the clock tower in order to show her the town from the top and the center. But the father's desire to have her see as he saw, to position her in relation to her town and the world as he was positioned, failed. She was unable, as a small child, to make it to the top of the clock tower and could not see what she would have seen had she been her father or taken his place.

From her vantage point as an adult, she is now able to reconstruct and analyze what she would have seen and would not have seen from the center and the top of the town. She would have seen the Methodist church and the Health Department, for example, and she would not have seen the sawmill of Four Points, where the white mill folks lived, or the houses of blacks in the Veneer Mill quarters. She had not been able to take that height because she was not her father and could not become like him: she was a white girl, not a boy. This assertion of her difference from the father is undercut, however, in a reversal characteristic of the moves enacted throughout the essay, when she begins a new paragraph by acknowledging: "Yet I was shaped by my relation to those buildings and to the people in the buildings."

What she has gained by rejecting the father's position and vision, by acknowledging her difference from him, is represented as a way of looking, a capacity for seeing the world in overlapping circles, "like movement on the millpond after a fish has jumped, instead of the courthouse square with me at the middle, even if I am on the ground." The contrast between the vision that her father would have her learn and her own vision, her difference and "need," emerges as the contrast between images of constriction, of entrapment, or ever-narrowing circles with, on the one hand, a bounded self at the center—the narrow steps to the roof of the courthouse, the clock tower with a walled ledge—and, on the other hand, the image of the millpond with its ever-shifting centers. The apparently stable, centered position of the father is revealed to be profoundly unstable, based on exclusions, and characterized by terror.

Change, however, is not a simple escape from constraint to liberation.

There is no shedding the literal fear and figurative law of the father and no reaching a final realm of freedom. There is no new place, no new home. Since neither her view of history nor her construction of herself through it is linear, the past, home, and the father leave traces that are constantly reabsorbed into a shifting vision. She lives, after all, on the edge. Indeed, that early experience of separation and difference from the father is remembered not only in terms of the possibility of change but also in relation to the pain of loss, the loneliness of change, the undiminished desire for home, for familiarity, for some coexistence of familiarity and difference. The day she couldn't make it to the top of the tower "marks the last time I can remember us doing something together, just the two of us; thereafter, I knew on some level that my place was with women, not with him, not with men."

This statement would seem to make the divisions simple, would seem to provide an overriding explanation of her desire for change, for dealing with racism and anti-Semitism, would seem to make her one of a monolithic group of others in relation to the white father. However, this division, too, is not allowed to remain stable and so to be seen as a simple determinant of identity.

Near the end of her narrative, Pratt recounts a dream in which her father entered her room carrying something like a heavy box, which he put down on her desk. After he left, she noticed that the floor of her room had become a field of dirt with rows of tiny green seed just sprouting. We quote from her narration of the dream, her ambivalence about her father's presence, and her interpretation of it:

> He was so tired; I flung my hands out angrily, told him to go, back to my mother; but crying, because my heart ached; he was my father and so tired. . . . The box was still there, with what I feared: my responsibility for what the men of my culture have done. . . . I was angry: why should I be left with this: I didn't want it: I'd done my best for years to reject it: I wanted no part of what was in it: the benefits of my privilege, the restrictions, the injustice, the pain, the broken urgings of the heart, the unknown horrors. And yet it is mine: I am my father's daughter in the present, living in a world he and my folks helped create. A month after I dreamed this he died; I honor the grief of his life by striving to change much of what he believed in: and my own grief by acknowledging that I saw him caught in the grip of racial, sexual, cultural fears that I still am trying to understand in myself. (53)

Only one aspect of experience is given a unifying and originating function in the text: that is her lesbianism and love for other women, which has motivated and continues to motivate her efforts to reconceptualize and recreate both her self and home. A careful reading of the narrative demonstrates the complexity of lesbianism, which is constructed as an effect, as well as a source, of her political and familial positions—its significance, that is, is demonstrated in relation to other experiences rather than assumed as essential determinant.

What lesbianism becomes as the narrative unfolds is that which makes "home" impossible, which makes her self nonidentical, which makes her vulnerable, removing her from the protection afforded those women within privileged races and classes who do not transgress a limited sphere of movement. Quite literally, it is her involvement with another woman that separates the narrator not only from her husband but from her children as well. It is that which threatens to separate her from her mother, and that which remains a silence between herself and her father. That silence is significant, since, as she points out—and this is a crucial point—her lesbianism is precisely what she can deny, and indeed must deny, in order to benefit fully from the privilege of being white and middle-class and Christian. She can deny it, but only at great expense to herself. Her lesbianism is what she experiences most immediately as the limitation imposed on her by the family, culture, race, and class that afforded her both privilege and comfort, at a price. Learning at what price privilege, comfort, home, and secure notions of self are purchased, the price to herself and ultimately to others is what makes lesbianism a political motivation as well as a personal experience.

It is significant that lesbianism is neither marginalized nor essentialized but constructed at various levels of experience and abstraction. There are at least two ways in which lesbianism has been isolated in feminist discourse: the homophobic oversight and relegation of it to the margins, and the lesbian-feminist centering of it, which has had at times the paradoxical effect of removing lesbianism and sexuality from their embeddedness in social relations. In Pratt's narrative, lesbianism is that which exposes the extreme limits of what passes itself off as simply human, as universal, as unconstrained by identity, namely, the position of the white middle class. It is also a positive source of solidarity, community, and change. Change has to do with the transgression of boundaries, those boundaries so carefully, so tenaciously, so invisibly drawn around white identity.[5] Change has to do with the transgression of those boundaries.

The insight that white, Christian, middle-class identity, as well as comfort and home, is purchased at a high price is articulated very compellingly in relation to her father. It is significant that there is so much attention to her relation to her father, from whom she describes herself as having been estranged—significant and exemplary of what we think is so important about this narrative.[6] What gets articulated are the contradictions in that relation, her difference from the father, her rejection of his positions, and at the same time her connections to him, her love for him, the ways in which she is his daughter. The complexity of the father-daughter relationship and Pratt's acknowledgment of the differences within it—rather than simply between herself and her father—make it impossible to be satisfied with a notion of difference from the father, literal or figurative, which would (and in much feminist literature does) exempt the daughter from her implication in the structures of privilege/oppression, structures that operate in ways much more complex than the male/female split itself. The narrator expresses the pain, the confusion attendant upon this complexity.

The narrative recounts the use of threat and of protections to consolidate home, identity, community, and privilege, and in the process exposes the underside of the father's protection. Pratt recalls a memory of a night, during the height of the civil rights demonstrations in Alabama, when her father called her in to read her an article in which Martin Luther King Jr. was accused of sexually abusing young teenage girls. "I can only guess that he wanted me to feel that my danger, my physical, sexual danger, would be the result of the release of others from containment. I felt frightened and profoundly endangered, by King, by my father: I could not answer him. It was the first, the only time, I could not answer him. It was the first the only time he spoke of sex, in any way, to me" (36–37).

What emerges is the consolidation of the white home in response to a threatening outside. The rhetorics of sexual victimization or vulnerability of white women is used to establish and enforce unity among whites and to create the myth of the black rapist.[7] Once again, her experience within the family is reinterpreted in relation to the history of race relations in an "outside" in which the family is implicated. What Pratt integrates in the text at such points is a wealth of historical information and analysis of the ideological and social/political operations beyond her "home." In addition to the historical information she unearths both about the atrocities committed in the name of protection, by the Ku Klux Klan and white society in general, and about the resistance to those forms of oppression, she points to the underside of the rhetoric of home, protection, and threatening others that were promoted by Reagan and the New Right. "It is this threatening protection' that white Christian men in the U.S. are now offering" (38).

When one conceives of power differently, in terms of its local, institutional, discursive formations, of its positivity, and in terms of the production rather than suppression of forces, then unity is exposed to be a potentially repressive fiction.[8] It is at the moment at which groups and individuals are conceived as agents, as social actors, as desiring subjects that unity, in the sense of coherent group identity, commonality, and shared experience, becomes difficult. Individuals do not fit neatly into unidimensional, self-identical categories. Hence the need for a new sense of political community that gives up the desire for the kind of home where the suppression of positive differences underwrites familial identity. Pratt's narrative makes it clear that connections have to be made at levels other than abstract political interests. And the ways in which intimacy and emotional solidarity figure in notions of political community avoid an all-too-common trivialization of the emotional, on the one hand, and romanticization of the political, on the other.

Scenario 3

> Every day I drove around the market house, carrying my two boys between home and grammar school and day care. To me it was an impediment to the flow of traffic, awkward, anachronistic. Sometimes in early spring light it seemed quaint. I had no knowledge and no feeling of the sweat and blood of people's lives that had been mortared into its bricks: nor of their independent joy apart from that place. (21)

The third scenario involves Pratt's life in an eastern rural North Carolina town, to which she came in 1974 with her husband and two children. Once again Pratt characterizes her relation to the town, as well as to her husband and children, by means of demographic and architectural markers and metaphors that situate her at the periphery of this "place which is so much like home": a place in which everything would seem to revolve around a stable center, in this case the market house: "I drove around the market house four times a day, traveling on the surface of my own life: circular, repetitive, like one of the games at the county fair" (22). Once again she is invited to view her home town from the top and center, specifically from the point of view of the white "well-to-do folks," for whom the history of the market house consisted of the fruits, the vegetables, and the tobacco exchanged there. "But not slaves, they said" (21). However, the black waiter serving the well-to-do in the private club overlooking the center of town contests this account, providing facts and dates of the slave trade in that town. This contradiction leaves a trace but does not become significant to her view of her life in that town, a town so much like the landscape of her childhood. It does not become significant, that is, until her own resistance to the limitations of home and family converges with her increasing knowledge of the resistance of other people; converges but is not conflated with those other struggles. What Pratt uncovers of the town histories is multilayered and complex. She speaks of the relation of different groups of people to the town and their particular histories of resistance—the breaking up of Klan rallies by Lumbee Indians, the long tradition of black culture and resistance, Jewish traditions of resistance, anti-Vietnam protest, and lesbians' defiance of military codes—with no attempt to unify or equate the various struggles under a grand polemics of oppression. The coexistence of these histories gives the narrative its complex, rich texture. Both the town and her relation to it change as these histories of struggle are narrated. Indeed, there is an explicit structural connection between moments of fear and loss of former homes with the recognition of the importance of interpretation and struggle. From our perspectives, the integrity of the narrative and the sense of self have to do with the refusal to make easy divisions and with the unrelenting exploration of the ways in which the desire for home, for security, for protection—and not only the desire for them, but the expectation of a right to these things—operates in Pratt's own conception of political work. She describes her involvement in political work as having begun when feminism swept through the North Carolina town in which she was living with husband and her two sons in the 1970s, a period in her life when she felt threatened as a woman and was forced to see herself as part of a class of people; that she describes as anathema to the self-concept of middle-class white people who would just like to "be," unconstrained by labels, by identities, by consignment to a group, and would prefer to ignore the fact that their existence and social place are anything other than self-evident, natural, human.

What differentiates Pratt's narration of her development from other feminist narratives of political awakening is its tentativeness, its consisting of fits and starts, and the absence of linear progress toward a visible end.[9] This narrator pursues the extent and the ways in which she carries her white, middle-class conceptions of home around with her and the ways in which they inform her relation to politics. There is an irreconcilable tension between the search for a secure place from which to speak, within which to act, and the awareness of the price at which secure places are bought, the awareness of the exclusions, the denials, the blindnesses on which they are predicated.

The search for a secure place is articulated in its ambivalence and complexity through the ambiguous use of the words "place" and "space" in precisely the ways they have become commonplace within feminist discourse. The moments of terror when she is brought face to face with the fact that she is "homesick with nowhere to go," that she has no place, the "kind of vertigo" she feels upon learning of her own family's history of racism and slaveholding, the sensation of her body having no fixed place to be, are remembered concurrently with moments of hope, when "she thought she had the beginning of a place for myself."

What she tried to recreate as a feminist, a woman aware of her position vis-à-vis men as a group, is critiqued as a childish place:

> Raised to believe that I could be where I wanted and have what I wanted, as a grown woman I thought I could simply claim what I wanted, even the making of a new place to live with other women. I had no understanding of the limits that I lived within, nor of how much my memory and my experience of a safe space to be was based on places secured by omission, exclusions or violence, and on my submitting to the limits of that place. (25–26)

The self-reflexiveness that characterizes the narrative becomes especially clear in her discussion of white feminists' efforts at outreach in her North Carolina community. She and her National Organization for Women fellow workers had gone forward "to a new place": "Now we were throwing back safety lines to other women, to pull them in as if they were drowning. What I felt, deep down, was hope that they would join me in my place, which would be the way I wanted it. I didn't want to have to limit myself" (30).

However, it is not only her increasing knowledge of her exclusion of others from that place that initiates her rethinking. What is most compelling is her account of her realization that her work in NOW was also based on the exclusion of parts of herself, specifically her lesbianism.[10] Those moments when she would make it the basis of a sameness with other women, a sameness that would make a new place too, is undercut by her seeing the denials, the exclusions, and the violence that are the conditions of privilege and indeed of love in its Christian formulation. The relationship between love and the occlusion or appropriation of the other finds expression in her description of her attempts to express her love for her Jewish lover in a poem filled with images from the Jewish tradition, a way of assuming, indeed insisting upon, their similarity by appropriating the other's culture.

The ways in which appropriation or stealth, in the colonial gesture, reproduces itself in the political positions of white feminists is formulated convincingly in a passage about what Pratt calls "cultural impersonation," a term that refers to the tendency among white women to respond with guilt and self-denial to the knowledge of racism and anti-Semitism, and to borrow or take on the identity of the other in order to avoid not only guilt but pain and self-hatred.[11] It is Pratt's discussion of the negative effects, political and personal, of cultural impersonation that raises the crucial issue of what destructive forms a monolithic (and overly theoretical) critique of identity can take. The claim to a lack of identity or positionality is itself based on privilege, on a refusal to accept responsibility for one's implication in actual historical or social relations, on a denial that positionalities exist or that they matter, the denial of one's own personal history and the claim to a total separation from it. What Minnie Bruce Pratt refuses over and over is the facile equation of her own situation with that of other people:

> When, after Greensboro, I groped toward an understanding of injustice done to others, injustice done outside my narrow circle of being, and to folks not like me, I began to grasp, through my own experience, something of what that injustice might be. But I did not feel that my new understanding simply moved me into a place where I joined others to struggle with them against common injustices. Because I was implicated in the doing of some of these injustices, and I held myself, and my people, responsible. (35)

The tension between the desire for home, for synchrony, for sameness, and the realization of the repressions and violence that make home, harmony, sameness imaginable, and that enforce it, is made clear in the movement of the narrative by very careful and effective reversals that do not erase the positive desire for unity, for oneness, but destablilize and undercut it. The relation between what Teresa de Lauretis has called the negativity of theory and the positivity of politics is a tension enacted over and over again by this text.[12] The possibility of recreating herself and of creating new forms of community not based on "home" depends for Minnie Bruce Pratt upon work and upon knowledge, not only of the traditions and culture of others but also of the positive forms of struggle within her own. It depends on acknowledging not only her ignorance and her prejudices but also her fears, above all the fear of loss that accompanies change.

The risk of rejection by one's own kind, by one's family, when one exceeds the limits laid out or the self-definition of the group, is not made easy; again, the emphasis on her profoundly ambivalent relationship to her father is crucial. When the alternatives would seem to be either the enclosing, encircling, constraining circle of home, or nowhere to go, the risk is enormous. The assumption of, or desire for, another safe place like "home" is challenged by the realization that "unity"—interpersonal as well as political—is itself necessarily fragmentary, itself that which is struggled for, chosen, and hence unstable by definition; it is not based on "sameness," and there is no perfect fit. But there is agency as opposed to passivity.

The fear of rejection by one's own kind refers not only to the family of origin but also to the potential loss of a second family, the women's community, with its implicit and often unconscious replication of the conditions of home.[13] When we justify the homogeneity of the women's community in which we move on the basis of the need for community, the need for home, what, Pratt asks, distinguishes our community from the justifications advanced by women who have joined the Klan for "family, community, and protection"? The relationship between the loss of community and the loss of self is crucial. To the extent that identity is collapsed with home and community and based on homogeneity and comfort, on skin, blood, and heart, the giving up of home will necessarily mean the giving up of self and vice versa.

> Then comes the fear of nowhere to go: no old home with family: no new one with women like ourselves: and no place to be expected with folks who have been systematically excluded by ours. And with our fear comes the doubt: Can I maintain my principles against my need for the love and presence of others like me? It is lonely to be separated from others because of injustice, but it is also lonely to break with our own in opposition to that injustice. (50)

The essay ends with a tension between despair and optimism over political conditions and the possibilities for change. Pratt walks down Maryland Avenue in Washington, D.C.—the town that is now her "hometown"—protesting against U.S. invasions, Grenada, the marines in Lebanon, the war in Central America, the acquittals of the North Carolina Klan and Nazi perpetrators. The narrative has come full circle, and her consciousness of her "place" in this town—the capital—encompasses both local and global politics and her own implication in them. The essay ends with the following statement: "I continue the struggle with myself and the world I was born in" (57).

Pratt's essay on feminism, racism, and anti-Semitism is not a litany of oppression but an elaboration, indeed an enactment, of careful and constant differentiations that refuses the all-too-easy polemic that opposes victims to perpetrators. The exposure of the arbitrariness and the instability of positions within systems of oppression evidences a conception of power that refuses totalizations and can therefore account for the possibility of resistance. "The system" is revealed to be not one but multiple, overlapping, intersecting systems or relations that are historically constructed and recreated through everyday practices and interactions and that implicate the individual in contradictory ways. All of that without denying the operations of actual power differences, overdetermined though they may be, reconceptualizing power without giving up the possibility of conceiving power.

Community, then, is the product of work, of struggle; it is inherently unstable, contextual; it has to be constantly reevaluated in relation to critical political priorities; and it is the product of interpretation, interpretation based on an attention to history, to the concrete, to what Foucault (1980) has called subjugated knowledges. There is also, however, a strong suggestion that community is related to experience, to history. For if identity and community are not the product of essential connections, neither are they merely the product of political urgency or necessity. For Pratt, they are a constant recontextualizing of the relationship between personal/group history and political priorities.

It is crucial, then, to avoid two traps, the purely experiential and the theoretical oversight of personal and collective histories. In Pratt's narrative, personal history acquires a materiality in the constant rewriting of herself in relation to shifting interpersonal and political contexts. This rewriting is an interpretive act which is itself embedded in social and political practice:

> In this city where I am no longer of the majority by color or culture, I tell myself every day: In this world you aren't the superior race or culture, and never were, whatever you were raised to think: and are you getting ready to be in this world?
>
> And I answer myself back: I'm trying to learn how to live, to have the speaking-to extend beyond the moment's word, to act so as to change the unjust circumstances that keep us from being able to speak to each other; I'm trying to get a little closer to the longed-for but unrealized world, where we each are able to live, but not by trying to make someone less than us, not by someone else's blood or pain. Yes, that's what I'm trying to do with my living now. (13)

We have used our reading of this text to open up the question of how political community might be reconceptualized within feminist practice. We do not intend to suggest that Pratt's essay, or any single autobiographical narrative, offers an answer. Indeed, what this text has offered is a pretext for posing questions. The conflation of Pratt the person with the narrator and subject of this text has led us and our students to want to ask, for example, how such individual self-reflection and critical practice might translate into the building of political collectivity. And to consider more specifically the possible political implications and effects of a white middle-class woman's "choice" to move to H Street N.E. Certainly, we might usefully keep in mind that the approach to identity, to unity, and to political alliances in Pratt's text is itself grounded in and specific to her complex positionalities in a society divided very centrally by race, gender, class, ethnicity, and sexualities.

CHAPTER FOUR

Sisterhood, Coalition, and the Politics of Experience

Feminist and antiracist struggles now face some of the same urgent questions encountered in the 1970s. After decades of feminist political activism and scholarship in a variety of sociopolitical and geographical locations, questions of difference (sex, race, class, nation), experience, and history remain at the center of feminist analysis. Only, at least in the U.S.academy, feminists no longer have to contend as they did in the 1970s with phallocentric denials of the legitimacy of gender as a category of analysis. Instead, the crucial questions now concern the construction, examination, and, most significantly, the institutionalization of difference *within* feminist discourses. It is this institutionalization of difference that concerns me here. Specifically, I ask the following question: how does the politics of location in the United States of the late twentieth and early twenty-first century determine and produce experience and difference as analytical and political categories in feminist "cross-cultural" work? By the term "politics of location" I refer to the historical, geographical, cultural, psychic, and imaginative boundaries that provide the ground for political definition and self-definition for contemporary U.S.feminists.[1]

Since the 1970s, there have been key paradigm shifts in Western feminist theory. These shifts can be traced to political, historical, methodological, and philosophical developments in our understanding of questions of power, struggle, and social transformation. Feminists have drawn on decolonization movements around the world, on movements for racial equality, on peasant struggles, and on gay and lesbian movements, as well as on the methodologies of Marxism, psychoanalysis, deconstruction, and poststructuralism to situate our thinking. While these developments have often led to progressive, indeed radical, analyses of sexual difference, the focus on questions of subjectivity and identity that is a hallmark of contemporary feminist theory has also had some problematic effects in the area of race and Third World / postcolonial studies. One problematic effect of the postmodern critique of essentialist notions of identity has been the dissolution of the category of race—however, this is often accomplished at the expense of a recognition of racism. Another effect has been the generation of discourses of diversity and pluralism grounded in an apolitical, often individualized identity politics.[2] Here, questions of historical interconnection are transformed into questions of discrete and separate histories (or even herstories) and into questions of identity politics (this is different from recognizing the significance of the politics of identity).[3] I work through some of the effects here by suggesting the importance of analyzing and theorizing difference in the context of feminist cross-cultural work. Through this theorization of experience, I suggest that historicizing and locating political agency is a necessary alternative to formulations of the "universality" of gendered oppression and struggles. This universality of gender oppression is problematic, based as it is on the assumption that the categories of race and class have to be invisible for gender to be visible. Claiming universality of gender oppression is not the same as arguing for the universal rights of women based on the particularities of our experiences. I argue that the challenges posed by black and Third World feminists can point the way toward a more precise, transformative feminist politics based on the specificity of our historical and cultural locations and our common contexts of struggle. Thus, the juncture of feminist and antiracist/Third World/postcolonial studies is of great significance, materially as well as methodologically.[4]

Feminist analyses that attempt to cross national, racial, and ethnic boundaries produce and reproduce difference in particular ways. This codification of difference occurs through the naturalization of analytic categories that are supposed to have cross-cultural validity. I attempt an analysis of two feminist texts that address the turn of the century directly. Both texts also foreground analytic categories that address questions of cross-cultural, cross-national differences among women. Robin Morgan's "Planetary Feminism: The Politics of the 21st Century" and Bernice Johnson Reagon's "Coalition Politics: Turning the Century" are both *movement* texts and are written for diverse mass audiences. Morgan's essay forms the introduction to her 1984 book, *Sisterhood is Global: The International Women's Movement Anthology*, while Reagon's piece was first given as a talk at the West Coast Women's Music Festival in 1981 and has since been published in Barbara Smith's 1983 anthology, *Home Girls:*

A Black Feminist Anthology.[5] Both essays construct contesting notions of experience, difference, and struggle within and across cultural boundaries. I stage an encounter between these texts because they represent for me, despite their differences from each other, an alternative presence—a thought, an idea, a record of activism and struggle—that can help me both locate and position myself in relation to "history." Through this presence, and with these texts, I can hope to approach the new century and not be overwhelmed.

The status of "female" or "woman/women's" experience has always been a central concern in feminist discourse. After all, it is on the basis of shared experience that feminists of different political persuasions have argued for unity or identity among women. Teresa de Lauretis, in fact, gives this question a sort of foundational status: "The relation of experience to discourse, finally, is what is at issue in the definition of feminism" (1986, 5). Feminist discourses, critical and liberatory in intent, are not thereby exempt from inscription in their internal power relations. Thus the recent definition, classification, and assimilation of categories of experientially based notions of "woman" (or analogously, in some analyses, "lesbian") to forge political unity require our attention and careful analysis. Gender is produced as well as uncovered in feminist discourse, and definitions of experience, with attendant notions of unity and difference, form the very basis of this production. For instance, gender inscribed within a purely male/female framework reinforces what Monique Wittig (1980, 103–10) has called the heterosexual contract. Here difference is constructed along male/female lines, and it is being female (as opposed to male) that is at the center of the analysis. Identity is seen as either male or female. A similar definition of experience can also be used to craft lesbian identity. Katie King's analysis indicates this:

> The construction of political identity in terms of lesbianism as a magical sign forms the pattern into which the feminist taxonomic identities of recent years attempt to assimilate themselves.... Identifying with lesbianism falsely implies that one knows all about heterosexism and homophobia magically through identity or association. The "experience" of lesbianism is offered as salvation from the individual practice of heterosexism and homophobia and the source of intuitive institutional and structural understanding of them. The power of lesbianism as a privileged signifier makes analysis of heterosexism and homophobia difficult since it obscures the need for counter-intuitive challenges to ideology. (1986, 85)

King's analysis calls into question the authority and presence of "experience" in constructing lesbian identity. She criticizes feminist analyses in which difference is inscribed simply within a lesbian/heterosexual framework, with "experience" functioning as an unexamined, catch-all category. This is similar to the female/male framework Wittig calls attention to, for although the terms of the equation are different, the status and definition of "experience" are the same. The politics of being "woman" or "lesbian" are deduced from the experience of being woman or lesbian. Being female is thus seen as *naturally* related to being feminist, where the experience of being female transforms us into feminists through osmosis. Feminism is not defined as a highly contested political terrain; it is the mere effect of being female.[6] This is what one might call the feminist osmosis thesis: females are feminists by association and identification with the experiences that constitute us as female.

The problem is, however, that we cannot avoid the challenge of theorizing experience. For most of us would not want to ignore the range and scope of the feminist political arena, one characterized quite succinctly by de Lauretis: "[F]eminism defines itself as a political instance, not merely a sexual politics but a politics of everyday life, which later . . . enters the public sphere of expression and creative practice, displacing aesthetic hierarchies and generic categories, and . . . thus establishes the semiotic ground for a different production of reference and meaning" (1986, 10). It is this recognition that leads me to an analysis of the status of experience and difference and the relation of this to political praxis in Morgan's and Reagon's texts.

"A Place on the Map Is Also a Place in History"

The last three decades have witnessed the publication of numerous feminist writings on what is generally referred to as an international women's movement, and we have its concrete embodiment in *Sisterhood Is Global*, a text that describes itself as "*The* international women's movement anthology."[7] There is considerable difference between international feminist networks organized around specific issues such as sex tourism and multinational exploitation of women's work, and the notion of an international women's movement that, as I hope to demonstrate, implicitly assumes global or universal sisterhood. But it is best to begin by recognizing the significance and value of the publication of an anthology such as this. The value of documenting the indigenous histories of women's struggles is unquestionable. Morgan states that the book took twelve years in conception and development, five years in actual work, and innumerable hours in networking and fundraising. It is obvious that without Morgan's vision and perseverance this anthology would not have been published. The range of writing represented is truly impressive. At a time when most of the globe seems to be taken over by religious fundamentalism and big business, and the colonization of space takes precedence over survival concerns, an anthology that documents women's organized resistances has significant value in helping us envision a better future. In fact, it is because I recognize the value and importance of this anthology that I am concerned about the political implications of Morgan's framework for cross-cultural comparison. Thus my comments and criticisms are intended to encourage a greater internal self-consciousness within feminist politics and writing, not to lay blame or induce guilt.

Universal sisterhood is produced in Morgan's text through specific assumptions about women as a cross-culturally singular, homogeneous group with the same interests, perspectives, and goals and similar experiences. Morgan's definitions of "women's experience" and history lead to a particular self-presentation of Western women, a specific codification of differences among women, and eventually to what I consider to be problematic suggestions for political strategy.[8] Since feminist discourse is productive of analytic categories and strategic decisions that have material effects, the construction of the category of universal sisterhood in a text that is widely read deserves attention. In addition, *Sisterhood Is Global* is still the only text that proclaims itself as the anthology of the international women's movement. It has been distributed worldwide, and Morgan herself has earned the respect of feminists everywhere. And since authority is always charged with responsibility, the discursive production and dissemination of notions of universal sisterhood are together a significant political event that perhaps solicits its own analysis.

Morgan's explicit intent is "to further the dialogue between and solidarity of women everywhere" (1984, 8). This is a valid and admirable project to the extent that one is willing to assume, if not the reality, then at least the possibility, of universal sisterhood on the basis of shared good will. But the moment we attempt to articulate the operation of contemporary imperialism with the notion of an international women's movement based on global sisterhood, the awkward political implications of Morgan's task become clear. Her particular notion of universal sisterhood seems predicated on the erasure of the history and effects of contemporary imperialism. Robin Morgan seems to situate all women (including herself) outside contemporary world history, leading to what I see as her ultimate suggestion, that transcendence rather than engagement is the model for future social change. This, I think, is a model with dangerous implications for women who do not and cannot speak from a location of white, Western, middle-class privilege. A place on the map (New York City) is, after all, also a locatable place in history.

What is the relation between experience and politics in Morgan's text? In her opening essay, "Planetary Feminism," the category of "women's experience" is constructed within two parameters: woman as victim, and woman as truth-teller. Morgan suggests that it is not mystical or biological commonalities that characterize women across cultures and histories but, rather, a common condition and worldview:

> The quality of feminist political philosophy (in all its myriad forms) makes possible a totally new way of viewing international affairs, one less concerned with diplomatic postures and abstractions, but focused instead on concrete, *unifying* realities of priority importance to the survival and betterment of living beings. For example, the historical, cross-cultural opposition women express to war and our healthy skepticism of certain technological advances (by which most men seem overly impressed at first and disillusioned at last) are only two instances of shared attitudes among women which seem basic to a common world view. Nor is there anything mystical or biologically deterministic about this commonality. It is the result of a *common condition* which, despite variations in degree, is experienced by all human beings who are born female. (1984, 4)

This may be convincing up to a point, but the political analysis that underlies Morgan's characterization of the commonality among women is shaky at best. At various points in her essay, the "common condition" that women share is referred to as the suffering inflicted by a universal "patriarchal mentality" (1), women's opposition to male power and androcentrism, and the experience of rape, battery, labor, and childbirth. For Morgan, the magnitude of suffering experienced by most of the women in the world leads to their potential power as a world political force, a force constituted in opposition to Big Brother in the United States, Western and Eastern Europe, China, Africa, the Middle East, and Latin America. The assertion that women constitute a potential world political force is suggestive; however, Big Brother is not exactly the same even in, say, the United States and Latin America. Despite the similarity of power interests and location, the two contexts present significant differences in the manifestations of power and hence of the possibility of struggles against it. I part company with Morgan when she seems to believe that Big Brother is the same the world over because "he" simply represents male interests, notwithstanding particular imperial histories or the role of monopoly capital in different countries.

In Morgan's analysis, women are unified by their shared perspective (for example, opposition to war), shared goals (betterment of human beings), and shared experience of oppression. Here the homogeneity of women as a group is produced not on the basis of biological essentials (Morgan offers a rich, layered critique of biological materialism), but rather through the psychologization of complex and contradictory historical and cultural realities. This leads in turn to the assumption of women as a unified group on the basis of secondary sociological universals. What binds women together is an ahistorical notion of the sameness of their oppression and, consequently, the sameness of their struggles.[9] Thus in Morgan's text cross-cultural comparisons are based on the assumption of the singularity and homogeneity of women as a group. This homogeneity of women as a group is, in turn, predicated on a definition of the experience of oppression where difference can only be understood as male/female. Morgan assumes universal sisterhood on the basis of women's shared opposition to androcentrism, an opposition that, according to her, grows directly out of women's shared status as its victims. The analytic elision between the *experience* of oppression and the *opposition* to it (which has to be based on an *interpretation* of experience) illustrates an aspect of what I referred to earlier as the feminist osmosis thesis: being female and being feminist are one and the same; we are all oppressed and hence we all resist. Politics and ideology as self-conscious struggles, and choices necessarily get written out of such an analysis.[10]

Assumptions about the relation of experience to history are evident in Morgan's discussion of another aspect of women's experience: woman as truth-teller. According to her, women speak of the "real" unsullied by "rhetoric" or "diplomatic abstractions." They, as opposed to men (also a coherent singular group in this analytic economy), are authentic human beings whose "freedom of choice" has been taken away from them: "Our emphasis is on the individual voice of a woman speaking not as an official representative of her country, but rather as a truth-teller, with an emphasis on reality as opposed to rhetoric" (xvi). In addition, Morgan asserts that women social scientists are "freer of androcentric bias" and "more likely to elicit more trust and . . . more honest responses from female respondents of their studies" (xvii). There is an argument to be made for women interviewing women, but I do not think this is it. The assumptions underlying these statements indicate to me that Morgan thinks women have some kind of privileged access to the "real," the "truth," and can elicit "trust" from other women purely on the basis of their being not-male. There is a problematic conflation here of the biological and the psychological with the discursive and the ideological. "Women" are collapsed into the "suppressed feminine" and men into the dominant ideology. The fact that truth (as well as the "real") is always mediated and dependant on the interpretative framework used is lost in this framework, as is the notion that feminist frameworks are predicated on self-conscious political choices and interpretive frames of the world and why being women matters in particular ways.

Thus these oppositions are possible only because Morgan implicitly erases from her account the possibility that women might have acted, that they were anything but pure victims. For Morgan, history is a male construction; what women need is herstory, separate and outside of his-story. The writing of history (the discursive and the representational) is confused with women as historical actors. The fact that women are representationally absent from history does not mean that they are/were not significant social actors in history. However, Morgan's focus on herstory as separate and outside history not only hands over all of world history to the boys but potentially suggests that women have been universally duped, not allowed to "tell the truth," and robbed of all agency. The implication of this is that women as a group seem to have forfeited any kind of material referentiality.

What, then, does this analysis suggest about the status of experience in this text? In Morgan's account, women have a sort of cross-cultural coherence as distinct from men. The status or position of women is assumed to be self-evident. However, this focus on the position of women whereby women are seen as a coherent group in all contexts, regardless of class or ethnicity, structures the world in ultimately Manichean terms, where women are always seen in opposition to men, patriarchy is always essentially the invariable phenomenon of male domination, and the religious, legal, economic, and familial systems are implicitly assumed to be constructed by men. Here, men and women are seen as whole groups with already constituted experiences as groups, and questions of history, conflict, and difference are formulated from what can only be this privileged location of knowledge.

I am bothered, then, by the fact that Morgan can see contemporary imperialism only in terms of a "patriarchal mentality" that is enforced by men as a group. Women across class, race, and national boundaries are participants to the extent that we are "caught up in political webs not of our making which we are powerless to unravel" (25). Since women as a unified group are seen as unimplicated in the process of history and contemporary imperialism, the logical strategic response for Morgan appears to be political transcendence: "To fight back in solidarity, however, as a real political force requires that women transcend the patriarchal barriers of class and race, and furthermore, transcend even the solutions the Big Brothers propose to the problems they themselves created" (18). Morgan's emphasis on women's transcendence is evident in her discussions of women's deep opposition to nationalism as practiced in patriarchal society and women's involvement in peace and disarmament movements across the world, because, in her opinion, they desire peace (as opposed to men, who cause war). Thus, the concrete reality of women's involvement in peace movements is substituted by an abstract "desire" for peace that is supposed to transcend race, class, and national conflicts among women. Tangible responsibility and credit for organizing peace movements is replaced by an essentialist and psychological unifying desire. The problem is that in this case women are not seen as political agents; they are merely allowed to be well-intentioned. Although Morgan does offer some specific suggestions for political strategy that require resisting "the system," her fundamental suggestion is that women transcend the Left, the Right, and the Center, the law of the father, God, and the system. Since women have been analytically constituted outside real politics or history, progress for them can only be seen in terms of transcendence.

The experience of struggle is thus defined as both personal and ahistorical. In other words, the political is limited to the personal and all conflicts among and within women are flattened. If sisterhood itself is defined on the basis of personal intentions, attitudes, or desires, conflict is also automatically constructed on only the psychological level. Experience is thus written in as simultaneously individual (that is, located in the individual body/psyche of *woman*) and general (located in women as a preconstituted collective). There seem to be two problems with this definition. First, experience is seen as being immediately accessible, understood, and named. The complex relationships between behavior and its representation are either ignored or made irrelevant; experience is collapsed into discourse and vice versa. Second, since experience has a fundamentally psychological status, questions of history and collectivity are formulated on the level of attitude and intention. In effect, the sociality of collective struggles is understood in terms of something like individual group relations, relations that are commonsensically seen as detached from history. If the assumption of the sameness of experience is what ties woman (individual) to women (group), regardless of class, race, nation, and sexualities, the notion of experience is anchored firmly in the notion of the individual self, a determined and specifiable constituent of European modernity. However, this notion of the individual needs to be self-consciously historicized if as feminists we wish to go beyond the limited bourgeois ideology of individualism, especially as we attempt to understand what cross-cultural sisterhood might be made to mean.

Toward the end of "Planetary Feminism" Morgan talks about feminist diplomacy:

> What if feminist diplomacy turned out to be simply another form of the feminist aphorism "the personal is political"? Danda writes here of her own feminist epiphany, Amanda of her moments of despair, La Silenciada of personally bearing witness to the death of a revolution's ideals. Tinne confides her fears, Nawal addresses us in a voice direct from prison, Hilkla tells us about her family and childhood; Ama Ata confesses the anguish of the woman artist, Stella shares her mourning with us, Mahnaz communicates her grief and her hope, Nell her daring balance of irony and lyricism, Paola the story of her origins and girlhood. Manjula isn't afraid to speak of pain, Corrine traces her own political evolution along-side that of her movement. Maria de Lourdes declares the personal and the political inseparable. Motlalepula still remembers the burning of a particular maroon dress, Ingrid and Renate invite us into their private correspondence, Manelouise opens herself in a poem, Elena appeals personally to us for help. Gwendoline testifies about her private life as a public figure. . . . And do we not, after all, recognize one another? (35–36)

It is this passage more than any other that encapsulates Morgan's individualized and essentially equalizing notion of universal sisterhood and its corresponding political implications. The lyricism, the use of first names (the one and only time this is done) and the insistence that we must easily "recognize one another" indicate what is left unsaid: we must identify with all women. But it is difficult to imagine such a generalized identification predicated on the commonality of women's interests and goals across very real divisive class and ethnic lines—especially, for example, in the context of the mass proletarianization of Third World women by corporate capital based in the United States, Europe, and Japan.[11]

Universal sisterhood, defined as the transcendence of the "male" world, thus ends up being a middle-class, psychologized notion that effectively erases material and ideological power differences within and among groups of women, especially between First and Third World women (and, paradoxically, removes us all as actors from history and politics). It is in this erasure of difference as inequality and dependence that the privilege of Morgan's political "location" might be visible. Ultimately in this reductive utopian vision, men participate in politics while women can only hope to transcend it. Morgan's notion of universal sisterhood does construct a unity. However, for me, the real challenge arises in being able to craft a notion of political unity without relying on the logic of appropriation and incorporation and, just as significantly, a denial of agency. I believe the unity of women is best understood not as given, on the basis of a natural/psychological commonality; it is something that has to be worked for, struggled toward—in history. What we need to do is articulate ways in which the historical forms of oppression relate to the category "women" and not to try to deduce one from the other. And it is here that a formulation of feminist solidarity or coalition makes sense (in contrast to a notion of universal sisterhood). In other words, it is Morgan's formulation of the relation of synchronous, alternative histories (herstories) to a diachronic, dominant historical narrative (History) that is problematic.

One of the tasks of feminist analysis is uncovering alternative, nonidentical histories that challenge and disrupt the spatial and temporal location of a hegemonic history. However, attempts to uncover and locate alternative histories sometimes code these very histories either as totally dependent on and determined by a dominant narrative or as isolated and autonomous narratives, untouched in their essence by the dominant figurations. In these rewritings, what is lost is the recognition that it is the very coimplication of histories with History that helps us situate and understand oppositional agency.[12] In Morgan's text, it is the move to characterize alternative herstories as separate and different from history that results in a denial of feminist agency. And it is this potential repositioning of the relation of oppositional histories/spaces to a dominant historical narrative that I find valuable in Reagon's (1983) discussion of coalition politics.

"It Ain't Home no More": Rethinking Unity

While Morgan uses the notion of sisterhood to construct a cross-cultural unity of women and speaks of "planetary feminism as the politics of the 21st century," Bernice Johnson Reagon uses *coalition* as the basis to talk about the cross-cultural commonality of struggles, identifying survival, rather than shared oppression, as the ground for coalition.[13] She begins with this valuable political reminder: "You don't go into coalition because you *like* it. The only reason you would consider trying to team up with somebody who could possibly kill you, is because that's the only way you can figure you can stay alive" (1983, 357).

The governing metaphor Reagon uses to speak of coalition, difference, and struggle is that of a "barred room." However, whereas Morgan's barred room might be owned and controlled by the Big Brothers in different countries, Reagon's internal critique of the contemporary Left focuses on the barred rooms constructed by oppositional political movements such as feminist, civil rights, gay and lesbian, and Chicano/a political organizations. She maintains that these barred rooms may provide a "nurturing space" for a little while, but they ultimately provide an illusion of community based on isolation and the freezing of difference. Thus, while sameness of experience, oppression, culture, and so on, may be adequate to construct this space, the moment we "get ready to clean house" this very sameness in community is exposed as having been built on a debilitating ossification of difference.

Reagon is concerned with differences *within* political struggles and the negative effects, in the long run, of a nurturing, "nationalist" perspective: "At a certain stage nationalism is crucial to a people if you are going to ever impact as a group in your own interest. Nationalism at another point becomes reactionary because it is totally inadequate for surviving in the world with many peoples" (358). This is similar to Gramsci's 1971 analysis of oppositional political strategy in terms of the difference between wars of maneuver (separation and consolidation) and wars of position (reentry into the mainstream in order to challenge it on its own terms). Reagon's insistence on breaking out of barred rooms and struggling for coalition is a recognition of the importance—indeed the inevitable necessity—of wars of position. It is based, I think, on a recognition of the need to resist the imperatives of an expansionist U.S. state and of imperial history. It is also, however, a recognition of the limits of a narrow identity politics. For, once you open the door and let others in, "the room don't feel like the room no more. And it ain't home no more" (Reagon 1983, 359).

The relation of coalition to home is a central metaphor for Reagon. She speaks of coalition as opposed, by definition, to home.[14] In fact, the confusion of home with coalition is what concerns her as an urgent problem, and it is here that the status of experience in her text becomes clear. She criticizes the idea of enforcing "women-only" or "woman-identified" space by using an "in-house" definition of woman. What concerns her is not a sameness that allows us to identify with one another as women but the exclusions particular normative definitions of "woman" enforce. It is the exercise of violence in creating a legitimate inside and an illegitimate outside in the name of identity that is significant to her—in other words, the exercise of violence when unity or coalition is confused with home and used to enforce a premature sisterhood or solidarity. According to Reagon this comes from "taking a word like 'women' and using it as a code" (360). The experience of being woman can create an illusory unity, for it is not the experience of being woman, but the meanings attached to gender, race, class, and age at various historical moments that is of strategic significance. In other words, it is the kind of interpretive frame we use to analyze experiences anchored in gender, race, class, and sexual oppression that matters.

Thus, by calling into question the term "woman" as the automatic basis of unity, Reagon wants to splinter the notion of experience suggested by Morgan. Her critique of nationalist and culturalist positions, which after an initial necessary period of consolidation work in harmful and exclusionary ways, provides us with a fundamentally political analytic space for an understanding of experience. By always insisting on an analysis of the operations and effects of power in our attempts to create alternative communities, Reagon foregrounds our strategic locations and positionings. Instead of separating experience and politics and basing the latter on the former, she emphasizes the politics that always define and inform experience (in particular, in left, antiracist, and feminist communities). By examining the differences and potential divisions within political subjects as well as collectives, Reagon offers an implicit critique of totalizing theories of history and social change. She underscores the significance of the traditions of political struggle, what she calls an "old-age perspective"—and this is, I would add, a transnational or cross-cultural perspective. What is significant, however, is that the transnational or cross-cultural is forged on the basis of memories and counternarratives, not on an ahistorical universalism. For Reagon, cross-cultural, old-age perspectives are founded on humility, the gradual chipping away of our assumed, often ethnocentric centers of self/other definitions.

Thus, her particular location and political priorities lead her to emphasize a politics of engagement (a war of position) and to interrogate totalizing notions of difference and the identification of exclusive spaces as "homes." Perhaps it is partly also her insistence on the urgency and difficult nature of political struggle that leads Reagon to talk about difference in terms of racism, while Morgan often formulates difference in terms of cultural pluralism. This is Reagon's way of "throwing yourself into the next century":

> Most of us think that the space we live in is the most important space there is, and that the condition we find ourselves in is the condition that must be changed or else. That is only partially the case. If you analyze the situation properly, you will know that there might be a few things you can do in your personal, individual interest so that you can experience and enjoy change. But most of the things that you do, if you do them right, are for people who live long after you are forgotten. That will happen if you give it away. . . . The only way you can take yourself seriously is if you can throw yourself into the next period beyond your little meager human-body-mouth-talking all the time. (365)

We take ourselves seriously only when we go "beyond" ourselves, valuing not just the plurality of the differences among us but also the massive presence of the Difference that our recent planetary history has installed. This "Difference" is what we see only through the lenses of our present moment, our present struggles. And this "Difference" emerges in the presence of global capitalism at this time in history.

I have looked at two feminist texts and argued that feminist discourse must be self-conscious in its production of notions of experience and difference. The rationale for staging an encounter between the two texts, written by a white and black activist respectively, was not to identify "good" and "bad" feminist texts. Instead, I was interested in foregrounding questions of cross-cultural analysis that permeate "movement" or popular (not just academic) feminist texts and in indicating the significance of a politics of location in the United States of the late twentieth century. Instead of privileging a certain limited version of identity politics, it is the current *intersection* of antiracist, anti-imperialist, and gay and lesbian struggles that we need to understand to map the ground for feminist political strategy and critical analysis.[15]

A text that acquired a place in feminist discourse in the 1990s similar to the one that *Sisterhood Is Global* occupied in the 1980s is *The Challenge of Local Feminisms: Women's Movements in Global Perspective*, edited by Amrita Basu.[16] The contrast of local/global in the titles of the Morgan and Basu books indicate a significant shift in perspective. The analytic basis of *The Challenge of Local Feminisms* is the networking across local specificities toward universal objectives, not assumptions of universal sisterhood or experiential "unity" among women across cultures. Basu and the other contributors writing about women's movements in Asia, Africa, the Middle East, Latin America, Russia, Europe, and the United States are critical of the kind of "universalizing feminism" exemplified in Morgan's essay. They focus instead on finding common ground across regions, politics, and issues. The "local" is thus privileged but always in relation to the "global."

A reading of the Morgan and Reagon texts opens up for me a temporality of struggle, which disrupts and challenges the logic of linearity, development, and progress that are the hallmarks of European modernity. But why focus on a temporality of struggle? And how do I define my place on the map? For me, the notion of a temporality of struggle defies and subverts the logic of European modernity and the "law of identical temporality." It suggests an insistent, simultaneous, nonsynchronous process characterized by multiple locations, rather than a search for origins and endings, which, as Adrienne Rich says, "seems a way of stopping time in its tracks" (1986, 227). The year 2000 was the end of the Christian millennium, and Christianity is certainly an indelible part of postcolonial history. But we cannot afford to forget those alternative, resistant spaces occupied by oppositional histories and memories. For instance, the year 2000 was also the year 5760 in the Hebrew calendar and year 1420 in the Arabic calendar. It was 6240 according to the Egyptian calendar, and 4677 according to the Chinese calendar. And it was "just another day" according to Oren Lyons, the Faithkeeper of the Onondaga Nation in New York. By not insisting on a history or a geography but focusing on a temporality of struggle, I create the historical ground from which I can define myself in the United States of the twenty-first century, a place from which I can speak to the future—not the end of an era but the promise of many.

The United States of America is a geopolitical power seemingly unbounded in its effects, peopled with "natives" struggling for land and legal rights, and "immigrants" with their own histories and memories. Alicia Dujovne Ortiz writes about Buenos Aires as "the very image of expansiveness" (1986–87, 76). This is also how I visualize the United States. Ortiz writes of Buenos Aires:

> A city without doors. Or rather, a port city, a gateway which never closes. I have always been astonished by those great cities of the world which have such precise boundaries that one can say exactly where they end. Buenos Aires has no end. One wants to ring it with a beltway, as if to point an index finger, trembling with uncertainty and say: "You end there. Up to this point you are you. Beyond that, God alone knows!" . . . a city that is impossible to limit with the eye or the mind. So, what does it mean to say that one is a native of Buenos Aires? To belong to Buenos Aires, to be *Porteno*—to come from this Port? What does this mean? What or who can we hang onto? Usually we cling to history or geography. In this case, what are we to do? Here geography is merely an abstract line that marks the separation of the earth and sky. (76)

If the logic of imperialism and the logic of modernity share a notion of time, they also share a notion of space as territory. In the North America of the twenty-first century, geography seems more and more like "an abstract line that marks the separation of the earth and sky." Witness the struggle for control over oil in the name of "democracy and freedom" in Saudi Arabia. Witness especially, the "war against terrorism" after the events of 11 September 2001. The borders and autonomy of nation-states, the geographies of nationhood are irrelevant in this war, which can justify imperialist aggression in the name of the "homeland security" of the United States. Even the boundaries between space and outer space are not binding any more. In this expansive and expanding continent, how do I locate myself? And what does location as I have inherited it have to do with self-conscious, strategic location as I choose it now?

A National Public Radio news broadcast announces that all immigrants to the United States have to undergo mandatory AIDS testing. I am reminded very sharply of the twenty some years of my immigrant status in this country, of the plastic identification card that was proof of my legitimate location in the United States. My location has shifted dramatically now since I am a U.S. citizen—a change necessitated by my adoption from India of my daughter Uma in 1998. But location, for feminists, necessarily implies self- as well as collective definition, since meanings of the self are inextricably bound up with our understanding of collectives as social agents. For me, a comparative reading of Morgan's and Reagon's documents of activism precipitates the recognition that experience of the self, which is often discontinuous and fragmented, must be historicized before it can be generalized into a collective vision. In other words, experience must be historically interpreted and theorized if it is to become the basis of feminist solidarity and struggle, and it is at this moment that an understanding of the politics of location proves crucial.

In this country I am, for instance, subject to a number of legal/political definitions: "postcolonial," "immigrant," "Third World," and now "citizen of color." These definitions, while in no way comprehensive, do trace an analytic and political space from which I can insist on a temporality of struggle. Movement among cultures, languages, and complex configurations of meaning and power have always been the territory of the colonized. It is this process, what Caren Kaplan in her discussion of the reading and writing of home/exile has called "a continual reterritorialization, with the proviso that one moves on" (1986–87, 98), that I am calling a temporality of struggle. It is this process, this reterritorialization through struggle, that allows me a paradoxical continuity of self, mapping and transforming my political location. It suggests a particular notion of political agency, since my location forces and enables specific modes of reading and knowing the dominant. The struggles I choose to engage in are then an intensification of these modes of knowing—an engagement on a different level of knowledge. There is, quite simply no transcendental location possible in the United States today.

I have argued for a politics of engagement rather than a politics of transcendence, for the present and the future. I know—in my own nonsynchronous temporality—that the antiglobalization movements of the past five years will gain momentum, that the resistance to and victory over the efforts of the U.S. government and multinational mining conglomerates to relocate the Navajo and Hopi reservations from Big Mountain, Arizona, will be written into elementary school textbooks, and the Palestinian homeland will no longer be referred to as the "Middle East question"—it will be a reality in the next few years. But that is my preferred history: what I hope and struggle for, I garner as my knowledge, create it as the place from where I seek to know. After all, it is the way in which I understand, define, and engage in feminist, anti-imperialist, and antiracist collectives and movements that anchors my belief in the future and in the efficacy of struggles for social change.

CHAPTER FIVE

Genealogies of Community, Home, and Nation

Why craft genealogies in conversations about "transnational multicultural feminism?" At a time when globalization (and monoculturalism) is the primary economic and cultural practice to capture and hold hostage the material resources and economic and political choices of vast numbers of the world's population, what are the concrete challenges for feminists of varied genealogies working together? Within the context of the history of feminist struggle in the United States, the 1980s were a period of euphoria and hope for feminists of color, gay and lesbian, and antiracist, white feminists. Excavating subjugated knowledges and histories in order to craft decolonized, oppositional racial and sexual identities and political strategies that posed direct challenges to the gender, class, race, and sexual regimes of the capitalist U.S. nation-state anchored the practice of antiracist, multicultural feminisms.

At the start of this century, however, I believe the challenges are somewhat different. Globalization, or the unfettered mobility of capital and the accompanying erosion and reconstitution of local and national economic and political resources and of democratic processes, the post–cold war U.S. imperialist state, and the trajectories of identity-based social movements in the 1980s and 1990s constitute the ground for transnational feminist engagement in the twenty-first century. Multicultural feminism that is radical, antiracist, and nonheterosexist thus needs to take on a hegemonic capitalist regime and conceive of itself as also crossing national and regional borders. Questions of "home," "belonging," "nation," and community" thus become profoundly complicated.

One concrete task that feminist educators, artists, scholars, and activists face is that of historicizing and denaturalizing the ideas, beliefs, and values of global capital such that underlying exploitative social relations and structures are made visible. This means being attentive not only to the grand narrative or "myth" of capitalism as "democracy" but also to the mythologies that feminists of various races, nations, classes, and sexualities have inherited about one another. I believe one of the greatest challenges we (feminists) face is this task of recognizing and undoing the ways in which we colonize and objectify our different histories and cultures, thus colluding with hegemonic processes of domination and rule. Dialogue across differences is thus fraught with tension, competitiveness, and pain. Just as radical or critical multiculturalism cannot be the mere sum or coexistence of different cultures in a profoundly unequal, colonized world, multicultural feminism cannot assume the existence of a dialogue among feminists from different communities without specifying a just and ethical basis for such a dialogue.

Undoing ingrained racial and sexual mythologies within feminist communities requires, in Jacqui Alexander's words, that we "become fluent in each other's histories." It also requires seeking "unlikely coalitions" (Davis 1998, 299) and, I would add, clarifying the ethics and meaning of dialogue. What are the conditions, the knowledges, and the attitudes that make a noncolonized dialogue possible? How can we craft a dialogue anchored in equality, respect, and dignity for all peoples? In other words, I want to suggest that one of the most crucial challenges for a critical multicultural feminism is working out how to engage in ethical and caring dialogues (and revolutionary struggles) across the divisions, conflicts, and individualist identity formations that interweave feminist communities in the United States. Defining genealogies is one crucial element in creating such a dialogue.

Just as the very meaning and basis for dialogue across difference and power needs to be analyzed and carefully crafted, the way we define genealogies also poses a challenge. Genealogies that not only specify and illuminate historical and cultural differences but also envision and enact common political and intellectual projects across these differences constitute a crucial element of the work of building critical multicultural feminism.

To this end I offer a personal, anecdotal meditation on the politics of gender and race in the construction of South Asian identity in North America. My location in the United States is symptomatic of large numbers of migrants, nomads, immigrants, workers across the globe for whom notions of home, identity, geography, and history are infinitely complicated in the twenty-first century. Questions of nation(ality), and of "belonging" (witness the situation of South Asians in Africa) are constitutive of the Indian diaspora.

Emotional and Political Geographies of Belonging

On a TWA flight on my way back to the United States from a conference in the Netherlands, the white professional man sitting next to me asks which school I go to and when I plan to go home—all in the same breath. I put on my most professorial demeanor (somewhat hard in crumpled blue jeans and cotton T-shirt) and inform him that I teach at a small liberal arts college in upstate New York and that I have lived in the United States for over twenty years. At this point, my work is in the United States, not in India. (This is no longer entirely true—my work is also with feminists and grassroots activists in India, but he doesn't need to know this.) Being "mistaken" for a graduate student seems endemic to my existence in this country: few Third World women are granted professional (i.e., adult) and/or permanent (one is always a student) status in the United States, even if we exhibit clear characteristics of adulthood such as gray hair and facial lines. The man ventures a further question: what do I teach? On hearing "women's studies," he becomes quiet and we spend the next eight hours in polite silence. He has decided that I do not fit into any of his categories, but what can you expect from a feminist (an Asian one) anyway? I feel vindicated and a little superior, even though I know he doesn't really feel "put in his place." Why should he? He claims a number of advantages in this situation: white skin, maleness, and citizenship privileges. Judging by his enthusiasm for expensive "ethnic food" in Amsterdam, and his J. Crew clothes, I figured class difference (economic or cultural) wasn't exactly a concern in our interaction. We both appeared to have similar social access as "professionals."

I have been asked the "home" question (when are you going home?) periodically for twenty years now. Leaving aside the subtly racist implications of the question (go home, you don't belong), I am still not satisfied with my response. What is home? The place I was born? Where I grew up? Where my parents live? Where I live and work as an adult? Where I locate my community, my people? Who are "my people"? Is home a geographical space, a historical space, an emotional, sensory space? Home is always so crucial to immigrants and migrants—I even write about it in scholarly texts (perhaps to avoid addressing it, as an issue that is also very personal?). What interests me is the meaning of home for immigrants and migrants. I am convinced that this question—how one understands and defines home—is a profoundly political one.

Since settled notions of territory, community, geography, and history don't work for us, what does it really mean to be "South Asian" in the United States? Obviously, I was not South Asian in India: I was Indian. What else could one be but "Indian" at a time when a successful national independence struggle had given birth to a socialist democratic nation-state? This was the beginning of the decolonization of the Third World. Regional geography (South Asia) appeared less relevant as a mark of identification than citizenship in a postcolonial independent nation on the cusp of economic and political autonomy. However, in North America, identification as South Asian (in addition to Indian, in my case) takes on its own logic. "South Asian" refers to folks of Indian, Pakistani, Sri Lankan, Bangladeshi, Kashmiri, and Burmese origin. Identifying as South Asian rather than Indian adds numbers and hence power within the U.S. state. Besides, regional differences among those from different South Asian countries are often less relevant than the commonalities based on our experiences and histories of immigration, treatment, and location in the United States.

Let me reflect a bit on the way I identify myself, and the way the U.S. state and its institutions categorize me. Perhaps thinking through the various labels will lead me to the question of home and identity. In 1977, I arrived in the United States on a F1 visa (a student visa). At that time, my definition of myself—a graduate student in education at the University of Illinois—and the "official" definition of me (a student allowed into the country on a Fl visa) obviously coincided. Then I was called a "foreign student" and expected to go "home" (to India, even though my parents were in Nigeria at the time) after getting my Ph.D. This is the assumed trajectory for a number of Indians, especially the postindependence (my) generation, who come to the United States for graduate study.

However, this was not to be my trajectory. I quickly discovered that being a foreign student, and a woman at that, meant being either dismissed as irrelevant (the quiet Asian woman stereotype), or treated in racist ways (my teachers asked if I understood English and if they should speak slower and louder so that I could keep up—this in spite of my inheritance of the Queen's English and British colonialism) or celebrated and exoticized ("You are so smart! Your accent is even better than that of Americans"—a little Anglophilia at work here, even though all my Indian colleagues insist we speak English the Indian way).

The most significant transition I made at that time was the one from "foreign student" to "student of color." Once I was able to "read" my experiences in terms of race, and to read race and racism as they are written into the social and political fabric of the United States, practices of racism and sexism became the analytic and political lenses through which I was able to anchor myself here. Of course, none of this happened in isolation: friends, colleagues, comrades, classes, books, films, arguments, and dialogues were constitutive of my political education as a woman of color in the United States.

In the late 1970s and early 1980s feminism was gaining momentum on American campuses: it was in the air, in the classrooms, on the streets. However, what attracted me wasn't feminism as the mainstream media and white women's studies departments defined it. Instead, it was a very specific kind of feminism, the feminism of U.S. women of color and Third World women, that spoke to me. In thinking through the links among gender, race, and class in their U.S. manifestations, I was for the first time able to think through my own gendered, classed, postcolonial history. In the early 1980s, reading Audre Lorde, Nawal el Sadaawi, Angela Davis, Cherrie Moraga, bell hooks, Gloria Joseph, Paula Gunn Allen, Barbara Smith, Merle Woo, and Mitsuye Yamada, among others, generated a sort of recognition that was intangible but very inspiring. A number of actions, decisions, and organizing efforts at that time led me to a sense of home and community in relation to women of color in the United States: home, not as a comfortable, stable, inherited, and familiar space but instead as an imaginative, politically charged space in which the familiarity and sense of affection and commitment lay in shared collective analysis of social injustice, as well as a vision of radical transformation. Political solidarity and a sense of family could be melded together imaginatively to create a strategic space I could call "home." Politically, intellectually, and emotionally I owe an enormous debt to feminists of color—especially to the sisters who have sustained me over the years. A number of us, including Barbara Smith, Papusa Molina, Jacqui Alexander, Gloria Joseph, Mitsuye Yamada, Kesho Scott, among others, met in 1984 to discuss the possibility of a Women of Color Institute for Radical Research and Action. Even though our attempt to start the institute fell through, the spirit of this vision, and the friendships it generated, still continue to nurture me and keep alive the idea of founding such an institute one day.

For me, engagement as a feminist of color in the United States made possible an intellectual and political genealogy of being Indian that was radically challenging as well as profoundly activist. Notions of home and community began to be located within a deeply political space where racialization and gender and class relations and histories became the prism through which I understood, however partially, what it could mean to be South Asian in North America. Interestingly, this recognition also forced me to reexamine the meanings attached to home and community in India.

What I chose to claim, and continue to claim, is a history of anticolonialist, feminist struggle in India. The stories I recall, the ones that I retell and claim as my own, determine the choices and decisions I make in the present and the future. I did not want to accept a history of Hindu chauvinist (bourgeois) upward mobility (even though this characterizes a section of my extended family). We all choose partial, interested stories/histories—perhaps not as deliberately as I am making it sound here, but, consciously or unconsciously, these choices about our past(s) often determine the logic of our present.

Having always kept my distance from conservative, upwardly mobile Indian immigrants, to whom the South Asian world in the United States was divided into green card holders and non–green card holders, the only South Asian links I allowed and cultivated were with South Asians with whom I shared a political vision. This considerably limited my community. Racist and sexist experiences in graduate school and after made it imperative that I understand the United States in terms of its history of racism, imperialism, and patriarchal relations, specifically in relation to Third World immigrants. After all, we were then into the Reagan-Bush years, when the neoconservative backlash made it impossible to ignore the rise of racist, antifeminist, and homophobic attitudes, practices, and institutions. Any purely culturalist or nostalgic sentimental definition of being "Indian" or "South Asian" was inadequate. Such a definition fueled the "model minority" myth. And this subsequently constituted us as "outsiders/foreigners" or as interest groups that sought or had obtained the American dream.

In the 1980s, the labels changed: I went from being a "foreign student" to being a "resident alien." I have always thought that this designation was a stroke of inspiration on the part of the U.S. state, since it accurately names the experience and status of immigrants, especially immigrants of color. The flip side of "resident alien" is "illegal alien," another inspired designation. One can be either a resident or illegal immigrant, but one is always an alien. There is no confusion here, no melting pot ideology or narratives of assimilation: one's status as an "alien" is primary. Being legal requires identity papers. (It is useful to recall that the "passport"—and by extensions the concept of nation-states and the sanctity of their borders—came into being after World War I.)

One must be stamped as legitimate (that is, not gay or lesbian and not communist) by the Immigration and Naturalization Service. The INS is one of the central disciplinary arms of the U.S. government. It polices the borders and controls all border crossings, especially those into the United States. In fact, the INS is also one of the primary forces that institutionalizes race differences in the public arena, thus regulating notions of home, legitimacy, and economic access to the "American dream" for many of us. For instance, carrying a green card documenting resident alien status in the United States is clearly very different from carrying an American passport, which is proof of U.S. citizenship. The former allows one to enter the United States with few hassles; the latter often allows one to breeze through the borders and ports of entry of other countries, especially countries that happen to be trading partners (much of Western Europe and Japan, among others) or in an unequal relationship with the United States (much of the noncommunist Third World). At a time when notions of a capitalist free-market economy is seen (falsely) as synonymous with the values attached to democracy, an American passport can open many doors. However, just carrying an American passport is no insurance against racism and unequal and unjust treatment within the United States.

A comparison of the racialization of South Asian immigrants to second-generation South Asian Americans suggests one significant difference between these two generations: experiencing racism as a phenomenon specific to the United States, versus growing up in the ever-present shadow of racism in the case of South Asians born in the United States. This difference in experience would suggest that the psychic effects of racism would also be be different for these two constituencies. In addition, questions of home, identity, and history take on very different meanings for South Asians born in North America. But this comparison requires a whole other reflection that is beyond the scope of this chapter.

Home/Nation/Community: The Politics of Being Nri (Nonresident Indian)

Rather obstinately, I refused to give up my Indian passport and chose to remain a resident alien in the United States for many years.[1] This leads me to reflect on the complicated meanings attached to holding Indian citizenship while making a life for myself in the United States. In India, what does it mean to have a green card or U.S. passport, to be an expatriate? What does it mean to visit Mumbai (Bombay) every two to four years and still call it home? Why does speaking in Marathi (my mother tongue) become a measure and confirmation of home? What are the politics of being a part of the majority and the "absent elite" in India, while being a minority and a racialized "other" in the United States? And do feminist politics, or advocating feminism, have the same meanings and urgencies in these different geographical and political contexts?

Some of these questions hit me smack in the face during a visit to India in December 1992, after the infamous destruction of the Babri Masjid in Ayodhya by Hindu fundamentalists on 6 December 1992. (Horrifically, these deadly clashes between Hindus and Muslims took a new turn in March 2002, with Muslims burning a train full of Hindus returning from Ayodhya, inaugurating yet another continuing bloodbath.) In my earlier, rather infrequent visits (once every four or five years was all I could afford), my green card designated me as an object of envy, privilege, and status within my extended family. Of course, the same green card has always been viewed with suspicion by leftist and feminist friends, who (quite understandably) demand evidence of my ongoing commitment to a socialist and democratic India. During my 1992 visit, however, with emotions running high within my family, my green card marked me as an outsider who couldn't possibly understand the "Muslim problem" in India. I was made aware of being an "outsider" in two profoundly troubling shouting matches with my uncles, who voiced the most hostile sentiments against Muslims. Arguing that India was created as a secular state and that democracy had everything to do with equality for all groups (majority and minority) got me nowhere. The very fundamentals of democratic citizenship in India were/are being undermined and redefined as "Hindu."

Mumbai was one of the cities hardest hit with waves of communal violence following the events of Ayodhya. The mobilization of Hindu fundamentalists, even paramilitary organizations, over the last century and especially since the mid-1940s, had brought Mumbai to a juncture at which the most violently racist discourse about Muslims seemed to be woven into the fabric of acceptable daily life. Racism was normalized in the popular imagination such that it became almost impossible to raise questions in public about the ethics or injustice of racial/ethnic/religious discrimination. I could not assume a distanced posture toward religion anymore. Too many injustices were being committed in my name.

Although born into a Hindu family, I have always considered myself a nonpracticing Hindu—religion had always felt rather repressive when I was growing up. I enjoyed the rituals but resisted the authoritarian hierarchies of organized Hinduism. However, the Hinduism touted by fundamentalist organizations like the RSS (Rashtriya Swayamsevak Sangh, a paramilitary Hindu fundamentalist organization founded in the 1930s) and the Shiv Sena (a Maharashtrian chauvinist, fundamentalist, fascist political organization that has amassed a significant voice in Mumbai politics and government) was one that even I, in my ignorance, recognized as reactionary and distorted. But this discourse was real—hate-filled rhetoric against Muslims appeared to be the mark of a "loyal Hindu." It was heart-wrenching to see my hometown become a war zone, with streets set on fire and a daily death count to rival any major territorial border war. The smells and textures of my beloved Mumbai, of home, which had always comforted and nurtured me, were violently disrupted. The scent of fish drying on the lines at the fishing village in Danda was submerged in the smell of burning straw and grass as whole *bastis (chawls)* were burned to the ground. The very topography, language, and relationships that constituted "home" were exploding. What does community mean in this context?

December 1992 both clarified as well as complicated for me the meanings attached to being an Indian citizen, a Hindu, an educated woman feminist, and a permanent resident in the United States in ways that I have yet to resolve. After all, it is often moments of crisis that make us pay careful attention to questions of identity. Sharp polarizations force one to make choices (not in order to take sides, but in order to accept responsibility) and to clarify one's own analytic, political, and emotional topographies.

I learned that combating the rise of Hindu fundamentalism was a necessary ethical imperative for all socialists, feminists, and Hindus of conscience. Secularism, if it meant absence of religion, was no longer a viable position. From a feminist perspective, it became clear that the battle for women's minds and hearts was very much center stage in the Hindu fundamentalist rhetoric and social position of women. (Two journals, the *Economic and Political Weekly of India* and *Manushi*, are good sources for this work.)

Religious fundamentalist constructions of women embody the nexus of morality, sexuality, and nation—a nexus of great importance for feminists.

As in Christian, Islamic, and Jewish fundamentalist discourses, the construction of femininity and masculinity, especially in relation to the idea of the nation, are central to Hindu fundamentalist rhetoric and mobilizations. Women are not only mobilized in the "service" of the nation, but they also become the ground on which discourses of morality and nationalism are written. For instance, the RSS mobilizes primarily middle-class women in the name of a family-oriented Hindu nation, much as the Christian Right does in the United States. But discourses of morality and nation are also embodied in the normative policing of women's sexuality (witness the surveillance and control of women's dress in the name of morality by the contemporary Iranian state and Taliban-ruled Afghanistan). Thus, one of the central challenges Indian feminists face at this time is how to rethink the relationship of nationalism and feminism in the context of religious identities. In addition to the fundamentalist mobilization that is tearing the country apart, the recent incursions of the International Monetary Fund and the World Bank, with their structural adjustment programs that are supposed to "discipline" the Indian economy, are redefining the meaning of postcoloniality and of democracy in India. Categories such as gender, race, caste/class are profoundly and visibly unstable at such times of crisis. These categories must thus be analyzed in relation to contemporary reconstructions of womanhood and manhood in a *global* arena increasingly dominated by religious fundamentalist movements, the IMF, the World Bank, and the relentless economic and ideological colonization of much of the world by multinationals based in the United States, Japan, and Europe. In all these global economic and cultural/ ideological processes, women occupy a crucial position.

In India, unlike most countries, the sex ratio has declined since the early 1900s. According to the 1991 census, the ratio was 929 women to 1,000 men, one of the lowest sex ratios in the world. Women produce 70 to 80 percent of all the food in India and have always been the hardest hit by environmental degradation and poverty. The contradictions between civil law and Hindu and Muslim personal laws affect women but rarely men. Horrific stories about the deliberate genocide of female infants as a result of sex determination procedures such as amniocentesis and recent incidents of *sati* (self-immolation by women on the funeral pyres of their husbands) have even hit the mainstream American media. Gender and religious (racial) discrimination are thus urgent, life-threatening issues for women in India. Over the last decade or so, a politically conscious Indian citizenship has necessitated taking such fundamentally feminist issues seriously. In fact, these are the very same issues South Asian feminists in the United States need to address. My responsibility to combat and organize against the regressive and violent repercussions of Hindu fundamentalist mobilizations in India extends to my life in North America. After all, much of the money that sustains the fundamentalist movement is raised and funneled through organizations in the United States.

On Race, Color, and Politics: Being South Asian in North America

It is a number of years since I wrote the bulk of this chapter,[2] and as I reread it, I am struck by the presence of the journeys and border-crossings that weave into and anchor my thinking about genealogies. The very crossing of regional, national, cultural, and geographical borders seems to enable me to reflect on questions of identity, community, and politics. In the past years I have journeyed to and lived among peoples in San Diego, California; Albuquerque, New Mexico; London, England; and Cuttack, India. My appearance as a brown woman with short, dark, graying hair remained the same, but in each of these living spaces I learned something slightly different about being South Asian in North America; about being a brown woman in the midst of other brown women with different histories and genealogies.

I want to conclude with a brief reflection on my journeys to California and New Mexico, since they complicate further the question of being South Asian in North America. A rather obvious fact, which had not been experientially visible to me earlier, is that the color line differs depending on one's geographical location in the United States. Having lived on the East Coast for many years, my designation as "brown," "Asian," "South Asian," "Third World," and "immigrant" has everything to do with definitions of "blackness" (understood specifically as African American). However, San Diego, with its histories of immigration and racial struggle, its shared border with Mexico, its predominantly brown (Chicano and Asian-American) color line, and its virulent anti-immigrant culture unsettled my East Coast definitions of race and racialization. I could pass as Latina until I spoke my "Indian" English, and then being South Asian became a question of (in)visibility and foreignness. Being South Asian here was synonymous with being alien, non-American.

Similarly, in New Mexico, where the normative meanings of race and color find expression in the relations between Native American, Chicano, and Anglo communities, being South Asian was a matter of being simultaneously visible and invisible as a brown woman. Here, too, my brownness and facial structure marked me visibly as sometimes Latina, sometimes Native American (evidenced by being hailed numerous times in the street as both). Even being Asian, as in being from a part of the world called "Asia," had less meaning in New Mexico, especially since "Asian" was synonymous with "East Asian": the "South" always fell out. Thus, while I could share some experiences with Latinas and Native American women, for instance, the experience of being an "alien"—an outsider within, a woman outside the purview of normalized U.S. citizenship—my South Asian genealogy also set me apart. Shifting the color line by crossing the geography and history of the American West and Southwest thus foregrounded questions about being South Asian in a space where, first, my brownness was not read against blackness, and second, Asian was already definitively cast as East Asian. In this context, what is the relation of South Asian to Asian American (read: East Asian American)? And why does it continue to feel more appropriate, experientially and strategically, to call myself a woman of color or Third World woman? Geographies have never coincided with the politics of race. And claiming racial identities based on history, social location, and experience is always a matter of collective analysis and politics. Thus, while geographical spaces provide historical and cultural anchors (Marathi, Mumbai, and India are fundamental to my sense of myself), it is the deeper values and strategic approach to questions of economic and social justice and collective anticapitalist struggle that constitute my feminism. Perhaps this is why journeys across the borders of regions and nations always provoke reflections of home, identity, and politics for me: there is no clear or obvious fit between geography, race, and politics for someone like me. I am always called on to define and redefine these relationships—"race," "Asianness," and "brownness" are not embedded in me, whereas histories of colonialism, racism, sexism, and nationalism, as well as of privilege (class and status) are involved in my relation to white people and people of color in the United States.

Let me now circle back to the place I began: defining genealogies as a crucial aspect of crafting critical multicultural feminist practice and the meanings I have come to give to home, community, and identity. By exploring the relationship between being a South Asian immigrant in America and an expatriate Indian citizen (NRI) in India, I have tried, however partially and anecdotally, to clarify the complexities of home and community for this particular feminist of color/South Asian in North America. The genealogy I have created for myself here is partial and deliberate. It is a genealogy that I find emotionally and politically enabling—it is part of the genealogy that underlies my self-identification as an educator involved in a pedagogy of liberation. Of course, my history and experiences are in fact messier and not at all as linear as this narrative makes them sound. But then the very process of constructing a narrative for oneself—of telling a story—imposes a certain linearity and coherence that is never entirely there. That is the lesson, perhaps, especially for us immigrants and migrants: that home, community, and identity all fit somewhere between the histories and experiences we inherit and the political choices we make through alliances, solidarities, and friendships.

One very concrete effect of my creating this particular space for myself has been my involvement in two grassroots organizations, one in India and the other in the United States. The former, an organization called Awareness, is based in Orissa and works to empower the rural poor. The group's focus is political education (similar to Paolo Friere's notion of "conscientization"), and its members have also begun very consciously to organize rural women. The U.S. organization I worked with is Grassroots Leadership of North Carolina. It is a multiracial group of organizers (largely African American and white) working to build a poor and working people's movement in the American South. While the geographical, historical, and political contexts are different in the case of these two organizations, my involvement in them is very similar, as is my sense that there are clear connections to be made between the work of the two organizations. In addition, I think that the issues, analyses, and strategies for organizing for social justice are also quite similar. This particular commitment to work with grassroots organizers in the two places I call home is not accidental. It is very much the result of the genealogy I have traced here. After all, it took me over a decade to make these commitments to grassroots work in both spaces. In part, I have defined what it means to be South Asian by educating myself about, and reflecting on, the histories and experiences of African American, Latina, West Indian, African, European American, and other constituencies in North America. Such definitions and understandings do provide a genealogy, but a genealogy that is always relational and fluid as well as urgent and necessary.

PART TWO

Demystifying Capitalism

CHAPTER SIX

Women Workers and the Politics of Solidarity

> We dream that when we work hard, we'll be able to clothe our children decently, and still have a little time and money left for ourselves. And we dream that when we do as good as other people, we get treated the same, and that nobody puts us down because we are not like them. . . . Then we ask ourselves, "How could we make these things come true?" And so far we've come up with only two possible answers: win the lottery, or organize. What can I say, except I have never been lucky with numbers. So tell this in your book: tell them it may take time that people think they don't have, but they have to organize! . . . Because the only way to get a little measure of power over your own life is to do it collectively, with the support of other people who share your needs. —Irma, a Filipina worker in the Silicon Valley, California (1993)

Irma's dreams of a decent life for her children and herself, her desire for equal treatment and dignity on the basis of the quality and merit of her work, her conviction that collective struggle is the means to "get a little measure of power over your own life," succinctly capture the struggles of poor women workers in the global capitalist arena.[1] In this chapter I want to focus on the exploitation of poor Third World women, on their agency as workers, on the common interests of women workers based on an understanding of shared location and needs, and on the strategies/practices of organizing that are anchored in and lead to the transformation of the daily lives of women workers.

This has been an especially difficult chapter to write—perhaps because the almost total saturation of the processes of capitalist domination makes it hard to envision forms of feminist resistance that would make a real difference in the daily lives of poor women workers. However, as I began to sort through the actions, reflections, and analyses by and about women workers (or wage laborers) in the capitalist economy, I discovered the dignity of women workers' struggles in the face of overwhelming odds. From these struggles we can learn a great deal about processes of exploitation and domination as well as about autonomy and liberation.

A study tour to Tijuana, Mexico, organized by Mary Tong of the San Diego–based Support Committee for Maquiladora Workers, confirmed my belief in the radical possibilities of cross-border organizing, especially in the wake of the North American Free Trade Agreement (NAFTA). Exchanging ideas, experiences, and strategies with Veronica Vasquez, a twenty-one-year-old Maquila worker fighting for her job, for better working conditions, and against sexual harassment, was as much of an inspiration as any in writing this chapter. Veronica Vasquez, along with ninety-nine former employees of the Tijuana factory Exportadora Mano de Obra, S.A. de C.V., filed an unprecedented lawsuit in Los Angeles, California, against the U.S. owner of Exportadora, National o-Ring of Downey, demanding that it be forced to follow Mexican labor laws and provide workers with three months' back pay after shutting down company operations in Tijuana in November 1994. The courage, determination, and analytical clarity of these young Mexican women workers in launching the first case to test the legality of NAFTA suggest that in spite of the global saturation of processes of capitalist domination, 1995 was a moment of great possibility for building cross-border feminist solidarity.[2]

Over the years I have been preoccupied with the limits as well as the possibilities of constructing feminist solidarities across national, racial, sexual, and class divides. Women's lives as workers, consumers, and citizens have changed radically with the triumphal rise of capitalism in the global arena. The common interests of capital (e.g., profit, accumulation, exploitation) are somewhat clear at this point. But how do we talk about poor Third World women workers' interests, their agency, and their (in)visibility in so-called democratic processes? What are the possibilities for democratic citizenship for Third World women workers in the contemporary capitalist economy? These are some of the questions driving this chapter. I hope to clarify and analyze the location of Third World women workers and their collective struggles in an attempt to generate ways to think about mobilization, organizing, and conscientization transnationally.

This chapter extends the arguments I have made in chapter 2 regarding the location of Third World women as workers in a global economy.[3] I write from my own discontinuous locations: as a South Asian anticapitalist feminist in the United States committed to working on a truly liberatory feminist practice that theorizes and enacts the potential for a cross-cultural, international politics of solidarity; as a Third World feminist teacher and activist for whom the psychic economy of "home" and of "work" has always been the space of contradiction and struggle; and as a woman whose middle-class struggles for self-definition and autonomy outside the definitions of daughter, wife, and mother mark an intellectual and political genealogy that led me to this particular analysis of Third World women's work.

Here, I want to examine the analytical category of "women's work," and to look at the historically specific naturalization of gender and race hierarchies through this category. An international division of labor is central to the establishment, consolidation, and maintenance of the current world order: global assembly lines are as much about the production of people as they are about "providing jobs" or making profit. Thus naturalized assumptions about work and the worker are crucial to understanding the sexual politics of global capitalism. I believe that the relation of local to global processes of colonization and exploitation, and the specification of a process of cultural and ideological homogenization across national borders, in part through the creation of the consumer as "the" citizen under advanced capitalism, must be crucial aspects of any comparative feminist project. In fact it is this very notion of the citizen-consumer that I explore later in the context of the U.S. academy and higher education in general. I argue that this definition of the citizen-consumer depends to a large degree on the definition and disciplining of producers/workers on whose backs the citizen-consumer gains legitimacy. It is the worker-producer side of this equation that I address here. Who are the workers that make the citizen-consumer possible? What role do sexual politics play in the ideological creation of this worker? How does global capitalism, in search of ever-increasing profits, utilize gender and racialized ideologies in crafting forms of women's work? And does the social location of particular women as workers suggest the basis for common interests and potential solidarities across national borders?

As global capitalism develops and wage labor becomes the hegemonic form of organizing production and reproduction, class relations within and across national borders have become more complex and less transparent.[4] Thus, issues of spatial economy—the manner in which capital utilizes particular spaces for differential production and the accumulation of capital and, in the process, transforms these spaces (and peoples)—gain fundamental importance for feminist analysis.[5] In the aftermath of feminist struggles around the right to work and the demand for equal pay, the boundaries between home/family and work are no longer seen as inviolable (of course these boundaries were always fluid for poor and working-class women). Women are (and have always been) in the workforce, and we are here to stay. In this chapter, I offer an analysis of certain historical and ideological transformations of gender, capital, and work across the borders of nation states[6] and, in the process, develop a way of thinking about the common interests of Third World women workers, and in particular about questions of agency and the transformation of consciousness.

Drawing specifically on case studies of the incorporation of Third World women into a global division of labor at different geographical ends of the current world order, I argue for a historically delineated category of "women's work" as an example of a productive and necessary basis for feminist cross-cultural analysis.[7] The idea I am interested in invoking here is not "the work that women do" or even the occupations that they/we happen to be concentrated in, but rather the ideological construction of jobs and tasks in terms of notions of appropriate femininity, domesticity, (hetero)sexuality, and racial and cultural stereotypes. I am interested in mapping these operations of capitalism across different divides, in tracing the naturalization of capitalist processes, ideologies, and values through the way women's work is constitutively defined—in this case, in terms of gender and racial parameters. One of the questions I explore pertains to the way gender identity (defined in domestic, heterosexual, familial terms) structures the nature of the work women are allowed to perform or precludes women from being "workers" altogether.

While I base the details of my analysis in geographically anchored case studies, I am suggesting a comparative methodology that moves beyond the case study approach and illuminates global processes that inflect and draw upon indigenous hierarchies, ideologies, and forms of exploitation to consolidate new modes of colonization (or "recolonization"). The local and the global are indeed connected through parallel, contradictory, and sometimes converging relations of rule that position women in different and similar locations as workers.[8] I agree with feminists who argue that class struggle, narrowly defined, can no longer be the only basis for solidarity among women workers. The fact of being women with particular racial, ethnic, cultural, sexual, and geographical histories has everything to do with our definitions and identities as workers. A number of feminists have analyzed the division between production and reproduction, and the construction of ideologies of womanhood in terms of public/private spheres. Here, I want to highlight

(1) the persistence of patriarchal definitions of womanhood in the arena of wage labor; (2) the versatility and specificity of capitalist exploitative processes providing the basis for thinking about potential common interests and solidarity between Third World women workers; and (3) the challenges for collective organizing in a context where traditional union methods (based on the idea of the class interests of the male worker) are inadequate as strategies for empowerment.

If, as I suggest, the logic of a world order characterized by a transnational economy involves the active construction and dissemination of an image of the "Third World/racialized, or marginalized woman worker" that draws on indigenous histories of gender and race inequalities, and if this worker's identity is coded in patriarchal terms that define her in relation to men and the heterosexual, conjugal family unit, then the model of class conflict between capitalists and workers needs to be recrafted in terms of the interests (and perhaps identities) of Third World women workers. Patriarchal ideologies, which sometimes pit women against men within and outside the home, infuse the material realities of the lives of Third World women workers, making it imperative to reconceptualize the way we think about working-class interests and strategies for organizing. Thus, while this is not an argument for just recognizing the "common experiences" of Third World women workers, it is an argument for recognizing (concrete, not abstract) "common interests" and the potential bases of cross-national solidarity—a common context of struggle. In addition, while I choose to focus on the "Third World" woman worker, my argument holds for white women workers who are also racialized in similar ways. The argument then is about a process of gender and race domination, rather than the content of "Third World." Making Third World women workers visible in this gender, race, class formation involves engaging a capitalist script of subordination and exploitation. But it also leads to thinking about the possibilities of emancipatory action on the basis of the reconceptualization of Third World women as agents rather than victims.

But why even use "Third World," a somewhat problematic term that many now consider outdated? And why make an argument that privileges the social location, experiences, and identities of Third World women workers, as opposed to any other group of workers, male or female? Certainly, there are problems with the term "Third World." It is inadequate in comprehensively characterizing the economic, political, racial, and cultural differences *within* the borders of Third World nations. But in comparison with other similar formulations such as "North/South" and "advanced/underdeveloped nations," "Third World" retains a certain heuristic value and explanatory specificity in relation to the inheritance of colonialism and contemporary neocolonial economic and geopolitical processes that the other formulations lack.[9]

In response to the second question, I would argue that at this time in the development and operation of a "new" world order, Third World women workers (defined in this context as both women from the geographical Third World and immigrant and indigenous women of color in the United States and Western Europe) occupy a specific social location in the international division of labor that illuminates and explains crucial features of the capitalist processes of exploitation and domination. These are features of the social world that are usually obfuscated or mystified in discourses about the "progress" and "development" (e.g., the creation of jobs for poor, Third World women as the marker of economic and social advancement) that is assumed to "naturally" accompany the triumphal rise of global capitalism. I do not claim to explain all the relevant features of the social world or to offer a comprehensive analysis of capitalist processes of recolonization. However, I am suggesting that Third World women workers have a potential identity in common, an identity as workers in a particular division of labor at this historical moment. And I believe that exploring and analyzing this potential commonality across geographical and cultural divides provides both a way of reading and understanding the world and an explanation of the consolidation of inequities of gender, race, class, and (hetero)sexuality, which are necessary to envision and enact transnational feminist solidarity.[10]

The argument that multinationals position and exploit women workers in certain ways does not originate with me. I want to suggest, however, that in interconnecting and comparing some of these case studies, a larger theoretical argument can be made about the category of women's work, specifically about the Third World woman as worker, at this particular historical moment. This intersection of gender and work, where the very definition of work draws upon and reconstructs notions of masculinity, femininity, and sexuality, offers a basis of cross-cultural comparison and analysis that is grounded in the concrete realities of women's lives. I am not suggesting that this basis for comparison exhausts the totality of women's experience cross-culturally. In other words, because similar ideological constructions of "women's work" make cross-cultural analysis possible, this does not automatically mean women's lives are the same, but rather that they are comparable. I argue for a notion of political solidarity and common interests, defined as a community or collectivity among women workers across class, race, and national boundaries that is based on shared material interests and identity and common ways of reading the world. This idea of political solidarity in the context of the incorporation of Third World women into a global economy offers a basis for cross-cultural comparison and analysis that is grounded in history and social location rather than in an ahistorical notion of culture or experience. I am making a choice here to focus on and analyze the continuities in the experiences, histories, and strategies of survival of these particular workers. But this does not mean that differences and discontinuities in experience do not exist or that they are insignificant. The focus on continuities is a strategic one—it makes possible a way of reading the operation of capital from a location (that of Third World women workers) that, while forming the bedrock of a certain kind of global exploitation of labor, remains somewhat invisible and undertheorized.

Gender and Work: Historical and Ideological Transformations

"Work makes life sweet," says Lola Weixel, a working-class Jewish woman in Connie Field's film *The Life and Times of Rosie the Riveter.* Weixel is reflecting on her experience of working in a welding factory during World War II, at a time when large numbers of U.S. women were incorporated into the labor force to replace men who were away fighting the war. In one of the most moving moments in the film, she draws attention to what it meant to her and to other women to work side by side, to learn skills and craft products, and to be paid for the work they did, only to be told at the end of the war that they were no longer needed and should go back to being girlfriends, housewives, and mothers. While the U.S. state propaganda machine was especially explicit on matters of work for men and women, and the corresponding expectations of masculinity/femininity and domesticity in the late 1940s and 1950s, this is no longer the case. Shifting definitions of public and private, and of workers, consumers, and citizens no longer define wage work in visibly masculine terms. However, the dynamics of job competition, loss, and profit making in the early years of this century are still part of the dynamic process that spelled the decline of the mill towns of New England in the early 1900s and that now pits "American" against "immigrant" and "Third World" workers along the U.S.-Mexico border or in the Silicon Valley in California. Similarly, there are continuities between the women-led New York garment-workers strike of 1909, the Bread and Roses (Lawrence textile) strike of 1912, Lola Weixel's role in union organizing during World War II, and the frequent strikes in the 1980s and 1990s of Korean textile and electronic workers, most of whom are young, single women.[11] While the global division of labor looks quite different now from what it was in the 1950s, ideologies of women's work, the meaning and value of work for women, and women workers' struggles against exploitation remain central issues for feminists around the world. After all, women's labor has always been central to the development, consolidation, and reproduction of capitalism in the United States and elsewhere.

In the United States, histories of slavery, indentured servitude, contract labor, self-employment, and wage work are also simultaneously histories of gender, race, and (hetero)sexuality, nested within the context of the development of capitalism (i.e., of class conflict and struggle). Thus, women of different races, ethnicities, and social classes had profoundly different, though interconnected, experiences of work in the economic development from nineteenth-century economic and social practices (slave agriculture in the South, emergent industrial capitalism in the Northeast, the hacienda system in the Southwest, independent family farms in the rural Midwest, Native American hunting/gathering and agriculture) to wage labor and self-employment (including family businesses) in the late twentieth century. In the early years of this century, a hundred years after the Lowell girls lost their jobs when textile mills moved South to attract nonunionized labor, feminists are faced with a number of profound analytical and organizational challenges in different regions of the world. The material, cultural, and political effects of the processes of domination and exploitation that sustain what is called the new world order (Brecher 1993, 3–12)are devastating for the vast majority of people in the world—and most especially for impoverished and Third World women. Maria Mies argues that the increasing division of the world into consumers and producers has a profound effect on Third World women workers, who are drawn into the international division of labor as workers in agriculture; in large-scale manufacturing industries like textiles, electronics, garments, and toys; in small-scale manufacturing of consumer goods like handicrafts and food processing (the informal sector); and as workers in the sex and tourist industries (Mies 1986, 114–15).

The values, power, and meanings attached to being either a consumer or a producer/worker vary enormously depending on where and who we happen to be in an unequal global system. From at least the 1990s onward, multinational corporations have been the hallmark of global capitalism. In an analysis of the effects of these corporations on the new world order, Richard Barnet and John Cavanagh characterize the global commercial arena in terms of four intersecting webs: the global cultural bazaar (which creates and disseminates images and dreams through films, television, radio, music, and other media), the global shopping mall (a planetary supermarket that sells things to eat, drink, wear, and enjoy through advertising, distribution, and marketing networks), the global workplace (a network of factories and workplaces where goods are produced, information processed, and services rendered), and, finally, the global financial network (the international traffic in currency transactions, global securities, etc.) (Barnet and Cavanagh 1994, esp. 25–41). In each of these webs, racialized ideologies of masculinity, femininity, and sexuality play a role in constructing the legitimate consumer, worker, and manager. Meanwhile, the psychic and social disenfranchisement and impoverishment of women continues. Women's bodies and labor are used to consolidate global dreams, desires, and ideologies of success and the good life in unprecedented ways.

Feminists have responded directly to the challenges of globalization and capitalist modes of recolonization by addressing the sexual politics and effects on women of religious fundamentalist movements within and across the boundaries of the nation-state; structural adjustment policies; militarism, demilitarization, and violence against women; environmental degradation and land/sovereignty struggles of indigenous and native peoples; and population control, health, and reproductive policies and practices.[12] In each of these cases, feminists have analyzed the effects on women as workers, sexual partners, mothers and caretakers, consumers, and transmitters and transformers of culture and tradition. Analysis of the ideologies of masculinity and femininity, of motherhood and (hetero)sexuality and the understanding and mapping of agency, access, and choice are central to this analysis and organizing. Thus, while my characterization of capitalist processes of domination and recolonization may appear somewhat overwhelming, I want to draw attention to the numerous forms of resistance and struggle that have also always been constitutive of the script of colonialism/capitalism. Capitalist patriarchies and racialized, class/caste-specific hierarchies are a key part of the long history of domination and exploitation of women, but struggles against these practices and vibrant, creative, collective forms of mobilization and organizing have also always been a part of our histories. In fact, I attempt to articulate an emancipatory discourse and knowledge, one that furthers the cause of feminist liberatory practice. After all, part of what needs to change within racialized capitalist patriarchies is the very concept of work/labor, as well as the naturalization of heterosexual masculinity in the definition of "the worker."

Teresa Amott and Julie Matthaei (1991), in analyzing the U.S. labor market, argue that the intersection of gender, class, and racial-ethnic hierarchies of power has had two major effects:

> First, disempowered groups have been concentrated in jobs with lower pay, less job security, and more difficult working conditions. Second, workplaces have been places of extreme segregation, in which workers have worked in jobs only with members of their same racial-ethnic, gender, and class group, even though the particular racial-ethnic group and gender assigned to a job may have varied across firms and regions. (316–17)

While Amott and Matthaei draw attention to the sex-and-race typing of jobs, they do not theorize the relationship between this job typing and the social identity of the workers concentrated in these low-paying, segregated, often unsafe sectors of the labor market. While the economic history they chart is crucial to any understanding of the race-and-gender basis of U.S. capitalist processes, their analysis begs the question of whether there is a connection (other than the common history of domination of people of color) between how these jobs are defined and who is sought after for the jobs.

By examining two instances of the incorporation of women into the global economy (women lacemakers in Narsapur, India, and women in the electronics industry in the Silicon Valley) I want to delineate the interconnections among gender, race, and ethnicity, and the ideologies of work that locate women in particular exploitative contexts. The contradictory positioning of women along class, race, and ethnic lines in these two cases suggests that, in spite of the obvious geographical and sociocultural differences between the two contexts, the organization of the global economy by contemporary capital positions these workers in very similar ways, effectively reproducing and transforming locally specific hierarchies. There are also some significant continuities between homework and factory work in these contexts, in terms of both the inherent ideologies of work as well as the experiences and social identities of women as workers. This tendency can also be seen in the case studies of black women workers (of Afro-Caribbean, Asian, and African origin) in Britain, especially women engaged in homework, factory work, and family businesses.

HOUSEWIVES AND HOMEWORK: THE LACEMAKERS OF NARSAPUR

Maria Mies's 1982 study of the lacemakers of Narsapur, India, is a graphic illustration of how women bear the impact of development processes in countries where poor peasant and tribal societies are being "integrated" into an international division of labor under the dictates of capital accumulation. Mies's study illustrates how capitalist production relations are built upon the backs of women workers defined as housewives. Ideologies of gender and work and their historical transformation provide the necessary ground for the exploitation of the lacemakers. But the definition of women as housewives also suggests the heterosexualization of women's work—women are always defined in relation to men and conjugal marriage. Mies's account of the development of the lace industry and the corresponding relations of production illustrates fundamental transformations of gender, caste, and ethnic relations. The original caste distinctions between the feudal warrior castes (the landowners) and the Narsapur (poor Christians) and Serepalam (poor Kapus/Hindu agriculturalists) women are transformed through the development of the lace industry, and a new caste hierarchy is effected.

At the time of Mies's study, there were sixty lace manufacturers, with some 200,000 women in Narsapur and Serepalam constituting the workforce. Lacemaking women worked six to eight hours a day and ranged in age from six to eighty. Mies argues that the expansion of the lace industry between 1970 and 1978 and its integration into the world market led to class/caste differentiation within particular communities, with a masculinization of all nonproduction jobs (trade) and the complete feminization of the production process. Thus, men sold women's products and lived on profits from women's labor. The polarization between men and women's work, where men actually defined themselves as exporters and businessmen who invested in women's labor, bolstered the social and ideological definition of women as housewives and their work as "leisure time activity." In other words, work, in this context, was grounded in sexual identity, in concrete definitions of femininity, masculinity, and heterosexuality.

Two particular indigenous hierarchies, those of caste and gender, interacted to produce normative definitions of "women's work." Where, at the onset of the lace industry, Kapu men and women were agricultural laborers and it was the lower-caste Harijan women who were lacemakers, with the development of capitalist relations of production and the possibility of caste/class mobility, it was the Harijan women who were agricultural laborers while the Kapu women undertook the "leisure time" activity of lace-making. The caste-based ideology of seclusion and purdah was essential to the extraction of surplus value. Since purdah and the seclusion of women is a sign of higher caste status, the domestication of Kapu laborer women where their (lace-making) activity was tied to the concept of the "women sitting in the house" was entirely within the logic of capital accumulation and profit. Now, Kapu women, not just the women of feudal, landowning castes, are in purdah as housewives producing for the world market.

Ideologies of seclusion and the domestication of women are clearly sexual, drawing as they do on masculine and feminine notions of protectionism and property. They are also heterosexual ideologies, based on the normative definition of women as wives, sisters, and mothers—always in relation to conjugal marriage and the "family." Thus, the caste transformation and separation of women along lines of domestication and nondomestication (Kapu housewives vs. Harijan laborers) effectively links the work that women do with their sexual and caste/class identities. Domestication works, in this case, because of the persistence and legitimacy of the ideology of the housewife, which defines women in terms of their place within the home, conjugal marriage, and heterosexuality. The opposition between definitions of the "laborer" and of the "housewife" anchors the invisibility (and caste-related status) of work; in effect, it defines women as nonworkers. By definition, housewives cannot be workers or laborers; housewives make male breadwinners and consumers possible. Clearly, ideologies of "women's place and work" have real material force in this instance, where spatial parameters construct and maintain gendered and caste-specific hierarchies. Thus, Mies's study illustrates the concrete effects of the social definition of women as housewives. Not only are the lacemakers invisible in census figures (after all, their work is leisure), but their definition as housewives makes possible the definition of men as "breadwinners." Here, class and gender proletarianization through the development of capitalist relations of production, and the integration of women into the world market, is possible because of the history and transformation of indigenous caste and sexual ideologies.

Reading the operation of capitalist processes from the position of the housewife/worker who produces for the world market makes the specifically gendered and caste/class opposition between laborer and the nonworker (housewife) visible. Moreover, it makes it possible to acknowledge and account for the hidden costs of women's labor. And finally, it illuminates the fundamentally masculine definition of laborer/worker in a context where, as Mies says, men live off women who are the producers. Analyzing and transforming this masculine definition of labor, which is the mainstay of capitalist patriarchal cultures, is one of the most significant challenges we face. The effect of this definition of labor is not only that it makes women's labor and its costs invisible, but that it undercuts women's agency by defining them as victims of a process of pauperization or of "tradition" or "patriarchy," rather than as agents capable of making their own choices.

In fact, the contradictions raised by these choices are evident in the lacemakers' responses to characterizations of their own work as "leisure activity." While the fact that they did "work" was clear to them and while they had a sense of the history of their own pauperization (with a rise in prices for goods but no corresponding rise in wages), they were unable to explain how they came to be in the situation they found themselves. Thus, while some of the contradictions between their work and their roles as housewives and mothers were evident to them, they did not have access to an analysis of these contradictions that could lead to seeing the complete picture in terms of their exploitation, strategizing and organizing to transform their material situations, or recognizing their common interests as women workers across caste/class lines. As a matter of fact, the Serepelam women defined their lace-making in terms of "housework" rather than wage work, and women who had managed to establish themselves as petty commodity producers saw what they did as entrepreneurial: they saw themselves as selling products rather than labor. Thus, in both cases, women internalized the ideologies that defined them as nonworkers. The isolation of the work context (work done in the house rather than in a public setting) as well as the internalization of caste and patriarchal ideologies thus militated against organizing as workers, or as women. However, Mies suggests that there were cracks in this ideology: the women expressed some envy toward agricultural laborers, whom the lacemakers saw as enjoying working together in the fields. What seems necessary in such a context, in terms of feminist mobilization, is a recognition of the fact that the identity of the housewife needs to be transformed into the identity of a "woman worker or working woman." Recognition of common interests as housewives is very different from recognition of common interests as women and as workers.

IMMIGRANT WIVES, MOTHERS, AND FACTORY WORK: ELECTRONICS WORKERS IN THE SILICON VALLEY

My discussion of the U.S. end of the global assembly line is based on studies by Naomi Katz and David Kemnitzer (1983 and 1986) and Karen Hossfeld (1990) of electronics workers in the so-called Silicon Valley in California. An analysis of production strategies and processes indicates a significant ideological redefinition of normative ideas of factory work in terms of the Third World, immigrant women who constitute the primary workforce. While the lacemakers of Narsapur were located as housewives and their work defined as leisure time activity in a very complex international world market, Third World women in the electronics industry in the Silicon Valley are located as mothers, wives, and supplementary workers. Unlike the search for the "single" woman assembly worker in Third World countries, it is in part the ideology of the "married woman" that defines job parameters in the Valley, according to Katz and Kemnitzer's data.

Hossfeld also documents how existing ideologies of femininity cement the exploitation of the immigrant women workers in the Valley and how the women often use this patriarchal logic against management. Assumptions of "single" and "married" women as the ideal workforce at the two geographical ends of the electronics global assembly line (which includes South Korea, Hong Kong, China, Taiwan, Thailand, Malaysia, Japan, India, Pakistan, the Philippines, and the United States, Scotland, and Italy [Women Working Worldwide 1993])are anchored in normative understandings of femininity, womanhood, and sexual identity. The labels are predicated on sexual difference and the institution of heterosexual marriage and carry connotations of a "manageable" (docile?) labor force.[13]

Katz and Kemnitzer's data indicates a definition and transformation of women's work that relies on gender, race, and ethnic hierarchies already historically anchored in the United States. Further, their data illustrates that the construction of "job labels" pertaining to Third World women's work is closely allied with their sexual and racial identities. While Hossfeld's more recent study reinforces some of Katz and Kemnitzer's conclusions, she focuses more specifically on how "contradictory ideologies about sex, race, class, and nationality are used as forms of both labor control and labor resistance in the capitalist workplace today" (Hossfeld 1990, 149).[14] Her contribution lies in charting the operation of gendered ideologies in the structuring of the industry and in analyzing what she calls "refeminization strategies" in the workplace.

Although the primary workforce in the Valley consists of Third World and newly immigrant women, substantial numbers of Third World and immigrant men are also employed by the electronics industry. In the early 1980s, 70,000 women held 80 to 90 percent of the operative or labor jobs on the shop floor. Of these, 45 to 50 percent were Third World, especially Asian, immigrants. White men held either technician or supervisory jobs (Katz and Kemnitzer 1983, 333). Hossfeld's study was conducted between 1983 and 1986, at which time she estimates that up to 80 percent of the operative jobs were held by people of color, with women constituting up to 90 percent of the assembly workers (1990, 154). Katz and Kemnitzer maintain that the industry actively seeks sources of cheap labor by deskilling production and by using race, gender, and ethnic stereotypes to "attract" groups of workers who are "more suited" to perform tedious, unrewarding, poorly paid work. When interviewed, management personnel described the jobs as unskilled (as easy as following a recipe); requiring tolerance for tedious work (Asian women are therefore more suited); and supplementary activity for women whose main tasks were mothering and housework (1983, 335).

It may be instructive to unpack these job labels in relation to the immigrant and Third World (married) women who perform these jobs. The job labels recorded by Katz and Kemnitzer need to be analyzed as definitions of women's work, specifically as definitions of Third World/immigrant women's work. First, the notion of "unskilled" as easy (like following a recipe) and the idea of tolerance for tedious work both have racial and gendered dimensions. Both draw upon stereotypes that infantalize Third World women and initiate a nativist discourse of "tedium" and "tolerance" as characteristics of non-Western, primarily agricultural, premodern (Asian) cultures. Secondly, defining jobs as supplementary activity for mothers and housewives adds a further dimension: sexual identity and appropriate notions of heterosexual femininity as marital domesticity. These are not part-time jobs, but they are defined as supplementary. Thus, in this particular context, (Third World) women's work needs are defined as temporary.

While Hossfeld's analysis of management logic follows similar lines, she offers a much more nuanced understanding of how the gender and racial stereotypes prevalent in the larger culture infuse worker consciousness and resistance. For instance, she draws attention to the ways in which factory jobs are seen by the workers as "unfeminine" or not "ladylike." Management exploits and reinforces these ideologies by encouraging women to view femininity as contradictory to factory work, by defining their jobs as secondary and temporary and by asking women to choose between defining themselves as women or as workers (Hossfeld 1990, 168). Womanhood and femininity are thus defined along a domestic, familial model, with work seen as supplemental to this primary identity. Significantly, although 80 percent of the immigrant women in Hossfeld's study were the largest annual income producers in their families, they still considered men to be the breadwinners (1963).

Thus, as with the exploitation of Indian lacemakers as "housewives," Third World/immigrant women in the Silicon Valley are located as "mothers and homemakers" and only secondarily as workers. In both cases, men are seen as the real breadwinners. While (women's) work is usually defined as something that takes place in the "public" or production sphere, these ideologies clearly draw on stereotypes of women as home-bound. In addition, the invisibility of work in the Indian context can be compared to the temporary/secondary nature of work in the Valley. As in the 1982 Mies study, the data compiled by Hossfeld and Katz and Kemnitzer indicate the presence of local ideologies and hierarchies of gender and race as the basis for the exploitation of the electronics workers. The question that arises is: How do women understand their own positions and construct meanings in an exploitative job situation?

Interviews with electronics workers indicate that, contrary to the views of management, women do not see their jobs as temporary but as part of a lifetime strategy of upward mobility. Conscious of their racial, class, and gender status, they combat their devaluation as workers by increasing their income: by job-hopping, overtime, and moonlighting as piece workers (1983, 337). Note that, in effect, the "homework" that Silicon Valley workers do is performed under conditions very similar to the lace-making of Narsapur women. Both kinds of work are done in the home, in isolation, with the worker paying her own overhead costs (like electricity and cleaning), with no legally mandated protections (such as a minimum wage, paid leave, or health benefits). However, clearly the meanings attached to the work differ in both contexts, as does the way we understand them.

For Katz and Kemnitzer the commitment of electronics workers to class mobility is an important assertion of self (335–36). Thus, unlike in Narsapur, in the Silicon Valley, homework has an entrepreneurial aspect for the women themselves. In fact, in Narsapur, women's work turns the men into entrepreneurs. In the Valley, women take advantage of the contradictions of the situations they face as individual workers. While in Narsapur, it is purdah and caste/class mobility that provides the necessary self-definition required to anchor women's work in the home as leisure activity, in the Silicon Valley, it is a specifically North American notion of individual ambition and entrepreneurship that provides the necessary ideological anchor for Third World women.

Katz and Kemnitzer maintain that this underground economy produces an ideological redefinition of jobs, allowing them to be defined as other than the basis of support of the historically stable, "comfortable," white, metropolitan working class (1983, 342). In other words, there is a clear connection between low wages and the definition of the job as supplementary, and the fact that the lifestyles of people of color are defined as different and cheaper. Thus, according to Katz and Kemnitzer, women and people of color continue to be "defined out" of the old industrial system and become targets and/or instruments of the ideological shift away from class toward national/ethnic/gender lines (1983, 341).[15] In this context, ideology and popular culture emphasize the individual maximization of options for personal success. Individual success is thus severed from union activity, political struggle, and collective relations. Similarly, Hossfeld suggests that it is the racist and sexist management logic of the needs of "immigrants" that allows the kind of exploitative labor processes that she documents (1990, 157–58) .[16] However, in spite of Katz and Kemnitzer's complex analysis of the relationship of modes of production, social relations of production, culture, and ideology in the context of the Silicon Valley workers, they do not specify why it is Third World women who constitute the primary labor force. Similarly, while Hossfeld provides a nuanced analysis of the gendering of the workplace and the use of racial and gendered logic to consolidate capitalist accumulation, she also sometimes separates "women" and "minority workers" (176), and does not specify why it is women of color who constitute the major labor force on the assembly lines in the Valley. In distinguishing between women and people of color, Katz and Kemnitzer tend to reproduce the old conceptual divisions of gender and race, where women are defined primarily in terms of their gender and people of color in terms of race. What is excluded is an *interactive* notion of gender and race, whereby women's gendered identity is grounded in race and people of color's racial identities are gendered.

I would argue that the data compiled by Katz and Kemnitzer and Hossfeld does, in fact, explain why Third World women are targeted for jobs in electronics factories. The explanation lies in the redefinition of work as temporary, supplementary, and unskilled, in the construction of women as mothers and homemakers, and in the positioning of femininity as contradictory to factory work. In addition, the explanation also lies in the specific definition of Third World, immigrant women as docile, tolerant, and satisfied with substandard wages. It is the ideological redefinition of women's work that provides the necessary understanding of this phenomenon. Hossfeld describes some strategies of resistance in which the workers utilize against management the very gendered and racialized logic that management uses against them. However, while these tactics may provide some temporary relief on the job, they build on racial and gender stereotypes that, in the long run, can be and are used against Third World women.

DAUGHTERS, WIVES, AND MOTHERS: MIGRANT WOMEN WORKERS IN BRITAIN

> Family businesses have been able to access minority women's labor power through mediations of kinship and an appeal to ideologies which emphasize the role of women in the home as wives and mothers and as keepers of family honor. — Sallie Westwood and Parminder Bhachu, *Enterprising Women*, 1988

In a collection of essays exploring the working lives of black and minority women inside and outside the home, Sallie Westwood and Parminder Bhachu (1988) focus on the benefits afforded the British capitalist state by the racial and gendered aspects of migrant women's labor.[17] They point to the fact that what has been called the "ethnic economy" (the way migrants draw on resources to survive in situations where the combined effects of a hostile, racist environment and economic decline serve to oppress them) is also fundamentally a gendered economy. Statistics indicate that Afro-Caribbean and non-Muslim Asian women have a higher full-time labor participation rate than white women in the United Kingdom. Thus, while the perception that black women (defined, in this case, as women of Afro-Caribbean, Asian, and African origin) are mostly concentrated in part-time jobs is untrue, the forms and patterns of their work lives—within the context of homework and family firms, businesses where the entire family is involved in earning a living, either inside or outside the home—bears examination. Work by British feminist scholars (Phizacklea 1983, Westwood 1984 and 1988, Josephides 1988, and others) suggests that familial ideologies of domesticity and heterosexual marriage cement the economic and social exploitation of black women's labor within family firms. Repressive patriarchal ideologies, which fix the woman's role in the family, are grounded in inherited systems of inequality and oppression in black women's cultures of origin. And these very ideologies are reproduced and consolidated in order to provide the glue for profit making in the context of the racialized British capitalist state.

For instance, Annie Phizacklea's (1983) work on Bangladeshi homeworkers in the clothing industry in the English West Midlands illuminates the extent to which family and community ties, maintained by women, are crucial in allowing this domestic subcontracting in the clothing industry to undercut the competition in terms of wages and long work-days and its cost to women workers. In addition, Sallie Westwood's (1984) work on Gujarati women factory workers in the East Midlands hosiery industry suggests that the power and creativity of the shop floor culture that draws on cultural norms of femininity, masculinity, and domesticity, while generating resistance and solidarity among the Indian and white women workers, is, in fact, anchored in Gujarati cultural inheritances. Discussing the contradictions in the lives of Gujarati women within the home and the perception that male family members have of their work as an extension of their family roles (not as a path to financial independence), Westwood elaborates on the continuities between the ideologies of domesticity within the household, which are the result of (often repressive) indigenous cultural values and practices, and the culture of the shop floor. Celebrating each other as daughters, wives, and mothers is one form of generating solidarity on the shop floor, but it is also a powerful refeminization strategy, to use Hossfeld's term.

Finally, family businesses, which depend on the cultural and ideological resources and loyalties within the family to transform ethnic "minority" women into workers committed to common familial goals, are also anchored in women's roles as daughters, wives, mothers, and keepers of family honor (Josephides 1988, Bhachu 1988). Women's work in family business is unpaid and produces dependencies that are similar to those of homeworkers, whose labor, although paid, is invisible. Both are predicated on ideologies of domesticity and womanhood that infuse the spheres of production and reproduction. In discussing Cypriot women in family firms, Sasha Josephides (1988) cites the use of familial ideologies of "honor" and the construction of a "safe" environment outside the public sphere as the bases for a definition of femininity and womanhood (the perfect corollary to a paternal, protective definition of masculinity) that allows Cypriot women to see themselves as workers for their family, rather than as workers for themselves. All conflict around the question of work is thus accommodated within the context of the family. This is an important instance of the privatization of work and of the redefinition of the identity of women workers in family firms as doing work that is a "natural extension" of their familial duties (not unlike the lacemakers). It is their identity as mothers, wives, and family members that stands in for their identity as workers. Parminder Bhachu's (1988) work with Punjabi Sikhs also illustrates this fact. Citing the growth of small-scale entrepreneurship among South Asians as a relatively new trend in the British economy, Bhachu states that women workers in family businesses often end up losing autonomy and reenter more traditional forms of patriarchal dominance, where men control all or most of the economic resources within the family: "By giving up work, these women not only lose an independent source of income, and a large network of often female colleagues, but they also find themselves sucked back into the kinship system which emphasizes patrilaterality" (85). Women thus lose a "direct relationship with the productive process," thereby raising the issue of the invisibility (even to themselves) of their identity as workers.

This analysis of migrant women's work in Britain illustrates the parallel trajectory of their exploitation as workers within a different metropolitan context than the United States. To summarize, all these case studies indicate ways in which ideologies of domesticity, femininity, and race form the basis of the construction of the notion of "women's work" for Third World women in the contemporary economy. In the case of the lacemakers, this is done through the definition of homework as leisure time activity and of the workers themselves as housewives. As discussed earlier, indigenous hierarchies of gender and caste/class make this definition possible. In the case of the electronics workers, women's work is defined as unskilled, tedious, and supplementary activity for mothers and homemakers. It is a specifically American ideology of individual success, as well as local histories of race and ethnicity that constitute this definition. We can thus contrast the invisibility of the lacemakers as workers to the temporary nature of the work of Third World women in the Silicon Valley. In the case of migrant women workers in family firms in Britain, work becomes an extension of familial roles and loyalties and draws upon cultural and ethnic/racial ideologies of womanhood, domesticity, and entrepreneurship to consolidate patriarchal dependencies. In all these cases, ideas of flexibility, temporality, invisibility, and domesticity in the naturalization of categories of work are crucial in the construction of Third World women as an appropriate and cheap labor force. All of the above ideas rest on stereotypes about gender, race, and poverty, which, in turn, characterize Third World women as workers in the contemporary global arena.

Eileen Boris and Cynthia Daniels (1989) claim that "homework belongs to the decentralization of production that seems to be a central strategy of some sectors and firms for coping with the international restructuring of production, consumption, and capital accumulation."[18] Homework assumes a significant role in the contemporary capitalist global economy. The discussion of homework performed by Third World women in the three geographical spaces discussed above—India, the United States, and Britain—suggests something specific about capitalist strategies of recolonization at this historical juncture. Homework emerged at the same time as factory work in the early nineteenth century in the United States, and, as a system, it has always reinforced the conjoining of capitalism and patriarchy. Analyzing the homeworker as a wage laborer (rather than an entrepreneur who controls both her labor and the market for it) dependent on the employer for work that is carried out usually in the "home" or domestic premises, makes it possible to understand the systematic invisibility of this form of work. What allows this work to be so fundamentally exploitative as to be invisible as a form of work are ideologies of domesticity, dependency, and (hetero)sexuality, which designate women—in this case, Third World women—as primarily housewives/mothers and men as economic supporters/breadwinners. Homework capitalizes on the equation of home, family, and patriarchal and racial/cultural ideologies of femininity/masculinity with work. This is work done at home, in the midst of doing housework, childcare, and other tasks related to "homemaking," often work that never ceases. Characterizations of "housewives," "mothers," and "homemakers" make it impossible to see homeworkers as workers earning regular wages and entitled to the rights of workers. Thus, not just their production, but homeworkers' exploitation as workers, can, in fact, also remain invisible, contained within domestic, patriarchal relations in the family. This is a form of work that often falls outside accounts of wage labor, as well as accounts of household dynamics (Allen 1989).

Family firms in Britain represent a similar ideological pattern, within a different class dynamic. Black women imagine themselves as entrepreneurs (rather than as wage laborers) working for the prosperity of their families in a racist society. However, the work they do is still seen as an extension of their familial roles and often creates economic and social dependencies. This does not mean that women in family firms never attain a sense of autonomy, but that, as a system, the operation of family business exploits Third World women's labor by drawing on and reinforcing indigenous hierarchies in the search for upward mobility in the (racist) British capitalist economy. What makes this form of work in the contemporary global capitalist arena so profoundly exploitative is that its invisibility (both to the market, and sometimes to the workers themselves) is premised on deeply ingrained sexist and racist relationships within and outside heterosexual kinship systems. This is also the reason why changing the gendered relationships that anchor homework and organizing homeworkers becomes such a challenge for feminists.

The analysis of factory work and family business in Britain and of homework in all three geographical locations raises the question of whether homework and factory work would be defined in these particular ways if the workers were single women. In this case, the construct of the worker is dependant on gender ideologies. In fact, the idea of work or labor as necessary for the psychic, material, and spiritual survival and development of women workers is absent. Instead, it is the identity of women as housewives, wives, and mothers (identities also defined outside the parameters of work) that is assumed to provide the basis for women's survival and growth. These Third World women are defined out of the labor/capital process as if work in their case isn't necessary for economic, social, psychic autonomy, independence, and self-determination—a nonalienated relation to work is a conceptual and practical impossibility in this situation.

Common Interests/Different Needs: Collective Struggles of Poor Women Workers

Thus far, this chapter has charted the ideological commonalities of the exploitation of (mostly) poor Third World women workers by global capitalist economic processes in different geographical locations. The analysis of the continuities between factory work and homework in objectifying and domesticating Third World women workers such that their very identity as workers is secondary to familial roles and identities, and predicated on patriarchal and racial/ethnic hierarchies anchored in local/indigenous and transnational processes of exploitation exposes the profound challenges posed in organizing women workers on the basis of common interests. Clearly, these women are not merely victims of colonizing, exploitative processes—the analysis of the case studies indicates different levels of consciousness of their own exploitation, different modes of resistance, and different understandings of the contradictions they face and of their own agency as workers. While the chapter thus far lays the groundwork for conceptualizing the common interests of women workers based on an understanding of shared location and needs, the analysis foregrounds processes of repression rather than forms of opposition. How have poor Third World women organized as workers? How do we conceptualize the question of "common interests" based in a "common context of struggle," such that women are agents who make choices and decisions that lead to the transformation of consciousness and of their daily lives as workers?

As discussed earlier, with the current domination in the global arena of the arbitrary interests of the market and of transnational, capital, older signposts and definitions of capital/labor or of "the worker" or even of "class struggle" are no longer totally accurate or viable conceptual or organizational categories. It is, in fact, the predicament of poor working women and their experiences of survival and resistance in the creation of new organizational forms to earn a living and improve their daily lives that offers new possibilities for struggle and action.[19] In this instance, then, the experiences of Third World women workers are relevant for understanding and transforming the work experiences and daily lives of poor women everywhere. The rest of this chapter explores these questions by suggesting a working definition of the question of the common interests of Third World women workers in the contemporary global capitalist economy, drawing on the work of feminist political theorist Anna G. Jonasdottir.

Jonasdottir explores the concept of women's interests in participatory democratic political theory. She emphasizes both the formal and the content aspects of a theory of social and political interests that refers to "different layers of social existence: agency and the needs/desires that give strength and meaning to agency" (Jonasdottir 1988, 57). Adjudicating between political analysts who theorize common interests in formal terms (i.e., the claim to actively "be among," to choose to participate in defining the terms of one's own existence, or acquiring the conditions for choice) and those who reject the concept of interests in favor of the concept of (subjective) individualized and group-based "needs and desires" (the consequences of choice), Jonasdottir formulates a concept of the common interests of women that emphasizes the former but is a combination of both perspectives. She argues that the formal aspect of interest (an active "being among") is crucial: "Understood historically, and seen as emerging from people's lived experiences, interests about basic processes of social life are divided systematically between groups of people in so far as their living conditions are systematically different. Thus historically and socially defined, interests can be characterized as 'objective' " (41). In other words, there are systematic material and historical bases for claiming that Third World women workers have common interests. However, Jonasdottir suggests that the second aspect of theorizing interest, the satisfaction of needs and desires (she distinguishes between agency and the result of agency) remains an open question. Thus, the content of needs and desires from the point of view of interest remains open for subjective interpretation. According to Jonasdottir, feminists can acknowledge and fight on the basis of the (objective) common interests of women in terms of active representation and choices to participate in a democratic polity, while at the same time not reducing women's common interests (based on subjective needs and desires) to this formal "being among" aspect of the question of interest. This theorization allows us to acknowledge common interests and potential agency on the basis of systematic aspects of social location and experience, while keeping open what I see as the deeper, more fundamental question of understanding and organizing around the needs, desires, and choices (the question of critical, transformative consciousness) in order to transform the material and ideological conditions of daily life. The latter has a pedagogical and transformative dimension that the former does not.

How does this theorization relate to conceptualizations of the common interests of Third World women workers? Jonasdottir's distinction between agency and the result of agency is a very useful one in this instance. The challenges for feminists in this arena are (1) understanding Third World women workers as having objective interests in common as workers (they are thus agents and make choices as workers); and (2) recognizing the contradictions and dislocations in women's own consciousness of themselves as workers and thus of their needs and desires—which sometimes militate against organizing on the basis of their common interests (the results of agency). Thus, work has to be done here in analyzing the links between the social location and the historical and current experiences of domination of Third World women workers, on the one hand, and in theorizing and enacting the common social identity of Third World women workers, on the other. Reviewing the forms of collective struggle of poor, Third World women workers in relation to the above theorization of common interests provides a map of where we are in this project.

In the case of women workers in the free-trade zones in a number of countries, trade unions have been the most visible forum for expressing the needs and demands of poor women. The sexism of trade unions, however, has led women to recognize the need for alternative, more democratic organizational structures, and to form women's unions (as in Korea, China, Italy, and Malaysia [see Women Working Worldwide 1993]) or to turn to community groups, church committees, or feminist organizations. In the United States, Third World immigrant women in electronics factories have often been hostile to unions that they recognize as clearly modeled in the image of the white, male, working-class American worker. Thus, church involvement in immigrant women workers struggles has been an important form of collective struggle in the United States (Women Working Worldwide, 1993, 38).

Women workers have developed innovative strategies of struggle in women's unions. For instance, in 1989, the Korean Women Workers Association staged an occupation of the factory in Masan. They moved into the factory and lived there, cooked meals, guarded the machines and premises, and effectively stopped production (Women Working Worldwide 1993, 31). In this form of occupation of the work premises, the processes of daily life become constitutive of resistance (also evident in the welfare rights struggles in the United States) and opposition is anchored in the systematic realities of the lives of poor women. It expresses not only their common interests as workers, but acknowledges their social circumstance as *women* for whom the artificial separation of work and home has little meaning. This "occupation" is a strategy of collective resistance that draws attention to poor women workers' building community as a form of survival.

Kumudhini Rosa makes a similar argument in her analysis of the "habits of resistance" of women workers in free trade zones (FTZ) in Sri Lanka, Malaysia, and the Philippines (Rosa 1994, esp. 86). The fact that women live and work together in these FTZs is crucial in analyzing the ways in which they build community life, share resources and dreams, provide mutual support and aid on the assembly line and in the street, and develop individual and collective habits of resistance. Rosa claims that these forms of resistance and mutual aid are anchored in a "culture of subversion" in which women living in patriarchal, authoritarian households where they are required to be obedient and disciplined, acquire practice in "concealed forms of rebelling" (86). Thus, women workers engage in "spontaneous" strikes in Sri Lanka, "wildcat" strikes in Malaysia, and "sympathy" strikes in the Philippines. They also support each other by systematically lowering the production target or helping slow workers meet the production targets on assembly lines. Rosa's analysis illustrates recognition of the common interests of women workers at a formal "being among" level. While women are conscious of the contradictions of their daily lives as women and as workers and enact their resistance, they have not organized actively to identify their collective needs and to transform the conditions of their daily lives.

While the earlier section on the ideological construction of work in terms of gender and racial/ethnic hierarchies discussed homework as one of the most acute forms of exploitation of poor Third World women, it is also the area in which some of the most creative and transformative collective organizing has occurred. The two most visibly successful organizational efforts in this arena are the Working Women's Forum (WWF) and the Self Employed Women's Association (SEWA) in India, both registered as independent trade unions, and focusing on incorporating homeworkers, as well as petty traders, hawkers, and laborers in the informal economy into their membership (Mitter 1994, esp. 33).

There has also been a long history of organizing homeworkers in Britain. Discussing the experience of the West Yorkshire Homeworking Group in the late 1980s, Jane Tate states that "a homework campaign has to work at a number of levels, in which the personal interconnects with the political, the family situation with work, lobbying Parliament with small local meetings. . . . In practical terms, the homeworking campaigns have adopted a way of organising that reflects the practice of many women's groups, as well as being influenced by the theory and practice of community work. It aims to bring out the strength of women, more often in small groups with a less formal structure and organisation than in a body such as a union" (Tate 1994,

116). Issues of race, ethnicity, and class are central in this effort since most of the homeworkers are of Asian or Third World origin. Tate identifies a number of simultaneous strategies used by the West Yorkshire Group to organize homeworkers: pinpointing and making visible the "real" employer (or the real enemy), rather than directing organizational efforts only against local subsidiaries; consumer education and pressure, which links the buying of goods to homeworker struggles; fighting for a code of work practice for suppliers by forming alliances between trade unions, women's, and consumer groups; linking campaigns to the development of alternative trade organizations (for instance, SEWA); fighting for visibility in international bodies like the International Labour Organisation; and, finally, developing transnational links between local grassroots homeworker organizations—thus, sharing resources, strategies, and working toward empowerment. The common interests of homeworkers are acknowledged in terms of their daily lives as workers and as women—there is no artificial separation of the "worker" and the "homemaker" or the "housewife" in this context. While the West Yorkshire Homeworking Group has achieved some measure of success in organizing homeworkers, and there is a commitment to literacy, consciousness raising, and empowerment of workers, this is still a feminist group that organizes women workers (rather than women workers organizing themselves, with the impetus for organization emerging from the workers). It is in this regard that SEWA and WWF emerge as important models for poor women workers organizations.

Swasti Mitter discusses the success of SEWA and WWF in terms of: (1) their representing the potential for organizing powerful women workers' organizations (the membership of WWF is 85,000 and that of SEWA is 46,000 workers) when effective strategies are used; and (2) making these "hidden" workers visible as workers to national and international policy makers. Both WWF and SEWA address the demands of poor women workers, and both include a development plan for women that includes leadership training, child care, women's banks, and producer's cooperatives that offer alternative trading opportunities. Renana Jhabvala, SEWA's secretary, explains that, while SEWA was born in 1972 in the Indian labor movement and drew inspiration from the women's movement, it always saw itself as a part of the cooperative movement, as well (Jhabvala 1994). Thus, struggling for poor women workers' rights always went hand in hand with strategies to develop alternative economic systems. Jhabvala states, "SEWA accepts the co-operative principles and sees itself as part of the co-operative movement attempting to extend these principles to the poorest women. . . . SEWA sees the need to bring poor women into workers' co-operatives. The co-operative structure has to be revitalised if they are to become truly workers' organisations, and thereby mobilise the strength of the co-operative movement in the task of organising and strengthening poor women" (Jhabvala 1994, 116). This emphasis on the extension of cooperative (or democratic) principles to poor women, the focus on political and legal literacy, education for critical and collective consciousness, and developing strategies for collective (and sometimes militant) struggle and for economic, social, and psychic development makes SEWA's project a deeply feminist, democratic, and transformative one. Self-employed women are some of the most disenfranchised in Indian society—they are vulnerable economically, in caste terms, physically, sexually, and in terms of their health, and, of course, they are socially and politically invisible. Thus they are also one of the most difficult constituencies to organize. The simultaneous focus on collective struggle for equal rights and justice (struggle against) coupled with economic development on the basis of cooperative, democratic principles of sharing, education, self-reliance, and autonomy (struggle for) is what is responsible for SEWA's success at organizing poor, home-based, women workers. Jhabvala summarizes this when she says, "The combination of trade union and co-operative power makes it possible not only to defend members but to present an ideological alternative. Poor women's co-operatives are a new phenomenon. SEWA has a vision of the co-operative as a form of society that will bring about more equal relationships and lead to a new type of society" (135).

SEWA appears to come closest to articulating the common interests and needs of Third World women workers in the terms that Jonasdottir elaborates. The association organizes on the basis of the objective interests of poor women workers—both the trade union and cooperative development aspect of the organizational strategies illustrate this. The status of poor women workers as workers and as citizens entitled to rights and justice is primary. But SEWA also approaches the deeper level of the articulation of needs and desires based on recognition of subjective, collective interests. As discussed earlier, it is this level of the recognition and articulation of common interest that is the challenge for women workers globally. While the common interests of women workers as workers have been variously articulated in the forms of struggles and organizations reviewed above, the transition to identifying common needs and desires (the content aspect of interest) of Third World women workers, which leads potentially to the construction of the identity of Third World women workers, is what remains a challenge—a challenge that perhaps SEWA comes closest to identifying and addressing.

I have argued that the particular location of Third World women workers at this moment in the development of global capitalism provides a vantage point from which to (1) make particular practices of domination and recolonization visible and transparent, thus illuminating the minute and global processes of capitalist recolonization of women workers, and (2) understand the commonalities of experiences, histories, and identity as the basis for solidarity and in organizing Third World women workers transnationally. My claim, here, is that the definition of the social identity of women as workers is not only class-based but, in fact, in this case, must be grounded in understandings of race, gender, and caste histories and experiences of work. In effect, I suggest that homework is one of the most significant, and repressive, forms of "women's work" in contemporary global capitalism. In pointing to the ideology of the "Third World woman worker" created in the context of a global division of labor, I am articulating differences located in specific histories of inequality, that is, histories of gender and caste/class in the Narsapur context and histories of gender, race, and liberal individualism in the Silicon Valley and in Britain.

However, my argument does not suggest that these are discrete and separate histories. In focusing on women's work as a particular form of Third World women's exploitation in the contemporary economy, I also want to foreground a particular history that Third and First World women seem to have in common: the logic and operation of capital in the contemporary global arena. I maintain that the interests of contemporary transnational capital and the strategies employed enable it to draw upon indigenous social hierarchies and to construct, reproduce, and maintain ideologies of masculinity/femininity, technological superiority, appropriate development, skilled/unskilled labor, and so on. Here I have argued this in terms of the category of "women's work," which I have shown to be grounded in an ideology of the Third World women worker. Thus, analysis of the location of Third World women in the new international division of labor must draw upon the histories of colonialism and race, class and capitalism, gender and patriarchy, and sexual and familial figurations. The analysis of the ideological definition and redefinition of women's work thus indicates a political basis for common struggles and it is this particular forging of the political unity of Third World women workers that I would like to endorse. This is in opposition to ahistorical notions of the common experience, exploitation, or strength of Third World women or between Third and First World women, which serve to naturalize normative Western feminist categories of self and other. If Third World women are to be seen as the subjects of theory and of struggle, we must pay attention to the specificities of their/our common and different histories.

In summary, this chapter highlights the following analytic and political issues pertaining to Third World women workers in the global arena: it writes a particular group of women workers into history and into the operation of contemporary capitalist hegemony; it charts the links and potential for solidarity between women workers across the borders of nation-states, based on demystifying the ideology of the masculinized worker; it exposes a domesticated definition of Third World women's work to be in actuality a strategy of global capitalist recolonization; it suggests that women have common interests as workers, not just in transforming their work lives and environments, but in redefining home spaces so that homework is recognized as work to earn a living rather than as leisure or supplemental activity; it foregrounds the need for feminist liberatory knowledge as the basis of feminist organizing and collective struggles for economic and political justice; it provides a working definition of the common interests of Third World women workers based on theorizing the common social identity of Third World women as women/workers; and finally, it reviews the habits of resistance, forms of collective struggle, and strategies of organizing of poor, Third World women workers. Irma is right when she says that "the only way to get a little measure of power over your own life is to do it collectively, with the support of other people who share your needs" (quoted in Hossfeld 1993, 51). The question of defining common interests and needs such that the identity of Third World women workers forms a potentially revolutionary basis for struggles against capitalist recolonization, and for feminist self-determination and autonomy, is a complex one. However, as maquiladora worker Veronica Vasquez and the women in SEWA demonstrate, women are already waging such struggles. The beginning of the twenty-first century may be characterized by the exacerbation of the sexual politics of global capitalist domination and exploitation, but it is also suggestive of the dawning of a renewed politics of hope and solidarity.

CHAPTER SEVEN

Privatized Citizenship, Corporate Academies, and Feminist Projects

> The universities were places for self-perfection, places for the highest education in life. Everyone taught everyone else. All were teachers, all were students. The sages listened more than they talked; and when they talked it was to ask questions that would engage endless generations in profound and perpetual discovery.
>
> The universities and the academies were also places where people sat and meditated and absorbed knowledge from the silence. Research was a permanent activity, and all were researchers and appliers of the fruits of research. The purpose was to discover the hidden unified law of all things, to deepen the spirit, to make more profound the sensitivities of the individual to the universe, and to become more creative. — Ben Okri, *Astonishing the Gods*, 1995

Ben Okri's beautifully lyrical vision of the university highlights lifelong, collective learning, the importance of listening, silence and meditation as forms of learning, the connection of intellectual and spiritual labor to creativity, and the process of research and knowledge acquisition as the discovery of the principles and values of human existence in the context of a larger physical and cosmic environment. In the context of the U.S. academy of the late twentieth and early twenty-first century, however, Okri's description of the purpose and pedagogy of university life seem impossibly utopian. Nonetheless, I begin with this vision of the university community precisely because it is utopian and draws attention to the visionary aspects of the work of many teachers and scholars in academic settings around the world. It is also this vision of ethical pedagogy and true knowledge-seeking, in part, that compels me to write about the increasingly corporate U.S. academy and its profound significance for feminist struggle.

The academy has always been the site of feminist struggle. It is that contradictory place where knowledges are colonized but also contested—a place that engenders student mobilizations and progressive movements of various kinds. It is one of the few remaining spaces in a rapidly privatized world that offers some semblance of a public arena for dialogue, engagement, and visioning of democracy and justice. Although these spaces are shrinking rapidly, dialogue, disagreement, and controversy are still possible and sanctioned in the academy. I believe the U.S. academy is one of a handful of contested sites crucial to feminist struggle in the United States. And it is one of the most significant sites in recent history for antiglobalization student movements, and post–11 September 2001, one of the major sites of antiwar organizing. Thus the increasing privatization of U.S. institutions of higher education has significant effects for feminist work in the academy, and antiracist feminists need to theorize our work in relation to this restructured academy.

It is thus in the spirit of clarifying the limits and possibilities of emancipatory work in the academy that I undertake this analysis. This chapter offers an antiracist, feminist critique of what Stanley Aronowitz (2000) calls "The Knowledge Factory," and others have variously referred to as "the corporate university" (Giroux and Myrsiades 2001), "digital diploma mills" (Noble 2001), "academic capitalism" (Slaughter and Leslie 1997), and "the academic globalization of North American universities" (Currie 1998). I attempt this analysis for two reasons—because I believe the discursive and pedagogical critiques of a Eurocentric, masculinist knowledge base have to be anchored in the larger institutional context in which many feminist academics work, and because although there is a growing body of left scholarship on the debilitating effects of a privatized, corporate academy, this scholarship by and large either ignores or erases questions of racialized gender. After all the Marxist-feminist, antiracist theorizing of the past few decades, we continue to inherit a left critique unmarked by racialized gender in terms of its theoretical presuppositions. On the other hand, feminist scholars have made great inroads in discursive, curricular, and pedagogical terms within and across academic disciplines, but we rarely link these concerns to a serious anticapitalist critique of the corporate academy—an academy that determines the everyday material and ideological conditions of our work as teachers and scholars in the United States of America.

Chapter 8 addresses the politics of knowledge, curricular and pedagogical practices and their effects on the location and experiences of marginalized communities in the academy. Here I analyze the political economy of the U.S. academy (or U.S. higher education in general) and the commoditization of knowledge in the context of global restructuring and economic and political realignments of power. Again, questions of power, difference, knowledge, and democratic struggles dominate this analysis of my own primary place of work and struggle for the last two decades: questions about potential solidarities, and about borders and their underlying relations of power preoccupy me here as well, questions about where the unseen borders in the academy lie and how we can make them visible, about who crosses these borders and who cannot, about the kinds of passports/credentials needed to cross borders, and the building of communities of dialogue and dissent that democratize and decolonize these borders so that all constituencies can access and utilize the knowledges each need for autonomy and self-definition.

Globalization is a slogan, an overused and underunderstood concept, and it characterizes real shifts and consolidation of power around the world. Institutions, and people in power, rule and maintain inequality in part by hiding or mystifying the workings of power. Understanding the political economy of higher education at the beginning of the twenty-first century is about seeing and making visible the shifts and mystifications of power at a time when global capitalism reigns supreme. I focus here on globalization as a process that combines a market ideology with a set of material practices drawn from the business world. In this context the politics of difference, the production of knowledge about (and the disciplining/colonizing of) difference, how we know what we know, and the consequences of our "knowing" on different realities and communities of people around the world is one of the ways we can trace the effects of globalization in the academy. Feminist literacy necessitates learning to see (and theorize) differently—to identify and challenge the politics of knowledge that naturalizes global capitalism and business-as-usual in North American higher education. Specifically it involves making racialized gender visible and acknowledging its centrality to processes of governance in the "new" corporate academy. While we have access to a wealth of feminist and antiracist, multicultural scholarship on curricular and pedagogical issues in U.S. higher education,[1] there is very little scholarship that connects pedagogical and curricular questions to those of governance, administration, and educational policy; it is this link that this chapter explores.

Globalization, Academic Capitalism, and Democratic Education

One of the most obvious ways in which globalization is understood is in terms of the production of an epoch of "borderlessness." The mobility, and borderlessness, of technology (e.g., the Internet), financial capital, environmental wastes, modes of governance (e.g., the World Trade Organization), as well as cross-national political movements (e.g., struggles against the World Bank and the International Monetary Fund) characterizes globalization at the beginning of the twenty-first century. In 1989, Jonathan Feldman argued pursuasively that U.S. universities are "part of a complex web of intervention and militarism." Feldman showed how the university "participates in both the U.S. war system and the transnational economy" (5; see also Soley 1995). What was referred to in the 1960s, 1970s, and 1980s as the "military-industrial complex" has now transmogrified into the "military/prison/cyber/ corporate complex." Zillah Eisenstein's argument (1998) linking cyber-media-corporate power and Angela Davis's analysis (in James 1998) of the new "prison-industrial complex" provides the analytical basis for my formulation of the "military/prison/cyber/corporate complex." What concerns me here is the place (literal and metaphorical) of U.S. universities in this complex. Along with many other scholars, I believe that the U.S. university is one of the "scapes" (to use John Urry's [1998] term for networks of technologies, machines, organizations, texts, and actors) connected to this complex. Borderlessness in these terms engenders profound questions about power, access, justice, and accountability. After all, inequality can also be mobile in this particular world.

John Urry suggests that new machines and technologies shrink time-space, creating scapes that partially transcend social control and regulation. These machines and technologies include "fiber-optic cables, jet planes, audio-visual transmissions, digital TV, computer networks including the Internet, satellites, credit cards, faxes, electronic point-of-sale terminals, cell phones, electronic stock exchanges, high speed trains, and virtual reality. There are also large-scale increases in nuclear, chemical and conventional military technologies and weapons, as well as new waste products and health risks" (6).

Is the North American university a similar global scape involved in the business of economic and political capitalist rule? Evidence for this proposition can be found in the increasingly close link between what Etzkowitz, Webster, and Healey (1998) call science policy and economic development policy (21). Etzkowitz and his colleagues claim that since the 1980s, universities have been undergoing a "second revolution" (the first being the humanities-based revolution of the late nineteenth and early twentieth century that introduced a research mission into the university). This second academic revolution is science-based and is "the translation of research findings into intellectual property, a marketable commodity, and economic development" (21). Note the reference to property, commodity exchange, and economic development —all fundamental aspects of global capitalism. The moment we tie university-based research to economic development—and describe this research as fundamentally driven by market forces—it becomes possible to locate the university as an important player in capitalist rule. Etzkowitz and colleagues talk about the "triple helix" model of knowledge "capitalization" in the sciences—with the university, industry, and the state forming the three strands of interdependency. The capitalization of knowledge here refers to the "translation of knowledge into commercial property in the literal sense of capitalizing on one's intellectual (scientific) assets; more generally, it refers to the way in which society at large draws on, uses, and exploits its universities, government-funded research labs, and so on to build the innovative capacity of the future" (9). This capitalization of knowledge is one of the most profound ways that universities serve as a catalyst for the onward march of global capitalism—a march ably facilitated by knowledge and information technologies in the early years of this century.

There is now a wide-ranging university/corporate alliance that sustains and supports the military/prison/cyber/corporate complex. Thus immense power as well as oppression is dispersed, funneled through, recycled, consolidated, and above all justified through the daily operation of U.S. universities newly restructured through the processes of economic globalization. It is this link between the university and other scapes of global capitalism that recycle and exacerbate gender, race, class, and sexual hierarchies that concerns me.

As scholars and critics of the effects of globalization on the university have argued, the last few decades have witnessed a profound shift in the vision and mission of the nineteenth-century public university to the model of an entrepreneurial, corporate university in the business of naturalizing capitalist, privatized citizenship. The ideology of the market and of the consumer as the global and North American citizen par excellence is actively consolidated in the restructured U.S. university—and this is bad news indeed for educators and citizens concerned with social and economic justice. Further, it is the racialized, and sexualized, systems of exploitation that underlie and consolidate the everyday material workings of the corporatized university, and of the production of consumer-citizens. These systems include unequal relations of labor, exclusionary systems of access, Eurocentric canons and curricular structures, sexist and racist campus cultures, and the simultaneous marginalization and cooptation of feminist, race and ethnic, and gay/lesbian/queer studies agendas in the service of the corporate academy.

The values and ideologies underlying the corporate, entrepreneurial university directly contradict the values and vision of a democratic, public university engaged in crafting democratic citizenship though the practice of higher education. Amy Gutmann in her now classic work on democratic education (1987) argues that the university is particularly well suited for a type of education in which young people learn how to think critically and carefully about political problems, and about how to articulate their own views and defend them before people with whom they disagree. Historically, the relative autonomy of the university was rooted in its primary democratic purpose—protection against the threat of tyranny. Gutmann clarifies the "freedom of the academy" and the "academic freedom of scholar" in this way:

> Control of the creation of ideas—whether by a majority or a minority—subverts the ideal of conscious social reproduction at the heart of democratic education and democratic politics. As institutional sanctuaries for free scholarly inquiry, universities can help prevent such subversion. They can provide a realm where new and unorthodox ideas are judged on their intellectual merits; where men and women who defend such ideas, provided they defend them well, are not strangers but valuable members of the community. Universities thereby serve democracy as sanctuaries of nonrepression. (174)

The idea of the university as a sanctuary for "free scholarly inquiry" suggests the necessity of the relative autonomy of the university community in relation to the state and the market. Also, it is this autonomy and commitment to democratic practice within the university that allows it to be a "sanctuary of nonrepression." Furthermore, it is their role as sanctuaries of nonrepression that provides universities their unique place in the crafting of democratic citizenship. Thus, if we contrast this vision of democratic citizenship fostered by universities with Etzkowitz et al.'s analysis of the capitalization of scientific knowledge and the now normalized ties between university research and industry, we are faced with a major contradiction in the role of the new academy in crafting citizenship. In the context of the university/corporate complex, universities can no longer be heralded as sanctuaries of nonrepression—nor can they be sites for "free scholarly inquiry," that is, free from the pressures of state or industrial and corporate profit making.

However since universities are about knowledge production and dissemination, they remain sites of struggle and contestation, thus making the corporate academy a crucial locus of feminist engagement. In recent years there has been a backlash against women and especially feminist scholars and teachers in academia. Feminist scholars are denied tenure on the basis of the "political" or unconventional nature of their work; university administrators claim that it is difficult to find "qualified" women and minority candidates to fill permanent positions, while the revolving door policy for women, especially women of color, is firmly in place (see Sidhu 2001). This backlash needs to be analyzed not just in the context of the hegemony of conservative and neoliberal discourses and practices in the academy but also in terms of the corporatization of the academy.

Gutmann's sketch of democratic education (1987) is further complicated if we add the values of justice and equality to the mission of the university in a democratic, just society. Here Iris Marion Young (1990) is especially helpful. Claiming that interest group politics are defective in that "the privatized form of representation and decision making it encourages does not require these expressions of interests to justice, and second that inequality of resources, organization, and power allows some interests to dominate while others have little or no voice," (92) Young argues eloquently, that "democratic participation has an intrinsic value over and above the protection of interests, in providing important means for the development and exercise of capacities" (92). This is similar to Gutmann's argument about the university providing a space for the practice and development of democratic capacities by defining themselves as sanctuaries of nonrepression (i.e., not participating in interest group politics). However, unlike Gutmann, Young introduces justice and equality, especially as they arise in relation to historically oppressed and marginalized peoples, as fundamental to conceiving democracy. Here is how Young defines the link between democratic citizenship and social justice: "A goal of social justice, I will assume, is social equality. Equality refers not primarily to the distribution of social goods, though distributions are certainly entailed by social equality. It refers primarily to the full participation and inclusion of everyone in a society's major institutions, and the socially supported substantive opportunity for all to develop and exercise their capacities and realize their choices" (173).

Thus, for Young, democratic citizenship in higher education would not just entail working to create a space for free scholarly inquiry and exchange in a nonrepressive environment; it would also entail the just and equal participation of all social groups in the institutions that effect their lives. This just and equal participation is necessary for everyone to develop their capacities and exercise their choices. Young thus argues for attentiveness to gender, race, class, and sexual difference and inequality in theorizing democratic citizenship. Like Ben Okri's vision, this idea of democratic citizenship in higher education is fundamentally opposed to the ideas and values of the restructured, entrepreneurial university. Clarifying this particular contradiction in the vision and mission of the university then opens up some unexpected spaces for antiracist feminist engagement.

If antiracist feminist agendas in the academy are predicated on the creation and consolidation of democratic spaces attentive to questions of access, opportunities, power, and voice of different racial, sexual, class-based communities, the privatized, restructured university becomes an urgent locus of struggle. The restructuring of the university occurs on several levels: (1) the nature of jobs for faculty are restructured leading to a major shift in relations of labor among different faculty constituencies; (2) the nature of jobs for support personnel and administrative personal also change and take on new and often reduced dimensions; (3) there are corresponding shifts in the organization and delivery of knowledge, that is, curricular priorities and pedagogical strategies undergo realignment; and (4) the place of the university in relation to corporate interests and priorities, on the one hand, and to national/state interests and priorities, on the other, undergoes some realignment as well. The glue that works to bind all this is the increasing privatization of the university, resulting in the erosion of public spaces and decreased accountability, responsibility, and autonomy of the university.

Privatization, the transfer of public assets and services owned and performed by the government to businesses and individuals in the private sector, is one of the most explicit forms taken by economic and political globalization in the United States. Privatization in the United States is the flip side of the Structural Adjustment Programs Third World/South countries are subjected to by the IMF and the World Bank. And the privatization of higher education is linked to the privatization of prisons, hospitals, media, and so on. Thus the discussion of universities and globalization needs to be framed within the larger context of the military/prison/cyber/corporate complex. Perhaps one of the only ways to fight the corporatization of the university (which has lead to the rollback of affirmative action and the recolonization of marginalized peoples and our knowledges) is to link this struggle to other anticorporatization struggles (e.g., the anti–World Trade Organization movement).

Privatization, Labor, and the Entrepreneurial University

Privatization as it operates in the United States can mean dismantling welfare and social security, the sale or lease of public parks, recreation areas, hospitals, and prisons, or simply contracting out landscaping, school bus driving, or data processing services.[2] In a university setting it can mean contracting out food and janitorial services, as well as the contracting out of teaching and curricular projects. It can mean the commoditization of higher education (the deliberate transformation of the educational process into commodity form for the purpose of profit making), as David Noble (2001) argues, through, for instance, prepackaged distance learning programs.

Ideologically, privatization is rooted in the economic theory of Milton Friedman and the Chicago School of Economics, which since the 1980s has developed a conservative rhetoric of efficiency, cost savings, and the dismantling of corrupt, intrusive, and ineffective big government. This ideology is applied to public policy and influenced by conservative, right-wing think tanks such as the Heritage Foundation, the John Locke Foundation, the Reason Foundation, the Cato Institute, and the American Enterprise Institute. The fundamental ethical shift that occurs as a result of the ideology of privatization is the replacement of public participation and institutional responsibility and accountability with a profit motive. Privatization recasts the principles of democratic governance into the principles of the capitalist marketplace and turns citizens into consumers. It is about the abdication of responsibility, and it necessitates looking at who benefits (corporations and the neoconservative movement) and who is adversely affected—workers of all kinds, people of color, poor women, and anyone concerned about democracy and citizenship.

Sheila Slaughter and Larry Leslie (1997) argue that the American university has been undergoing a restructuring like that of the U.S. economy, subject to government deregulation and increasing privatization in the name of efficiency and cost cutting. In the early 1990s two-thirds of U.S. public research institutions faced substantial cuts and many private universities engaged in various forms of retrenchment. Thus, like the U.S. economy, higher education had to restructure to deal with this retrenchment. Restructuring has usually taken the form of "academic capitalism," where universities have moved closer to the market ideologically, financially, and in terms of policy and practice, creating more links with industry, establishing commercial arms, selling education to foreign students, and restructuring campuses. Academic capitalism is entirely commensurate with the ideology and politics of privatization, and it lays the groundwork for a market-based capitalist citizenship.

In her work on universities and globalization (1998), Jan Currie argues thus: "The major factor affecting universities has been the economic ideology prevalent in globalization that calls for the primacy of the market, privatization, and a reduced role for the public sphere. It deregulates the economy and restructures work, which leads to an intensification of work for the remaining 'core' workers" (15). A global markets focus replaces commitments to sexual, racial, and class equality. The "management" of race, gender, sexual, and class conflict stands in for an active commitment to struggle against these inherited and disabling structures (that is, for social justice). One effect of this substitution is that while the discourse of multiculturalism is in full force in the academy these days, the practice of multiculturalism actually facilitates the recolonization of communities marginalized on the basis of class, and racialized gender. The practice and pedagogy of accommodation is profoundly different if not incommensurate with the practice and pedagogy of dissent and transformation. And a management perspective is profoundly different from a social justice perspective, one that takes the weight of history seriously and is anchored in a commitment to racial, gender, sexual, and class equity.

The restructuring (privatization) of the academy as we know it results in a truncated professoriate, since the commoditization of the educational process requires shifting attention from educators to the products of education that can now be sold in discrete units. Another result is a growing division between a small core group of workers with higher pay, job security, and benefits, and a larger group of peripheral contract workers, predominantly women, with lower pay, job insecurity, and no benefits. Almost 30 percent of all classes nationally are now taught by part-time faculty, while 45 percent of all undergraduate faculty are part-time.[3] In contrast, in 1970 only 22 percent of faculty worked part-time. This shift in employment status marks the creation of a permanent underclass of professional workers in higher education. Once again, the familiar story of this stage of contemporary global capitalism: women workers of all colors in U.S. higher education are the hardest hit (National Center for Educational Statistics 2001). This is a slow but inexorable shift in roles, intellectual project, and identity for faculty in higher education—and making the shift visible is an important way to read the operation of power and relations of rule in the academy. Here is one place where borders are being redrawn and discourses of retrenchment, funding, and efficiency mystify and cover-up the drawing of the lines in the sand. Thus citizenship is actively redefined for university faculty through this restructuring of academic labor, making the corporate academy an important area of struggle for feminist, antiracist intellectuals and educators. For instance, Department of Education statistics summarized in the *Chronicle of Higher Education Almanac 2001* indicate that there has been no change since 1977 in the percent of women professors that have tenure, and full professors across all schools and disciplines are 79 percent male, and almost 90 percent white. And since 1995, the year its report was published, the disparities between the salaries of men and women academics has actually increased (Sidhu 2001, 38). In terms of faculty of color, the percentage of black faculty has remained the same in the last thirty years—less than 5 percent, with half of these at historically black institutions. Asian faculty constitute 5.5 percent and Latinos 2.6 percent of the total faculty in the U.S. academy. In contrast, in 2001, the student body in the United States was 56 percent women, 11 percent African American, 8 percent Latino, and 6 percent Asian American (see Chait and Trower 2001).

In addition to the restructuring of academic labor, many scholars of education and globalization predict another alarming set of changes. Currie (1998) summarizes these: "an intensification of work practices, a loss of autonomy, closer monitoring and appraisal, less participation in decision-making, and a lack of personal development through work" (15). The current popularity of distance learning, and the rush to technologize and commodify curricula on the part of large state universities such as Wisconsin and California (Berkeley) is one example of the profound changes in intellectual labor. Noble (2001) argues that distance learning parallels an earlier incarnation of commodified education in the late nineteenth century—correspondence education:

For-profit commercial firms are once again emerging to provide vocational training to working people via computer-based distance education. Universities are once again striving to meet the challenge of these commercial enterprises, generate new revenue streams, and extend the range and reach of their offerings. And although trying somehow to distinguish themselves from their commercial rivals—while collaborating even more closely with them, they are once again coming to resemble them, this time as digital diploma mills. (5)

Noble examines the involvement of the Universities of Wisconsin, California, Columbia, and Chicago in the creation of these new digital diploma mills. Recently, Cornell University joined this illustrious list through the creation of a for-profit distance learning corporation, e-Cornell. Distance learning shifts the focus from the actors in the educational process to the products (syllabi, lectures, etc.) of educational labor, which are then classified and marketed for profit. Education is thus transformed into "a set of deliverable commodities, and the end of education has become not self-knowledge but the making of money" (3). In other words, pedagogy as we know it becomes obsolete.

In a 2001 radio interview David Noble spoke about a Clinton-Gore initiative that offered distance education for active duty military personnel through the Department of Defense. Now the Department of Defense is the largest consumer of distance learning programs—another clear connection between changing educational priorities and the governing functions of the U.S. state—since this is a tax payer–supported (military) market.[4] The role of teachers has shifted radically in this process from being educators with control over our own labor and the products of our labor to commodity producers and deliverers. Correspondingly, students have become consumers of yet another commodity—education. This is then a formula for the "deprofessionalization" or "proletarianization" of the professoriate.

William Readings (1996) discusses the "proletarianization of the professoriate" with the deskilling of faculty, and administrators not professors driving the curriculum. Reading's provocative thesis deserves attention. He argues that as an effect of economic globalization, the university is becoming a transnational bureaucratic corporation either tied to transnational governing bodies such as the European Economic Union, or analogous to transnational corporations that operate outside the purview of national accountability. Thus the twenty-first-century university is no longer called upon to craft citizen-subjects of the United States (this was the task of the nineteenth-century vision of the university). The end of the cold war means that national culture no longer needs to be legitimated.

This is an important argument about citizenship. What Readings argues is that with the demise of the vision of the university as tied to the creation of citizens of a democratic nation, the corresponding vision of the university as a corporation is put in place. How do we understand citizenship in the context of corporations? In the context of corporate culture and values, citizenship is defined not in terms of civil rights or democratic participation or shared vision but in terms of financial stakes and the ability to consume goods and services. As Readings and Noble state, students at the corporate university are citizen-consumers. Citizen-consumers, a proletarianized professoriate, and newly empowered corporate administrators are thus the result of the restructuring of the university. As Edward Berman notes, in his extensive analysis of the transformation of the University of Louisville into a model entrepreneurial university, "Today's higher education system operates within a market economy distinguished by fierce competition among many purveyors (colleges and universities) of similar products (singly, a course; collectively, an education), which vie with one another for increasingly fickle and demographically changing consumers (students)" (Berman 1998, 213).

In his study, Berman suggests three examples of university/corporate alliances between some of the most influential universities and the most powerful corporations that raise fundamental ethical questions about the role of the university in the military/prison/cyber/corporate complex. First he analyzes alliances such as Carnegie Mellon and Westinghouse in robotics research, Harvard University with Dupont and Monsanto in chemical and genetic research, and Stanford's multiple alliances with, among other corporations, IBM, Texas Instruments, and General Electric. MIT recently established a "New Products Program" in which corporations pay a specified fee in exchange for new products to be developed over the next two years. Endowed professorships linked to the corporate world also generate revenue for universities. Thus, there are new chairs to honor corporate executives or the free enterprise system such as the "Reliance Professorship of Private Enterprise" at the University of Pennsylvania, where it is stipulated that the chair holder be a "spokesperson for the free enterprise system." Berman also discusses how athletic programs generate revenue for the university, as for instance at the University of Wisconsin, which has a contract with Reebok to use Reebok clothing and gear in exchange for $2.3 million for scholarships, payments to coaches, sports programming, and community service projects. There are no similar corporate-sponsored "chairs" in feminist studies yet.

Etzkowitz, Webster, and Healey (1998) develop the corporate/industry/university links even more explicitly by drawing attention to the way in the field of sciences, "universities assume entrepreneurial tasks such as marketing knowledge and creating companies even as firms take on an academic dimension, sharing knowledge among each other" (6). It is this increasing link between creating knowledge and creating wealth (profit) that raises profound ethical questions about the privatized university. Etzkowitz and his colleagues further argue that "universities and firms have become more alike in that both are involved in translating knowledge into marketable products, even though they still retain their distinctive missions for education and research on the one hand, and production and research on the other" (8).

Thus there is a growing conflict of interest between the public and private interests of scientific research. The expectations and standards of the academy are in direct conflict with those of private enterprise. This is most evident in the biotechnology field and specifically in the context of the Human Genome Project, which led to a huge increase in academic-based firms working on the research and knowledge needs of the project.

Why do these alliances matter? And why worry about the "entrepreneurial" university? Besides the ethics of profit making and corporate influence on knowledge production at the university, the alliances raise some profound questions about the role and accountability of governments in funding and sustaining public institutions. Privatization of higher education results in the State of California allotting 18 percent of its budget to prisons, and only 1 percent to education. It leads to a 25 percent reduced state appropriation for the University of California over a five-year period, and a corresponding 25 percent tuition hike (Martinez 1998, chs. 14, 15, and 16).Privatization of public institutions of higher education essentially implies institutional governance by the market, which, contrary to the rhetoric of the privatization movement, usually leads to monopoly and a reduction of choice.

Capitalist Citizenship and Feminist Projects

What does it mean to speak about a notion of capitalist citizenship? How is this idea different from democratic citizenship? Why privilege capitalist social relations and values—why not focus on "sexist" or "racist" citizenship? The answer to these questions lies in my belief that capitalism is a foundational principle of social organization at this time (see Dirlik 1997). This does not mean that capitalism functions as a "master narrative" or that all forms of domination are reducible to capitalist hierarchies, or that the temporal and spatial effects of capital are the same around the globe. It does mean that at this particular stage of global capitalism, the particularities of its operation (unprecedented deterritorialization, abstraction and concentration of capital, transnationalization of production and mobility through technology, consolidation of supranational corporations that link capital flows globally, etc.) necessitate naming capitalist hegemony and culture as a foundational principle of social life. To do otherwise is to obfuscate the way power and hegemony function in the world—and certainly at the university. Thus, an anticapitalist feminist critique is the logical way to go here. Also, there are questions to be raised regarding the place of programs such as women's studies, race and ethnic studies, and so on, in the corporate university. How are these programs marketed? How do we/they collude in this restructuring of the university? How do we benefit, and what have we lost as a result of these changes. For instance, many schools assume that so long as there is a women's studies program there is no need to hire feminist scholars in other departments (Sidhu 2001, 38). In conjunction with the backlash against feminist scholars and the revolving door policy for hiring us, these are difficult times for many of us in the academy. With the simultaneous downsizing, commodification, and technicization of education in the corporate university, it is likely that interdisciplinary programs, and humanities and arts curricula will be slowly phased out because our "role in the market will be seen as ornamental" (Giroux 2001, 40). Anticapitalist feminism links capitalism as an economic system and culture of consumption centrally to racist, sexist, heterosexist, and nationalist relations of rule in the production of capitalist/corporate citizenship.

How does one theorize capitalist citizenship? And how is the university implicated in engendering this kind of citizenship? To draw on the above discussion about privatization and the entrepreneurial university, one of the most significant shifts in what Etzkowitz and his colleagues call the "second academic revolution" is the growing link between money, the ability to consume and own goods, and participation in public life (democratic citizenship). If the market provides the ethical and moral framework for university life, educators and students exercise choices as consumers in a marketplace, not as citizens in a democratic polity (Starr 1987; Emspak 1997).This is a desiccated vision of democratic politics where "free choice" in the market is available only to those with economic capacities. Private sector decision making is private—citizens have no rights to discuss and make policy. Thus, wealth determines citizenship. Instead of people governing, markets govern—it is not citizens who make decisions, it is consumers. So those who lack economic capacities are noncitizens. This results in a profound recolonization of historically marginalized communities, usually poor women and people of color.

Capitalist corporate culture thus privatizes citizenship, defining the values, rights, and responsibilities of citizenship as a private good, substituting the language of personal responsibility and private initiative for the commitments to social responsibility and public service. Henry Giroux argues similarly:

> I use the term corporate culture to refer to an ensemble of ideological and institutional forces that function politically and pedagogically both to govern organizational life though senior managerial control and to produce compliant workers, depoliticized consumers, and passive citizens. Within the language and images of corporate culture, citizenship is portrayed as an utterly privatized affair whose aim is to produce competitive self-interested individuals vying for their own material and ideological gain. (Giroux 2001, 30)

To summarize, capitalist or corporate models of citizenship craft loyalty to the nation in the image of capitalist market relations, folding the ideas of democracy and freedom into the logic of the market. Ideas of the public good, collective service and responsibility, democratic rights, freedom, and justice are privatized and crafted into commodities to be exchanged via the market. The institutionalization of capitalist citizenship at the corporate university thus profoundly transforms the vision of the university as a democratic public space, a sanctuary for nonrepression (in Amy Gutmann's terms [1987, 174]). Neoliberalism, linked to corporate culture thus emerges as the master narrative in the U.S. academy. In the context of this redefinition of the public sphere and of democratic citizenship in the academy, what are the stakes for antiracist feminist and radical educators?

Specifically, the shift in the ideologies and institutional practices of the university from liberal democratic notions of citizenship to corporate client/consumer notions of citizenship situates students as clients and consumers, faculty as service providers, and administrators as conflict managers and nascent capitalists whose work involves marketing and generating profit for the university. This reinvention of the vision of the public university ties into the larger military/prison/cyber/corporate complex, since the corporate university now generates the knowledges needed to keep this complex in place. The effects of this recrafted vision of the university on the construction of curricula, distribution of knowledge, and self-image of the university, not to mention the shift in relations of labor and educational access and opportunities for marginalized communities thus become urgent sites of struggle for anticapitalist, antiracist feminists as well as other radical educators.

This critique maps my understanding of anticapitalist feminist struggle in the U.S. academy, a struggle that fundamentally entails a critique of the discourse and values of capitalism and their naturalization through a corporate culture and discourses of neoliberalism. It involves an anti-imperialist understanding of feminist praxis, that is, a critique of the way global capitalism has facilitated corporate citizenship, Eurocentrism, and nativism in the academy. In addition to decolonizing and actively challenging discourses of consumerism, privatization and ownership, the collapse of public into private good, and the refashioning of social into consumer identities, feminist anticapitalist critique at this site involves theorizing difference and pluralism as genuinely complex and contradictory rather than as commodified variations on Eurocentric themes.

I do not privilege a purist notion of the university in making this critique. This is not an argument against all forms of joint corporate/education ventures—but in the absence of a strong, democratic, civil society the hegemony of corporate cultures in the academy necessitate serious attention and debate. Also, I want to draw attention to the ethics and politics of decision making when American higher education undergoes this kind of fundamental restructuring in response to economic globalization trends. Analyzing the restructuring of higher education and the deeply naturalized effects of capitalist processes provides a rich point of entry into seeing(and theorizing) the power shifts and consolidations at the beginning of the twenty-first century. Here I have tried to make this shift visible for antiracist feminist scholars and teachers so that we can reflect on our particular place and accountability in this new vision of the university and determine how we can create dialogic spaces of dissent and transformation in this institutional climate. Now we can address the questions about borders and border crossings posed at the beginning of this chapter. In the context of the analysis above, it is clear which communities can cross which borders and which communities are held in place by relations of domination/recolonization. This focus on the political economy of the U.S. university thus illustrates that it is crucial for feminist academics to connect our pedagogical and curricular initiatives to larger institutional and administrative concerns of the corporate university.

If American higher education is in the process of undergoing a fundamental restructuring such that yet again it is women and people of color who are at risk (peripheral workers), not to mention the restructuring of knowledge bases so that curricular decisions become dependant on corporate funding and priorities, surely this is a crisis deserving our attention. The rhetoric of educational policy makers however, would have us believe that the challenges of globalization lie in "internationalizing" curricula so that American education can provide "global competency." But the most powerful push to globalize comes from outside the academy—from business and government critiques of the (ir)relevance of U.S. higher education.

In fact, going "global" has led to U.S. education's becoming export-oriented to global markets: redesigning, repackaging, managing, and delivering educational "products" at offshore sites and for consumers in foreign markets. This is the opposite of the traditional practice, in which foreign students came to the United States for higher education (Gagliano 1992, 325–34). Some of these questions of pedagogy, curriculum, and difference in the context of the corporate academy are explored in the next chapter.

Postscript: The Stakes for Radical Education

To conclude, I reflect on the "dangerous territories" encountered by radical educators in new globalized, Eurocentric academies at this time.[5] Specifically, I am interested in the question of cultures and politics of dissent in increasingly conservative national and transnational educational locations. What is at stake in the way intellectual, institutional, pedagogical, and relational territories are drawn, legitimated, regulated, and consolidated in educational institutions and systems? What dangers inhere in these cartographies? To whom? What knowledges and identities are legitimated/delegitimized as a result of the struggles over territorial boundaries and borders?

Struggles over difference and equality in education clearly matter. The struggles against domination and for social justice have to be waged situationally and regionally as well as globally, and the very basic ethical and moral notions of citizenship, belonging, and democracy are at stake here. Self-critical hard work is necessary to transform these unjust educational regimes. However, cultures of dissent exist and can be nurtured. Of course the danger and the risks continue to exist. Speaking truth to power continues to be dangerous.

In this postscript I reflect on the political, intellectual, and institutional stakes involved in carving and defending curricular, disciplinary, and relational borders in academic sites. It originates in an experience that serves to locate me, as well as to raise larger political and epistemological questions pertinent to the project of the next chapter and the book as a whole. The experience (a visit to the Netherlands, to attend the 1993 European Women's Studies Conference) focuses on the potential pitfalls and danger of our intellectual and curricular practices around "multiculturalism," difference and justice, and illustrates the significance of borders in understanding the relations of power/knowledge in the consolidation of particular regimes of gender, race, class, and sexuality. It also foregrounds for me the significance of the "idea" of Europe, and the "idea" of America (nation making) in the construction of knowledge, curricula, and citizenship in the 1990s and beyond. The African American philosopher W. E. B. Du Bois spoke of the problem of the twentieth century being the problem of "the color line." We carry this "problem" into the twenty-first century. What analytical and strategic knowledges and conceptual tools do we need to not relive the violence of our inherited histories?

A week before I left for the Netherlands I discovered I needed a visa to enter the country. I was then an Indian citizen and a permanent resident of the United States. Procuring a visa involved a substantial fee (sixty dollars), a letter from my employer (the letter of invitation from the conference organizers was inadequate) indicating I had a permanent job in the United States, that I was going to Utrecht for a professional conference, that my employer would be financially responsible for me while I was in the Netherlands, and last but not least, a notarized copy of my green card, which was the "proof" of my permanent residency in the United States. The process of legitimation required of me encapsulated the dilemmas of citizenship, (im)migration, work, and economic privilege that underlie the concept and power of the European Union—and for that matter, the idea of American "multicultural" democracy. National (and perhaps racial and imperial) borders are reconsolidated at the same time as economic borders dissolve in the name of a greater Europe. While earlier I had worried about whether my experiences and thinking about feminist studies in the United States would seem significant in this context, after this process of being constructed as an illegitimate outsider who needed proof of employment, citizenship, residency, and economic viability, I decided it wasn't all that different from a number of different border crossings—even disciplinary ones in the academy. Defining insiders and outsiders is what nation-states and other credentialing institutions do.

The challenges of an antiracist, anticapitalist feminist praxis that is genuinely and ethically cross-cultural are similar in both the European and North American context, however one is defined in terms of racialized gender. Practices of ruling and domination may vary across geographical and historical landscapes, but the effects of these practices and forms of opposition or resistance to them are related and similar. Thus one of the major challenges in constructing a European women's studies curriculum that is radically international rather than merely the sum of its national parts (British/French/Dutch, etc.) is the very challenge that faces women's studies programs in the United States. How do we reconcile the economic ascendancy of the European Union with the very history of imperialism and colonialism that made this ascendancy possible? How do we rewrite/undo "Britishness," "Dutchness," "whiteness" so that the practice of feminist studies is a fundamentally antiracist, anticapitalist practice? What would it take to create a radically transnational feminist practice attentive to the unequal histories of rule in the European Union countries? Leslie Roman and Timothy Stanley's discussion (1997) of the construction of a "nationalist" curriculum in Canada (the creation of the image of a fictive, harmonious family ruled by civility) provides a disturbing example of a counterpoint to this argument. How does a nationalist curriculum connect with an transnational oppositional feminist practice?

This is the very same challenge we face in the North American academy—how do we undermine the notions of multiculturalism as melting pot, or multiculturalism as cultural relativism that so permeate U.S. consumer culture and that are mobilized by the corporate academy as a form of containment, and practice a multiculturalism that is about the decolonization of received knowledges, histories and identities, a multiculturalism that foregrounds questions of social justice and material interests, which actively combats the hegemony of global capital. One of the primary questions feminist teachers and scholars have to face in the European Union women's studies network, is the meaning of "community"—who are the insiders and the outsiders in this community? What notions of legitimacy and gendered and racialized citizenship are being actively constructed within this community?

This struggle and other similar struggles are fundamentally about redefining borders, about including "outsiders" and reformulating what counts as the inside. Borders, especially those drawn to mark legitimate and illegitimate knowledges are often porous. While the geographical and cultural borders of nation-states since World War II and the decolonization of the Third World were carefully drawn, economic, political, and ideological processes always operated as if these borders were porous. The academy operates in similar ways. While the boundaries around and inside institutions of higher learning are invisibly but carefully drawn, the economic, cultural, and ideological imperatives of the academy establish relations of rule that consolidate and naturalize the dominant values of a globalized capitalist consumer culture where the new citizen of the world is a consumer par excellence.

If economic and cultural globalization creates a context where material, economic, and even psychic borders are porous, no longer neatly contained within the geographical boundaries of nation-states, then questions of democracy and citizenship also cannot be neatly charted within these boundaries. Thus questions of difference and equality in education take on a certain urgency in a world where the fate of First World citizens is inextricably tied to the fate of the refugees, exiles, migrants, immigrants in the First World/North and of similar constituencies in the rest of the world. The struggle over representation is always also a struggle over knowledge. What knowledges do we need for education to be the practice of liberation? What does it mean for educators to create a democratic public space in this context? And what kinds of intellectual, scholarly, and political work would it take to actively work against the privatization of the academy, and for social and economic justice? Finally, how do we hold educational institutions, our daily pedagogic practices, and ourselves accountable to the truth? These then are some of my questions for an anticapitalist feminist project in the context of the corporate U.S. academy.

CHAPTER EIGHT

Race, Multiculturalism, and Pedagogies of Dissent

Preamble

Growing up in India, I was Indian; teaching high school in Nigeria, I was a foreigner (still Indian), albeit a familiar one. As a graduate student in Illinois, I was first a "Third World" foreign student, and then a person of color. Doing research in London, I was black. As a professor at an American university, I am an Asian woman—although South Asian racial profiles fit uneasily into the "Asian" category—and because I choose to identify myself as such, an antiracist feminist of color. In North America I was also a "resident alien" with an Indian passport—I am now a U.S. citizen whose racialization has shifted dramatically (and negatively) since the attacks on the World Trade Center and the Pentagon on 11 September 2001.

Of course through all these journeys into and across the borders of countries, educational institutions, and social movements, I was and am a feminist. But along with the changing labels and self-identifications came new questions and contradictions which I needed to understand. Paying attention to the processes of my own racialization, for instance, transformed my understandings of the meaning of feminist praxis. Was being a feminist in India the same as being a feminist in the United States of America? In terms of personal integrity, everyday political and personal practices, and the advocacy of justice, equity and autonomy for women, yes. But in terms of seeing myself as a woman of color (not just Indian, but of Indian origin) and being treated as one, there are vast differences in how I engage in feminist praxis. After all, living as an immigrant, conscious of and engaged with the script of American racism and imperialism is quite different from living as a "color blind" foreigner.

Difference, diversity, multiculturalism, globalization, and how we think about them complicate my intellectual and political landscape in the United

States, and I turn to theory, and to the potential of political education, for some way to link my "personal" story with larger stories. For a way to understand the profoundly collective and historical context within which my personal story and journey through difference, and through the inequities of power, privilege, discrimination, marginalization, exclusion, colonization, and oppression, make sense. I am speaking of how I came to recognize, understand, think through, and organize against sexism, racism, heterosexism, xenophobia, and elitism in the United States.

I "do" feminist and antiracist theory as a scholar, teacher, and activist in the U.S. academy—so how do I understand the significance of theory and analysis? I believe that meanings of the "personal" (as in my story) are not static, but that they change through experience, and with knowledge. I am not talking about the personal as "immediate feelings expressed confessionally" but as something that is deeply historical and collective—as determined by our involvement in collectivities and communities and through political engagement. In fact it is this understanding of experience and of the personal that makes theory possible. So for me, theory is a deepening of the political, not a moving away from it: a distillation of experience, and an intensification of the personal. The best theory makes personal experience and individual stories communicable. I think this kind of theoretical, analytical thinking allows us to mediate between different histories and understandings of the personal. One of the fundamental challenges of "diversity" after all is to understand our collective differences in terms of historical agency and responsibility so that we can understand others and build solidarities across divisive boundaries.

Even if we think we are not personally racist or sexist, we are clearly marked by the burdens and privileges of our histories and locations. So what does it mean to think through, theorize, and engage questions of difference and power? It means that we understand race, class, gender, nation, sexuality, and colonialism not just in terms of static, embodied categories but in terms of histories and experiences that tie us together—that are fundamentally interwoven into our lives. So "race" or "Asianness" or "brownness" is not embodied in me, but a history of colonialism, racism, sexism, as well as of privilege (class and status) is involved in my relation to white people as well as people of color in the United States.

This means untangling whiteness, Americanness, as well as blackness in the United States, in trying to understand my own story of racialization. So the theoretical insights I find useful in thinking about the challenges posed by a radical multiculturalism in the United States—as well as, in different ways, early twenty-first century India—are the need to think relationally about questions of power, equality, and justice, the need to be inclusive in our thinking, and the necessity of our thinking and organizing being contextual, deeply rooted in questions of history and experience. The challenge of race and multiculturalism now lies in understanding a color line that is global—not contained anymore within the geography of the United States, if it ever was. I begin with this preamble because it locates my own intellectual and political genealogy in a chapter that addresses questions of curricular, pedagogical, policy, and institutional practices around antiracist feminist education.

Feminism and the Language of Difference

"Isn't the whole point to have a voice?" This is the last sentence of an essay by Marnia Lazreg on writing as a woman on women in Algeria (1988, 81–107). Lazreg examines academic feminist scholarship on women in the Middle East and North Africa in the context of what she calls a "Western gynocentric" notion of the difference between First and Third World women. Arguing for an understanding of "intersubjectivity" as the basis for comparison across cultures and histories, Lazreg formulates the problem of ethnocentrism and the related question of voice in this way:

> To take intersubjectivity into consideration when studying Algerian women or other Third World women means seeing their lives as meaningful, coherent, and understandable instead of being infused "by us" with doom and sorrow. It means that their lives like "ours" are structured by economic, political, and cultural factors. It means that these women, like "us," are engaged in the process of adjusting, often shaping, at times resisting and even transforming their environment. It means they have their own individuality; they are "for themselves" instead of being "for us." An appropriation of their singular individuality to fit the generalizing categories of "our" analyses is an assault on their integrity and on their identity. (98)

In my own work I have argued in a similar way against the use of analytic categories and political positioning in feminist studies that discursively present Third World women as a homogeneous, undifferentiated group leading truncated lives, victimized by the combined weight of their traditions, cultures, and beliefs, and "our" (Eurocentric) history.[1] In examining particular assumptions of feminist scholarship that are uncritically grounded in Western humanism and its modes of "disinterested scholarship," I have tried to demonstrate that this scholarship inadvertently produces Western women as the only legitimate subjects of struggle, while Third World women are heard as fragmented, inarticulate voices in (and from) the dark. Arguing against a hastily derived notion of "universal sisterhood" that assumes a commonality of gender experience across race and national lines, I have suggested the complexity of our historical (and positional) differences and the need for creating an analytical space for understanding Third World women as the "subjects" of our various struggles "in history." I posit solidarity rather than sisterhood as the basis for mutually accountable and equitable relationships among different communities of women. Other scholars have made similar arguments, and the question of what we might provisionally call "Third World women's voices" has begun to be addressed seriously in feminist scholarship.

In the last few decades there has been a blossoming of feminist discourse around questions of "racial difference" and "pluralism." While this work is often an important corrective to earlier middle-class (white) characterizations of sexual difference, the goal of the analysis of difference and the challenge of race was not pluralism as the proliferation of discourse on ethnicities as discrete and separate cultures. The challenge of race resides in a fundamental reconceptualization of our categories of analysis so that differences can be historically specified and understood as part of larger political processes and systems.[2] The central issue, then, is not one of merely "acknowledging" difference; rather, the most difficult question concerns the kind of difference that is acknowledged and engaged. Difference seen as benign variation (diversity), for instance, rather than as conflict, struggle, or the threat of disruption, bypasses power as well as history to suggest a harmonious, empty pluralism.[3] On the other hand, difference defined as asymmetrical and incommensurate cultural spheres situated within hierarchies of domination and resistance cannot be accommodated within a discourse of "harmony in diversity." A strategic critique of the contemporary language of difference, diversity, and power thus would be crucial to a feminist project concerned with revolutionary social change.

In the best, self-reflexive traditions of feminist inquiry, the production of knowledge about cultural and geographical others is no longer seen as apolitical and disinterested. But while feminist activists and progressive scholars have made a significant dent in the colonialist and colonizing feminist scholarship of the late seventies and eighties, this does not mean that questions of what Lazreg calls "intersubjectivity" or of history vis-à-vis Third World peoples have been successfully articulated.[4]

In any case, "scholarship"—feminist, Marxist, postcolonial, or Third World—is not the only site for the production of knowledge about Third World women/peoples.[5] The very same questions (as those suggested in relation to scholarship) can be raised in relation to our teaching and learning practices in the classroom, as well as the discursive and managerial practices of U.S. colleges and universities. Feminists writing about race and racism have had a lot to say about scholarship, but perhaps our pedagogical and institutional practices and their relation to scholarship have not been examined with quite the same care and attention. Radical educators have long argued that the academy and the classroom itself are not mere sites of instruction. They are also political and cultural sites that represent accommodations and contestations over knowledge by differently empowered social constituencies.[6] Thus teachers and students produce, reinforce, recreate, resist, and transform ideas about race, gender, and difference in the classroom. Also, the academic institutions in which we are located create similar paradigms, canons, and voices that embody and transcribe race and gender.

It is this frame of institutional and pedagogical practice that I examine in this chapter. Specifically, I analyze the operation and management of discourses of race and difference in two educational sites: the women's studies classroom and the workshops on "diversity" for upper-level (largely white) administrators. The links between these two educational sites lie in the (often active) creation of discourses of "difference." In other words, I suggest that educational practices as they are shaped and reshaped at these sites cannot be analyzed as merely transmitting already codified ideas of difference. These practices often produce, codify, and even rewrite histories of race and colonialism in the name of difference. Chapter 7 discussed the corporatization of the academy and the production of privatized citizenship. Here I begin the analysis from a different place, with a brief discussion of the academy as the site of political struggle and radical transformation.

Knowledge and Location in the U.S. Academy

A number of educators, Paulo Freire among them, have argued that education represents both a struggle for meaning and a struggle over power relations. Thus, education becomes a central terrain where power and politics operate out of the lived culture of individuals and groups situated in asymmetrical social and political spaces. This way of understanding the academy entails a critique of education as the mere accumulation of disciplinary knowledges that can be exchanged on the world market for upward mobility. There are much larger questions at stake in the academy these days, not the least of which are questions of self- and collective knowledge of marginal peoples and the recovery of alternative, oppositional histories of domination and struggle. Here, disciplinary parameters matter less than questions of power, history, and self-identity. For knowledge, the very act of knowing, is related to the power of self-definition. This definition of knowledge is central to the pedagogical projects of fields such as women's studies, black studies, and ethnic studies. By their very location in the academy, fields such as women's studies are grounded in definitions of difference, difference that attempts to resist incorporation and appropriation by providing a space for historically silenced peoples to construct knowledge. These knowledges have always been fundamentally oppositional, while running the risk of accommodation and assimilation and consequent depoliticization in the academy. It is only in the late twentieth century, on the heels of domestic and global oppositional political movements, that the boundaries dividing knowledge into its traditional disciplines have been shaken loose, and new, often heretical, knowledges have emerged, modifying the structures of knowledge and power as we have inherited them. In other words, new analytic spaces have been opened up in the academy, spaces that make possible thinking of knowledge as praxis, of knowledge as embodying the very seeds of transformation and change. The appropriation of these analytic spaces and the challenge of radical educational practice are thus to involve the development of critical knowledges (what women's, black, and ethnic studies attempt) and, simultaneously, to critique knowledge itself.

Education for critical consciousness or critical pedagogy, as it is sometimes called, requires a reformulation of the knowledge-as-accumulated-capital model of education and focuses instead on the link between the historical configuration of social forms and the way they work subjectively. This issue of subjectivity represents a realization of the fact that who we are, how we act, what we think, and what stories we tell become more intelligible within an epistemological framework that begins by recognizing existing hegemonic histories. The issue of subjectivity and voice thus concerns the effort to understand our specific locations in the educational process and in the institutions through which we are constituted. Resistance lies in self-conscious engagement with dominant, normative discourses and representations and in the active creation of oppositional analytic and cultural spaces. Resistance that is random and isolated is clearly not as effective as that which is mobilized through systematic politicized practices of teaching and learning. Uncovering and reclaiming subjugated knowledges is one way to lay claim to alternative histories. But these knowledges need to be understood and defined "pedagogically," as questions of strategy and practice as well as of scholarship, in order to transform educational institutions radically. And this, in turn, requires taking the questions of experience seriously.

To this effect, I draw on scholarship on and by Third World educators in higher education, on an analysis of the effects of my own pedagogical practices, on documents about "affirmative action" and "diversity in the curriculum" published by the administration of the college where I worked a number of years ago, and on my own observations and conversations over the past number of years.[7] I do so in order to suggest that the effect of the proliferation of ideologies of pluralism in the 1960s, 1970s, and 1990s in the context of the (limited) implementation of affirmative action in institutions of higher education, and of the corporate transformation of the academy, has been to create what might be called the race industry, an industry that is responsible for the management, commodification, and domestication of race on American campuses. This commodification of race determines the politics of voice for Third World peoples, whether they/we happen to be faculty, students, administrators, or service staff. This, in turn, has long-term effects on the definitions of the identity and agency of nonwhite people in the academy. The race industry is also of course an excellent example of the corporatization of the academy—a visible if somewhat depressing site to explore in terms of the effects of capitalist commodity culture and citizenship on curricular, research and pedagogical priorities in the academy.

There are a number of urgent reasons for undertaking such an analysis: the need to assess the material and ideological effects of affirmative action policies within liberal (rather than conservative Bloom- or Hirsch-style) discourses and institutions that profess a commitment to pluralism and social change, the need to understand this management of race in the liberal academy in relation to a larger discourse on race and discrimination within the neoconservatism of the United States, and the need for Third World feminists to move outside the arena of (sometimes) exclusive engagement with racism in white women's movements and scholarship and to broaden the scope of our struggles to the academy as a whole.

The management of gender, race, class, and sexuality are inextricably linked in the public arena. The New Right agenda since the mid-1970s makes this explicit: busing, gun rights, and welfare are clearly linked to the issues of reproductive and sexual rights.[8] And the links between abortion rights (gender-based struggles) and affirmative action (struggles over race and racism) are clearer in the 1990s and in the early 2000s. While the most challenging critiques of hegemonic feminism were launched in the late 1970s and the 1980s, the present historical moment necessitates taking on board institutional discourses that actively construct and maintain a discourse of difference and pluralism. This in turn calls for assuming responsibility for the politics of voice as it is institutionalized in the academy's "liberal" response to the very questions feminism and other oppositional discourses have raised.[9]

Black/Ethnic Studies and Women's Studies: Intersections and Confluences

For us, there is nothing optional about "black experience" and/or "black studies": we must know ourselves. —June Jordan, *Civil Wars*, 1981

The origins of black, ethnic, and women's studies programs, unlike those of most academic disciplines, can be traced to oppositional social movements. In particular, the civil rights movement, the women's movement, and other Third World liberation struggles fueled the demand for a knowledge and history "of our own." June Jordan's claim that "we must know ourselves" suggests the urgency embedded in the formation of black studies in the late 1960s. Between 1966 and 1970 most American colleges and universities added courses on Afro-American experience and history to their curricula. This was the direct outcome of a number of sociohistorical factors, not the least of which was an increase in black student enrollment in higher education and the broad-based call for a fundamental transformation of a racist, Eurocentric curriculum. Among the earliest programs were the black and African American studies programs at San Francisco State and Cornell, both of which came into being in 1968, on the heels of militant political organizing on the part of students and faculty at these institutions.[10] A symposium on black studies in early 1968 at Yale University not only inaugurated African American studies at Yale, but also marked a watershed in the national development of black studies programs.[11] In the spring of 1969, the University of California at Berkeley instituted a department of ethnic studies, divided into Afro-American, Chicano, contemporary Asian American, and Native American studies divisions.

A number of women's studies programs also came into being around this time. The first women's studies program was formed in 1969 at San Diego State University. Over nine hundred such programs exist now across the United States (Sheftall 1995).Women's studies programs often drew on the institutional frameworks and structures of existing interdisciplinary programs such as black and ethnic studies. In addition, besides sharing political origins, an interdisciplinary project, and foregrounding questions of social and political inequality in their knowledge base, women's, black, and ethnic studies programs increasingly share pedagogical and research methods. Such programs thus create the possibility of a counterhegemonic discourse and oppositional analytic spaces within the institution. Of course, since these programs are most often located within the boundaries of conservative or liberal white-male-dominated institutions, they face questions of cooptation and accommodation.

In an essay examining the relations among ethnicity, ideology, and the academy (1987), Rosaura Sanchez maintains that new academic programs arise out of specific interests in bodies of knowledge. She traces the origins of ethnic and women's studies programs, however, to a defensive political move, the state's institutionalization of a discourse of reform in response to the civil rights movement:

> Ethnic studies programs were instituted at a moment when the university had to speak a particular language to quell student protests and to ensure that university research and business could be conducted as usual. The university was able to create and integrate these programs administratively under its umbrella, allowing on the one hand, for a potential firecracker to diffuse itself and, on the other, moving on to prepare the ground for future assimilation of the few surviving faculty into existing departments. (86)

Sanchez identifies the pressures (assimilation and cooptation versus isolation and marginalization) that ethnic studies programs inherited in the 1990s.

In fact, it is precisely in the face of the pressure to assimilate that questions of political strategy and of pedagogical and institutional practice assume paramount importance.

For such programs, progress (measured by institutional power, number of people of color in faculty and administrations, effect on the general curricula, etc.) has been slow. Since the 1970s, there have also been numerous conflicts among ethnic, black, and women's studies programs. One example of these tensions is provided by Niara Sudarkasa. Writing in 1986 about the effect of affirmative action on black faculty and administrators in higher education, she argues: "As a matter of record, . . . both in the corporate world and in higher education, the progress of white females as a result of affirmative action has far outstripped that for blacks and other minorities" (3–4). Here Sudarkasa is pointing to a persistent presence of racism in the differential access and mobility of white women and people of color in higher education. She goes on to argue that charges of "reverse discrimination" against white people are unfounded because affirmative action has had the effect of privileging white women above men and women of color. Thus, for Sudarkasa, charges of reverse discrimination leveled at minorities "amount to a sanction of continued discrimination by insisting that inequalities resulting from privileges historically reserved for whites as a group must now be perpetuated in the name of justice for the individual" (6). This process of individualization of histories of dominance is also characteristic of educational institutions and processes in general, where the experiences of different constituencies are defined according to the logic of cultural pluralism.

In fact, this individualization of power hierarchies and of structures of discrimination suggests the convergence of liberal and neoconservative ideas about gender and race in the academy. Individualization, in this context, is accomplished through the fundamentally class-based process of professionalization. In any case, the post-Reagan years (characterized by financial cutbacks in education, the consolidation of the New Right and the right-to-life lobby, the increasing legal challenges to affirmative action regulations, etc.) suggest that it is alliances among women's, black, and ethnic studies programs that will ensure the survival of such programs. This is not to imply that these alliances do not already exist, but, in the face of the active corrosion of the collective basis of affirmative action by the federal government in the name of "reverse discrimination," it is all the more urgent that our institutional self-examinations lead to concrete alliances. Those of us who teach in some of these programs know that, in this context, questions of voice—indeed, the very fact of claiming a voice and wanting to be heard—are very complicated indeed.

To proceed with the first location or site, I move from one narrative, an analysis of the effect of my own pedagogical practices on students when I am teaching about Third World peoples in a largely white institution, to a second narrative, of decolonization—a story about a student project at Hamilton College. I suggest that a partial (and problematic) effect of my pedagogy, the location of my courses in the curriculum and the liberal nature of the institution as a whole, is the sort of attitudinal engagement with diversity that encourages an empty cultural pluralism and domesticates the historical agency of Third World people. This attitudinal engagement, or, rather, the disruption of it, is at the center of the student project I will discuss.

Pedagogies of Accommodation/Pedagogies of Dissent

How do we construct oppositional pedagogies of gender and race? Teaching about histories of sexism, racism, imperialism, and homophobia potentially poses very fundamental challenges to the academy and its traditional production of knowledge, since it has often situated Third World peoples as populations whose histories and experiences are deviant, marginal, or inessential to the acquisition of knowledge. And this has happened systematically in our disciplines as well as in our pedagogies. Thus the task at hand is to decolonize our disciplinary and pedagogical practices. The crucial question is how we teach about the West and its others so that education becomes the practice of liberation. This question becomes all the more important in the context of the significance of education as a means of liberation and advancement for Third World and postcolonial peoples and their/our historical belief in education as a crucial form of resistance to the colonization of hearts and minds.

As a number of educators have argued, however, decolonizing educational practices requires transformations at a number of levels, both within and outside the academy. Curricular and pedagogical transformation has to be accompanied by a broad-based transformation of the culture of the academy, as well as by radical shifts in the relation of the academy to other state and civil institutions. In addition, decolonizing pedagogical practices requires taking seriously the relation between knowledge and learning, on the one hand, and student and teacher experience, on the other. In fact, the theorization and politicization of experience is imperative if pedagogical practices are to focus on more than the mere management, systematization, and consumption of disciplinary knowledge.

NARRATIVE I

I teach courses on gender, race, and education, on international development, on feminist theory, and on Third World feminisms, as well as core women's studies courses such as "Introduction to Women's Studies" and a senior seminar. All of the courses are fundamentally interdisciplinary and cross-cultural. At its most ambitious, this pedagogy is an attempt to get students to think critically about their place in relation to the knowledge they gain and to transform their worldview fundamentally by taking the politics of knowledge seriously. It is a pedagogy that attempts to link knowledge, social responsibility, and collective struggle. And it does so by emphasizing the risks that education involves, the struggles for institutional change, and the strategies for challenging forms of domination and by creating more equitable and just public spheres within and outside educational institutions.

Thus pedagogy from the point of view of a radical teacher does not entail merely processing received knowledges (however critically one does this) but also actively transforming knowledges. In addition, it involves taking responsibility for the material effects of these very pedagogical practices on students. Teaching about "difference" in relation to power is thus extremely complicated and involves not only rethinking questions of learning and authority but also questions of center and margin. In writing about her own pedagogical practices in teaching African American women's history (1989), Elsa Barkley Brown formulates her intentions and method in this way:

> How do our students overcome years of notions of what is normative? While trying to think about these issues in my teaching, I have come to understand that this is not merely an intellectual process. It is not merely a question of whether or not we have learned to analyze in particular kinds of ways, or whether people are able to intellectualize about a variety of experiences. It is also about coming to believe in the possibility of a variety of experiences, a variety of ways of understanding the world, a variety of frameworks of operation, without imposing consciously or unconsciously a notion of the norm. What I have tried to do in my own teaching is to ad-

dress both the conscious level through the material, and the unconscious level through the structure of the course, thus, perhaps, allowing my students, in Bettina Apthekar's words, to "pivot the center": to center in another experience. (921)

Clearly, this process is very complicated pedagogically, for such teaching must address questions of audience, voice, power, and evaluation while retaining a focus on the material being taught. Teaching practices must also combat the pressures of professionalization, normalization, and standardization, the very pressures or expectations that implicitly aim to manage and discipline pedagogies so that teacher behaviors are predictable (and perhaps controllable) across the board.

Barkley Brown draws attention to the centrality of experience in the classroom. While this is an issue that merits much more consideration than I can give here, a particular aspect of it ties into my general argument. Feminist pedagogy has always recognized the importance of experience in the classroom. Since women's and ethnic studies programs are fundamentally grounded in political and collective questions of power and inequality, questions of the politicization of individuals along race, gender, class, and sexual parameters are at the very center of knowledges produced in the classroom. This politicization often involves the "authorization" of marginal experiences and the creation of spaces for multiple, dissenting voices in the classroom. The authorization of experience is thus a crucial form of empowerment for students—a way for them to enter the classroom as speaking subjects. However, this focus on the centrality of experience can also lead to exclusions: it often silences those whose "experience" is seen to be that of the ruling-class groups. This more-authentic-than-thou attitude to experience also applies to the teacher. For instance, in speaking about Third World peoples, I have to watch constantly the tendency to speak "for" Third World peoples. For I often come to embody the "authentic" authority and experience for many of my students; indeed, they construct me as a native informant in the same way that left-liberal white students sometimes construct all people of color as the authentic voices of their people. This is evident in the classroom when the specific "differences" (of personality, posture, behavior, etc.) of one woman of color stand in for the difference of the whole collective, and a collective voice is assumed in place of an individual voice. In effect, this results in the reduction or averaging of Third World peoples in terms of individual personality characteristics: complex ethical and political issues are glossed over, and an ambiguous and more easily manageable ethos of the "personal" and the "interpersonal" takes their place.

Thus a particularly problematic effect of certain pedagogical codifications of difference is the conceptualization of race and gender in terms of personal or individual experience. Students often end up determining that they have to "be more sensitive" to Third World peoples. The formulation of knowledge and politics through these individualistic, attitudinal parameters indicates an erasure of the very politics of knowledge involved in teaching and learning about difference. It also suggests an erasure of the structural and institutional parameters of what it means to understand difference in historical terms. If all conflict in the classroom is seen and understood in personal terms, it leads to a comfortable set of oppositions: people of color as the central voices and the bearers of all knowledge in class, and white people as "observers" with no responsibility to contribute and/or nothing valuable to contribute. In other words, white students are constructed as marginal observers and students of color as the real "knowers" in such a liberal or left classroom. While it may seem like people of color are thus granted voice and agency in the classroom, it is necessary to consider what particular kind of voice it is that is allowed them/us. It is a voice located in a different and separate space from the agency of white students.[12] Thus, while it appears that in such a class the histories and cultures of marginalized peoples are now "legitimate" objects of study and discussion, the fact is that this legitimation takes place purely at an attitudinal, interpersonal level rather than in terms of a fundamental challenge to hegemonic knowledge and history. Often the culture in such a class vacillates between a high level of tension and an overwhelming desire to create harmony, acceptance of "difference," and cordial relations in the classroom. Potentially this implicitly binary construction (Third World students vs. white students) undermines the understanding of coimplication that students must take seriously in order to understand "difference" as historical and relational. Coimplication refers to the idea that all of us (First and Third World) share certain histories as well as certain responsibilities: ideologies of race define both white and black peoples, just as gender ideologies define both women and men. Thus, while "experience" is an enabling focus in the classroom, unless it is explicitly understood as historical, contingent, and the result of interpretation, it can coagulate into frozen, binary, psychologistic positions.[13]

To summarize, this effective separation of white students from Third

World students in such an explicitly politicized women's studies classroom is problematic because it leads to an attitudinal engagement that bypasses the complexly situated politics of knowledge and potentially shores up a particular individual-oriented codification and commodification of race. It implicitly draws on and sustains a discourse of cultural pluralism, or what Henry Giroux (1988) calls "the pedagogy of normative pluralism" (95), a pedagogy in which we all occupy separate, different, and equally valuable places and where experience is defined not in terms of individual qua individual, but in terms of an individual as representative of a cultural group. This results in a depoliticization and dehistoricization of the idea of culture and makes possible the implicit management of race in the name of cooperation and harmony.

Cultural pluralism is an inadequate response, however, because the academy as well as the larger social arena are constituted through hierarchical knowledges and power relations. In this context, the creation of oppositional knowledges always involves both fundamental challenges and the risk of cooptation. Creating counterhegemonic pedagogies and combating attitudinal, pluralistic appropriations of race and difference thus involves a delicate and ever-shifting balance between the analysis of experience as lived culture and as textual and historical representations of experience. But most of all, it calls for a critical analysis of the contradictions and incommensurability of social interests as individuals experience, understand, and transform them. Decolonizing pedagogical practices requires taking seriously the different logics of cultures as they are located within asymmetrical power relations. It involves understanding that culture, especially academic culture, is a terrain of struggle (rather than an amalgam of discrete consumable entities). And finally, within the classroom, it requires that teachers and students develop a critical analysis of how experience itself is named, constructed, and legitimated in the academy. Without this analysis of culture and of experience in the classroom, there is no way to develop and nurture oppositional practices. After all, critical education concerns the production of subjectivities in relation to discourses of knowledge and power.

NARRATIVE 2

Stories are important. They keep us alive. In the ships, in the camps, in the quarters, field, prisons, on the road, on the run, underground, under siege, in the throes, on the verge—the storyteller snatches us back from the edge to hear the next chapter.

In which we are the subjects. We, the hero of the tales. Our lives preserved. How it was, how it be. Passing it along in the relay. That is what I work to do: to produce stories that save our lives.—Toni Cade Bambara, "Salvation is the Issue," 1984

In the intellectual, political and historical context I have sketched thus far, decolonization as a method of teaching and learning is crucial in envisioning democratic education. My own political project involves trying to connect educational discourse to questions of social justice and the creation of citizens who are able to conceive of a democracy which is not the same as "the free market." Pedagogy in this context needs to be revolutionary to combat business as usual in educational institutions. After all, the politics of commodification allows the cooptation of most dissenting voices in this age of multiculturalism. Cultures of dissent are hard to create. Revolutionary pedagogy needs to lead to a consciousness of injustice, self-reflection on the routines and habits of education in the creation of an "educated citizen," and action to transform one's social space in a collective setting. In other words, the practice of decolonization as defined above.

I turn now to a narrative in the tradition of Toni Cade Bambara, a story that "keeps me alive—a story which saves our lives." The story is about a performance by a student at Hamilton College. Yance Ford, an African American studio art major and feminist activist, based her performance, called "This Invisible World," on her three-plus years as a student at the college.[14] She built an iron cage that enclosed her snugly, suspended it ten feet off the ground in the lobby of the social sciences building, She shaved her head and—barefoot and without a watch, wearing a sheet that she had cut up—spent five hours in the cage in total silence. The performance required unimaginable physical and psychic endurance, and it dramatically transformed a physical space that is usually a corridor between offices and classrooms. It had an enormous impact on everyone walking through—no mundane response was possible. Nor was business as usual possible. It disrupted educational routines—many faculty (including me) sent their classes to the performance and later attempted discussions that proved profoundly unsettling.

For the first time in my experience at Hamilton, students, faculty, and staff were faced with a performance that could not be "consumed" or assimilated as part of the "normal" educational process. We were faced with the knowledge that it was impossible to "know" what led to such a performance, and that the knowledge we had, of black women's history of objectification, of slavery, invisibility, and so on, was a radically inadequate measure of the intent or courage and risk it took for Yance to perform "This Invisible World."

In talking at length with Yance, other students, and colleagues, and thinking through the effects of this performance on the campus, I have realized that this is potentially a very effective story. Here is how Yance, writing in October 1993, described her project:

> What is it? I guess or rather I know that it is about survival. About trauma, about loss, about suffering and pain, and about being lost within all of those things. About trying to find the way back to yourself. The way back to your sanity, a way to get away from those things which have driven you beyond a point of recognition. Past the point where you no longer recognize or even want to recognize yourself or your past or the possibility that your present may also be your future. That is what my project is about. I call it refuge but I really think I mean rescue or even better, survival, escape, saved. My work to me is about all the things that push you to the edge. Its about not belonging, not liking yourself, not loving yourself, not feeling loved or safe or accepted or tolerated or respected or valued or useful or important or comfortable or safe or part of a larger community. It's about how all these things cause us to hate ourselves into corners and boxes and addictions and traps and hurtful relationships and cages. It's about how people can see you and look right through you. Most of the time not knowing you are there. It is about fighting the battle of your life, for your life. And this place that I call refuge is the only place where I am sacred. It is the source of my strength, my fortitude, my resilience, my ability to be for myself what no one else will ever be for me.

This is most directly Yance's response and meditation on her three years at a liberal arts college—on her education. In extensive conversations with her, two aspects of this project became clearer to me: her consciousness of being colonized at the college, expressed through the act of being caged like "animals in a science experiment," and the performance as an act of liberation, of active decolonization of the self, of visibility and empowerment. Yance found a way to tell another story, to speak through a silence that screamed for engagement. However, in doing so, she also created a public space for the collective narratives of marginalized peoples, especially other women of color. Educational practices became the object of public critique as the hegemonic narrative of a liberal arts education, and its markers of success came under collective scrutiny. This was then a profoundly unsettling and radically decolonizing educational act.

This story illustrates the difference between thinking about social justice and radical transformation in our frames of analysis and understanding in relation to race, gender, class, and sexuality versus a multiculturalist consumption and assimilation into a supposedly "democratic" frame of education as usual. It suggests the need to organize to create collective spaces for dissent and challenges to consolidation of white heterosexual masculinity in academy.

The Race Industry and Prejudice-Reduction Workshops

In his incisive critique of current attempts at minority canon formation (1987), Cornel West locates the following cultural crises as circumscribing the present historical moment: the decolonization of the Third World that signaled the end of the European Age; the repoliticization of literary studies in the 1960s; the emergence of alternative, oppositional, subaltern histories; and the transformation of everyday life through the rise of a predominantly visual, technological culture. West locates contests over Afro-American canon formation in the proliferation of discourses of pluralism in the American academy, thus launching a critique of the class interests of Afro-American critics who "become the academic superintendents of a segment of an expanded canon or a separate canon" (197). A similar critique, on the basis of class interests and "professionalization," can be leveled against feminist scholars (First or Third World) who specialize in "reading" the lives/experiences of Third World women. What concerns me here, however, is the predominately white upper-level administrators at our institutions and their "reading" of the issues of racial diversity and pluralism. I agree with West's internal critique of a black managerial class, but I think it is important not to ignore the power of a predominantly white managerial class (men and women) who, in fact, frame and hence determine our voices, livelihoods, and sometimes even our political alliances. Exploring a small piece of the creation and institutionalization of this race industry, prejudice reduction workshops involving upper-level administrators, counselors, and students in numerous institutions of higher education—including the college where I used to teach—shed light on a particular aspect of this industry. Interestingly, the faculty often do not figure in these workshops at all; they are directed either at students and resident counselors or at administrators.

To make this argument, I draw upon the institution where I used to teach (Oberlin College) that has an impressive history of progressive and liberal policies. But my critique applies to liberal/humanistic institutions of higher education in general. While what follows is a critique of certain practices at the college, I undertake it out of a commitment to and engagement with the academy. The efforts of Oberlin College to take questions of difference and diversity on board should not be minimized. However, these efforts should also be subject to rigorous examination because they have far-reaching implications for the institutionalization of multiculturalism in the academy. While multiculturalism itself is not necessarily problematic, its definition in terms of an apolitical, ahistorical cultural pluralism needs to be challenged.

In the last few decades there has been an increase in this kind of activity, often as a response to antiracist student organizing and demands or in relation to the demand for and institutionalization of "non-Western" requirements at prestigious institutions in a number of academic institutions nationally. More precisely, however, these issues of multiculturalism arise in response to the recognition of changing demographics in the United States. For instance, the prediction that by the year 2000 almost 42 percent of all public school students would be minority children or other impoverished children and that by the year 2000 women and people of color would account for nearly 75 percent of the labor force are crucial in understanding institutional imperatives concerning "diversity."[15] As Rosaura Sanchez suggests, for the university to conduct "research and business as usual" in the face of the overwhelming challenges posed by even the very presence of people of color, it has to enact policies and programs aimed at accommodation rather than transformation (Sanchez 1987).

In response to certain racist and homophobic incidents in the spring of 1988, Oberlin College instituted a series of "prejudice reduction" workshops aimed at students and upper- and middle-level administrative staff. These sometimes took the form of "unlearning racism" workshops conducted by residential counselors and psychologists in dorms. Workshops such as these are valuable in "sensitizing" students to racial conflict, behavior, and attitudes, but an analysis of their historical and ideological bases indicates their limitations.

Briefly, prejudice reduction workshops draw on a psychologically based "race relations" analysis and focus on "prejudice" rather than on institutional or historical domination. The workshops draw on cocounseling and reevaluation counseling techniques and theory and often aim for emotional release rather than political action. The name of this approach is itself somewhat problematic, since it suggests that "prejudice" (rather than domination, exploitation, or structural inequality) is the core problem and that we have to "reduce" it. The language determines and shapes the ideological and political content to a large extent. In focusing on "the healing of past wounds" this approach also equates the positions of dominant and subordinate groups, erasing all power inequities and hierarchies. And finally, the location of the source of "oppression" and "change" in individuals suggests an elision between ideological and structural understandings of power and domination and individual, psychological understandings of power.

Here again, the implicit definition of experience is important. Experience is defined as fundamentally individual and atomistic, subject to behavioral and attitudinal change. Questions of history, collective memory, and social and structural inequality as constitutive of the category of experience are inadmissible within this framework. Individuals speak as representatives of majority or minority groups whose experience is predetermined within an oppressor/victim paradigm. These questions are addressed in A. Sivanandan's incisive critique (1990) of the roots of racism awareness training in the United States (associated with the work of Judy Katz et al.) and its embodiment in multiculturalism in Britain.

Sivanandan draws attention to the dangers of the actual degradation and refiguration of antiracist, black political struggles as a result of the racism awareness training focus on psychological attitudes. Thus, while these workshops can indeed be useful in addressing deep-seated psychological attitudes and thus creating a context for change, the danger resides in remaining at the level of personal support and evaluation, and thus often undermining the necessity for broad-based political organization and action.[16]

Prejudice reduction workshops have also made their way into the upper echelons of the administration at the college. At this level, however, they take a very different form: presidents and their male colleagues do not go to workshops; they "consult" about issues of diversity. Thus, this version of "prejudice reduction" takes the form of "managing diversity" (another semantic gem that suggests that "diversity" [a euphemism for people of color] will be out of control unless it is managed). Consider the following passage from the publicity brochure of a consultant:

> Program in Conflict Management Alternatives: A team of applied scholars is creating alternative theoretical and practical approaches to the peaceful resolution of social conflicts. A concern for maximizing social justice, and redressing major social inequities that underlie much social conflict, is a central organizing principle of this work. Another concern is to facilitate the implementation of negotiated settlements, and therefore contribute to long-term change in organizational and community relations. Research theory development, organizational and community change efforts, networking, consultations, curricula, workshops and training programs are all part of the Program.[17]

This passage foregrounds the primary focus on conflict resolution, negotiated settlement, and organizational relations—all framed in a language of research, consultancy, and training. All three strategies—conflict resolution, settlement negotiation, and long-term organizational relations—can be carried out between individuals and between groups. The point is to understand the moments of friction and to resolve the conflicts "peacefully"; in other words, domesticate race and difference by formulating the problems in narrow, interpersonal terms and by rewriting historical contexts as manageable psychological ones.

As in the example of the classroom discussed earlier, the assumption here is that individuals and groups, as individual atomistic units in a social whole composed essentially of an aggregate of such units, embody difference. Thus, conflict resolution is best attempted by negotiating between individuals who are dissatisfied as individuals. One very important ideological effect of this is the standardization of behaviors and responses so as to make them predictable (and thus manageable) across a wide variety of situations and circumstances. If complex structural experiences of domination and resistance can be ideologically reformulated as individual behaviors and attitudes, they can be managed while carrying on business as usual.

Another example of this kind of program is the approach of the company that was consulted for the report just quoted, which goes by the name Diversity Consultants: "Diversity Consultants believe one of the most effective ways to manage multicultural and race awareness issues is through assessment of individual environments, planned educational programs, and management strategy sessions which assist professionals in understanding themselves, diversity, and their options in the workplace" (Prindle 1988, 8).

The key ideas in this statement involve an awareness of race issues (the problem is assumed to be cultural misunderstanding or lack of information about other cultures), understanding yourself and people unlike you (diversity —we must respect and learn from each other; this may not address economic exploitation, but it will teach us to treat each other civilly), negotiating conflicts, altering organizational sexism and racism, and devising strategies to assess and manage the challenges of diversity (which results in an additive approach: recruiting "diverse" people, introducing "different" curriculum units while engaging in teaching as usual—that is, not shifting the normative-culture-vs.-subcultures paradigm). This is, then, the "professionalization" of prejudice reduction, where culture is a supreme commodity. Culture is seen as noncontradictory, as isolated from questions of history, and as a storehouse of nonchanging facts, behaviors, and practices. This particular definition of culture and of cultural difference is what sustains the individualized discourse of harmony and civility that is the hallmark of cultural pluralism.

Prejudice reduction workshops eventually aim for the creation of this discourse of civility. Again, this is not to suggest that there are no positive effects of this practice—for instance, the introduction of new cultural models can cause a deeper evaluation of existing structures, and clearly such consultancies could set a positive tone for social change. However, the baseline is still maintaining the status quo; diversity is always and can only be added on.

So what does all this mean? Diversity consultants are not new. Private industry has been using these highly paid management consulting firms since the civil rights movement. When upper-level administrators in higher education inflect discourses of education and "academic freedom" with discourses of the management of race, however, the effects are significant enough to warrant close examination. There is a long history of the institutionalization of the discourse of management and control in American education, but the management of race requires a somewhat different inflection at this historical moment. As a result of historical, demographic, and educational shifts in the racial makeup of students and faculty in the last twenty years, some of us even have public voices that have to be "managed" for the greater harmony of all. The hiring of consultants to "sensitize educators to issues of diversity" is part of the post-1960s proliferation of discourses of pluralism. But it is also a specific and containing response to the changing social contours of the U.S.

polity and to the challenges posed by Third World and feminist studies in the academy. By using the language of the corporation and the language of cognitive and affectional psychology (and thereby professionalizing questions of sexism, racism, and class conflict), new alliances are consolidated. Educators who are part of the ruling administrative class are now managers of conflict, but they are also agents in the construction of race—a word that is significantly redefined through the technical language that is used.[18]

Race, Voice, and Academic Culture

The effects of this relatively new discourse in the higher levels of liberal arts colleges and universities are quite real. Affirmative action hires are now highly visible and selective; every English department is looking for a black woman scholar to teach Toni Morrison's writings. What happens to such scholars after they are hired, and particularly when they come up for review or tenure, is another matter altogether. A number of scholars have documented the debilitating effects of affirmative action hiring policies that seek out and hire only those Third World scholars who are at the top of their fields—hence the pattern of musical chairs in which selected people of color are bartered at very high prices. Our voices are carefully placed and domesticated: one in history, one in English, perhaps one in the sociology department. Clearly these hiring practices do not guarantee the retention and tenure of Third World faculty. In fact, while the highly visible bartering for Third World "stars" serves to suggest that institutions of higher education are finally becoming responsive to feminist and Third World concerns, this particular commodification and personalization of race suggests there has been very little change since the 1970s, in terms of either a numerical increase of Third World faculty or our treatment in white institutions.

In their 1988 article on racism faced by Chicano faculty in institutions of higher education, Maria de la Luz Reyes and John J. Halcon characterize the effects of the 1970s policies of affirmative action:

> In the mid-1970s, when minority quota systems were being implemented in many nonacademic agencies, the general public was left with the impression that Chicano or minority presence in professional or academic positions was due to affirmative action, rather than to individual qualifications or merit. But that impression was inaccurate. Generally [institutions

of higher education] responded to the affirmative action guidelines with token positions for only a handful of minority scholars in nonacademic and/or "soft" money programs. For example, many Blacks and Hispanics were hired as directors for programs such as Upward Bound, Talent Search, and Equal Opportunity Programs. Other minority faculty were hired for bilingual programs and ethnic studies programs, but affirmative action hires did not commonly extend to tenure-track faculty positions. The new presence of minorities on college campuses, however, which occurred during the period when attention to affirmative action regulations reached its peak, left all minority professionals and academics with a legacy of tokenism—a stigma that has been difficult to dispel. (303)

De la Luz Reyes and Halcon go on to argue that we are still living with the effects of the implementation of these policies. They examine the problems associated with tokenism and the ghettoization of Third World people in the academy, detailing the complex forms of racism that minority faculty face today. To this characterization, I would add that one of the results of the Reagan-Bush years has been that black, women's, and ethnic studies programs are often further marginalized, since one of the effects of the management of race is that individuals come to embody difference and diversity, while programs that have been historically constituted on the basis of collective oppositional knowledges are labeled "political," "biased," "shrill," and "unrigorous."[19] Any inroads made by such programs and departments in the seventies were slowly undermined in the eighties and the nineties by the management of race through attitudinal and behavioral strategies, with their logical dependence on individuals seen as appropriate representatives of their "race" or some other equivalent political constituency. Race and gender were reformulated as individual characteristics and attitudes, and thus an individualized, ostensibly "unmarked" discourse of difference was put into place. This shift in the academic discourse on gender and race actually rolls back any progress that has been made in carving out institutional spaces for women's and black studies programs and departments.

Earlier, it was these institutional spaces that determined our collective voices. Our programs and departments were by definition alternative and oppositional. Now they are often merely alternative, one among many. Without being nostalgic about the good old days (and they were problematic in their own ways), I am suggesting that there has been an erosion of the politics of collectivity through the reformulation of race and difference in individualistic terms. By no means is this a conspiratorial scenario. The discussion of the effects of my own classroom practices indicates my complicity in this contest over definitions of gender and race in discursive and representational as well as personal terms. The 1960s and 1970s slogan "The personal is political" was recrafted in the 1980s as "The political is personal." In other words, all politics is collapsed into the personal, and questions of individual behaviors, attitudes, and lifestyles stand in for the political analysis of the social. Individual political struggles are seen as the only relevant and legitimate form of political struggle.

There is, however, another, more crucial reason to be concerned about (and to challenge) this management of race in the liberal academy: this process of the individualization of race and its effects dovetail rather neatly with the neoconservative politics and agenda of the Reagan-Bush years and now the Bush-Cheney years, an agenda that is constitutively recasting the fabric of American life in the pre-1960s mold. The 1980s Supreme Court decisions on "reverse discrimination" are based on precisely similar definitions of "prejudice," "discrimination," and "race." In an essay that argues that the U.S. Supreme Court's rulings on reverse discrimination are fundamentally tied to the rollback of reproductive freedom, Zillah Eisenstein (1990) discusses the individualist framework on which these decisions are based:

> The court's recent decisions pertaining to affirmative action make quite clear that existing civil rights legislation is being newly reinterpreted. Race, or sex (gender) as a collective category is being denied and racism, and/or sexism, defined as a structural and historical reality has been erased. Statistical evidence of racial and/or sexual discrimination is no longer acceptable as proof of unfair treatment of "black women as a group or class." Discrimination is proved by an individual only in terms of their specific case. The assault is blatant: equality doctrine is dismantled. (5)

Eisenstein goes on to analyze how the government's attempts to redress racism and sexism are at the core of the struggle for equality and how, in gutting the meaning of discrimination and applying it only to individual cases and not statistical categories, it has become almost impossible to prove discrimination because there are always "other" criteria to excuse discriminatory practices. Thus, the Supreme Court decisions on reverse discrimination are clearly based on a particular individualist politics that domesticates race and gender. This is an example of the convergence of neoconservative and liberal agendas concerning race and gender inequalities.

Those of us who are in the academy also potentially collude in this domestication of race by allowing ourselves to be positioned in ways that contribute to the construction of these images of pure and innocent diversity, to the construction of these managerial discourses. For instance, since the category of race is not static but a fluid social and historical formation, Third World peoples are often located in antagonistic relationships with one another. Those of us who are from Third World countries are often played off against Third World peoples native to the United States. As an Indian immigrant woman in the United States, for instance, in most contexts I am not as potentially threatening as an African American woman. Yes, we are both nonwhite and other, subject to various forms of overt or disguised racism, but I do not bring with me a history of slavery, a direct and constant reminder of the racist past and present of the United States. Of course my location in the British academy would be fundamentally different because of the history of British colonization, because of its specific patterns of immigration and labor force participation, and because of the existence of working-class, trade union, and antiracist politics—all of which define the position of Indians differently in Britain. An interesting parallel in the British context is the focus on and celebration of African American women as the "true" radical black feminists who have something to say, while black British feminists are marginalized and rendered voiceless by the publishing industry and the academy ("black" in Britain often refered to British citizens of African, Asian, or Caribbean origin, although this alliance has unravelled in recent years). These locations and potential collusions thus have an impact on how our voices and agencies are constituted.

Critical Pedagogy and Cultures of Dissent

If my argument in this essay is convincing, it suggests why we need to take on questions of race and gender as they are being managed and commodified in the liberal U.S. academy. One mode of doing this is actively creating public cultures of dissent where these issues can be debated in terms of our pedagogies and institutional practices.[20] Creating such cultures in the liberal academy is a challenge in itself, because liberalism allows and even welcomes "plural" or even "alternative" perspectives. However, a public culture of dissent entails creating spaces for epistemological standpoints that are grounded in the interests of people and that recognize the materiality of conflict, of privilege, and of domination. Thus creating such cultures is fundamentally about making the axes of power transparent in the context of academic, disciplinary, and institutional structures as well as in the interpersonal relationships (rather than individual relations) in the academy. It is about taking the politics of everyday life seriously as teachers, students, administrators, and members of hegemonic academic cultures. Culture itself is thus redefined to incorporate individual and collective memories, dreams, and history that are contested and transformed through the political praxis of day-to-day living.

Cultures of dissent are also about seeing the academy as part of a larger sociopolitical arena that itself domesticates and manages Third World people in the name of liberal capitalist democracy. They are about working to reshape and reenvision community and citizenship in the face of overwhelming corporatization. The struggle to transform our institutional practices fundamentally also involves the grounding of the analysis of exploitation and oppression in accurate history and theory, seeing ourselves as activists in the academy, drawing links between movements for social justice and our pedagogical and scholarly endeavors and expecting and demanding action from ourselves, our colleagues, and our students at numerous levels. This requires working hard to understand and to theorize questions of knowledge, power, and experience in the academy so that one effects both pedagogical empowerment and transformation. Racism, sexism, and homophobia are very real, day-to-day practices in which we all engage. They are not reducible to mere curricular or policy decisions—that is, to management practices. In this context we need to actively rethink the purpose of liberal education in antiracist, anticapitalist feminist ways.

I said earlier that what is at stake is not the mere recognition of difference. The sort of difference that is acknowledged and engaged has fundamental significance for the decolonization of educational practices. Similarly, the point is not simply that one should have a voice; the more crucial question concerns the sort of voice one comes to have as the result of one's location, both as an individual and as part of collectives. The important point is that it be an active, oppositional, and collective voice that takes seriously the commodification and domestication of Third World people in the academy. Thus cultures of dissent must work to create pedagogies of dissent rather than pedagogies of accommodation. And this is a task open to all—to people of color as well as progressive white people in the academy.

PART THREE

Reorienting Feminism

CHAPTER NINE

"Under Western Eyes" Revisited: Feminist Solidarity through Anticapitalist Struggles

I write this chapter at the urging of a number of friends[1] and with some trepidation, revisiting the themes and arguments of an essay written some sixteen years ago. This is a difficult chapter to write,[2] and I undertake it hesitantly and with humility—yet feeling that I must do so to take fuller responsibility for my ideas, and perhaps to explain whatever influence they have had on debates in feminist theory.

"Under Western Eyes" was not only my very first "feminist studies" publication, it remains the one that marks my presence in the international feminist community. I had barely completed my Ph.D. when I wrote this essay; I am now a professor of women's studies. The "under" of Western eyes is now much more an "inside" in terms of my own location in the U.S. academy.[3] The site from which I wrote the essay consisted of a very vibrant, transnational women's movement, while the site I write from today is quite different. With the increasing privatization and corporatization of public life, it has become much harder to discern such a women's movement from the United States (although women's movements are thriving around the world), and my site of access and struggle has increasingly come to be the U.S. academy. In the United States, women's movements have become increasingly conservative, and much radical, antiracist feminist activism occurs outside the rubric of such movements. Thus, much of what I say here is influenced by the primary site I occupy as an educator and scholar. It is time to revisit "Under Western Eyes," to clarify ideas that remained implicit and unstated in 1986 and to further develop and historicize the theoretical framework I outlined then. I also want to assess how this essay has been read and misread and to respond to the critiques and celebrations. And it is time for me to move explicitly from critique to reconstruction, to identify the urgent issues facing feminists at the beginning of the twenty-first century, to ask the question: How would "Under Western Eyes"—the Third World inside and outside the West—be explored and analyzed almost two decades later? What do I consider to be the urgent theoretical and methodological questions facing a comparative feminist politics at this moment in history?

Given the apparent and continuing life of "Under Western Eyes" and my own travels through transnational feminist scholarship and networks, I begin with a summary of the central arguments of "Under Western Eyes," contextualizing them in intellectual, political, and institutional terms. Basing my account on this discussion, I describe ways the essay has been read and situated in a number of different, often overlapping, scholarly discourses. I engage with some useful responses to the essay in an attempt to further clarify the various meanings of the West, Third World, and so on, to reengage questions of the relation of the universal and the particular in feminist theory, and to make visible some of the theses left obscure or ambiguous in my earlier writing.

I look, first, to see how my thinking has changed over the past sixteen years or so. What are the challenges facing transnational feminist practice at the beginning of the twenty-first century? How have the possibilities of feminist cross-cultural work developed and shifted? What is the intellectual, political, and institutional context that informs my own shifts and new commitments at the time of this writing? What categories of scholarly and political identification have changed since 1986? What has remained the same? I wish to begin a dialogue between the intentions, effects, and political choices that underwrote "Under Western Eyes" in the mid-1980s and those I would make today. I hope it provokes others to ask similar questions about our individual and collective projects in feminist studies.

Revisiting "Under Western Eyes"

DECOLONIZING FEMINIST SCHOLARSHIP: 1986

I wrote "Under Western Eyes" to discover and articulate a critique of "Western feminist" scholarship on Third World women via the discursive colonization of Third World women's lives and struggles. I also wanted to expose the power-knowledge nexus of feminist cross-cultural scholarship expressed through Eurocentric, falsely universalizing methodologies that serve the narrow self-interest of Western feminism. As well, I thought it crucial to highlight the connection between feminist scholarship and feminist political organizing while drawing attention to the need to examine the "political implications of our analytic strategies and principles." I also wanted to chart the location of feminist scholarship within a global political and economic framework dominated by the "First World."[4]

My most simple goal was to make clear that cross-cultural feminist work must be attentive to the micropolitics of context, subjectivity, and struggle, as well as to the macropolitics of global economic and political systems and processes. I discussed Maria Mies's study of the lacemakers of Narsapur as a demonstration of how to do this kind of multilayered, contextual analysis to reveal how the particular is often universally significant—without using the universal to erase the particular, or positing an unbridgeable gulf between the two terms. Implicit in this analysis was the use of historical materialism as a basic framework, and a definition of material reality in both its local and micro-, as well as global, systemic dimensions. I argued at that time for the definition and recognition of the Third World not just through oppression but in terms of historical complexities and the many struggles to change these oppressions. Thus I argued for grounded, particularized analyses linked with larger, even global, economic and political frameworks. I drew inspiration from a vision of feminist solidarity across borders, although it is this vision that has remained invisible to many readers. In a perceptive analysis of my argument of this politics of location, Sylvia Walby (2000) recognizes and refines the relation between difference and equality of which I speak. She draws further attention to the need for a shared frame of reference among Western, postcolonial, Third World feminists in order to decide what counts as difference. She asserts, quite insightfully, that

> Mohanty and other postcolonial feminists are often interpreted as arguing only for situated knowledges in popularisations of their work. In fact, Mohanty is claiming, via a complex and subtle argument, that she is right and that (much) white Western feminism is not merely different, but wrong. In doing this she assumes a common question, a common set of concepts and, ultimately the possibility of, a common political project with white feminism. She hopes to argue white feminism into agreeing with her. She is not content to leave white Western feminism as a situated knowledge, comfortable with its local and partial perspective. Not a bit of

it. This is a claim to a more universal truth. And she hopes to accomplish this by the power of argument. (199)

Walby's reading of the essay challenges others to engage my notion of a common feminist political project, which critiques the effects of Western feminist scholarship on women in the Third World, but within a framework of solidarity and shared values. My insistence on the specificity of difference is based on a vision of equality attentive to power differences within and among the various communities of women. I did not argue against all forms of generalization, nor was I privileging the local over the systemic, difference over commonalities, or the discursive over the material.

I did not write "Under Western Eyes" as a testament to the impossibility of egalitarian and noncolonizing cross-cultural scholarship, nor did I define "Western" and "Third World" feminism in such oppositional ways that there would be no possibility of solidarity between Western and Third World feminists.[5] Yet, this is often how the essay has been read and utilized.[6] I have wondered why such a sharp opposition has developed in this form. Perhaps mapping the intellectual and institutional context in which I wrote back then and the shifts that have affected its reading since would clarify the intentions and claims of the essay.

Intellectually, I was writing in solidarity with the critics of Eurocentric humanism who drew attention to its false universalizing and masculinist assumptions. My project was anchored in a firm belief in the importance of the particular in relation to the universal—a belief in the local as specifying and illuminating the universal. My concerns drew attention to the dichotomies embraced and identified with this universalized framework, the critique of "white feminism" by women of color and the critique of "Western feminism" by Third World feminists working within a paradigm of decolonization. I was committed, both politically and personally, to building a noncolonizing feminist solidarity across borders. I believed in a larger feminist project than the colonizing, self-interested one I saw emerging in much influential feminist scholarship and in the mainstream women's movement.

My newly found teaching position at a primarily white U.S. academic institution also deeply affected my writing at this time. I was determined to make an intervention in this space in order to create a location for Third World, immigrant, and other marginalized scholars like myself who saw themselves erased or misrepresented within the dominant Euro-American feminist scholarship and their communities. It has been a source of deep satisfaction that I was able to begin to open an intellectual space to Third World/immigrant women scholars, as was done at the international conference I helped organize, "Common Differences: Third World Women and Feminist Perspectives" (Urbana, Illinois, 1983). This conference allowed for the possibility of a decolonized, cross-border feminist community and cemented for me the belief that "common differences" can form the basis of deep solidarity, and that we have to struggle to achieve this in the face of unequal power relations among feminists.

There have also been many effects—personal and professional—in my writing this essay. These effects range from being cast as the "nondutiful daughter" of white feminists to being seen as a mentor for Third World/immigrant women scholars; from being invited to address feminist audiences at various academic venues, to being told I should focus on my work in early childhood education and not dabble in "feminist theory." Practicing active disloyalty has its price as well as its rewards. Suffice it to say, however, that I have no regrets and only deep satisfaction in having written "Under Western Eyes."

I attribute some of the readings and misunderstandings of the essay to the triumphal rise of postmodernism in the U.S. academy in the past three decades. Although I have never called myself a "postmodernist," some reflection on why my ideas have been assimilated under this label is important.[7] In fact, one reason to revisit "Under Western Eyes" at this time is my desire to point to this postmodernist appropriation.[8] I am misread when I am interpreted as being against all forms of generalization and as arguing for difference over commonalities. This misreading occurs in the context of a hegemonic postmodernist discourse that labels as "totalizing" all systemic connections, and emphasizes only the mutability and constructedness of identities and social structures.

Yes, I did draw on Foucault to outline an analysis of power/knowledge, but I also drew on Anour Abdel Malek to show the directionality and material effects of a particular imperial power structure. I drew too on Maria Mies to argue for the need for a materialist analysis that linked everyday life and local gendered contexts and ideologies to the larger, transnational political and economic structures and ideologies of capitalism. What is interesting for me is to see how and why "difference" has been embraced over "commonality," and I realize that my writing leaves open this possibility. In 1986 I wrote mainly to challenge the false universality of Eurocentric discourses and was perhaps not sufficiently critical of the valorization of difference over commonality in postmodernist discourse.[9] Now I find myself wanting to reemphasize the connections between local and universal. In 1986 my priority was on difference, but now I want to recapture and reiterate its fuller meaning, which was always there, and that is its connection to the universal. In other words, this discussion allows me to reemphasize the way that differences are never just "differences." In knowing differences and particularities, we can better see the connections and commonalities because no border or boundary is ever complete or rigidly determining. The challenge is to see how differences allow us to explain the connections and border crossings better and more accurately, how specifying difference allows us to theorize universal concerns more fully. It is this intellectual move that allows for my concern for women of different communities and identities to build coalitions and solidarities across borders.

So what has changed and what remains the same for me? What are the urgent intellectual and political questions for feminist scholarship and organizing at this time in history? First, let me say that the terms "Western" and "Third World" retain a political and explanatory value in a world that appropriates and assimilates multiculturalism and "difference" through commodification and consumption. However, these are not the only terms I would choose to use now. With the United States, the European Community, and Japan as the nodes of capitalist power in the early twenty-first century, the increasing proliferation of Third and Fourth Worlds within the national borders of these very countries, as well as the rising visibility and struggles for sovereignty by First Nations/indigenous peoples around the world, "Western" and "Third World" explain much less than the categorizations "North/South" or "One-Third/Two-Thirds Worlds."

"North/South" is used to distinguish between affluent, privileged nations and communities, and economically and politically marginalized nations and communities, as is "Western/non-Western." While these terms are meant to loosely distinguish the northern and southern hemispheres, affluent and marginal nations and communities obviously do not line up neatly within this geographical frame. And yet, as a political designation that attempts to distinguish between the "haves" and the "have-nots," it does have a certain political value. An example of this is Arif Dirlik's formulation of North/South as a metaphorical rather than geographical distinction, where "North" refers to the pathways of transnational capital and "South" to the marginalized poor of the world regardless of geographical distinction.[10]

I find the language of "One-Third World" versus "Two-Thirds World" as elaborated by Gustavo Esteva and Madhu Suri Prakash (1998) particularly useful, especially in conjunction with "Third World/South" and "First World/North." These terms represent what Esteva and Prakash call social minorities and social majorities—categories based on the quality of life led by peoples and communities in both the North and the South.[11] The advantage of one-third/two-thirds world in relation to terms like "Western/Third World" and "North/South" is that they move away from misleading geographical and ideological binarisms.

By focusing on quality of life as the criteria for distinguishing between social minorities and majorities, "One-Third/Two-Thirds Worlds" draws attention to the continuities as well as the discontinuities between the haves and have-nots within the boundaries of nations and between nations and indigenous communities. This designation also highlights the fluidity and power of global forces that situate communities of people as social majorities/minorities in disparate form. "One-Third/Two-Thirds" is a nonessentialist categorization, but it incorporates an analysis of power and agency that is crucial. Yet what it misses is a history of colonization that the terms Western/Third World draw attention to.

As the above terminological discussion serves to illustrate, we are still working with a very imprecise and inadequate analytical language. All we can have access to at given moments is the analytical language that most clearly approximates the features of the world as we understand it. This distinction between One-Third/Two-Thirds World and, at times, First World/North and Third World/South is the language I choose to use now. Because in fact our language is imprecise, I hesitate to have any language become static. My own language in 1986 needs to be open to refinement and inquiry—but not to institutionalization.

Finally, I want to reflect on an important issue not addressed in "Under Western Eyes": the question of native or indigenous struggles. Radhika Mohanram's critique of my work (1999) brings this to our attention. She points out the differences between a "multicultural" understanding of nation (prevalent in the United States) and a call for a "bicultural" understanding of nation on the part of indigenous people in Aotearoa/New Zealand. She argues that my notion of a common context of struggle suggests logical alliances among the various black women: Maori, Asian, Pacific Islander. However, Maori women see multiculturalism—alliances with Asian women—as undermining indigenous rights and biculturalism and prefer to ally themselves with Pakeha (white, Anglo-Celtic people [Mohanram 1999, 92–96]).

I agree that the distinction between biculturalism and multiculturalism does pose a practical problem of organizing and alliance building, and that the particular history and situation of Maori feminists cannot be subsumed within the analysis I offer so far. Native or indigenous women's struggles, which do not follow a postcolonial trajectory based on the inclusions and exclusions of processes of capitalist, racist, heterosexist, and nationalist domination, cannot be addressed easily under the purview of categories such as "Western" and "Third World."[12] But they become visible and even central to the definition of One-Third/Two-Thirds Worlds because indigenous claims for sovereignty, their lifeways and environmental and spiritual practices, situate them as central to the definition of "social majority" (Two-Thirds World). While a mere shift in conceptual terms is not a complete response to Mohanram's critique, I think it clarifies and addresses the limitations of my earlier use of "Western" and "Third World." Interestingly enough, while I would have identified myself as both Western and Third World—in all my complexities—in the context of "Under Western Eyes," in this new frame, I am clearly located within the One-Third World. Then again, now, as in my earlier writing, I straddle both categories. I am of the Two-Thirds World in the One-Third World. I am clearly a part of the social minority now, with all its privileges; however, my political choices, struggles, and vision for change place me alongside the Two-Thirds World. Thus, I am for the Two-Thirds World, but with the privileges of the One-Third World. I speak as a person situated in the One-Thirds World, but from the space and vision of, and in solidarity with, communities in struggle in the Two-Thirds World.

UNDER AND (INSIDE) WESTERN EYES: AT THE TURN OF THE CENTURY

There have been a number of shifts in the political and economic landscapes of nations and communities of people in the last two decades. The intellectual maps of disciplines and areas of study in the U.S. academy have shifted as well during this time. The advent and institutional visibility of postcolonial studies for instance is a relatively recent phenomenon—as is the simultaneous rollback of the gains made by race and ethnic studies departments in the 1970s and 1980s. Women's studies is now a well-established field of study with over eight hundred degree-granting programs and departments in the U.S. academy.[13] Feminist theory and feminist movements across national borders have matured substantially since the early 1980s, and there is now a greater visibility of transnational women's struggles and movements, brought on in part by the United Nations world conferences on women held over the last two decades.

Economically and politically, the declining power of self-governance among certain poorer nations is matched by the rising significance of transnational institutions such as the World Trade Organization and governing bodies such as the European Union, not to mention the for-profit corporations. Of the world's largest economies, fifty-one happen to be corporations, not countries, and Amnesty International now reports on corporations as well as nations (Eisenstein 1998b, 1). Also, the hegemony of neoliberalism, alongside the naturalization of capitalist values, influences the ability to make choices on one's own behalf in the daily lives of economically marginalized as well as economically privileged communities around the globe.

The rise of religious fundamentalisms with their deeply masculinist and often racist rhetoric poses a huge challenge for feminist struggles around the world. Finally, the profoundly unequal "information highway" as well as the increasing militarization (and masculinization) of the globe, accompanied by the growth of the prison industrial complex in the United States, poses profound contradictions in the lives of communities of women and men in most parts of the world. I believe these political shifts to the right, accompanied by global capitalist hegemony, privatization, and increased religious, ethnic, and racial hatreds, pose very concrete challenges for feminists. In this context, I ask what would it mean to be attentive to the micropolitics of everyday life as well as to the larger processes that recolonize the culture and identities of people across the globe. How we think of the local in/of the global and vice versa without falling into colonizing or cultural relativist platitudes about difference is crucial in this intellectual and political landscape. And for me, this kind of thinking is tied to a revised race-and-gender-conscious historical materialism.

The politics of feminist cross-cultural scholarship from the vantage point of Third World/South feminist struggles remains a compelling site of analysis for me.[14] Eurocentric analytic paradigms continue to flourish, and I remain committed to reengaging in the struggles to criticize openly the effects of discursive colonization on the lives and struggles of marginalized women. My central commitment is to build connections between feminist scholarship and political organizing. My own present-day analytic framework remains very similar to my earliest critique of Eurocentrism. However, I now see the politics and economics of capitalism as a far more urgent locus of struggle. I continue to hold to an analytic framework that is attentive to the micropolitics of everyday life as well as to the macropolitics of global economic and political processes. The link between political economy and culture remains crucial to any form of feminist theorizing—as it does for my work. It isn't the framework that has changed. It is just that global economic and political processes have become more brutal, exacerbating economic, racial, and gender inequalities, and thus they need to be demystified, reexamined, and theorized.

While my earlier focus was on the distinctions between "Western" and "Third World" feminist practices, and while I downplayed the commonalities between these two positions, my focus now, as must be evident in part 2 of this book, is on what I have chosen to call an anticapitalist transnational feminist practice—and on the possibilities, indeed on the necessities, of cross-national feminist solidarity and organizing against capitalism. While "Under Western Eyes" was located in the context of the critique of Western humanism and Eurocentrism and of white, Western feminism, a similar essay written now would need to be located in the context of the critique of global capitalism (on antiglobalization), the naturalization of the values of capital, and the unacknowledged power of cultural relativism in cross-cultural feminist scholarship and pedagogies.

"Under Western Eyes" sought to make the operations of discursive power visible, to draw attention to what was left out of feminist theorizing, namely, the material complexity, reality, and agency of Third World women's bodies and lives. This is in fact exactly the analytic strategy I now use to draw attention to what is unseen, undertheorized, and left out in the production of knowledge about globalization. While globalization has always been a part of capitalism, and capitalism is not a new phenomenon, at this time I believe the theory, critique, and activism around antiglobalization has to be a key focus for feminists. This does not mean that the patriarchal and racist relations and structures that accompany capitalism are any less problematic at this time, or that antiglobalization is a singular phenomenon. Along with many other scholars and activists, I believe capital as it functions now depends on and exacerbates racist, patriarchal, and heterosexist relations of rule.

FEMINIST METHODOLOGIES: NEW DIRECTIONS

What kinds of feminist methodology and analytic strategy are useful in making power (and women's lives) visible in overtly nongendered, nonracialized discourses? The strategy discussed here is an example of how capitalism and its various relations of rule can be analyzed through a transnational, anticapitalist feminist critique, one that draws on historical materialism and centralizes racialized gender. This analysis begins from and is anchored in the place of the most marginalized communities of women—poor women of all colors in affluent and neocolonial nations; women of the Third World/South or the Two-Thirds World.[15] I believe that this experiential and analytic anchor in the lives of marginalized communities of women provides the most inclusive paradigm for thinking about social justice. This particularized viewing allows for a more concrete and expansive vision of universal justice.

This is the very opposite of "special interest" thinking. If we pay attention to and think from the space of some of the most disenfranchised communities of women in the world, we are most likely to envision a just and democratic society capable of treating all its citizens fairly. Conversely, if we begin our analysis from, and limit it to, the space of privileged communities, our visions of justice are more likely to be exclusionary because privilege nurtures blindness to those without the same privileges. Beginning from the lives and interests of marginalized communities of women, I am able to access and make the workings of power visible—to read up the ladder of privilege. It is more necessary to look upward—colonized peoples must know themselves and the colonizer. This particular marginalized location makes the politics of knowledge and the power investments that go along with it visible so that we can then engage in work to transform the use and abuse of power. The analysis draws on the notion of epistemic privilege as it is developed by feminist standpoint theorists (with their roots in the historical materialism of Marx and Lukacs) as well as postpositivist realists, who provide an analysis of experience, identity, and the epistemic effects of social location.[16] My view is thus a materialist and "realist" one and is antithetical to that of postmodernist relativism. I believe there are causal links between marginalized social locations and experiences and the ability of human agents to explain and analyze features of capitalist society. Methodologically, this analytic perspective is grounded in historical materialism. My claim is not that all marginalized locations yield crucial knowledge about power and inequity, but that within a tightly integrated capitalist system, the particular standpoint of poor indigenous and Third World/South women provides the most inclusive viewing of systemic power. In numerous cases of environmental racism, for instance, where the neighborhoods of poor communities of color are targeted as new sites for prisons and toxic dumps, it is no coincidence that poor black, Native American, and Latina women provide the leadership in the fight against corporate pollution. Three out of five Afro-Americans and Latinos live near toxic waste sites, and three of the five largest hazardous waste landfills are in communities with a population that is 80 percent people of color (Pardo 2001, 504–11). Thus, it is precisely their critical reflections on their everyday lives as poor women of color that allow the kind of analysis of the power structure that has led to the many victories in environmental racism struggles.[17] Herein lies a lesson for feminist analysis.

Feminist scientist Vandana Shiva, one of the most visible leaders of the antiglobalization movement, provides a similar and illuminating critique of the patents and intellectual property rights agreements sanctioned by the World Trade Organization (WTO) since 1995.[18] Along with others in the environmental and indigenous rights movements, she argues that the WTO sanctions biopiracy and engages in intellectual piracy by privileging the claims of corporate commercial interests, based on Western systems of knowledge in agriculture and medicine, to products and innovations derived from indigenous knowledge traditions. Thus, through the definition of Western scientific epistemologies as the only legitimate scientific system, the WTO is able to underwrite corporate patents to indigenous knowledge (as to the Neem tree in India) as their own intellectual property, protected through intellectual property rights agreements. As a result, the patenting of drugs derived from indigenous medicinal systems has now reached massive proportions. I quote Shiva:

> [T]hrough patenting, indigenous knowledge is being pirated in the name of protecting knowledge and preventing piracy. The knowledge of our ancestors, of our peasants about seeds is being claimed as an invention of U.S. corporations and U.S. scientists and patented by them. The only reason something like that can work is because underlying it all is a racist

> framework that says the knowledge of the Third World and the knowledge of people of color is not knowledge. When that knowledge is taken by white men who have capital, suddenly creativity begins. . . . Patents are a replay of colonialism, which is now called globalization and free trade. (2000, 32)

The contrast between Western scientific systems and indigenous epistemologies and systems of medicine is not the only issue here. It is the colonialist and corporate power to define Western science, and the reliance on capitalist values of private property and profit, as the only normative system that results in the exercise of immense power. Thus indigenous knowledges, which are often communally generated and shared among tribal and peasant women for domestic, local, and public use, are subject to the ideologies of a corporate Western scientific paradigm where intellectual property rights can only be understood in possessive or privatized form. All innovations that happen to be collective, to have occurred over time in forests and farms, are appropriated or excluded. The idea of an intellectual commons where knowledge is collectively gathered and passed on for the benefit of all, not owned privately, is the very opposite of the notion of private property and ownership that is the basis for the WTO property rights agreements. Thus this idea of an intellectual commons among tribal and peasant women actually excludes them from ownership and facilitates corporate biopiracy.

Shiva's analysis of intellectual property rights, biopiracy, and globalization is made possible by its very location in the experiences and epistemologies of peasant and tribal women in India. Beginning from the practices and knowledges of indigenous women, she "reads up" the power structure, all the way to the policies and practices sanctioned by the WTO. This is a very clear example then of a transnational, anticapitalist feminist politics.

However, Shiva says less about gender than she could. She is after all talking in particular about women's work and knowledges anchored in the epistemological experiences of one of the most marginalized communities of women in the world—poor, tribal, and peasant women in India. This is a community of women made invisible and written out of national and international economic calculations. An analysis that pays attention to the everyday experiences of tribal women and the micropolitics of their ultimately anticapitalist struggles illuminates the macropolitics of global restructuring. It suggests the thorough embeddedness of the local and particular with the global and universal, and it suggests the need to conceptualize questions of justice and equity in transborder terms. In other words, this mode of reading envisions a feminism without borders, in that it foregrounds the need for an analysis and vision of solidarity across the enforced privatized intellectual property borders of the WTO.

These particular examples offer the most inclusive paradigm for understanding the motivations and effects of globalization as it is crafted by the WTO. Of course, if we were to attempt the same analysis from the epistemological space of Western, corporate interests, it would be impossible to generate an analysis that values indigenous knowledge anchored in communal relationships rather than profit-based hierarchies. Thus, poor tribal and peasant women, their knowledges and interests, would be invisible in this analytic frame because the very idea of an intellectual commons falls outside the purview of privatized property and profit that is a basis for corporate interests. The obvious issue for a transnational feminism pertains to the visions of profit and justice embodied in these opposing analytic perspectives. The focus on profit versus justice illustrates my earlier point about social location and analytically inclusive methodologies. It is the social location of the tribal women as explicated by Shiva that allows this broad and inclusive focus on justice. Similarly, it is the social location and narrow self-interest of corporations that privatizes intellectual property rights in the name of profit for elites.

Shiva essentially offers a critique of the global privatization of indigenous knowledges. This is a story about the rise of transnational institutions such as the WTO, the World Bank, and the International Monetary Fund, of banking and financial institutions and cross-national governing bodies like the MAI (Multinational Agreement on Investments). The effects of these governing bodies on poor people around the world have been devastating. In fundamental ways, it is girls and women around the world, especially in the Third World/South, that bear the brunt of globalization. Poor women and girls are the hardest hit by the degradation of environmental conditions, wars, famines, privatization of services and deregulation of governments, the dismantling of welfare states, the restructuring of paid and unpaid work, increasing surveillance and incarceration in prisons, and so on. And this is why a feminism without and beyond borders is necessary to address the injustices of global capitalism.

Women and girls are still 70 percent of the world's poor and the majority of the world's refugees. Girls and women comprise almost 80 percent of displaced persons of the Third World/South in Africa, Asia and Latin America. Women own less than one-hundredth of the world's property, while they are the hardest hit by the effects of war, domestic violence, and religious persecution. Feminist political theorist Zillah Eisenstein says that women do two-thirds of the world's work and earn less than one-tenth of its income. Global capital in racialized and sexualized guise destroys the public spaces of democracy, and quietly sucks power out of the once social/public spaces of nation-states. Corporate capitalism has redefined citizens as consumers—and global markets replace the commitments to economic, sexual, and racial equality (Eisenstein 1998b, esp. ch. 5).

It is especially on the bodies and lives of women and girls from the Third World/South—the Two-Thirds World—that global capitalism writes its script, and it is by paying attention to and theorizing the experiences of these communities of women and girls that we demystify capitalism as a system of debilitating sexism and racism and envision anticapitalist resistance. Thus any analysis of the effects of globalization needs to centralize the experiences and struggles of these particular communities of women and girls.

Drawing on Arif Dirlik's notion of "place consciousness as the radical other of global capitalism" (Dirlik 1999), Grace Lee Boggs makes an important argument for place-based civic activism that illustrates how centralizing the struggles of marginalized communities connects to larger antiglobalization struggles. Boggs suggests that "[p]lace consciousness . . . encourages us to come together around common, local experiences and organize around our hopes for the future of our communities and cities. While global capitalism doesn't give a damn about the people or the natural environment of any particular place because it can always move on to other people and other places, place-based civic activism is concerned about the heath and safety of people and places" (Boggs 2000, 19). Since women are central to the life of neighborhood and communities they assume leadership positions in these struggles. This is evident in the example of women of color in struggles against environmental racism in the United States, as well as in Shiva's example of tribal women in the struggle against deforestation and for an intellectual commons. It is then the lives, experiences, and struggles of girls and women of the Two-Thirds World that demystify capitalism in its racial and sexual dimensions—and that provide productive and necessary avenues of theorizing and enacting anticapitalist resistance.

I do not wish to leave this discussion of capitalism as a generalized site without contextualizing its meaning in and through the lives it structures. Disproportionately, these are girls' and women's lives, although I am committed to the lives of all exploited peoples. However, the specificity of girls' and women's lives encompasses the others through their particularized and contextualized experiences. If these particular gendered, classed, and racialized realities of globalization are unseen and undertheorized, even the most radical critiques of globalization effectively render Third World/South women and girls as absent. Perhaps it is no longer simply an issue of Western eyes, but rather how the West is inside and continually reconfigures globally, racially, and in terms of gender. Without this recognition, a necessary link between feminist scholarship/analytic frames and organizing/activist projects is impossible. Faulty and inadequate analytic frames engender ineffective political action and strategizing for social transformation.

What does the above analysis suggest? That we—feminist scholars and teachers—must respond to the phenomenon of globalization as an urgent site for the recolonization of peoples, especially in the Two-Thirds World. Globalization colonizes women's as well as men's lives around the world, and we need an anti-imperialist, anticapitalist, and contextualized feminist project to expose and make visible the various, overlapping forms of subjugation of women's lives. Activists and scholars must also identify and reenvision forms of collective resistance that women, especially, in their different communities enact in their everyday lives. It is their particular exploitation at this time, their potential epistemic privilege, as well as their particular forms of solidarity that can be the basis for reimagining a liberatory politics for the start of this century.

Antiglobalization Struggles

Although the context for writing "Under Western Eyes" in the mid-1980s was a visible and activist women's movement, this radical movement no longer exists as such. Instead, I draw inspiration from a more distant, but significant, antiglobalization movement in the United States and around the world. Activists in these movements are often women, although the movement is not gender-focused. So I wish to redefine the project of decolonization, not reject it. It appears more complex to me today, given the newer developments of global capitalism. Given the complex interweaving of cultural forms, people of and from the Third World live not only under Western eyes but also within them. This shift in my focus from "under Western eyes" to "under and inside" the hegemonic spaces of the One-Third World necessitates recrafting the project of decolonization.

My focus is thus no longer just the colonizing effects of Western feminist scholarship. This does not mean the problems I identified in the earlier essay do not occur now. But the phenomenon I addressed then has been more than adequately engaged by other feminist scholars. While feminists have been involved in the antiglobalization movement from the start, however, this has not been a major organizing locus for women's movements nationally in the West/North. It has, however, always been a locus of struggle for women of the Third World/South because of their location. Again, this contextual specificity should constitute the larger vision. Women of the Two-Thirds World have always organized against the devastations of globalized capital, just as they have always historically organized anticolonial and antiracist movements. In this sense they have always spoken for humanity as a whole.

I have tried to chart feminist sites for engaging globalization, rather than providing a comprehensive review of feminist work in this area. I hope this exploration makes my own political choices and decisions transparent and that it provides readers with a productive and provocative space to think and act creatively for feminist struggle. So today my query is slightly different although much the same as in 1986. I wish to better see the processes of corporate globalization and how and why they recolonize women's bodies and labor. We need to know the real and concrete effects of global restructuring on raced, classed, national, sexual bodies of women in the academy, in workplaces, streets, households, cyberspaces, neighborhoods, prisons, and social movements.

What does it mean to make antiglobalization a key factor for feminist theorizing and struggle? To illustrate my thinking about antiglobalization, let me focus on two specific sites where knowledge about globalization is produced. The first site is a pedagogical one and involves an analysis of the various strategies being used to internationalize (or globalize)[19] the women's studies curriculum in U.S. colleges and universities. I argue that this move to internationalize women's studies curricula and the attendant pedagogies that flow from this is one of the main ways we can track a discourse of global feminism in the United States. Other ways of tracking global feminist discourses include analyzing the documents and discussions flowing out of the Beijing United Nations conference on women, and of course popular television and print media discourses on women around the world. The second site of antiglobalization scholarship I focus on is the emerging, notably ungendered and deracialized discourse on activism against globalization.

ANTIGLOBALIZATION PEDAGOGIES

Let me turn to the struggles over the dissemination of a feminist cross-cultural knowledge base through pedagogical strategies "internationalizing" the women's studies curriculum. The problem of "the (gendered) color line" remains, but is more easily seen today as developments of transnational and global capital. While I choose to focus on women's studies curricula, my arguments hold for curricula in any discipline or academic field that seeks to internationalize or globalize its curriculum. I argue that the challenge for "internationalizing" women's studies is no different from the one involved in "racializing" women's studies in the 1980s, for very similar politics of knowledge come into play here.[20]

So the question I want to foreground is the politics of knowledge in bridging the "local" and the "global" in women's studies. How we teach the "new" scholarship in women's studies is at least as important as the scholarship itself in the struggles over knowledge and citizenship in the U.S. academy. After all, the way we construct curricula and the pedagogies we use to put such curricula into practice tell a story—or tell many stories. It is the way we position historical narratives of experience in relation to each other, the way we theorize relationality as both historical and simultaneously singular and collective that determines how and what we learn when we cross cultural and experiential borders.

Drawing on my own work with U.S. feminist academic communities,[21] I describe three pedagogical models used in "internationalizing" the women's studies curriculum and analyze the politics of knowledge at work. Each of these perspectives is grounded in particular conceptions of the local and the global, of women's agency, and of national identity, and each curricular model presents different stories and ways of crossing borders and building bridges. I suggest that a "comparative feminist studies" or "feminist solidarity" model is the most useful and productive pedagogical strategy for feminist cross-cultural work. It is this particular model that provides a way to theorize a complex relational understanding of experience, location, and history such that feminist cross-cultural work moves through the specific context to construct a real notion of universal and of democratization rather than colonization.

It is through this model that we can put into practice the idea of "common differences" as the basis for deeper solidarity across differences and unequal power relations.

Feminist-as-Tourist Model. This curricular perspective could also be called the "feminist as international consumer" or, in less charitable terms, the "white women's burden or colonial discourse" model.[22] It involves a pedagogical strategy in which brief forays are made into non-Euro-American cultures, and particular sexist cultural practices addressed from an otherwise Eurocentric women's studies gaze. In other words, the "add women as global victims or powerful women and stir" perspective. This is a perspective in which the primary Euro-American narrative of the syllabus remains untouched, and examples from non-Western or Third World/South cultures are used to supplement and "add" to this narrative. The story here is quite old. The effects of this strategy are that students and teachers are left with a clear sense of the difference and distance between the local (defined as self, nation, and Western) and the global (defined as other, non-Western, and transnational). Thus the local is always grounded in nationalist assumptions—the United States or Western European nation-state provides a normative context. This strategy leaves power relations and hierarchies untouched since ideas about center and margin are reproduced along Eurocentric lines.

For example, in an introductory feminist studies course, one could include the obligatory day or week on dowry deaths in India, women workers in Nike factories in Indonesia, or precolonial matriarchies in West Africa, while leaving the fundamental identity of the Euro-American feminist on her way to liberation untouched. Thus Indonesian workers in Nike factories or dowry deaths in India stand in for the totality of women in these cultures. These women are not seen in their everyday lives (as Euro-American women are)—just in these stereotypical terms. Difference in the case of non-Euro-American women is thus congealed, not seen contextually with all of its contradictions. This pedagogical strategy for crossing cultural and geographical borders is based on a modernist paradigm, and the bridge between the local and the global becomes in fact a predominantly self-interested chasm. This perspective confirms the sense of the "evolved U.S./Euro feminist." While there is now more consciousness about not using an "add and stir" method in teaching about race and U.S. women of color, this does not appear to be the case in "internationalizing" women's studies. Experience in this context is assumed to be static and frozen into U.S.- or Euro-centered categories. Since in this paradigm feminism is always/already constructed as Euro-American in origin and development, women's lives and struggles outside this geographical context only serve to confirm or contradict this originary feminist (master) narrative. This model is the pedagogical counterpart of the orientalizing and colonizing Western feminist scholarship of the past decades. In fact it may remain the predominant model at this time. Thus implicit in this pedagogical strategy is the crafting of the "Third World difference," the creation of monolithic images of Third World/South women. This contrasts with images of Euro-American women who are vital, changing, complex, and central subjects within such a curricular perspective.

Feminist-as-Explorer Model. This particular pedagogical perspective originates in area studies, where the "foreign" woman is the object and subject of knowledge and the larger intellectual project is entirely about countries other than the United States. Thus, here the local and the global are both defined as non-Euro-American. The focus on the international implies that it exists outside the U.S. nation-state. Women's, gender, and feminist issues are based on spatial/geographical and temporal/historical categories located elsewhere. Distance from "home" is fundamental to the definition of international in this framework. This strategy can result in students and teachers being left with a notion of difference and separateness, a sort of "us and them" attitude, but unlike the tourist model, the explorer perspective can provide a deeper, more contextual understanding of feminist issues in discretely defined geographical and cultural spaces. However, unless these discrete spaces are taught in relation to one another, the story told is usually a cultural relativist one, meaning that differences between cultures are discrete and relative with no real connection or common basis for evaluation. The local and the global are here collapsed into the international that by definition excludes the United States. If the dominant discourse is the discourse of cultural relativism, questions of power, agency, justice, and common criteria for critique and evaluation are silenced.[23]

In women's studies curricula this pedagogical strategy is often seen as the most culturally sensitive way to "internationalize" the curriculum. For instance, entire courses on "Women in Latin America" or "Third World Women's Literature" or "Postcolonial Feminism" are added on to the predominantly U.S.-based curriculum as a way to "globalize" the feminist knowledge base. These courses can be quite sophisticated and complex studies, but they are viewed as entirely separate from the intellectual project of U.S. race and ethnic studies.[24] The United States is not seen as part of "area studies," as white is not a color when one speaks of people of color. This is probably related to the particular history of institutionalization of area studies in the U.S. academy and its ties to U.S. imperialism. Thus areas to be studied/conquered are "out there," never within the United States. The fact that area studies in U.S. academic settings were federally funded and conceived as having a political project in the service of U.S. geopolitical interests suggests the need to examine the contemporary interests of these fields, especially as they relate to the logic of global capitalism. In addition, as Ella Shohat argues, it is time to "reimagine the study of regions and cultures in a way that transcends the conceptual borders inherent in the global cartography of the cold war" (2001, 1271). The field of American studies is an interesting location to examine here, especially since its more recent focus on U.S. imperialism. However, American studies rarely falls under the purview of "area studies."

The problem with the feminist-as-explorer strategy is that globalization is an economic, political, and ideological phenomenon that actively brings the world and its various communities under connected and interdependent discursive and material regimes. The lives of women are connected and interdependent, albeit not the same, no matter which geographical area we happen to live in.

Separating area studies from race and ethnic studies thus leads to understanding or teaching about the global as a way of not addressing internal racism, capitalist hegemony, colonialism, and heterosexualization as central to processes of global domination, exploitation, and resistance. Global or international is thus understood apart from racism—as if racism were not central to processes of globalization and relations of rule at this time. An example of this pedagogical strategy in the context of the larger curriculum is the usual separation of "world cultures" courses from race and ethnic studies courses. Thus identifying the kinds of representations of (non-Euro-American) women mobilized by this pedagogical strategy, and the relation of these representations to implicit images of First World/North women are important foci for analysis. What kind of power is being exercised in this strategy? What kinds of ideas of agency and struggle are being consolidated? What are the potential effects of a kind of cultural relativism on our understandings of the differences and commonalities among communities of women around the world? Thus the feminist-as-explorer model has its own problems, and I believe this is an inadequate way of building a feminist cross-cultural knowledge base because in the context of an interwoven world with clear directionalities of power and domination, cultural relativism serves as an apology for the exercise of power.

The Feminist Solidarity or Comparative Feminist Studies Model. This curricular strategy is based on the premise that the local and the global are not defined in terms of physical geography or territory but exist simultaneously and constitute each other. It is then the links, the relationships, between the local and the global that are foregrounded, and these links are conceptual, material, temporal, contextual, and so on. This framework assumes a comparative focus and analysis of the directionality of power no matter what the subject of the women's studies course is—and it assumes both distance and proximity (specific/universal) as its analytic strategy.

Differences and commonalities thus exist in relation and tension with each other in all contexts. What is emphasized are relations of mutuality, co-responsibility, and common interests, anchoring the idea of feminist solidarity. For example, within this model, one would not teach a U.S. women of color course with additions on Third World/South or white women, but a comparative course that shows the interconnectedness of the histories, experiences, and struggles of U.S. women of color, white women, and women from the Third World/South. By doing this kind of comparative teaching that is attentive to power, each historical experience illuminates the experiences of the others. Thus, the focus is not just on the intersections of race, class, gender, nation, and sexuality in different communities of women but on mutuality and coimplication, which suggests attentiveness to the interweaving of the histories of these communities. In addition the focus is simultaneously on individual and collective experiences of oppression and exploitation and of struggle and resistance.

Students potentially move away from the "add and stir" and the relativist "separate but equal" (or different) perspective to thc coimplication/solidarity one. This solidarity perspective requires understanding the historical and experiential specificities and differences of women's lives as well as the historical and experiential connections between women from different national, racial, and cultural communities. Thus it suggests organizing syllabi around social and economic processes and histories of various communities of women in particular substantive areas like sex work, militarization, environmental justice, the prison/industrial complex, and human rights, and looking for points of contact and connection as well as disjunctures. It is important to always foreground not just the connections of domination but those of struggle and resistance as well.

In the feminist solidarity model the One-Third/Two-Thirds paradigm makes sense. Rather than Western/Third World, or North/South, or local/global seen as oppositional and incommensurate categories, the One-Third/Two-Thirds differentiation allows for teaching and learning about points of connection and distance among and between communities of women marginalized and privileged along numerous local and global dimensions. Thus the very notion of inside/outside necessary to the distance between local/global is transformed through the use of a One-Third/Two-Thirds paradigm, as both categories must be understood as containing difference/similarities, inside/outside, and distance/proximity. Thus sex work, militarization, human rights, and so on can be framed in their multiple local and global dimensions using the One-Third/Two-Thirds, social minority/social majority paradigm. I am suggesting then that we look at the women's studies curriculum in its entirety and that we attempt to use a comparative feminist studies model wherever possible.[25]

I refer to this model as the feminist solidarity model because, besides its focus on mutuality and common interests, it requires one to formulate questions about connection and disconnection between activist women's movements around the world. Rather than formulating activism and agency in terms of discrete and disconnected cultures and nations, it allows us to frame agency and resistance across the borders of nation and culture. I think feminist pedagogy should not simply expose students to a particularized academic scholarship but that it should also envision the possibility of activism and struggle outside the academy. Political education through feminist pedagogy should teach active citizenship in such struggles for justice.

My recurring question is how pedagogies can supplement, consolidate, or resist the dominant logic of globalization. How do students learn about the inequities among women and men around the world? For instance, traditional liberal and liberal feminist pedagogies disallow historical and comparative thinking, radical feminist pedagogies often singularize gender, and Marxist pedagogy silences race and gender in its focus on capitalism. I look to create pedagogies that allow students to see the complexities, singularities, and interconnections between communities of women such that power, privilege, agency, and dissent can be made visible and engaged with.

In an instructive critique of postcolonial studies and its institutional location, Arif Dirlik argues that the particular institutional history of postcolonial studies, as well as its conceptual emphases on the historical and local as against the systemic and the global, permit its assimilation into the logic of globalism.[26] While Dirlik somewhat overstates his argument, deradicalization and assimilation should concern those of us involved in the feminist project. Feminist pedagogies of internationalization need an adequate response to globalization. Both Eurocentric and cultural relativist (postmodernist) models of scholarship and teaching are easily assimilated within the logic of late capitalism because this is fundamentally a logic of seeming decentralization and accumulation of differences. What I call the comparative feminist studies/feminist solidarity model on the other hand potentially counters this logic by setting up a paradigm of historically and culturally specific "common differences" as the basis for analysis and solidarity. Feminist pedagogies of antiglobalization can tell alternate stories of difference, culture, power, and agency. They can begin to theorize experience, agency, and justice from a more cross-cultural lens.[27]

After almost two decades of teaching feminist studies in U.S. classrooms, it is clear to me that the way we theorize experience, culture, and subjectivity in relation to histories, institutional practice, and collective struggles determines the kind of stories we tell in the classroom. If these varied stories are to be taught such that students learn to democratize rather than colonize the experiences of different spatially and temporally located communities of women, neither a Eurocentric nor a cultural pluralist curricular practice will do. In fact narratives of historical experience are crucial to political thinking not because they present an unmediated version of the "truth" but because they can destabilize received truths and locate debate in the complexities and contradictions of historical life. It is in this context that postpositivist realist theorizations of experience, identity, and culture become useful in constructing curricular and pedagogical narratives that address as well as combat globalization.[28] These realist theorizations explicitly link a historical materialist understanding of social location to the theorization of epistemic privilege and the construction of social identity, thus suggesting the complexities of the narratives of marginalized peoples in terms of relationality rather than separation. These are the kinds of stories we need to weave into a feminist solidarity pedagogical model.

ANTIGLOBALIZATION SCHOLARSHIP AND MOVEMENTS

> Women's and girls' bodies determine democracy: free from violence and sexual abuse, free from malnutrition and environmental degradation, free to plan their families, free to not have families, free to choose their sexual lives and preferences.—Zillah Eisenstein, *Global Obscenities*, 1998

There is now an increasing and useful feminist scholarship critical of the practices and effects of globalization.[29] Instead of attempting a comprehensive review of this scholarship, I want to draw attention to some of the most useful kinds of issues it raises. Let me turn, then, to a feminist reading of antiglobalization movements and argue for a more intimate, closer alliance between women's movements, feminist pedagogy, cross-cultural feminist theorizing, and these ongoing anticapitalist movements.

I return to an earlier question: What are the concrete effects of global restructuring on the "real" raced, classed, national, sexual bodies of women in the academy, in workplaces, streets, households, cyberspaces, neighborhoods, prisons, and in social movements? And how do we recognize these gendered effects in movements against globalization? Some of the most complex analyses of the centrality of gender in understanding economic globalization attempt to link questions of subjectivity, agency, and identity with those of political economy and the state. This scholarship argues persuasively for a need to rethink patriarchies and hegemonic masculinities in relation to present-day globalization and nationalisms, and it also attempts to retheorize the gendered aspects of the refigured relations of the state, the market, and civil society by focusing on unexpected and unpredictable sites of resistance to the often devastating effects of global restructuring on women.[30] And it draws on a number of disciplinary paradigms and political perspectives in making the case for the centrality of gender in processes of global restructuring, arguing that the reorganization of gender is part of the global strategy of capitalism.

Women workers of particular caste/class, race, and economic status are necessary to the operation of the capitalist global economy. Women are not only the preferred candidates for particular jobs, but particular kinds of women—poor, Third and Two-Thirds World, working-class, and immigrant/migrant women—are the preferred workers in these global, "flexible" temporary job markets. The documented increase in the migration of poor, One-Third/Two-Thirds World women in search of labor across national borders has led to a rise in the international "maid trade" (Parreñas 2001) and in international sex trafficking and tourism.[31] Many global cities now require and completely depend on the service and domestic labor of immigrant and migrant women. The proliferation of structural adjustment policies around the world has reprivatized women's labor by shifting the responsibility for social welfare from the state to the household and to women located there. The rise of religious fundamentalisms in conjunction with conservative nationalisms, which are also in part reactions to global capital and its cultural demands has led to the policing of women's bodies in the streets and in the workplaces.

Global capital also reaffirms the color line in its newly articulated class structure evident in the prisons in the One-Third World. The effects of globalization and deindustrialization on the prison industry in the One-Third World leads to a related policing of the bodies of poor, One-Third/Two-Thirds World, immigrant and migrant women behind the concrete spaces and bars of privatized prisons. Angela Davis and Gina Dent (2001) argue that the political economy of U.S. prisons, and the punishment industry in the West/North, brings the intersection of gender, race, colonialism, and capitalism into sharp focus. Just as the factories and workplaces of global corporations seek and discipline the labor of poor, Third World/South, immigrant/migrant women, the prisons of Europe and the United States incarcerate disproportionately large numbers of women of color, immigrants, and noncitizens of African, Asian, and Latin American descent.

Making gender and power visible in the processes of global restructuring demands looking at, naming, and seeing the particular raced, and classed communities of women from poor countries as they are constituted as workers in sexual, domestic, and service industries; as prisoners; and as household managers and nurturers. In contrast to this production of workers, Patricia Fernández-Kelly and Diane Wolf (2001, esp. 1248) focus on communities of black U.S. inner-city youth situated as "redundant" to the global economy. This redundancy is linked to their disproportionate representation in U.S. prisons. They argue that these young men, who are potential workers, are left out of the economic circuit, and this "absence of connections to a structure of opportunity" results in young African American men turning to dangerous and creative survival strategies while struggling to reinvent new forms of masculinity.

There is also increased feminist attention to the way discourses of globalization are themselves gendered and the way hegemonic masculinities are produced and mobilized in the service of global restructuring. Marianne Marchand and Anne Runyan (2000) discuss the gendered metaphors and symbolism in the language of globalization whereby particular actors and sectors are privileged over others: market over state, global over local, finance capital over manufacturing, finance ministries over social welfare, and consumers over citizens. They argue that the latter are feminized and the former masculinized (13) and that this gendering naturalizes the hierarchies required for globalization to succeed. Charlotte Hooper (2000) identifies an emerging hegemonic Anglo-American masculinity through processes of global restructuring—a masculinity that affects men and women workers in the global economy.[32] Hooper argues that this Anglo-American masculinity has dualistic tendencies, retaining the image of the aggressive frontier masculinity on the one hand, while drawing on more benign images of CEOs with (feminized) nonhierarchical management skills associated with teamwork and networking on the other.

While feminist scholarship is moving in important and useful directions in terms of a critique of global restructuring and the culture of globalization, I want to ask some of the same questions I posed in 1986 once again. In spite of the occasional exception, I think that much of present-day scholarship tends to reproduce particular "globalized" representations of women. Just as there is an Anglo-American masculinity produced in and by discourses of globalization,[33] it is important to ask what the corresponding femininities being produced are. Clearly there is the ubiquitous global teenage girl factory worker, the domestic worker, and the sex worker. There is also the migrant/immigrant service worker, the refugee, the victim of war crimes, the woman-of-color prisoner who happens to be a mother and drug user, the consumer-housewife, and so on. There is also the mother-of-the-nation / religious bearer of traditional culture and morality.

Although these representations of women correspond to real people, they also often stand in for the contradictions and complexities of women's lives and roles. Certain images, such as that of the factory or sex worker, are often geographically located in the Third World/South, but many of the representations identified above are dispersed throughout the globe. Most refer to women of the Two-Thirds World, and some to women of the One-Third World. And a woman from the Two-Thirds World can live in the One-Third World. The point I am making here is that women are workers, mothers, or consumers in the global economy, but we are also all those things simultaneously. Singular and monolithic categorizations of women in discourses of globalization circumscribe ideas about experience, agency, and struggle. While there are other, relatively new images of women that also emerge in this discourse—the human rights worker or the NGO advocate, the revolutionary militant and the corporate bureaucrat—there is also a divide between false, overstated images of victimized and empowered womanhood, and they negate each other. We need to further explore how this divide plays itself out in terms of a social majority/minority, One-Third/Two-Thirds World characterization. The concern here is with whose agency is being colonized and who is privileged in these pedagogies and scholarship. These then are my new queries for the twenty-first century.[34]

Because social movements are crucial sites for the construction of knowledge, communities, and identities, it is very important for feminists to direct themselves toward them. The antiglobalization movements of the last five years have proven that one does not have to be a multinational corporation, controller of financial capital, or transnational governing institution to cross national borders. These movements form an important site for examining the construction of transborder democratic citizenship. But first a brief characterization of antiglobalization movements is in order.

Unlike the territorial anchors of the anticolonial movements of the early twentieth century, antiglobalization movements have numerous spatial and social origins. These include anticorporate environmental movements such as the Narmada Bachao Andolan in central India and movements against environmental racism in the U.S. Southwest, as well as the antiagribusiness small-farmer movements around the world. The 1960s consumer movements, people's movements against the IMF and World Bank for debt cancelation and against structural adjustment programs, and the antisweatshop student movements in Japan, Europe, and the United States are also a part of the origins of the antiglobalization movements. In addition, the identity-based social movements of the late twentieth century (feminist, civil rights, indigenous rights, etc.) and the transformed U.S. labor movement of the 1990s also play a significant part in terms of the history of antiglobalization movements.[35]

While women are present as leaders and participants in most of these antiglobalization movements, a feminist agenda only emerges in the post-Beijing "women's rights as human rights" movement and in some peace and environmental justice movements. In other words, while girls and women are central to the labor of global capital, antiglobalization work does not seem to draw on feminist analysis or strategies. Thus, while I have argued that feminists need to be anticapitalists, I would now argue that antiglobalization activists and theorists also need to be feminists. Gender is ignored as a category of analysis and a basis for organizing in most of the antiglobalization movements, and antiglobalization (and anticapitalist critique) does not appear to be central to feminist organizing projects, especially in the First World/North. In terms of women's movements, the earlier "sisterhood is global" form of internationalization of the women's movement has now shifted into the "human rights" arena. This shift in language from "feminism" to "women's rights" has been called the mainstreaming of the feminist movement—a successful attempt to raise the issue of violence against women on to the world stage.

If we look carefully at the focus of the antiglobalization movements, it is the bodies and labor of women and girls that constitute the heart of these struggles. For instance, in the environmental and ecological movements such as Chipko in India and indigenous movements against uranium mining and breast-milk contamination in the United States, women are not only among the leadership: their gendered and racialized bodies are the key to demystifying and combating the processes of recolonization put in place by corporate control of the environment. My earlier discussion of Vandana Shiva's analysis of the WTO and biopiracy from the epistemological place of Indian tribal and peasant women illustrates this claim, as does Grace Lee Boggs's notion of "place-based civic activism" (Boggs 2000, 19). Similarly, in the anticorporate consumer movements and in the small farmer movements against agribusiness and the antisweatshop movements, it is women's labor and their bodies that are most affected as workers, farmers, and consumers/household nurturers.

Women have been in leadership roles in some of the cross-border alliances against corporate injustice. Thus, making gender, and women's bodies and labor visible, and theorizing this visibility as a process of articulating a more inclusive politics are crucial aspects of feminist anticapitalist critique. Beginning from the social location of poor women of color of the Two-Thirds World is an important, even crucial, place for feminist analysis; it is precisely the potential epistemic privilege of these communities of women that opens up the space for demystifying capitalism and for envisioning transborder social and economic justice.

The masculinization of the discourses of globalization analyzed by Marchand and Runyan (2000) and Hooper (2000) seems to be matched by the implicit masculinization of the discourses of antiglobalization movements. While much of the literature on antiglobalization movements marks the centrality of class and race and, at times, nation in the critique and fight against global capitalism, racialized gender is still an unmarked category. Racialized gender is significant in this instance because capitalism utilizes the raced and sexed bodies of women in its search for profit globally, and, as I argued earlier, it is often the experiences and struggles of poor women of color that allow the most inclusive analysis as well as politics in antiglobalization struggles.

On the other hand, many of the democratic practices and process-oriented aspects of feminism appear to be institutionalized into the decision-making processes of some of these movements. Thus the principles of nonhierarchy, democratic participation, and the notion of the personal being political all emerge in various ways in this antiglobal politics. Making gender and feminist agendas and projects explicit in such antiglobalization movements thus is a way of tracing a more accurate genealogy, as well as providing potentially more fertile ground for organizing. And of course, to articulate feminism within the framework of antiglobalization work is also to begin to challenge the unstated masculinism of this work. The critique and resistance to global capitalism, and uncovering of the naturalization of its masculinist and racist values, begin to build a transnational feminist practice.

A transnational feminist practice depends on building feminist solidarities across the divisions of place, identity, class, work, belief, and so on. In these very fragmented times it is both very difficult to build these alliances and also never more important to do so. Global capitalism both destroys the possibilities and also offers up new ones.

Feminist activist teachers must struggle with themselves and each other to open the world with all its complexity to their students. Given the new multiethnic racial student bodies, teachers must also learn from their students. The differences and borders of each of our identities connect us to each other, more than they sever. So the enterprise here is to forge informed, self-reflexive solidarities among ourselves.

I no longer live simply under the gaze of Western eyes. I also live inside it and negotiate it every day. I make my home in Ithaca, New York, but always as from Mumbai, India. My cross-race and cross-class work takes me to interconnected places and communities around the world—to a struggle contextualized by women of color and of the Third World, sometimes located in the Two-Thirds World, sometimes in the One-Third. So the borders here are not really fixed. Our minds must be as ready to move as capital is, to trace its paths and to imagine alternative destinations.

NOTES

Introduction

1 I find the vision embodied in the old left notion of internationalism inspiring, and although I critique the use of the category "international" in social science discourse, preferring to use the term "transnational," I very much aspire to an internationalist vision of feminist commitments and struggle. For an important analysis of internationalism and solidarity, see Waterman 1998.

2 I refer to antiracist feminism rather than simply feminism, since in the context in which I write, racializing feminism is a political and epistemological act of great significance. Much of my early work has focused on racializing feminism. Antiracist feminism is simply a feminist perspective that encodes race and opposition to racism as central to its definition.

3 I find Zillah Eisenstein's use of Third World/South, and First World/North in *Global Obscenities* (1998b) very useful and choose to use those terms in a similar way.

4 While my vision of feminist transformation is not that different from a number of the feminist collectivities and organizations I draw inspiration from (such as Women Against Fundamentalism in the United Kingdom, DAWN, SEWA, WING [UK], Women's Eyes on the Bank, and the Center for Third World Organizing [CTWO] in the United States, among others), the two theoretical and pedagogical paradigms I choose to highlight and explore in this book are decolonization and anticapitalist critique. Interestingly enough, neither colonization/decolonization or capitalism/anticapitalist critique (nor, for that matter, solidarity) appear as entries in the recent *Encyclopedia of Feminist Theories* (Code 2000), suggesting that these concepts have been less than central to envisioning feminist transformation in the First World/North.

5 See Barrett and McIntosh 1982, Barrett 1991, Mies 1986, Eisenstein 1978.

6 Joseph and Lewis 1981, Moraga and Anzaldúa 1981.

7 See Vance 1984.

8 Harding 1986, Harding and Hintikka 1983, Hartsock 1983, Jayawardena 1986, Jayawardena 1995, Letelier 1985, Mernissi 1992, Pala 1995 and 1976.

9 For the works of these feminist thinkers, see the bibliography.

10 I am thinking here of the appearance of such feminist gurus as Camile Paglia, Naomi Wolf, and Katie Roiphe on the U.S. media's favorite talk shows.

11 See the essays in Moya and Hames-Garcia 2000, for a useful, cogent theoretical

and political alternative to essentialist and postmodernist formulations of identity.

12 For instance, Fanon writes eloquently (in a clearly masculine language) about dreams of liberation: "The first thing which a native learns is to stay in his place, and not go beyond certain limits. This is why the dreams of the native are always of muscular prowess; his dreams are of action, and of aggression. I dream I am jumping, swimming, running, climbing; I dream that I burst out laughing, that I span a river in one stride, or that I am followed by a flood of motor-cars which never catch up with me" (1996, 40). The point is not that women do not or cannot dream of "muscular prowess" but rather that in the context of colonial practices of the emasculation of native men, muscular prowess gains a particularly masculine psychic weight.

13 See Alexander and Mohanty 1997, esp. xxxvi–xlii. For interesting and provocative discussions about anticapitalism, see *Socialist Review* 2001.

14 In discussing the centrality of decolonization to envisioning feminist democracy we argued thus: "In fact, feminist thinking, here, draws on and endorses socialist principles of collectivized relations of production and organization. It attempts to reenvision socialism as a part of feminist democracy with decolonization at its center. However, while feminist collectives struggle against hegemonic power structures at various levels, they are also marked by these very structures—it is these traces of the hegemonic which the practice of decolonization addresses" (Alexander and Mohanty 1997, xxxvi). We went on to analyze Gloria Wekker's essay on Afro-Suninamese women's critical agency to illustrate an important aspect of decolonization: "Wekker . . . explores what appears to be a different configuration of self, anchored in an 'alternative vision of female subjectivity and sexuality, based on West African principles' (Wekker, 339). Her analysis of Mati work in terms of alternative female relationships, ones that have simultaneous affectional, cultural, economic, social, spiritual, and obligational components, suggests a decolonized oppositional script for feminist struggle and for practices of governance. Decolonization involves both engagement with the everyday issues in our own lives so that we can make sense of the world in relation to hegemonic power, and engagement with collectivities that are premised on ideas of autonomy and self-determination, in other words, democratic practice. For the Creole working-class women Wekker speaks about, this is precisely the process engaged in. It creates what she calls a 'psychic economy of female subjectivity, (which) . . . induces working-class women to act individually and collectively in ways that counteract the assault of the hegemonic knowledge regime, which privileges men, the heterosexual contract, inequality and a generally unjust situation.' Here, the investment in the self (what Wekker calls "multiple self") is not necessarily an investment in mobility upward or in the maintenance of a masculinist, heterosexist, middle-class status quo" (Alexander and Mohanty 1997, xxxvii).

15 For interesting and provocative discussions about anti-capitalism, see the special issue "Anticapitalism" of the journal *Socialist Review*, 28:3, 2001. All chap-

ters in part 1 have been previously published in the same or somewhat different form. See Mohanty 1984, Mohanty 1991, Martin and Mohanty 1986, and Mohanty 1987. Chapters 6 and 8 are substantially revised from their earlier publication—see Mohanty 1989–90 and Mohanty 1997.

Chapter One. Under Western Eyes: Feminist Scholarship and Colonial Discourses

1 Terms such as "Third World" and "First World" are very problematic, both in suggesting oversimplified similarities between and among countries labeled thus and in implicitly reinforcing existing economic, cultural, and ideological hierarchies that are conjured up in using such terminology. I use the term "Third World" with full awareness of its problems, only because this is the terminology available to us at the moment. Throughout this book, then, I use the term critically.

2 I am indebted to Teresa de Lauretis for this particular formulation of the project of feminist theorizing. See especially her introduction to her book *Alice Doesn't* (1984).

3 This argument is similar to Homi Bhabha's definition of colonial discourse as strategically creating a space for a subject people through the production of knowledge and the exercise of power: "[C]olonial discourse is an apparatus of power, an apparatus that turns on the recognition and disavowal of racial/cultural/historical differences. Its predominant strategic function is the creation of a space for a subject people through the production of knowledge in terms of which surveillance is exercised and a complex form of pleasure/unpleasure is incited. It (i.e., colonial discourse) seeks authorization for its strategies by the production of knowledge by coloniser and colonised which are stereotypical but antithetically evaluated" (Bhabha 1983, 23).

4 A number of documents and reports on the U.N. International Conferences on Women in Mexico City (1975) and Copenhagen (1980), as well as the 1976 Wellesley Conference on Women and Development, attest to this. El Saadawi, Mernissi, and Vajarathon (1978) characterize the Mexico City conference as "American-planned and organized," situating Third World participants as passive audiences. They focus especially on Western women's lack of self-consciousness about their implication in the effects of imperialism and racism, a lack revealed in their assumption of an "international sisterhood." Euro-American feminism that seeks to establish itself as the only legitimate feminism has been characterized as "imperial" by Amos and Parmar (1984, 3).

5 The Zed Press Women in the Third World series is unique in its conception. I focus on it because it is the only contemporary series I have found that assumes that women in the Third World are a legitimate and separate subject of study and research. Since 1985, when I wrote the bulk of this book, numerous new titles have appeared in the series. Thus Zed Press has come to occupy a rather privileged position in the dissemination and construction of discourses by and about Third World women. A number of the books in this series are excellent, especially those that deal directly with women's resistance struggles. In addition, Zed Press consistently publishes progressive feminist, antiracist, and anti-imperialist texts.

However, a number of the texts written by feminist sociologists, anthropologists, and journalists are symptomatic of the kind of Western feminist work on women in the Third World that concerns me. An analysis of a few of these works can serve as a representative point of entry into the discourse I am attempting to locate and define. My focus on these texts is therefore an attempt at an internal critique: I simply expect and demand more from this series. Needless to say, progressive publishing houses also carry their own authorizing signatures.

6 I have discussed this particular point in detail in a critique of Robin Morgan's construction of "women's herstory" in her introduction to *Sisterhood Is Global* (1984); (see Mohanty 1987, esp. 35–37).

7 Another example of this kind of analysis is Mary Daly's *Gyn/Ecology* (1978). Daly's assumption in this text, that women as a group are sexually victimized, leads to her very problematic comparison of attitudes toward women witches and healers in the West, Chinese foot-binding, and the genital mutilation of women in Africa. According to Daly, women in Europe, China, and Africa constitute a homogeneous group as victims of male power. Not only does this labeling (of women as sexual victims) eradicate the specific historical and material realities and contradictions that lead to and perpetuate practices such as witch hunting and genital mutilation, but it also obliterates the differences, complexities, and heterogeneities of the lives of, for example, women of different classes, religions, and nations in Africa. As Audre Lorde (1984) has pointed out, women in Africa share a long tradition of healers and goddesses that perhaps binds them together more appropriately than their victim status. However, both Daly and Lorde fall prey to universalistic assumptions about "African women" (both negative and positive). What matters is the complex, historical range of power differences, commonalities, and resistances that exist among women in Africa and that construct African women as subjects of their own politics.

8 See Eldhom, Harris, and Young 1977 for a good discussion of the necessity to theorize male violence within specific societal frameworks, rather than assume it as a universal.

9 These views can also be found in differing degrees in collections such as Wellesley Editorial Committee 1977 and *Signs* 1981. For an excellent introduction to WID issues, see ISIS 1984. For a politically focused discussion of feminism and development and the stakes for poor Third World women, see Sen and Grown 1987.

10 See essays by Vanessa Maher, Diane Elson and Ruth Pearson, and Maila Stevens in Young, Walkowitz, and McCullagh 1981; and essays by Vivian Mob and Michele Mattclart in Nash and Safa 1980. For examples of excellent, self-conscious work by feminists writing about women in their own historical and geographical locations, see Lazreg 1988; Spivak's "A Literary Representation of the Subaltern: A Woman's Text from the Third World" (in Spivak 1987, 241–68); and Mani 1987.

11 Harris 1983. Other MRG reports include Deardon 1975 and Jahan and Cho 1980.

12 Zed Press published the following books: Jeffery 1979, Latin American and Caribbean Women's Collective 1980, Omvedt 1980, Minces 1980, Siu 1981, Bendt and Downing 1982, Cutrufelli 1983, Mies 1982, and Davis 1983.

13 For succinct discussions of Western radical and liberal feminisms, see Z. Eisenstein 1981 and H. Eisenstein 1983.

14 Amos and Parmar (1984) describe the cultural stereotypes present in Euro-American feminist thought: "The image is of the passive Asian woman subject to oppressive practices within the Asian family with an emphasis on wanting to 'help' Asian women liberate themselves from their role. Or there is the strong, dominant Afro-Caribbean woman, who despite her 'strength' is exploited by the 'sexism' which is seen as being a strong feature in relationships between Afro-Caribbean men and women" (9). These images illustrate the extent to which paternalism is an essential element of feminist thinking that incorporates the above stereotypes, a paternalism that can lead to the definition of priorities for women of color by Euro-American feminists.

15 I discuss the question of theorizing experience in Mohanty 1987 and Mohanty and Martin 1986.

16 This is one of Foucault's (1978, 1980) central points in his reconceptualization of the strategies and workings of power networks.

17 For an argument that demands a new conception of humanism in work on Third World women, see Lazreg 1988. While Lazreg's position might appear to be diametrically opposed to mine, I see it as a provocative and potentially positive extension of some of the implications that follow from my arguments. In criticizing the feminist rejection of humanism in the name of "essential Man," Lazreg points to what she calls an "essentialism of difference" within these very feminist projects. She asks: "To what extent can Western feminism dispense with an ethics of responsibility when writing about different women? The point is neither to subsume other women under one's own experience nor to uphold a separate truth for them. Rather, it is to allow them to be while recognizing that what they are is just as meaningful, valid, and comprehensible as what we are. . . . Indeed, when feminists essentially deny other women the humanity they claim for themselves, they dispense with any ethical constraint. They engage in the act of splitting the social universe into us and them, subject and objects" (99–100). This essay by Lazreg and an essay by Satya P. Mohanty (1989b) suggest positive directions for self-conscious cross-cultural analyses, analyses that move beyond the deconstructive to a fundamentally productive mode in designating overlapping areas for cross-cultural comparison. The latter essay calls not for a "humanism" but for a reconsideration of the question of the "human" in a posthumanist context. It argues that there is no necessary incompatibility between the deconstruction of Western humanism and such a positive elaboration of the human, and that such an elaboration is essential if contemporary political-critical discourse is to avoid the incoherencies and weaknesses of a relativist position.

Chapter Two. Cartographies of Struggle: Third World Women and the Politics of Feminism

1 The epigraph to this chapter is from an unpublished poem by Audre Lorde, quoted in her commencement address to Oberlin College, 29 May 1989.

2 Anderson 1983, esp. 11–16.

3 See Scott 1986 and essays in *Signs* 1989.

4 I argue this point in detail in chapter 4.

5 See, for instance, Chela Sandoval's work on the construction of the category "Women of Color" in the United States and her theorization of oppositional consciousness (Sandoval 1983, 1991, and 2000). Norma Alarcon offers an important conceptualization of Third World women as subjects in her essay "The Theoretical Subject(s) of *This Bridge Called My Back* and Anglo-American Feminism," in Calderon and Saldivar 1990. See also Moraga and Anzaldúa 1981, Trinh 1989, hooks 1984, and Anzaldúa 1987 for similar conceptualizations.

6 Grewal, Kay, Landor, Lewis, and Parmar 1988, 1; see also Bryan et al. 1985, Bhabha et al. 1985, and *Feminist Review* 1984. Contemporary discussions of Black British feminism can be found in Mirza 1997.

7 Moraga and Anzaldúa 1981.

8 My use of Hurtado's analysis is not meant to suggest that the state does not intervene in the "private" sphere of the white middle and upper classes; merely that historically, people of color and white people have a differential (and hierarchical) relation to state rule.

9 A number of white feminists have provided valuable analyses of the construction of "whiteness" in relation to questions of gender, class, and sexuality within feminist scholarship. See especially Biddy Martin's work on lesbian autobiography (1988); and Spelman 1989, King 1990, and Frankenberg 1993 and 1997 on the social construction of whiteness. For an impressive history of feminism, see Freedman 2002.

10 See S. P. Mohanty's discussion of this (1989a, 21–40).

11 Perhaps a brief intellectual history of "race" as an organizing social construct would be useful here. Consciousness of race and racism is a specifically modern phenomenon, arising with post-fifteenth-century territorial colonialism. Interpretation and classification of racial differences was a precondition for European colonialism: human beings (Europeans) had to be differentiated from "natives" to allow for the colonizing practices of slavery and indentured labor, the denial of political rights, the expropriation of property, and, of course, the outright extermination of the colonized. For racism to be fully operational, "race" had to function as a naturalized concept, devoid of all social, economic, and political determinations. Race had to be formulated in terms of innate characteristics, skin color and physical attributes, and/or in terms of climatic or environmental variables. Richard Popkin identifies the philosophical roots of modern racism in two theories developed to justify Christian European superiority over nonwhite and

non-Christian groups during the Spanish and Portuguese conquest of America and colonization of Indians in the sixteenth century, and later during the British and British-American institution of slavery in North America (Popkin 1974). The first theory explains the "naturally inferior" state of Indians and Africans as the result of a degenerative process caused by climate or environmental conditions, isolation from the "civilized" Christian world, or biblical "divine action." The second, the polygenetic theory, attributes the inferiority of nonwhite peoples to the fact that they were pre-Adamite peoples who were the result of a separate and unequal creation. Thus, while the degeneracy theory identifies "common origins" and posits that people of color can ostensibly "rise" to the level of Europeans by acquiring the "civilization" of white peoples (a version of contemporary cultural liberalism), pre-Adamite polygenetic theory is the precursor of the nineteenth-century "scientific" justification of racism and of slavery in America and apartheid in South Africa.

12 See essays in Reiter 1975 and in Etienne and Leacock 1980.

13 See my review (with Satya Mohanty) of Sangari and Vaid 1989, which develops an analysis of gender and colonizer-colonized relations (Mohanty and Mohanty 1990, 19–21). For analyses of the emergence of women's struggles in the context of national liberation in India, see also Liddle and Joshi 1986, Omvedt 1980, and Kishwar and Vanita 1984. An excellent recent book by the members of Stree Shakti Sanghatana (Kannabiran 1990) documents women's participation in "democratizing" movements, specifically the armed peasant struggle in Telangana. For documentation of the emergence of women's organized resistance in other Third World countries, see Davis 1983 and 1987, Jayawardena 1986, and the Latin American and Caribbean Women's Collective 1977 and Basu 1995. Essays by Gilliam, Tohidi, and Johnson-Odim in Mohanty, Russo, and Torres 1991 also incorporate additional references to this aspect of feminist organization.

14 The two preceding paragraphs are adapted from our review, Mohanty and Mohanty 1990.

15 Connell 1987, esp. 125–32; and Connell 1989. For a radical feminist analysis of the state, see Catharine MacKinnon 1989; see also Sylvia Walby 1985; Burton 1985; Ferguson 1984; Charlton, Everett, and Staudt 1989; Anthias and Yuval-Davis 1990. See also chapters 7 and 9 for discussions of state and citizenship.

16 Omi and Winant 1986. See also Winant 1990. For similar discussion of racial formation in the British context, see Gilroy 1987.

17 This discussion of Asian immigration to the United States is based in part on Asian Women United of California 1989.

18 See Eisenstein 1988a, esp. ch. 4, for a discussion of the pluralist nature of the U.S. state.

19 Women, Immigration and Nationality Group 1985. "Black" in the British context often includes people of African, Asian, Carribean, and other Third World origins.

20 Sivanandan 1981; see also Sivanandan 1990.

21 See especially essays in Nash and Fernandez-Kelly 1983; see also Fernandez-Kelly 1983, Leacock and Safa 1986, Sassen 1988, Beneria and Stimpson 1987, and Marchand and Runyan 2000.

22 I develop this argument in detail in chapter 6.

23 Spivak's work also addresses similar questions. See especially Spivak 1987.

24 For a comprehensive analysis of these questions, see Moore 1988. Two particularly influential (self-critical) texts that develop the notion of the politics of interpretation and representation in the constitution of anthropology as a discipline are Marcus and Fischer 1986 and Clifford and Marcus 1986. For a feminist critique of these texts and their premises, see Mascia-Less et al. 1989.

25 Doris Sommer makes this point in her excellent essay in Brodzki and Schenck 1988. My discussion of testimonies draws on Sommer's analysis. For a theoretical extension of these issues, see Stone-Mediatore.

26 Sistren with Ford-Smith 1987. Another text that raises similar questions of identity, consciousness, and history is Menchu 1984.

27 For texts that document the trajectory of Third World women's consciousness and politics, see also the recent publications of the following feminist publishers: Firebrand Press, Crossing Press, Spinsters/Aunt Lute, Zed Press, South End Press, Women's Press, and Sheba Feminist Publishers.

Chapter Three. What's Home Got to Do with It?

1 See, for example, Reagon 1984 and Smith's introduction, both in Smith 1983; and Moraga 1984.

2 Of course, feminist intellectuals have read various antihumanist strategies as taking a similar line about the turn of the last century and the future of this one. In her contribution to a *Yale French Studies* special issue on French feminism, Alice Jardine argues against an "American" feminist tendency to establish and maintain an illusory unity based on incorporation, a unity and centrism that relegate differences to the margins or out of sight. "Feminism," she writes, "must not open the door to modernity then close it behind itself." In her Foucauldian critique of American feminist/humanist empiricism, Peggy Kamuf warns against the assumption that she sees guiding much feminist thought, "an unshaken faith in the ultimate arrival at essential truth through the empirical method of accumulation of knowledge, knowledge about women" (Kamuf 1982, 45). She goes on to spell out the problem of humanism in a new guise: "There is an implicit assumption in such programs that this knowledge about women can be produced in and of itself, without seeking any support within those very structures of power that—or so it is implied——have prevented knowledge of the feminine in the past. Yet what is it about those structures that could have succeeded until now in excluding such knowledge if it is not a similar appeal to a 'we' that has had a similar faith in its own eventual constitution as a delimited and totalizable object?" (Kamuf 1982, 45)

3 For incisive and insistent analyses of the uses and limitations of deconstruc-

tive and poststructuralist analytic strategies for feminist intellectual and political projects, see in particular the work of de Lauretis 1984 and Jardine 1985.

4 This notion of a female "true self" underlying a male-imposed "false consciousness" is evident in the work of cultural feminists such as Daly (1978) and Brownmiller (1978 and 1981).

5 For analyses and critiques of tendencies to romanticize lesbianism, see essays by Carole Vance, Alice Echols, and Gayle Rubin in Vance 1984, on the "cultural feminism" of such writers as Griffin, Rich, Daly, and Gearheart.

6 Feminist theorists such as Chodorow (1978), Gilligan (1983), and Rich (1976) have focused exclusively on the psychosocial configuration of mother/daughter relationships. Jessica Benjamin (1986) points to the problem of not theorizing "the father" in feminist psychoanalytic work, emphasizing the significance of the father in the construction of sexuality within the family.

7 See critiques of Brownmiller (1978) by Davis (1983), hooks (1981), and Hall (1984).

8 For a discussion of the relevance of Foucault's reconceptualization of power to feminist theorizing, see Martin 1982.

9 One good example of the numerous narratives of political awakening in feminist work is the transformation of the stripper in the film *Not a Love Story* (directed by Bonnie Klein, 1982) from exploited sex worker to enlightened feminist. Where this individual's linear and unproblematic development is taken to be emblematic of problems in and feminist solutions to pornography, the complexities of the issues involved are circumvented and class differences are erased.

10 For a historical account of the situation of lesbians and attitudes toward lesbianism in NOW, see Abbot and Love 1972.

11 For writings that address the construction of colonial discourse, see Bhabha 1983, 18–26; Fanon 1970; Memmi 1965; C. T. Mohanty 1985; Said 1979; and Spivak 1982.

12 See especially the introduction in de Lauretis 1984.

13 For an excellent discussion of the effects of conscious and unconscious pursuits of safety, see Vance's introduction to *Pleasure and Danger* (1984), in which she elaborates upon the obstacles to theorizing embedded in such pursuits.

Chapter Four. Sisterhood, Coalition, and the Politics of Experience

1 I am indebted to Rich's essay "Notes toward a Politics of Location" (1984) for the notion of the politics of location (Rich 1986, 210–31). In a number of essays in her collection, Rich writes eloquently and provocatively about the politics of her own location as a white, Jewish, lesbian-feminist in North America. See especially "North American Tunnel Vision" (1983) and "Blood, Bread, and Poetry: The Location of the Poet" (1984) in Rich 1986. While I attempt to modify and extend Rich's notion, I share her sense of urgency as she asks feminists to reexamine the politics of location in North America: "[I]n mainstream North American cultural chauvinism, the sometimes unconscious belief that white North Americans possess a superior right to judge, select, and ransack other cultures, that we are more 'advanced' than other peoples of this hemisphere. . . . It was not enough to say

'As a woman I have no country; as a woman my country is the whole world.' Magnificent as that vision may be, we can't explode into breadth without a conscious grasp on the particular and concrete meaning of our location here and now, in the United States of America" (162).

2 I address in some depth one version of this, the management of race and cultural pluralism in the U.S. academy in chapter 8.

3 Two essays develop the point I am trying to suggest here. Jenny Bourne (1987) identifies the problems with most forms of contemporary identity politics, which equalize notions of oppression, thereby writing out of the picture any analysis of structural exploitation or domination. In a similar vein, Satya P. Mohanty uses the opposition between "History" and "histories" to criticize an implicit assumption in contemporary cultural theory that pluralism is an adequate substitute for political analyses of dependent relationships and larger historical configuration. For Satya Mohanty (1989a), the ultimate target is cultural and historical *relativism*, which he identifies as the unexamined philosophical "dogma" underlying political celebrations of pure difference. This is how he characterizes the initial issues involved: "Plurality [is] thus a political ideal as much as it [is] a methodological slogan. But . . . a nagging question [remains]: How do we negotiate between my history and yours? How would it be possible for us to recover our commonality, not the humanist myth of our shared human attributes which are meant to distinguish us all from animals, but more significantly, the imbrication of our various pasts and presents, the ineluctable relationships of shared and contested meanings, values, material resources? It is necessary to assert our dense particularities, our lived and imagined differences. But could we afford to leave unexamined the question of how our differences are intertwined and indeed hierarchically organized? Could we, in other words, really *afford* to have entirely different histories, to see ourselves as living—and having lived—in entirely heterogeneous and discrete spaces" (Mohanty 1989b, 13).

4 For instance, some of the questions that arise in feminist analyses and politics and that are situated at the juncture of studies of race, colonialism, and Third World political economy pertain to the systemic production, constitution, operation, and reproduction of the institutional manifestations of power. How does power operate in the constitution of gendered and racial subjects? How do we talk about contemporary political praxis, collective consciousness, and collective struggle m the context of an analysis of power? Other questions concern the discursive codifications of sexual politics and the corresponding feminist political strategies these codifications engender. Why is sexual politics defined around particular issues? One might examine the cultural and historical processes and conditions under which sexuality is constructed during conditions of war. One might also ask under what historical conditions sexuality is defined as sexual violence, and investigate the emergence of gay and lesbian sexual identities. The discursive organization of these questions is significant because they help to chart and shape collective resistance. Some of these questions are addressed by contributors in two collec-

tions of essays I coedited: one with Ann Russo and Lourdes Torres (1991) and the other with Jacqui Alexander (1997).

5 See Morgan, "Planetary Feminism: The Politics of the 21st Century" (in Morgan 1984, 1–37) and the section entitled "Prefatory Note and Methodology" (Morgan 1984, xiii–xxiii). See also Reagon 1983.

6 Linda Gordon discusses this relation of female to feminist in "What's New in Women's History" (Gordon 1986).

7 The title to this section is from Rich 1986, 212.

8 In chapter 1 I attempt a detailed analysis of some recent Western feminist social science texts about the Third World. Focusing on works that have appeared in an influential series published by Zed Press of London, I examine this discursive construction of women in the Third World and the resultant Western feminist self-representations.

9 For a similar analysis in the context of feminist and antiracist pedagogy, see chapters 8 and 9.

10 See chapter 5 for an analysis of my own political choices and their potential consequences.

11 For an analysis that develops the basis for claiming "common interests" and a common context of struggle see chapter 6.

12 I develop this argument in some detail in the context of pedagogies of globalization in chapter 9.

13 The quotation in the title to this section is from Reagon 1983, 359.

14 See chapter 3 and chapter 6.

15 For a rich and informative account of contemporary racial politics in the United States, see Omi and Winant 1986. Surprisingly, this text erases gender and gay politics altogether, leading me to wonder how we can talk about the "racial state" without addressing questions of gender and sexual politics. A good companion text that emphasizes such questions is Moraga and Anzaldúa (1981). Anzaldúa (1990) continues some of the discussions begun in *This Bridge Called My Back.*

16 See Basu, introduction to Basu 1995, 1–21.

Chapter Five. Genealogies of Community, Home, and Nation

1 I became a U.S. citizen in 1998, in order to adopt my daughter Uma Talpade Mohanty from Mumbai. Now I no longer hold an Indian passport, although of course my designation as NRI (Nonresident Indian) remains the same.

2 An earlier version of this chapter, entitled "Defining Genealogies: Feminist Reflections on Being South Asian in North America," was published in Women of South Asian Descent Collective (1993). This chapter is dedicated to the memory of Lanubai and Gauribai Vijaykar, my maternal grandaunts, who were single, educated, financially independent, and tall (over six feet), at a time when it was against the grain to be any one of these things; and to Audre Lorde, teacher, sister, friend, whose words and presence continue to challenge me.

Chapter Six. Women Workers and the Politics of Solidarity

1 The epigraph to this chapter is taken from Hossfeld 1993b, 50–51.

2 See Dribble 1994. The Support Committee for Maquiladora Workers promotes cross-border organizing against corporate impunity. This San Diego–based volunteer effort of unionists, community activists, and others assists workers in building autonomous organizations and facilitating ties between Mexican and U.S. workers. The committee, which is coordinated by Mary Tong, also sees its task as educating U.S. citizens about the realities of life, work, and efforts for change among maquiladora workers. For more information, write the Support Committee at 3909 Centre Street, Suite 210, San Diego, CA 92103.

3 See chapter 2, p. 57 "Cartographies of Struggle," where I identify five provisional historical, political, and discursive junctures for understanding Third World feminist politics: "decolonization and national liberation movements in the third world, the consolidation of white, liberal capitalist patriarchies in Euro-America, the operation of multinational capital within a global economy, . . . anthropology as an example of a discourse of dominance and self-reflexivity, [and] storytelling or autobiography (the practice of writing) as a discourse of oppositional consciousness and agency." The chapter treats one part of this project: the operation of multinational capital and the location of poor Third World women workers.

4 See the excellent analysis in Amott and Matthaei 1991, esp. 22–23.

5 See Bagguley 1990.

6 Joan Smith (1994) has argued, in a similar vein, for the usefulness of a world system theory approach (seeing the various economic and social hierarchies and national divisions around the globe as part of a singular systematic division of labor, with multiple parts, rather than as plural and autonomous national systems) that incorporates the notion of the "household" as integral to understanding the profoundly gendered character of this systemic division of labor. While her analysis is useful in historicizing and analyzing the idea of the household as the constellation of relationships that makes the transfer of wealth possible across age, gender, class, and national lines, the ideologies of masculinity, femininity, and heterosexuality that are internal to the concept of the household are left curiously intact in her analysis—as are differences in understandings of the household—in different cultures. In addition, the impact of domesticating ideologies in the sphere of production, in constructions of "women's work," is also not addressed in Smith's analysis. While I find this version of the world systems approach useful, my own analysis attempts a different series of connections and theorizations.

7 The case studies I analyze are Mies (1982), Katz and Kemnitzer (1983), Katz and Kemnitzer (1984), and Hossfeld (1990). I also draw on a discussion of black women workers in the British context in Westwood and Bhachu (1988).

8 See my discussion of "relations of rule" in chapter 2. There has been an immense amount of excellent feminist scholarship on women and work and women and multinationals in the last decade. In fact, it is this scholarship that makes my argu-

ment possible. Without the analytic and political insights and analyses of scholars such as Aihwa Ong, Maria Patricia Fernandez-Kelly, Lourdes Beneria and Martha Roldan, Maria Mies, Swasti Mitter, and Sallie Westwood, among others, my attempt to understand and stitch together the lives and struggles of women workers in different geographical spaces would be sharply limited. My essay builds on arguments offered by some of these scholars while attempting to move beyond particular cases to an integrated analysis that is not the same as the world systems model. See especially Nash and Fernandez-Kelly 1983, Ward 1990, *Review of Radical Political Economics* 1991, Bradley 1989, and Brydon and Chant 1989.

9 See Shohat and Stam 1994, esp. 25–27. In a discussion of the analytic and political problems involved in using terms like "Third World," Shohat and Stam draw attention to the adoption of "Third World" at the 1955 Bandung Conference of "nonaligned" African and Asian nations, an adoption that was premised on the solidarity of these nations around the anticolonial struggles in Vietnam and Algeria. This is the genealogy of the term that I choose to invoke here.

10 My understanding and appreciation of the links among location, experience, and social identity in political and intellectual matters grow out of numerous discussions with Satya Mohanty. See especially Mohanty 1995, 108–17. See also Moya's essay in Alexander and Mohanty 1997 for further discussion of these issues.

11 Sacks, introduction to Sacks and Remy 1984, esp. 10–11.

12 For examples of cross-national feminist organizing around these issues, see the following: Sahgal and Davis 1992; Moghadam 1994; Institute for Women, Law and Development 1993; Rowbotham and Mitter 1994; and Peters and Wolper 1995.

13 Aihwa Ong's discussion (1987) of the various modes of surveillance of young Malaysian factory women as a way of discursively producing and constructing notions of feminine sexuality is also applicable in this context, where "single" and "married" assume powerful connotations of sexual control.

14 Hossfeld states that she spoke to workers from at least thirty Third World nations including Mexico, Vietnam, the Philippines, Korea, China, Cambodia, Laos, Thailand, Malaysia, Indonesia, India, Pakistan, Iran, Ethiopia, Haiti, Cuba, El Salvador, Nicaragua, Guatemala, and Venezuela, as well as southern Europe, especially Portugal and Greece (1990, 149). It may be instructive to pause and reflect on the implications of this level of racial and national diversity on the shop floor in the Silicon Valley. While all these workers are defined as "immigrants," a number of them as recent immigrants, the racial, ethnic, and gender logic of capitalist strategies of recolonization in this situation locate all the workers in similar relationships to the management as well as to the state.

15 Assembly lines in the Silicon Valley are often divided among race, ethnic, and gender lines, with workers competing against one another for greater productivity. Individual worker choices, however imaginative or ambitious, do not transform the system. Often they merely undercut the historically won benefits of the metropolitan working class. Thus, while moonlighting, overtime, and job hopping are

indications of individual modes of resistance, and of an overall strategy of class mobility, it is these very aspects of worker's choices that support an underground domestic economy that evades or circumvents legal, institutionalized, or contractual arrangements that add to the indirect wages of workers.

16 Hossfeld 1990, 149: "You're paid less because women are different than men" or "Immigrants need less to get by."

17 The epigraph to this section is from Westwood and Bhachu (1988, 5 [introduction]). See also, in the same collection, Phizacklea 1988, Bhachu 1988, Westwood 1988, and Josephides 1988.

18 For a thorough discussion of the history and contemporary configurations of homework in the United States, see Boris and Daniels 1989, especially the introduction, 1–12; Fernandez-Kelly and Garcia 1989; and Allen 1989.

19 See Rowbotham and Mitter, introduction to Rowbotham and Mitter 1994.

Chapter Seven. Privatized Citizenship, Corporate Academies, and Feminist Projects

1 See especially, Thompson and Tyagi 1993, McCarty and Crichlow 1993, Giroux and McLaren 1994, Butler 2001, Mahalingham and McCarthy 2000, Roman and Eyre 1997, and McLaren 1997. For an incisive critique of feminism and multiculturalism, see Volpe 2001.

2 I began working on privatization because of the grassroots organizing and analysis by the members of Grassroots Leadership of North Carolina, a group of community organizers I was privileged to work with for six years in the 1990s. Much of the analysis of privatization, and the urgency in fighting it, comes from the work of Grassroots Leadership, as well as the work of economists such as Pamela Sparr and Marlene Kim, labor studies scholars such as Frank Emspak and Laurie Clemens, and organizers such as Si Kahn, and Rinku Sen. See Emspak 1997 and Starr 1987.

3 For instance, at the California State University at Dominguez Hills, the employment statistics break down in this way: the majority of faculty at CSUDH are part-time (408 compared to 289 full-time faculty). Of the full-time faculty and staff, 60 percent of the faculty and administrators are male (higher pay, with more job security), and 40 percent female. Conversely, 60 percent of the staff are women and 40 percent male. Over 70 percent of the faculty and full-time administrators are white. On the other hand, almost 70 percent of staff are minority (lower pay, less job security). With regard to part-time faculty, 73 percent are white, 27 percent are minority. Of these, 62 percent are female, 38 percent male. For part-time staff, the numbers are almost equally divided among male/female and minority/nonminority. Thus, the "core" group of workers with higher pay and benefits are predominantly white and male—-the "peripheral" contract workers in this case are women of color and white women. While there have been clear improvements in the profile of faculty of color at CSUDH over the last few years, the overall patterns of labor follow the restructuring of higher education that scholars such as

Slaughter and Currie analyze. (Information from Davis 1998.) I have used here the language of the report ("minority" is not a designation I use).

4 Amy Goodman, interview with David Noble, "Democracy Now," National Public Radio, 24 July 2001. See also Chapter 6 in Noble 2001.

5 This postscript is a revised version of my preface to Roman and Eyre (1997).

Chapter Eight. Race, Multiculturalism, and Pedogogies of Dissent

1 See especially chapters 1 and 4. This chapter continues the discussion of the politics of location begun in chapter 4.

2 I am referring here to a particular trajectory of feminist scholarship in the 1970s and 1980s. While scholarship in the 1970s foregrounded gender as the fundamental category of analysis and thus enabled the transformation of numerous disciplinary and canonical boundaries, on the basis of the recognition of sexual difference as hierarchy and inequality, scholarship in the 1980s introduced the categories of race and sexuality in the form of internal challenges to the earlier scholarship. These challenges were introduced on both political and methodological grounds by feminists who often considered themselves disenfranchised by the 1970s feminism: lesbian and heterosexual women of color, postcolonial, Third World women, poor women, and so on. While the feminist turn to postmodernism suggests the fragmentation of unitary assumptions of gender and enables a more differentiated analysis of inequality, this critique was prefigured in the earlier political analyses of Third World feminists. The historical trajectory of the political and conceptual categories of feminist analysis can be traced by analyzing developments in feminist journals such as *Signs* and *Feminist Studies*, feminist publishing houses, and curriculum "integration" projects through the 1970s, 1980s, and 1990s.

3 For instance, Bernard (1987) codifies difference as the exclusive relation of men to women, and women to women: difference as variation among women and as conflict between men and women.

4 It is clear from Lazreg's reliance on a notion like intersubjectivity that her understanding of the issue I am addressing in this essay is far from simple (Lazreg 1988). Claiming a voice is for her, as well as for me, a complex historical and political act that involves understanding the interrelationships of voices. The term "intersubjectivity," however, drawing as it does on a phenomenological humanism, brings with it difficult political programs. For a nonhumanist, alternative account of the question of "historical agencies" and their "imbrication," see Mohanty 1997, esp. the introduction and ch. 6. Mohanty discusses the question of agency and its historical imbrication (rather than "intersubjectivity") as constituting the fundamental theoretical basis for comparison across cultures.

5 In spite of problems of definition, I use the term "Third World," and, in this particular context (the U.S. academy), I identify myself as a "Third World" scholar. I use the term here to designate peoples from formerly colonized countries, as well

as people of color in the United States. Using the designation "Third World" to identify colonized peoples in the domestic as well as the international arena may appear reductive because it suggests a commonality and perhaps even an equation among peoples with very diverse cultures and histories and appears to reinforce implicitly existing economic and cultural hierarchies between the "First" and the "Third" World. This is not my intention. I use the term with full awareness of these difficulties and because these are the terms available to us at the moment. In addition, in the particular discursive context of Western feminist scholarship and of the U.S. academy, "Third World" is an oppositional designation that can be empowering even while it necessitates a continuous questioning. For an elaboration of these questions of definition, see chapters 2 and 9.

6 See especially the work of Paulo Freire, Michael Apple, Basil Bernstein, Pierre Bourdieu, and Henry Giroux. While a number of these educational theorists offer radical critiques of education on the basis of class hierarchies, very few do so on the basis of gender or race. However, the theoretical suggestions in this literature are provocative and can be used to advantage in feminist analysis. The special issue of *Harvard Educational Review* (1988) is also an excellent resource. See Freire 1973, Freire and Macedo 1985, Apple 1979, Bernstein 1975, Giroux 1983 and 1988, and Bourdieu and Passeron 1977. For feminist analyses of education and the academy, see Bunch and Pollack 1983, Minnich et al. 1988, Schuster and Van Dyne 1985, Cohee et al 1998, and Minnich 1990. See also back issues of the journals *Women's Studies Quarterly*, *Women's Studies International Forum*, *Radical Teacher*, and *Frontiers: A Journal of Women's Studies*.

7 I am fully aware that I am drawing on an extremely limited (and some might say atypical) sample for this analysis. Clearly, in the bulk of American colleges and universities, the very introduction of questions of pluralism and difference is itself a radical and oppositional gesture. However, in the more liberal institutions of higher learning, questions of pluralism have had a particular institutional history, and I draw on the example of the college I taught at to investigate the implications of this specific institutionalization of discourses of pluralism. I am concerned with raising some political and intellectual questions that have urgent implications for the discourses of race and racism in the academy, not with providing statistically significant data on U.S. institutions of higher learning nor with claiming "representativeness" for the liberal arts college I draw on to raise these questions.

8 For analyses of the intersection of the race and sex agendas of the New Right, see essays in the special double issue of *Radical America* (1981). I am indebted to Zillah Eisenstein for sharing her 1990 essay with me and for our discussions on this subject.

9 Some of the most poignant and incisive critiques of the inscription of race and difference in scholarly institutional discourses have been raised by Third World scholars working outside women's studies. See West 1987, Sivanandan 1985, and Mohanty 1989b.

10 Information about the origins of black studies is drawn from Huggins (1985). For provocative analyses and historic essays on black studies in the 1960s and 1970s, see Blassingame 1973.

11 For documentation of this conference, see Robinson, Foster, and Ogilvie 1969.

12 As a contrast, and for an interesting analysis of similar issues in the pedagogical context of a white woman teaching multicultural women's studies, see Pascoe 1990.

13 For a provocative and productive critique of these binaries in feminist pedagogical theory see Sanchez-Casal and Macdonald, introduction to their edited collection (2002). See also the discussion of feminist pedagogies in chapter 9.

14 Yance has given me permission to use her words and to analyze her performance. She was a student at Hamilton College for about three years, and she had great presence at the college as a black lesbian feminist and performance artist. Thus her work had the kind of effect that someone less visible may not command. For an important theorization of the significance of stories and storytelling, see Stone-Mediatore.

15 See the American Council on Education 1988. See also articles on "America's Changing Colors" in *Time Magazine*, 9 April 1990, especially Henry 1990 for statistics on changing demographics in U.S. economic and educational spheres.

16 This discussion of the ideological assumptions of "prejudice reduction" is based on DeRosa 1987.

17 From a document prepared by the associate director of personnel and affirmative action officer at Oberlin College (Prindle 1988, 1).

18 Hamilton College has followed a similar route in inviting the "prejudice reduction" workshops of the National Coalition Building Institute (NCBI) on to campus, and in sponsoring the training of some faculty and staff members at the college.

19 This marginalization is evident in the financial cutbacks that such programs have experienced in recent years. The depoliticization is evident in, for instance, the shift from "women's" to "gender" studies—by all measures, a controversial reconstitution of feminist agendas.

20 Gloria Watkins (bell hooks) and I attempted to do this at Oberlin College in a college-wide faculty colloquium called "Pedagogies of Gender, Race, and Empire" that focused on our practices in teaching and learning about Third World people in the academy. While the effects of this colloquium have yet to be thoroughly examined, at the very least it created a public culture of dialogue and dissent where questions of race, gender, and identity were no longer totally dismissed as "political" and thus extraneous to academic endeavor; nor were they automatically ghettoized in women's studies and black studies. These questions came to be seen (by a substantial segment of the faculty) as important, constitutive questions in revising a Eurocentric liberal arts curriculum.

Chapter Nine. "Under Western Eyes" Revisited:
Feminist Solidarity through Anticapitalist Struggles

1 This chapter in its present form owes much to many years of conversation and collaboration with Zillah Eisenstein, Satya Mohanty, Jacqui Alexander, Lisa Lowe, Margo Okazawa-Rey, and Beverly Guy-Sheftall. Thanks also to Sue Kim for her careful and critical reading of "Under Western Eyes." Zillah Eisenstein's friendship has been crucial in my writing this chapter; she was the first person to suggest I do so.

2 "Under Western Eyes" has enjoyed a remarkable life, being reprinted almost every year since 1986 when it first appeared in the left journal *Boundary 2*. The essay has been translated into German, Dutch, Chinese, Russian, Italian, Swedish, French, and Spanish. It has appeared in feminist, postcolonial, Third World, and cultural studies journals and anthologies and maintains a presence in women's studies, cultural studies, anthropology, ethnic studies, political science, education and sociology curricula. It has been widely cited, sometimes seriously engaged with, sometimes misread, and sometimes used as an enabling framework for cross-cultural feminist projects.

3 Thanks to Zillah Eisenstein for this distinction.

4 Here is how I defined "Western feminist" then: "Clearly Western feminist discourse and political practice is neither singular or homogeneous in its goals, interests, or analyses. However, it is possible to trace a coherence of effects resulting from the implicit assumption of 'the West' (in all its complexities and contradictions) as the primary referent in theory and praxis. My reference to 'Western feminism' is by no means intended to imply that it is a monolith. Rather, I am attempting to draw attention to the similar effects of various textual strategies used by writers which codify Others as non-Western and hence themselves as (implicitly) Western." I suggested then that while terms such as "First" and "Third World" were problematic in suggesting oversimplified similarities as well as flattening internal differences, I continued to use them because this was the terminology available to us then. I used the terms with full knowledge of their limitations, suggesting a critical and heuristic rather than nonquestioning use of the terms. I come back to these terms later in this chapter.

5 My use of the categories "Western" and "Third World" feminist shows that these are not embodied, geographically or spatially defined categories. Rather, they refer to political and analytic sites and methodologies used—just as a woman from the geographical Third World can be a Western feminist in orientation, a European feminist can use a Third World feminist analytic perspective.

6 Rita Felski's analysis of the essay (Felski 1997) illustrates this. While she initially reads the essay as skeptical of any large-scale social theory (against generalization), she then goes on to say that in another context, my "emphasis on particularity is modified by a recognition of the value of systemic analyses of global disparities" (10). I think Felski's reading actually identifies a vagueness in my essay. It is this point that I hope to illuminate now. A similar reading claims, "The very

structure against which Mohanty argues in 'Under Western Eyes'—a homogenized Third World and an equivalent First World—somehow remanifests itself in 'Cartographies of Struggle' " (Mohanram 1999, 91). Here I believe Radhika Mohanram conflates the call for specificity and particularity as working against the mapping of systemic global inequalities. Her other critique of this essay is more persuasive, and I take it up later.

7 See for instance the reprinting and discussion of my work in Nicholson and Seidman 1995, Phillips 1998, and Warhol and Herndal 1997; and Phillips 1998.

8 I have written with Jacqui Alexander about some of the effects of hegemonic postmodernism on feminist studies; see the introduction to Alexander and Mohanty 1997.

9 To further clarify my position—I am not against all postmodernist insights or analytic strategies. I have found many postmodernist texts useful in my work. I tend to use whatever methodologies, theories, and insights I find illuminating in relation to the questions I want to examine—Marxist, postmodernist, postpositivist realist, and so on. What I want to do here, however, is take responsibility for making explicit some of the political choices I made at that time—and to identify the discursive hegemony of postmodernist thinking in the U.S. academy, which I believe forms the primary institutional context in which "Under Western Eyes" is read.

10 Dirlik, "The Local in the Global," in Dirlik 1997.

11 Esteva and Prakash (1998, 16–17) define these categorizations thus: The "social minorities" are those groups in both the North and the South that share homogeneous ways of modern (Western) life all over the world. Usually, they adopt as their own the basic paradigms of modernity. They are also usually classified as the upper classes of every society and are immersed in economic society: the so-called formal sector. The "social majorities" have no regular access to most of the goods and services defining the average "standard of living" in the industrial countries. Their definitions of "a good life," shaped by their local traditions, reflect their capacities to flourish outside the "help" offered by "global forces." Implicitly or explicitly they neither "need" nor are dependent on the bundle of "goods" promised by these forces. They, therefore, share a common freedom in their rejection of "global forces."

12 I am not saying that native feminists consider capitalism irrelevant to their struggles (nor would Mohanram say this). The work of Winona La Duke, Haunani-Kay Trask, and Anna Marie James Guerrero offers very powerful critiques of capitalism and the effects of its structural violence in the lives of native communities. See Guerrero 1997; La Duke 1999; and Trask 1999.

13 In fact, we now even have debates about the "future of women's studies" and the "impossibility of women's studies." See the Web site "The Future of Women's Studies," Women's Studies Program, University of Arizona, 2000 at http://infocenter.ccit.arizona.edu/~ws/conference; and Brown 1997.

14 See, for instance, the work of Ella Shohat, Lisa Lowe, Aihwa Ong, Uma Narayan,

Inderpal Grewal and Caren Kaplan, Chela Sandoval, Avtar Brah, Lila Abu-Lughod, Jacqui Alexander, Kamala Kempadoo, and Saskia Sassen.

15 See the works of Maria Mies, Cynthia Enloe, Zillah Eisenstein, Saskia Sassen, and Dorothy Smith (for instance, those listed in the bibliography) for similar methodological approaches. An early, pioneering example of this perspective can be found in the "Black Feminist" statement by the Combahee River Collective in the early 1980s.

16 See discussions of epistemic privilege in the essays by Mohanty, Moya, and Macdonald in Moya and Hames-Garcia 2000.

17 Examples of women of color in the fight against environmental racism can be found in the organization Mothers of East Los Angeles (see Pardo 2001), the magazine *ColorLines*, and *Voces Unidas*, the newsletter of the SouthWest Organizing project, Albuquerque, New Mexico.

18 See Shiva, Jafri, Bedi, and Holla-Bhar 1997. For a provocative argument about indigeneous knowledges, see Dei and Sefa 2000.

19 In what follows I use the terms "global capitalism," "global restructuring," and "globalization" interchangeably to refer to a process of corporate global economic, ideological, and cultural reorganization across the borders of nation-states.

20 While the initial push for "internationalization" of the curriculum in U.S. higher education came from the federal government's funding of area studies programs during the cold war, in the post–cold war period it is private foundations like the MacArthur, Rockefeller, and Ford foundations that have been instrumental in this endeavor—especially in relation to the women's studies curriculum.

21 This work consists of participating in a number of reviews of women's studies programs, reviewing essays, syllabi, and manuscripts on feminist pedagogy and curricula, and topical workshops and conversations with feminist scholars and teachers over the last ten years.

22 Ella Shohat refers to this as the "sponge/additive" approach that extends U.S.-centered paradigms to "others" and produces a "homogeneous feminist master narrative." See Shohat 2001, 1269–72.

23 For an incisive critique of cultural relativism and its epistemological underpinnings see Mohanty 1997, chapter 5.

24 It is also important to examine and be cautious about the latent nationalism of race and ethnic studies and of women's and gay and lesbian studies in the United States.

25 A new anthology contains some good examples of what I am referring to as a feminist solidarity or comparative feminist studies model. See Lay, Monk, and Rosenfelt 2002.

26 See Dirlik, "Borderlands Radicalism," in Dirlik 1994. See the distinction between "postcolonial studies" and "postcolonial thought": while postcolonial thought has much to say about questions of local and global economies, postcolonial studies has not always taken these questions on board (Loomba 1998–99). I am

using Ania Loomba's formulation here, but many progressive critics of postcolonial studies have made this basic point. It is an important distinction, and I think it can be argued in the case of feminist thought and feminist studies (women's studies) as well.

27 While I know no other work that conceptualizes this pedagogical strategy in the ways I am doing here, my work is very similar to that of scholars like Ella Shohat, Jacqui Alexander, Susan Sanchez-Casal, and Amie Macdonald.

28 See especially the work of Satya Mohanty, Paula Moya, Linda Alcoff, and Shari Stone-Mediatore.

29 The epigraph to this section is taken from Eisenstein 1998b, 161. This book remains one of the smartest, most accessible, and complex analyses of the color, class, and gender of globalization.

30 The literature on gender and globalization is vast, and I do not pretend to review it in any comprehensive way. I draw on three particular texts to critically summarize what I consider to be the most useful and provocative analyses of this area: Eisenstein 1998b; Marchand and Runyan 2000; and Basu et al. 2001.

31 See essays in Kempadoo and Doezema 1998; and Puar 2001.

32 For similar arguments, see also Bergeron 2001 and Freeman 2001.

33 Discourses of globalization include the proglobalization narratives of neoliberalism and privatization, but they also include antiglobalization discourses produced by progressives, feminists, and activists in the antiglobalization movement.

34 There is also an emerging feminist scholarship that complicates these monolithic "globalized" representations of women. See Amy Lind's work on Ecuadorian women's organizations (2000), Aili Marie Tripp's work on women's social networks in Tanzania (2002), and Kimberly Chang and L. H. M. Ling's (2000) and Aihwa Ong's work on global restructuring in the Asia Pacific regions (1987 and 1991).

35 This description is drawn from Brecher, Costello, and Smith 2000. Much of my analysis of antiglobalization movements is based on this text, and on material from magazines like *ColorLines*, *Z Magazine*, *Monthly Review*, and *SWOP Newsletter*.

BIBLIOGRAPHY

Abbot, Sidney, and Barbara Love. 1972. *Sappho Was a Right-on Woman: A Liberated View of Lesbianism*. New York: Stein and Day.

Abdel-Malek, Anouar. 1981. *Social Dialectics: Nation and Revolution*. Albany: State University of New York Press.

Abu-Lughod, Lila. 1998. *Remaking Women: Feminism and Modernity in the Middle East*. Princeton: Princeton University Press.

Ahmed, Leila. 1992. *Women and Gender in Islam: Historical Roots of a Modern Debate*. New Haven: Yale University Press.

———, ed. 1988. *Remaking Women: Feminism and Modernity in the Middle East*. Princeton: Princeton University Press.

Alarcon, Norma. 1989. "The Theoretical Subject(s) of *This Bridge Called My Back* and Anglo-American Feminism." In *Chicana Criticism in a Social Context*, edited by H. Calderon and J. D. Saldivar. Durham, N.C.: Duke University Press.

Alcoff, Linda. 2000. "Who's Afraid of Identity Politics?" In *Reclaiming Identity: Realist Theory and the Predicament of Postmodernism*, edited by Paul M.L. Moya and Michael Hames-Garcia, 312–44. Berkeley: University of California Press.

Alexander, Jacqui M. 1991 "Redrafting Morality: The Postcolonial State and the Sexual Offenses Bill of Trinidad and Tobago." In *Third World Women and the Politics of Feminism*, edited by Chandra Talpade Mohanty, Ann Russo, and Lourdes Torres. Bloomington: Indiana University Press.

Alexander, Jacqui M., and Chandra Talpade Mohanty. 1997. *Feminist Genealogies, Colonial Legacies, Democratic Futures*. New York: Routledge.

Allen, Sheila. 1989. "Locating Homework in an Analysis of the Ideological and Material Constraints on Women's Paid Work." In *Homework: Historical and Contemporary Perspectives on Paid Labor at Home*, edited by Eileen Boris and Cynthia R. Daniels, 272–91. Urbana: University of Illinois Press.

American Council on Education, Education Commission of the States. 1988. *One-Third of a Nation: A Report of the Commission on Minority Participation in Education and American Life*. Washington, D.C.: American Council on Education.

Amin, Samir. 1977. *Imperialism and Unequal Development*. New York: Monthly Review Press.

Amos, Valerie, and Pratibha Parmar. 1984. "Challenging Imperial Feminism." *Feminist Review* 17: 3–19.

Amott, Teresa, and Julie A. Matthaei. 1991. *Race, Gender and Work: A Multicultural Economic History of Women in the United States.* Boston: South End Press.

Anderson, Benedict. 1983. *Imagined Communities: Reflections on the Origin and Spread of Nationalism.* New York: Verso Books.

Anthias, F., and N. Yuval Davis. 1990. *Women and the State.* London: Macmillan.

Anzaldúa, Gloria. 1987. *Borderlands/La Frontera: The New Mestiza.* San Francisco: Spinsters/Aunt Lute.

———, ed. 1990. *Making Face, Making Soul/Haciendo Caras: Creative and Critical Perspectives by Women of Color.* San Francisco: Aunt Lute Foundation.

Apple, Michael. 1979. *Ideology and the Curriculum.* London: Routledge and Kegan Paul.

Aronowitz, Stanley. 2000. *The Knowledge Factory: Dismantling the Corporate University and Creating True Higher Learning.* Boston: Beacon Press.

Asian Women United of California, ed. 1989. *Making Waves: An Anthology of Writings by and about Asian American Women.* Boston: Beacon Press.

Bachu, Parminder. 1988. "*Apni Marzi Kardhi,* Home and Work: Sikh Women in Britain." In *Enterprising Women,* edited by Sallie Westwood and Parminder Bhachu, 76–102. New York: Routledge.

Bagguley, Paul, J. 1990. *Restructuring Place, Class and Gender.* London: Sage Publications.

Bambara, Toni Cade. 1984. "Salvation Is the Issue," In *Black Women Writers (1950–1980): A Critical Evaluation,* edited by Mari Evans, 41–47. New York: Anchor Books.

Baran, Paul A. 1962. *The Political Economy of Growth.* New York: New York Monthly Review Press.

Barnet, Richard J., and John Cavanagh. 1994. *Global Dreams: Imperial Corporations and the New World Order.* New York: Simon and Schuster.

Barrett, M. 1991. *Women's Oppression Today.* U.K.: Verso Books.

Barrett, M., and Mary McIntosh. 1982. *The Anti-Social Family.* London: New Left Books.

Barroso, Carmen, and Christina Bruschini. 1991. "Building Politics from Personal Lives: Discussions on Sexuality among Poor Women in Brazil." In *Third World Women and the Politics of Feminism,* edited by Chandra Talpade Mohanty, Ann Russo, and Lourdes Torres. Bloomington: Indiana University Press.

Basu, Amrita, ed. 1995. *The Challenge of Local Feminisms: Women's Movements in Global Perspective.* Boulder: Westview Press.

Bendt, Ingela, and James Downing. 1982. *We Shall Return: Women in Palestine.* London: Zed Press.

Beneria, L., and C. Stimpson, eds. 1987. *Women, Households and the Economy.* New Brunswick: Rutgers University Press.

Benjamin, Jessica. 1986. "A Desire of One's Own: Psychoanalytic Feminism and Intersubjective Space." In *Feminist Studies/Critical Studies,* edited by Teresa de Lauretis. Bloomington: Indiana University Press.

Berg, Elizabeth. 1982. "The Third Woman." *Diacritics* (summer): 11–20.

Berger, Andrea. 2001. "Institutional Policies and Practices: Results from the 1999 National Study of Postsecondary Faculty, Institution Survey." Washington, D.C.: Department of Education, National Center for Educational Statistics.

Bergeron, Suzanne. 2001. "Political Economy Discourses of Globalization and Feminist Politics." *Signs* Vol. 26, no. 4 (summer): 983–1006.
Berman, Edward. 1998. "The Entrepreneurial University: Macro and Micro Perspectives from the United States." In Universities and Globalization: Critical Perspectives, edited by Jan Currie and Janice Newsom. London: Sage Publications.
Bernard, Jessie. 1987. *The Female World from a Global Perspective*. Bloomington: Indiana University Press.
Bernstein, Basil. 1975. *Class, Codes, and Control*. Vol. 3. London: Routledge and Kegan Paul.
Bhabha, Homi. 1983. "The Other Question—The Stereotype and Colonial Discourse." *Screen* 24, no. 6 (Nov.–Dec.): 18–26.
Bhabha, Jacqueline, et al. 1985. *Worlds Apart: Women under Immigration and Nationality Law*. London: Pluto Press.
Bhavnani, Kum-Kum, ed. 2001. *Feminism and "Race."* Oxford: Oxford University Press.
Bhavnani, Kum-Kum, and Margaret Coulson. 1986. "Transforming Socialist Feminism: the Challenge of Racism." *Feminist Review*, no. 81–92.
Blassingame, John W. 1979. *The Slave Community: Plantation Life in the Antebellum South*. New York: Oxford University Press.
———, ed. 1973. *New Perspectives on Black Studies*. Urbana: University of Illinois Press.
Boggs, Grace Lee. 2000. "A Question of Place." *Monthly Review* 52, no. 2 (June): 18–20.
Boris, Eileen, and Cynthia R. Daniels, eds. 1989. *Homework: Historical and Contemporary Perspectives on Paid Labor at Home*. Urbana: University of Illinois Press.
Boserup, Ester. 1970. *Women's Role in Economic Development*. New York: St. Martin's Press; London: Allen and Unwin.
Bourdieu, Pierre, and J. C. Passeron. 1977. *Reproduction in Education, Society and Culture*. Translated by Richard Nice. Beverly Hills: Sage Publications.
Bourne, Jenny. 1987. "Jewish Feminism and Identity Politics." *Race and Class* 29, 1–24.
Bradley, Harriet. 1989. *Men's Work, Women's Work*. Minneapolis: University of Minnesota Press.
Brah, Avtar. 1996. *Cartographies of Diaspora: Contesting Identities*. London: Routledge.
Brecher, Jeremy. 1993. "The Hierarchy's New World Order—and Ours." In *Global Visions Beyond the New World Order*, edited by Jeremy S. Brecher et al. Boston: South End Press.
Brecher, Jeremy, Jim Costello, and Brendan Smith. 2000. *Globalization from Below: The Power of Solidarity*. Boston: South End Press.
Brodzki, Bella, and Celeste Schenk, eds. 1988. *Life/Lines: Theorizing Women's Autobiography*. Ithaca: Cornell University Press.
Brown, Beverly. 1983. "Displacing the Difference: Review of *Nature, Culture and Gender*." *m/f* 8: 79–89.
Brown, Elsa Barkley. 1989. "African-American Women's Quilting: A Framework for

Conceptualizing and Teaching African-American Women's History." *Signs* 14, no. 4 (summer): 921–29.

Brown, Wendy. 1997. "The Impossibility of Women's Studies." *differences* 9, no. 3: 79–101.

Brownmiller, Susan. 1981. *Pornography and Silence*. New York: Harper and Row.

———. 1978. *Against Our Will: Men, Women and Rape*. New York: Simon and Schuster.

Bryan, Beverly, et al. 1985. *The Heart of the Race: Black Women's Lives in Britain*. London: Virago.

Brydon, Lynne, and Sylvia Chant. 1989. *Women in the Third World: Gender Issues in Rural and Urban Areas*. New Brunswick: Rutgers University Press.

Bulkin, Elly, Minnie Bruce Pratt, and Barbara Smith. 1988. *Yours in Struggle: Three Feminist Perspectives on Anti-Semitism and Racism*. Ithaca: Firebrand Books.

Bunch, Charlotte, and Sandra Pollack, eds. 1983. *Learning Our Way: Essays in Feminist Education*. Trumansburg, N.Y.: Crossing Press.

Burton, Clare. 1985. *Subordination: Feminism and Social Theory*. Sydney: Allen and Unwin.

Butler, Johnnella E., ed. 2001. *Color-Line to Borderlands: The Matrix of American Ethnic Studies*. Seattle: University of Washington Press.

Callaway, Helen. 1987. *Gender, Culture, and Empire: European Women in Colonial Nigeria*. Urbana: University of Illinois Press.

Chait, Richard, and Cathy Trower. 2001. "Professors at the Color Line." *New York Times*, 11 September.

Chang, Kimberly, and L.H.M. Long. 2000. "Globalization and Its Intimate Other: Filipina Domestic Workers in Hong Kong." In *Gender and Global Restructuring: Sightings, Sites, and Resistances*, edited by Marianne Runyan and Anne Runyan. New York: Routledge.

Charlton, Sue Ellen M., J. Everett, and Kathleen Staudt, eds. 1989. *Women, the State, and Development*. Albany: State University of New York Press.

Chodorow, Nancy. 1978. *The Reproduction of Mothering: Psychoanalysis and the Sociology of Gender*. Berkeley: University of California Press.

Chow, Rey. 1991. "Violence in the Other Country: China as Crisis, Spectacle, and Women." In *Third World Women and the Politics of Feminism*, edited by Chandra Talpade Mohanty, Ann Russo, and Lourdes Torres. Bloomington: Indiana University Press.

Chowdhry, Prem. 1989. "Customs in a Peasant Economy: Women in Colonial Haryana." In *Recasting Women: Essays in Colonial History*, edited by Kumkum Sangari and Sudesh Vaid, 302–36. New Delhi: Kali Press.

The Chronicle of Higher Education Almanac, The Nation. 2001–2002.

Cixous, Helene. 1981. "The Laugh of the Medusa" in *New French Feminisms*, edited by E. Marks and I. De Courtivron. Amherst: University of Massachusetts Press.

Clifford, James, and George Marcus, eds. 1986. *Writing Culture: The Poetics and Politics of Ethnography*. Berkeley: University of California Press.

Code, Lorraine. 2000. *Encyclopedia of Feminist Theories*. New York: Routledge.

Cohee, Gail E., et al, eds. 1998. *The Feminist Teacher Anthology: Pedagogies and Classroom Strategies*. New York: Teacher's College Press.
Collins, Patricia Hill. 1991. *Black Feminist Thought: Knowledge, Consciousness, and the Politics of Empowerment*. New York: Routledge.
ColorLines. 2000. "Global Brahmanism: The Meaning of the WTO Protests—An Interview with Vandana Shiva." *ColorLines* 3, no. 2 (summer): 30–32.*Gender and Global Restructuring: Sightings, Sites, and Resistances*
Combahee River Collective. 1983. "A Black Feminist Statement." Reprinted in *All the Women are White, All the Blacks are Men, But Some of Us are Brave*, edited by Gloria Hull, Patricia Bell Scott, and Barbara Smith. Old Westbury, NY: Feminist Press.
Connell, R. W. 1989. "The State, Gender, and Sexual Politics: Theory and Appraisal." *Theory and Society* 19: 507–44.
———. 1987. *Gender and Power: Society, the Person, and Sexual Politics*. Stanford: Stanford University Press.
Cowie, Elizabeth. 1978. "Woman as Sign." *m/f* 1: 49–63.
Currie, Jan. 1998. "Globalization Practices and the Professoriate in Anglo-Pacific and North American Universities." *Comparative Education Review* 42, no. 1 (Feb.): 15–30.
Currie, Jan, and Janice Newsom, eds. 1998. *Universities and Globalization: Critical Perspectives*. London: Sage Publications.
Cutrufelli, Maria Rosa. 1983. *Women of Africa: Roots of Oppression*. London: Zed Press.
Daly, Mary. 1978. *Gyn/ecology: The Metaethics of Radical Feminism*. Boston: Beacon Press.
Davis, Angela. 1983. *Women, Race and Class*. Boston: Doubleday.
Davis, Angela, and Elizabeth Martinez. 1998. "Coalition Building Among People of Color: A Discussion with Angela Davis and Elizabeth Martinez." In *The Angela Davis Reader*, edited by Joy James. Boston: Blackwell.
Davis, Angela, and Gina Dent. 2001. "Prison as a Border: A Conversation on Gender, Globalization, and Punishment." *Signs* 26, no. 4 (summer): 1235–42.
Davis, Elizabeth. 1998. "Profile of CSUDH Employees as of October 30, 1998." California State University at Dominguez Hills.
Davis, Miranda. 1987. *Third World/Second Sex*, vol. 2. London: Zed Press.
———. 1983. *Third World/Second Sex*, vol. 1. London: Zed Press.
Dean, Jodi. 1996. *Solidarity of Strangers: Feminism after Identity Politics*. Berkeley: University of California Press.
Deardon, Ann, ed. 1975. *Arab Women*. Report no. 27. London: Minority Rights Group.
Dei, George, and J. Sefa. 2000. "Rethinking the Role of Indigeneous Knowledges in the Academy." *International Journal of Inclusive Education* 4, no. 2: 111–32.
De Lauretis, Teresa. 1987. "Comparative Literature among the Disciplines: Politics." Unpublished manuscript. Madison: University of Wisconsin.
———. 1986. *Feminist Studies/Critical Studies*. Bloomington: Indiana University Press.
———. 1984. *Alice Doesn't: Feminism, Semiotics, Cinema*. Bloomington: Indiana University Press.
Deleuze, Gilles, and Felix Guattari. 1977. *Anti-Oedipus: Capitalism and Schizophrenia*. New York: Viking.

DeRosa, Patti. 1987. Paper presented at annual conference of Society for International Education, Training, and Research, May 8–10.
Derrida, Jacques. 1974. *Of Grammatology*. Baltimore: Johns Hopkins University Press.
Dirlik, Arif. 1999. "Place-Based Imagination: Globalism and the Politics of Place." In *Review, A Journal of the Ferdinand Braudel Center for the Study of Economics, Historical Systems, and Civilizations* 22, no. 2 (spring): 151–87.
———. 1997. *The Postcolonial Aura: Third World Criticism in the Age of Global Capitalism*. Boulder: Westview Press.
———. 1994. *After the Revolution: Waking to Global Capitalism*. Hanover, NH: Wesleyan University Press.
Dribble, Sandra. 1994. "Tijuanans Sue in L.A. after Their Maquiladora Is Closed." *San Diego Union-Tribune*, 16 December.
Eisenstein, Hester. 1983. *Contemporary Feminist Thought*. Boston: G. K. Hall.
Eisenstein, Zillah R. 2001. *Manmade Breast Cancers*. Ithaca: Cornell University Press.
———. 1998a. *The Female Body and the Law*. Berkeley: University of California Press.
———. 1998b. *Global Obscenities: Patriarchy, Capitalism, and the Lure of Cyberfantasy*. New York: New York University Press.
———. 1996. *Hatreds: Racialized and Sexualized Conflicts in the 21st Century*. New York: Routledge.
———. 1994. *The Color of Gender: Reimaging Democracy*. Berkeley: University of California Press.
———. 1990. "Feminism v. Neoconservative Jurisprudence: The Spring '89 Supreme Court." Unpublished manuscript. Ithaca, NY: Ithaca College.
———. 1984. *Feminism and Sexual Equality*. New York: Monthly Review Press.
———. 1981. *The Radical Future of Liberal Feminism*. New York: Longman, 1981.
———. 1978, editor. *Capitalist Patriarchy and the Case for Socialist Feminism*. New York: Monthly Review Press.
Eldhom, Felicity, Olivia Harris, and Kate Young. 1977. "Conceptualising Women." *Critique of Anthropology Women's Issue*, no. 3: 101–103 .
El Saadawi, Nawal, Fatima Mernissi, and Mallica Vajarathon. 1978. "A Critical Look at the Wellesley Conference." *Quest* 4, no. 2 (winter): 101–7.
Emspak, Frank. 1997. "Should Markets Govern." Unpublished manuscript. Madison, WI: School for Workers.
Enloe, Cynthia. 1993. *The Morning After: Sexual Politics at the End of the Cold War*. Berkeley: University of California Press.
———. 1990. *Bananas, Beaches, and Bases: Making Feminist Sense of International Politics*. Berkeley: University of California Press.
Esteva, Gustavo, and Madhu Suri Prakash. 1998. *Grassroots Post-Modernism: Remaking the Soil of Cultures*. London: Zed Press.
Etienne, Mona, and Eleanor Leacock, eds. 1980. *Women and Colonization*. New York: Praeger.
Etzkowitz, Henry, Andrew Webster, and Peter Healey. 1998. *Capitalizing Knowledge:*

New Intersections of Industry and Academia. Albany: State University of New York Press.

Fanon, Franz. 1970. *Black Skin White Masks*. London: Paladin.

———. 1963. *The Wretched of the Earth*. Harmondsworth: Penguin Books.

Feldman, Johnathan. 1989. *Universities in the Business of Repression: The Academic-Military-Industrial Complex in Central America*. Boston: South End Press.

Felski, Rita. 1997. "The Doxa of Difference." *Signs* 23, no. 1 (autumn): 1–21.

Feminist Review. Special issue: *Many Voices, One Chant: Black Feminist Perspectives*. Vol. 17 (autumn 1984)

Ferguson, Kathy E. 1984. *The Feminist Case against Bureaucracy*. Philadelphia: Temple University Press.

Fernandez-Kelly, Maria Patricia. 1983. *For We Are Sold, I and My People: Women and Industry in Mexico's Frontier*. Albany: State University of New York Press.

Fernandez-Kelly, Maria Patricia, and Anna Garcia. 1989. "Hispanic Women and Homework: Women in the Informal Economy of Miami Los Angeles." In *Homework: Historical and Contemporary Perspectives on Paid Labor at Home*, edited by Eileen Boris and Cynthia R. Daniels, 165–82. Urbana: University of Illinois Press.

Fernandez-Kelly, Patricia, and Diane Wolf. 2001. "A Dialogue on Globalization." *Signs* 26, no. 4 (summer): 1007–39.

Fine, Michelle, Lois White, Linda C. Powell, and L. Mun Wong, eds. 1997. *Off White: Readings on Race, Power, and Society*. New York: Routledge.

Foucault, Michel. 1980. *Power/Knowledge: Selected Interviews and Other Writings, 1972–1977*. Edited and translated by Colin Gordon. New York: Pantheon.

———. 1978. *The History of Sexuality*. Vol. 1: *An Introduction*. Translated by Robert Hurley. New York: Random House.

Fox-Genovese, Elizabeth. 1988. *Within the Plantation Household: Black and White Women of the Old South*. Chapel Hill: University of North Carolina Press,.

Frankenberg, Ruth. 1997. *Displacing Whiteness: Essays in Social and Cultural Criticism*. Durham, N.C.: Duke University Press.

———. 1993. *White Women, Race Matters: The Social Construction of Whiteness*. London: Routledge.

———, ed. 1997. *Displacing Whiteness: Essays in Social and Cultural Criticism*. Durham, NC: Duke University Press.

Freeman, Carla. 2001. "Is Local:Global as Feminine:Masculine? Rethinking the Gender of Globalization." *Signs* 26, no. 4 (summer): 1007–38.

Freeman, Estelle. 2002. *No Turning Back: The History of Feminism and the Future of Women*. New York: Ballantine Books.

Freire, Paulo. 1973. *Pedagogy of the Oppressed*. Translated by Myra Bergman Ramos. New York: Seabury.

Freire, Paulo, and Donaldo Macedo. 1985. *Literacy: Reading the Word and the World*. South Hadley, Mass.: Bergin and Garvey.

The Future of Women's Studies. 2000. Conference Procedings. Tuscon: University of

Arizona Women's Studies Department. <http://info-center.ccit.Arizona.edu/~ws/conference/conference.html>.

Gagliano, Felix V. 1992. "Globalization of the University." *NCA Quarterly* 67, no. 2 (fall): 325–34.

Genovese, Eugene. 1979. *From Rebellion to Revolution: Afro-American Slave Revolts in the Making of the Modern World.* Boston: Beacon Press,.

Giddings, Paula. 1984. *When and Where I Enter: The Impact of Black Women on Race and Sex in America.* New York: William Morrow.

Gilliam, Angela. 1991. "Women's Equality and National Liberation." In *Third World Women and the Politics of Feminism*, edited by Chandra Talpade Mohanty, Ann Russo, and Lourdes Torres. Bloomington: Indiana University Press.

Gilligan, Carol. 1983. *In a Different Voice.* Cambridge, Mass.: Harvard University Press.

Gilroy, Paul. 1987. *There Ain't No Black in the Union Jack.* Cambridge: Polity Press.

Giroux, Henry. 1988. *Teachers as Intellectuals: Toward a Critical Pedagogy of Learning.* South Hadley, Mass.: Bergin and Garvey.

———. 1983. *Theory and Resistance in Education: A Pedagogy for the Opposition.* South Hadley, Mass.: Bergin and Garvey.

Giroux, Henry, and Peter McLaren, eds. 1994. *Between Borders: Pedagogy and the Politics of Cultural Studies.* New York: Routledge.

Giroux, Henry, and Kostas Myrsiades, eds. 2001. *Beyond the Corporate University: Culture and Pedagogy in the New Millennium.* New York: Rowan and Littlefield.

Gordon, Linda. 1986. "What's New in Women's History." In *Feminist Studies/Critical Studies*, edited by Teresa de Lauretis, 20–31. Bloomington: Indiana University Press.

Gramsci, Antonio. 1971. *Selections From Prison Notebooks.* London: Lawrence and Wisehart.

Grewal, Inderpal, and Caren Kaplan, eds. 1994. *Scattered Hegemonies, Postmodernity and Transnational Feminist Practices.* Minneapolis: University of Minnesota Press.

Grewal, S., Jackie Kay, Liliane Landor, Gail Lewis, and Pratibha Parmar, eds. 1988. *Charting the Journey: Writings by Black and Third World Women.* London: Sheba Feminist Publishers.

Griffin, Susan. 1981. *Pornography and Silence.* New York: Harper and Row.

———. 1978. *Woman and Nature: The Roaring inside Her.* New York: Harper and Row.

Guerrero, Marie Anne Jaimes. 1997. "Civil Rights versus Sovereignty: Native American Women in Life and Land Struggles." In *Feminist Genealogies, Colonial Legacies, Democratic Futures*, edited by M. Jacqui Alexander and Chandra Talpade Mohanty. New York: Routledge.

Gunder-Frank, Andre. 1967. *Capitalism and Underdevelopment in Latin America.* New York: Monthly Review Press.

Gutmann, Amy. 1987. *Democratic Education.* Princeton: Princeton University Press.

Hall, Jacquelyn Dowd. 1984. "The Mind That Burns in Each Body: Women, Rape, and Violence." *Southern Exposure* 12, no. 6 (Nov.–Dec.): 328–49.

Halliday, Fred. 1991. "Hidden from International Relations: Women and the International Arena." In *Gender and International Relations*, edited by Rebecca Grant and Kathleen Newland. Bloomington: Indiana University Press.

Haraway, Donna. 1985. "A Manifesto for Cyborgs: Science, Technology and Socialist Feminism in the 1980s." *Socialist Review* 80 (March–April): 65–108.

Harding, Sandra. 1986. *The Science Question in Feminism*. Ithaca: Cornell University Press.

Harding, Sandra, and Merrill B. Hintikka, eds. 1983. *Discovering Reality: Feminist Perspectives on Epistemology, Metaphysics, Methodology, and Philosophy of Science*. Boston: D. Reidel.

Harlow, Barbara. 1989. "Narrative in Prison: Stories from the Palestinian Intifada." *Modern Fiction Studies* 35, no. 1: 29–46.

Harris, Olivia. 1983. *Latin American Women*. Report no. 57. London: Minority Rights Group.

Hartsock, Nancy. 1983. *Money, Sex, and Power: Toward a Feminist Historical Materialism*. Boston: Northeastern University Press.

Harvard Educational Review. 1988. Special issue: *On Racism and American Education*. Vol. 58, no. 3.

Heng, Geraldine, and Janadas Devan. 1992. "State Fatherhood: The Politics of Nationalism, Sexuality, and Race in Singapore." In *Nationalisms and Sexualities*, edited by Andrew Parker, Mary Russo, Doris Sommer, and Patricia Yaeger. New York: Routledge.

Henry, William H., III. 1990. "Beyond the Melting Pot." *Time Magazine*, 9 April.

Heyzer, Noeleen. 1986. *Working Women in South-East Asia: Development, Subordination and Emancipation*. Philadelphia: Open University Press.

Higginbotham, Elizabeth. 1983. "Laid Bare by the System: Work and Survival for Black and Hispanic Women." In *Class, Race and Sex: The Dynamics of Control*, edited by A. Swerdlow and H. Lessinger. Boston: G. K. Hall.

hooks, bell. 1988. *Talking Back: Thinking Feminist, Thinking Black*. Boston: South End Press.

———. 1984. *Feminist Theory: From Margin to Center*. Boston: South End Press.

———. 1981. *Ain't I a Woman: Black Women and Feminism*. Boston: South End Press,.

Hooper, Charlotte. 2000. "Masculinities in Transition: The Case of Globalization." In *Gender and Global Restructuring: Sightings, Sites and Resistances*, ed. Marianne Marchand and Anne Runyan, 44–58. New York: Routledge.

———. 1998. "Masculinist Practices and Gender Politics: The Operation of Multiple Masculinities in International Relations." In *The "Man" Question in International Relations*, edited by M. Zalewski and J. Parpart. Boulder, CO: Westview Press.

Hosken, Fran. 1981. "Female Genital Mutilation and Human Rights." *Feminist Issues* 1, no. 3: 3–24.

Hossfeld, Karen. 1993. "United States: Why Aren't High-Tech Workers Organised?" in *Common Interests: Women Organising in Global Electronics*, edited by Women Working Worldwide, 33–52. London: Tavistock.

———. 1990. "Their Logic against Them: Contradictions in Sex, Race, and Class

in the Silicon Valley." In *Women Workers and Global Restructuring*, edited by Kathryn Ward, 149–78. Ithaca: Cornell University Press.
Huggins, Nathan I. 1985. *American Studies*. Report to the Ford Foundation. July. New York: Ford Foundation.
Hurtado, Aida. 1989. "Relating to Privilege: Seduction and Rejection in the Subordination of White Women and Women of Color." *Signs* 14, no. 4 (summer): 833–55.
Huston, Perdita. 1979. *Third World Women Speak Out*. New York: Praeger.
Institute for Women, Law and Development. 1993. *Claiming Our Place: Working the Human Rights System to Women's Advantage*. Washington, D.C.: Institute for Women, Law and Development.
Irigaray, Luce. 1981. "This Sex which is Not One," and "When the Goods Get Together." In *New French Feminisms*, edited by Elaine Marks and Isable de Courtivron. New York: Schoken Books.
ISIS. 1984. *Women in Development: A Resource Guide for Organization and Action*. Philadelphia: New Society Publishers.
Ismail, Rose. 1990. "Man, Woman, and Erroneous Thoughts." *New Sunday Times* (Kualalumpur), 20 May.
Jahan, Rounaq, and Hyoung Cho, eds. 1980. *Women in Asia*. Report #45. London: Minority Rights Group.
James, Joy, ed. 1998. *The Angela Davis Reader*. Boston: Blackwell.
Jardine, Alice. 1985. *Gynesis: Configurations of Woman and Modernity*. Ithaca: Cornell University Press.
Jayawardena, Kumari. 1995. *The White Woman's Other Burden: Western Women and South Asia during British Colonial Rule*. New York: Routledge.
———. 1986. *Feminism and Nationalism in the Third World*. London: Zed Press.
Jayawardena, Kumari, and Malathi de Alwis, eds. 1996. *Embodied Violence: Communalising Women's Sexuality in South Asia*. New Delhi: Kali for Women.
Jeffery, Patricia. 1979. *Frogs in a Well: Indian Women in Purdah*. London: Zed Press.
Jhabvala, Renana. 1994. "Self-Employed Women's Association: Organising Women by Struggle and Development." In *Dignity and Daily Bread: New Forms of Economic Organizing among Poor Women in the Third World and the First*, edited by Sheila Rowbotham and Swasti Mitter, 114–38. New York: Routledge.
Jonasdottir, Anna G. 1988. "On the Concept of Interest, Women's Interests, and the Limitations of Interest Theory." In *The Political Interests of Gender*, edited by K. Jones and A.G. Jónasdóttir. London: Sage Publications.
Jones, Jacqueline. 1985. *Labor of Love, Labor of Sorrow: Black Women, Work, and the Family from Slavery to the Present*. New York: Random House.
Jones, Kathleen, and Anna G. Jonasdottir, eds. 1988. *The Political Interests of Gender*. London: Sage Publications.
Jordan, June. 1981. *Civil Wars*. Boston: Beacon Press.
Joseph, Gloria, and Jill Lewis. 1981. *Common Differences: Conflicts in Black and White Feminist Perspectives*. Boston: Beacon Press.

Josephides, Sasha. 1988. "Honor, Family and Work: Greek Cypriot Women before and after Migration." In *Enterprising Women*, edited by Sallie Westwood and Parminder Bhachu, 34–57. New York: Routledge.

Kamuf, Peggy. 1982. "Replacing Feminist Criticism." *Diacritics* 12, no. 2: 42–47.

Kandityoti, Dentz. 1994. "Identity and Its Discontents Women and the Nation." In *Colonial Discourse and Post-Colonial Theory: A Reader*, edited by Patrick Williams and Laura Christman. New York: Columbia University Press.

———, ed. 1991. *Women, Islam and the State*. London: Macmillan.

Kannabiran, Vasantha, ed. 1989. *We Were Making History: Life Stories of Women in the Telangana Armed Struggle*. London: Zed Press.

Kaplan, Caren. 1986–87. "The Poetics of Displacement in Buenos Aires." *Discourse* 8: 94–102.

Karim, Wazir-jahan. 1983. "Malay Women's Movements: Leadership and Processes of Change." *International Social Science Journal* 35 no. 4: 791–831.

Katrak, Ketu. 1992. "Indian Nationalism, Gandhian 'Satyagraha' and Representations of Female Sexuality." In *Nationalisms and Sexualities*, edited by Andrew Parker, Mary Russo, Doris Sommer, and Patricia Yaeger. New York: Routledge.

Katz, Naomi, and David Kemnitzer. 1984. "Women and Work in the Silicon Valley." In *My Troubles Are Going to Have Trouble with Me: Everyday Trials and Triumphs of Women Workers*, edited by Karen Brodkin Sacks and D. Remy, 193–208. New Brunswick: Rutgers University Press.

———. 1983. "Fast Forward: The Internationalization of the Silicon Valley." In *Women, Men, and the International Division of Labor*, edited by June Nash and M. P. Fernandez-Kelly, 273–331. Albany: State University of New York Press.

Kempadoo, Kamala, and Jo Doezema, eds. 1999. *Global Sex Workers, Rights, Resistance, and Redefinition*. London: Routledge.

Kim, Elaine H., and Lisa Lowe. 1997. *New Formations, New Questions: Asian American Studies*. Durham, N.C.: Duke University Press.

King, Katie. 1990. "Producing Sex, Theory and Culture: Gay/Straight ReMappings in Contemporary Feminism." In *Conflicts in Feminism*, edited by M. Hirsch and E. Fox-Keller. New York: Methuen.

———. 1986. "The Situation of Lesbianism as Feminism's Magical Sign: Contests for Meaning and the U.S. Women's Movement, 1968–1972." *Communication* 9: 65–91.

Kishwar, Madhu, and Ruth Vanita, eds. 1984. *In Search of Answers: Indian Women's Voices from Manushi*. London: Zed Press.

Kristeva, Julia. 1980. *Desire in Language*. New York: Columbia University Press.

La Duke, Winona. 1999. *All Our Relations: Native Struggles for Land and Life*. Boston: South End Press.

Latin American and Caribbean Women's Collective. 1980. *Slaves of Slaves*. London: Zed Press.

Lay, Mary M., Janice Monk, and Deborah Silverton Rosenfelt, eds. 2002. *Encompassing*

Gender: Integrating International Studies and Women's Studies. New York: Feminist Press of City University of New York.

Lazreg, Marnia. 1988. "Feminism and Difference: The Perils of Writing as a Woman on Women in Algeria." *Feminist Issues* 14, no. 1 (spring): 81–107.

Leacock, E., and H. Safa, eds. 1986. *Women's Work: Development and the Division of Labor by Gender.* South Hadley, Mass.: Bergin and Garvey.

Letelier, Isabel. 1985. *Human Rights and U.S. Foreign Policy Implications for Democracy in the Southern Cone.* Washington, D.C.: Institute for Policy Studies.

Liddle, Joanna, and Rami Joshi. 1986. *Daughters of Independence: Gender, Caste and Class in India.* London: Zed Press.

Lind, Amy. 2000. "Negotiating Boundaries: Women's Organizations and the Politics of Restructuring in Equador." In *Gender and Global Restructuring: Sightings, Sites, and Resistances,* edited by Marianne Marchand and Anne Runyan. New York: Routledge.

Lindsay, Beverley, ed. 1983. *Comparative Perspectives of Third World Women: The Impact of Race, Sex, and Class.* New York: Praeger.

Loomba, Ania. 1998–99. "Postcolonialism—or Postcolonial Studies." *Interventions: International Journal of Postcolonial Studies* 1, no. 1: 39–42.

Lorde, Audre. 1984. *Sister Outsider.* Freedom, Calif.: Crossing Press.

———. 1981. "An Open Letter to Mary Daly." In *This Bridge Called My Back: Writings by Radical Women of Color,* edited by Cherrie Moraga and Gloria Anzaldúa. New York: Kitchen Table Press.

Lowe, Lisa. 1996. *Immigrant Acts: on Asian American Cultural Politics.* Durham, N.C.: Duke University Press.

———. 1994. *Globalization, Space, Difference.* Honolulu: East-West Center.

Lowe, Lisa, and David Lloyd. 1997. *The Politics of Culture in the Shadow of Capital.* Durham, N.C.: Duke University Press.

Lubiano, Wahneema, ed. 1998. *The House that Race Built.* New York: Vintage Books.

Lugones, Maria, and Elizabeth Spelman. 1983. "Have We Got a Theory for You! Feminist Theory, Cultural Imperialism, and the Demand for 'the Women's Voice,'" *Women's Studies International Forum* 6 (fall): 573–81.

MacKinnon, Catharine. 1989. *Towards a Feminist Theory of the State.* Cambridge, Mass.: Harvard University Press.

Mahalingham, Ram, and Cameron McCarthy, eds. 2000. *Multicultural Curriculum: New Directories for Social Theory, Practice, and Policy.* New York: Routledge.

Mani, Lab. 1987. "Contentious Traditions: The Debate on SATI in Colonial India." *Cultural Critique* (fall): 119–56.

Marchand, Marianne, and Anne Runyan, eds. 2000. *Gender and Global Restructuring: Sightings, Sites and Resistances.* New York: Routledge.

Marcus, G., and M. Fischer. 1986. *Anthropology as Cultural Critique.* Chicago: University of Chicago Press.

Marks, Elaine, and Isabel De Courtivron. 1981. *New French Feminisms: An Anthology.* New York: Schocken.

Martin, Biddy. 1988. "Lesbian Identity and Autobiographical Difference(s)." In

Life/Lines: Theorizing Women's Autobiography, edited by B. Brodzki and C. Schenck. Ithaca: Cornell University Press.

———. 1982. "Feminism, Criticism, and Foucault." *New German Critique*, no. 27 (1982): 3–30.

Martinez, Elizabeth. 1988. *De Colores Means All of Us*. Boston: South End Press.

Mascia-Lees, F. E., et al. 1989. "The Postmodernist Turn in Anthropology: Cautions from a Feminist Perspective." *Signs* 15, no. 1 (autumn): 7–33.

McClintock, Anne, and Aamir Mufti. 1997. *Dangerous Liaisons: Gender, Nation, and Postcolonial Perspectives*. Minneapolis: University of Minnesota Press.

McLaren, Peter. 1997. *Revolutionary Multiculturalism: Pedagogies of Dissent for the New Millennium*. Boulder: Westview Press.

Memmi, Albert. 1965. *The Colonizer and the Colonized*. Boston: Beacon Press.

Menchu, Rigoberta. 1984. *I, Rigoberta Menchu: An Indian Woman in Guatemala*. London: Verso Books.

Mernissi, Fatima. 1992. *Islam and Democracy: Fear of the Modern World*. Reading, Mass.: Perseus Books.

Mies, Maria. 1986. *Patriarchy and Accumulation on a World Scale: Women in the International Division of Labor*. London: Zed Press.

———. 1982. *The Lacemakers of Narsapur: Indian Housewives Produce for the World Market*. London: Zed Press.

Mies, Maria, and Vandana Shiva. 1993. *Ecofeminism*. London: Zed Press.

Minces, Juliette. 1980. *The House of Obedience: Women in Arab Society*. London: Zed Press.

Minh-ha, Trinh T. 1989. *Women, Native, Other*. Bloomington: Indiana University Press.

Minnich, Elizabeth. 1990. *Transforming Knowledge*. Philadelphia: Temple University Press.

Minnich, Elizabeth, et al., eds. 1988. *Reconstructing the Academy: Women's Education and Women's Studies*. Chicago: University of Chicago Press.

Mitter, Swasti. 1994. "On Organising Women in Causalized Work: A Global Overview." In *Dignity and Daily Bread: New Forms of Economic Organizing among Poor Women in the Third World and the First*, edited by Sheila Rowbotham and Swasti Mitter, 14–52. New York: Routledge.

Modares, Mina. 1981. "Women and Shiism in Iran." *m/f* 5–6: 61–82.

Moghadam, Valentine M. 1994. *Identity Politics and Women: Cultural Reassertions and Feminisms in International Perspective*. Boulder: Westview Press.

Mohanram, Radhika. 1999. *Black Body: Women, Colonialism, and Space*. Minneapolis: University of Minnesota Press.

Mohanty, Chandra Talpade. 1991. "Cartographies of Struggle: Third World Women and the Politics of Feminism." In *Third World Women and the Politics of Feminism*, edited by Chandra Talpade Mohanty, Ann Russo, and Lourdes Torres. Bloomington: Indiana University Press.

———. 1989–90. "On Race and Voice: Challenges for Liberal Education in the 1990s." *Cultural Critique* 14 (winter): 179–208.

———. 1987. "Feminist Encounters: Locating the Politics of Experience." *Copyright* 1 (fall): 30–44.

———. 1984. "Under Western Eyes: Feminist Scholarship and Colonial Discourses." *Boundary 2* 12, no. 3 / 13, no. 1 (spring/fall): 338–358.

Mohanty, Chandra Talpade, and Satya P. Mohanty. 1990. "Contradictions of Colonialism." Review of Kumkum Sangari and Sudesh Vaid, eds., *Recasting Women: Essays in Colonial History*. *Women's Review of Books* (March): 19–21.

Mohanty, Chandra Talpade, Ann Russo, and Lourdes Torres, eds. 1991 *Third World Women and the Politics of Feminism*. Bloomington: Indiana University Press.

Mohanty, Satya P. 2001. "Can Our Values Be Objective? On Ethics, Aesthetics, and Progressive Politics." *New Literary History* 34, no. 4: 803–33.

———. 1997. *Literary Theory and the Claims of History*. Ithaca: Cornell University Press.

———. 1995. "Colonial Legacies, Multicultural Futures: Relativism, Objectivity, and the Challenge of Otherness." *PMLA* 110 (Jan.): 108–17.

———. 1989a. "Kipling's Children and the Color Line." *Race and Class* 31, no. 1: 21–40.

———. 1989b. "Us and Them: On the Philosophical Bases of Political Criticism." *Yale Journal of Criticism* 2 (March): 1–31.

Momsen, Janet Henshall, and Janet G. Townsend. 1987. *Geography of Gender in the Third World*. Albany: State University of New York Press.

Moore, Henrietta. 1988. *Feminism and Anthropology*. Oxford: Basil Blackwell.

Moraga, Cherrie. 1984. *Loving in the War Years*. Boston: South End Press.

Moraga, Cherrie, and Gloria Anzaldúa, eds. 1981. *This Bridge Called My Back: Writings by Radical Women of Color*. Albany: Kitchen Table Press.

Morgan, Robin, ed. 1984. *Sisterhood Is Global: The International Women's Movement Anthology*. New York: Anchor Press/Doubleday; Harmondsworth: Penguin.

Moya, Paula. 1998. *Learning from Experience: Politics, Epistemology, and Chicana/o Identity*. Ithaca: Cornell University Press.

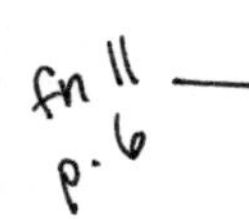

Moya, Paula, and Michael R. Hames-Garcia, eds. 2000. *Reclaiming Identity: Realist Theory and the Predicament of Postmodernism*. Berkeley: University of California Press.

Narayan, Uma. 1997. *Dislocating Cultures: Identities, Traditions, and Third-World Feminism*. New York: Routledge.

Nash, June, and Maria Patricia Fernandez-Kelly. 1983. *Women, Men and the International Division of Labor*. Albany: State University of New York Press.

Nash, June, and Helen I. Safa, eds. 1980. *Sex and Class in Latin America: Women's Perspectives on Politics, Economics and the Family in the Third World*. South Hadley, Mass.: Bergin and Garvey.

Nicholson, Linda, and Steven Seidman, eds. 1995. *Social Postmodernism: Beyond Identity Politics*. Cambridge: Cambridge University Press.

Noble, David. 2001. *The Digital Diploma Mills: The Automation of Higher Education*. New York: Monthly Review Press.

O'Hanlon, R. 1988. "Recovering the Subject: Subaltern Studies and Histories of Resistance in Colonial South Asia." *Modern Asian Studies* 22, no. 1: 189–224.

Okohiro, G. Y., ed. 1986. *In Resistance: Studies in African, Caribbean and AfroAmerican History*. Amherst: University of Massachusetts Press.
Okri, Ben. 1995. *Astonishing the Gods*. London: Phoenix.
Omi, M., and H. Winant. 1986. *Racial Formation in the United States, from the 1960s to the 1980s*. New York: Routledge and Kegan Paul.
Omvedt, Gail. 1980. *We Will Smash This Prison: Indian Women in Struggle*. London: Zed Press.
Ong, Aihwa. 1991. "The Gender and Labor Politics of Postmodernity." *Annual Review of Anthropology* 20: 279–309.
———. 1987. *Spirits of Resistance and Capitalist Discipline: Factory Women in Malaysia*. Albany: State University of New York Press.
Ortiz, Alicia Dujovne. 1986–87. "Buenos Aires (An Excerpt)." *Discourse* 8: 73–83.
Pala, Achola O. 1995. "Connecting across Cultures and Continents: Black Women Speak Out on Identity, Race, and Development." New York: United Nations Development Fund for Women (UNIFEM).
———. 1976. "African Women in Rural Development: Research Trends and Priorities." Washington, D.C.: Overseas Liaison Committee, American Council on Education.
Pardo, Mary. 2001. "Mexican-American Women Grassroots Community Activists: Mothers of East Los Angeles." In *Women's Lives: Multicultural Perspectives*, ed. Margo Okazawa-Rey and Gwyn Kirk, 504–11. Mountain View, CA: Mayfield Publishing Company.
Parrenas, Rachel Salazar. 2001. "Transgressing the Nation-State: The Partial Citizenship and 'Imagined (Global) Community' of Migrant Filipina Domestic Workers." *Signs* 26, no. 4 (summer): 1129–54.
Pascoe, Peggy. 1990. "At the Crossroad of Culture." *Women's Review of Books* 7, no. 5 (Feb.): 22–23.
Peters, Julie, and Andrea Wolper, eds. 1995. *Women's Rights, Human Rights International Feminist Perspectives*. New York: Routledge.
Phillips, Anne. 1998. *Feminism and Politics*. Oxford: Oxford University Press.
Phizacklea, Annie. 1988. "Entrepreneurship, Ethnicity and Gender." In *Enterprising Women*, edited by Sallie Westwood and Parminder Bhachu, 20–33. New York: Routledge.
Popkin, Richard. 1974. "The Philosophical Bases of Modem Racism." *Journal of Operational Psychiatry* 5, no. 2: 24–36 .
Pratt, Minnie Bruce. 1988. "Identity: Skin Blood Heart." In *Yours in Struggle: Three Feminist Perspectives on Anti-Semitism and Racism*, by Elly Bulkin, Minnie Bruce Pratt, and Barbara Smith. Ithaca: Firebrand Books.
Prindle, Sue E. 1988. "Towards Prejudice Reduction: A Resource Document of Consultants, Audio/Visual Aids, and Providers of Workshops, Training and Seminars." Unpublished document. Oberlin College, Oberlin, Ohio.
Puar, Jasbir. 2001. "Global Circuits: Transnational Sexualities and Trinidad." *Signs* 26, no. 4 (summer): 1039–66.

Radical America. 1981. Special double issue. Vol. 15, nos. 1 and 2.

Readings, William. 1996. *The University in Ruins*. Cambridge, Mass.: Harvard University Press.

Reagon, Bernice Johnson. 1983. "Coalition Politics: Turning the Century." In *Home Girls: A Black Feminist Anthology*, edited by Barbara Smith. New York: Kitchen Table, Women of Color Press.

Reiter, Rayna, ed. 1975. *Toward an Anthropology of Women*. New York: Monthly Review Press.

Review of Radical Political Economics. 1991. Special issue: *Women in the International Economy*. Vol. 23, nos. 3–4 (fall–winter).

Reyes, Maria de la Luz, and John J. Halcon. 1988. "Racism in Academies: The Old Wolf Revisited." *Harvard Educational Review* 58, no. 3: 299–314.

Rich, Adrienne. 1986. *Blood, Bread, and Poetry: Selected Prose, 1979–1985*. New York: W. W. Norton.

———. 1976. *Of Woman Born: Motherhood as Experience and Institution*. New York: W. W. Norton.

Robinson, Armstead, Craig C. Foster, and Donald H. Ogilvie, eds. 1969. *Black Studies in the University: A Symposium*. New York: Bantam.

Rollins, Judith. 1987. *Between Women: Domestics and Their Employers*. New Brunswick: Rutgers University Press.

Roman, Leslie, and Linda Eyre, eds. 1997. *Dangerous Territories: Struggles for Difference and Equality in Education*. New York: Routledge.

Rosa, Kumudhini. 1994. "The Conditions of Organisational Activities of Women in Free Trade Zones: Malaysia, Philippines and Sri Lanka, 1970–1990." In *Dignity and Daily Bread: New Forms of Economic Organizing among Poor Women in the Third World and the First*, edited by Sheila Rowbotham and Swasti Mitter, 73–99. New York: Routledge.

Rosaldo, M. Z. 1980. "The Use and Abuse of Anthropology: Reflections on Feminism and Cross-Cultural Understanding." *Signs* 53, no. 3: 389–417.

Rowbotham, Sheila, and Swasti Mitter, eds. 1994. *Dignity and Daily Bread: New Forms of Economic Organizing among Poor Women in the Third World and the First*. New York: Routledge.

Sacks, Karen Brodkin, and D. Remy, eds. 1984. *My Troubles Are Going to Have Trouble with Me: Everyday Triumphs of Working Women*. New Brunswick: Rutgers University Press.

Sahgal, Gita, and Nira Yuval Davis, eds. 1992. *Refusing Holy Orders: Women and Fundamentalism in Britain*. London: Virago.

Said, Edward. 1979. *Orientalism*. New York: Vintage.

Sanchez, Rosaura. 1987. "Ethnicity, Ideology and Academia." *The Americas Review* 15, no. 1 (spring): 80–88.

Sanchez-Casal, Susan, and Amie Macdonald. 2002. Introduction. *Twenty-First-Century Feminist Classrooms: Pedagogies of Difference and Identity*. New York: Palgrave.

Sandoval, Chela. 2000. *Methodology of the Oppressed.* Minneapolis: University of Minnesota Press.

———. 1991. "U.S. Third World: The Theory and Method of Oppositional Consciousness in the Postmodern World," *Genders* 10 (spring): 1–24.

———. 1983. "Women Respond to Racism: A Report on the National Women's Studies Association Conference, Storrs, Connecticut." Occasional Paper Series. Oakland, Calif.: Center for Third World Organizing, 1983.

Sangari, Kumkum. 2000. *Politics of the Possible.* New Delhi: Tulika.

Sangari, Kumkum, and Sudesh Vaid, eds. 1989. *Recasting Women: Essays in Colonial History.* New Delhi: Kali Press.

Sassen, Saskia. 1998. "New Employment Regimes in Cities: The Impact on Immigrant Workers," *Journal of Ethnic and Minority Studies* 22, no. 4: 579–94.

———. 1991. *The Global City: New York, London, Tokyo.* Princeton: Princeton University Press.

———. 1988. *The Mobility of Labor and Capital.* New York: Cambridge University Press.

Schuster, Marilyn, and Susan Van Dyne. 1985. *Women's Place in the Academy: Transforming the Liberal Arts Curriculum.* Totowa, N.J.: Rowman and Allanheld.

Scott, Joan W. 1986. "Gender: A Useful Category of Historical Analysis." *American Historical Review* 91, no. 5: 1053–75.

Sen, Gib, and Caren Grown. 1987. *Development Crises and Alternative Visions: Third World Women's Perspectives.* New York: Monthly Review Press.

Sheftall, Beverly Guy. 1995. *Women's Studies: A Retrospective.* Report to the Ford Foundation. New York: Ford Foundation.

Shiva, Vandana. 1999. *Betting on Biodiversity: Why Genetic Engineering Will Not Feed the Hungry or Save the Planet.* New Delhi: Research Foundation for Science, Technology and Ecology.

——. 1994. *Close to Home: Women Reconnect Ecology, Health, and Development Worldwide.* London: Earthscan Publications. Originally published by Research Foundation for Science, Technology and Natural Resource Policy and distributed by New Delhi: Nataraj Publishers, 1993.

———. 1992. *Biodiversity: Social and Ecological Perspectives.* London: Zed Press; Penang: World Rainforest Movement.

———. 1989. *Staying Alive: Women, Ecology, and Development.* London: Zed Press, 1989.

Shiva, Vandana, A. H. Jafri, G. Bedi, and R. Holla-Bhar. 1997. *The Enclosure and Recovery of the Commons: Biodiversity, Indigeneous Knowledge and Intellectual Property Rights.* New Delhi: Research Foundation for Science and Technology.

Shiva, Vandana, and Ingunn Moser. 1995. *Biopolitics: A Feminist and Ecological Reader on Biotechnology.* London: Zed Press; Penang: Third World Network.

Shiva, Vandana, Rebecca Gordon, and Bob Wing. 2000. "Global Brahminism: The Meaning of the WTO Protests: An Interview with Dr. Vandana Shiva," *ColorLines,* 3 (2): 30–32.

Shohat, Ella. 2001. "Area Studies, Transnationalism, and the Feminist Production of Knowledge." *Signs* 26, no. 4 (summer): 1269–72.

———. 2001. *Talking Visions: Multicultural Feminism in a Transnational Age.* Cambridge, Mass.: MIT Press.

Shohat, Ella, and Robert Stam. 1994. *Unthinking Eurocentrism: Multiculturalism and the Media.* London: Routledge.

Sidhu, Gretchen. 2001. "Academy Blues." *Ms. Magazine* 9, no. 5 (Aug.–Sep.): 36–39.

Signs. 1989. Special issue: *Common Grounds and Crossroads: Race, Ethnicity and Class in Women's Lives.* Vol. 14, no. 4 (summer).

———. 1981. Special Issue: *Development and the Sexual Division of Labor.* Vol. 7, no. 2 (winter).

Sistren, with Honor Ford-Smith. 1987. *Lionhart Gal: Life Stories of Jamaican Women.* Toronto: Sister Vision Press.

Siu, Bobby. 1981. *Women of China: Imperialism and Women's Resistance, 1900–1949.* London: Zed Press.

Sivanandan, A. 1990. "All That Melts into Air Is Solid: The Hokum of the New Times." *Race and Class* 31, no. 3: 1–30.

———. 1985. "RAT and the Degradation of Black Struggle." *Race and Class* 26, no. 4 (spring):1–34.

———. 1981. "Race, Class and Caste in South Africa: An Open Letter to No Sizwe." *Race and Class* 22, no. 3: 293–301.

Slaughter, Sheila, and Larry Leslie. 1997. *Academic Capitalism: Politics, Policies, and the Entrepreneurial University.* Baltimore: Johns Hopkins University Press.

Smith, Barbara, ed. 1983. *Home Girls: A Black Feminist Anthology.* New York: Kitchen Table Press.

Smith, Dorothy. 1987. *The Everyday World as Problematic: A Feminist Sociology.* Boston: Northeastern University Press.

Smith, Joan. 1994. "The Creation of the World We Know: The World Economy and the Recreation of Gendered Identities." In *Identity Politics and Women: Cultural Reassertions and Feminisms in International Perspective,* edited by Valentine M. Moghadam, 27–41. Boulder: Westview Press.

Snitow, Ann, Christine Stansell, and Sharon Thompson, eds. 1983. *Powers of Desire.* New York: Monthly Review Press.

Socialist Review. 2001. Special issue: Anti-Capitalism. Vol. 28, nos. 3 and 4.

Soley, Lawrence C. 1995. *Leasing the Ivory Tower: The Corporate Takeover of Academia.* Boston: South End Press.

Sommer, Doris. 1988. "Not Just a Personal Story: Women's Testimonies and the Plural Self." In *Life/Lines: Theorizing Women's Autobiography,* edited by Bella Brodzki and Celeste Schenk, 107–30. Ithaca: Cornell University Press.

Spanos, William V. 1984. "*Boundary 2* and the Polity of Interest: Humanism, the Center Elsewhere, and Power." *Boundary 2* 12, no. 3 / 13, no. 1 (spring–fall).

Spelman, Elizabeth. 1989. *Inessential Woman: Problems of Exclusion in Feminist Theory.* Boston: Beacon Press.

Spillers, Hortense. 1987. "Mama's Baby, Papa's Maybe: An American Grammar Book." *Diacritics* 17, no. 2 (summer): 65–81.

Spivak, Gayatri Chakravorty. 1987. *In Other Worlds: Essays in Cultural Politics*. New York: Methuen.

———. 1982. "French Feminism in an International Frame." *Yale French Studies*, no. 62: 154–84.

Starr, Paul. 1987. "The Case for Skepticism." In *Prospects for Privatization*, edited by Steven Hanke, 124–37. New York: Academy of Political Science.

Stone-Mediatore, Shari. Forthcoming. *Reading Across Borders: Storytelling as Knowledge and Politics*. New York: Palgrave.

Strathern, Marilyn, and Carol McCormack, eds. 1980. *Nature, Culture and Gender*. Cambridge: Cambridge University Press.

Sudarkasa, Niara. 1987. "Affirmative Action or Affirmation of Status Quo? Black Faculty and Administrators in Higher Education." *American Association of Higher Education Bulletin* (Feb.): 3–6.

Tabari, Azar. 1980. "The Enigma of the Veiled Iranian Women." *Feminist Review* 5: 19–32.

Tate, Jane. 1994. "Homework in West Yorkshire." In *Dignity and Daily Bread: New Forms of Economic Organizing among Poor Women in the Third World and the First*, edited by Sheila Rowbotham and Swasti Mitter, 114–38. New York: Routledge.

Thompson, Becky, and Sangeeta Tyagi, eds. 1993. *Beyond a Dream Deferred: Multicultural Education and the Politics of Excellence*. Minneapolis: University of Minnesota Press.

Tinker, Irene, and Michelle Bo Bramsen, eds. 1972. Women and World Development. Washington, D.C.: Overseas Development Council.

Trask, Haunani-Kay. 1999. *From a Native Daughter: Colonialism and Sovereignty in Hawaii*. Honolulu: University of Hawaii Press.

Tripp, Aili Marie. 2002. "Combining Intercontinental Parenting and Research: Dilemnas and Strategies for Women." *Signs* 27, no. 3: 793–811.

Urry, John. 1998. "Contemporary Transformations of Time and Space." In *The Globalization of Higher Education*, edited by Peter Scott. Buckingham: Open University Press.

Vance, Carole S. 1984. *Pleasure and Danger*, ed. Boston: Routledge and Kegan Paul.

Volpe, Letti. 2001. "Feminism versus Multiculturism." *Columbia Law Review* 101: 1181–1218.

Walby, Sylvia. 2000. "Beyond the Politics of Location: The Power of Argument." In *Feminist Theory* 1, no. 2: 109–207.

———. 1990. Theorizing Patriarchy. Oxford: Basil Blackwell.

———. 1985. *Patriarchy at Work*. Cambridge, Mass.: Polity Press.

Ward, Kathryn, ed. 1990. *Women Workers and Global Restructuring*. Ithaca: Cornell University Press.

Warhol, Robyn, and Diane Price Herndal, eds. 1997. *Feminisms: An Anthology of Literary Theory and Criticism*. New York: Routledge.

Waterman, Peter. 1998. *Globalization, Social Movements and the New Internationalisms*. London: Mansell Publishing.

Wekker, Gloria. 1997. "One Finger Does Not Drink Okra Soup. . . ." In *Feminist*

Genealogies, Colonial Legacies, Democratic Futures, edited by M. Jacqui Alexander and Chandra Talpade Mohanty. New York: Routledge.

Wellesley Editorial Committee, ed. 1977. *Women and National Development: The Complexities of Change*. Chicago: University of Chicago Press.

West, Cornel. 1987. "Minority Discourse and the Pitfalls of Canon Formation." *Yale Journal of Criticism* 1, no. 1 (fall): 193–202.

Westwood, Sallie. 1988. "Workers and Wives: Continuities and Discontinuities in the Lives of Gujarati Women." In *Enterprising Women*, edited by Sallie Westwood and Parminder Bhachu, 103–31. New York: Routledge.

Westwood, Sallie, and Parminder Bhachu, eds. 1988. *Enterprising Women*. New York: Routledge.

Winant, Howard. 1990. "Postmodern Racial Politics: Difference and Inequality." *Socialist Review* 90, no. 1: 121–47.

Wittig, Monique. 1980. "The Straight Mind." *Feminist Issues* 1: 103–10.

Women, Immigration and Nationality Group. 1985. *Worlds Apart: Women under Immigration and Nationality Law*. London: Pluto Press.

Women of South Asian Descent Collective, ed. 1993. *Our Feet Walk the Sky: Writings by Women of the South Asian Diaspora*. San Francisco: Aunt Lute Books.

Women Working Worldwide. 1993. *Common Interests*. San Francisco: Aunt Lute Books.

Young, Iris Marion. 1990. *Justice and the Politics of Difference*. Princeton: Princeton University Press.

Young, Kate, Carol Walkowitz, and Roslyn McCullagh, eds. 1981. *Of Marriage and the Market: Women's Subordination in International Perspective*. London: CASE Books.

INDEX

Abdel-Malek, Anouar, 20, 225
Abortion. *See* Reproductive rights
Academy. *See* Universities
Affirmative action, 69, 196–97, 199; in universities, 212–15
Agency, 45, 56, 78, 80–83, 103, 113, 122, 140, 142–43, 147, 151, 161–62, 196, 238–41, 244–45, 248
Agrarian regulations, 61–62
Alarcon, Norma, 80, 82
Alexander, Jacqui, 8, 60, 125
Amnesty International, 229
Amott, Teresa, 148
Anthropology, 57, 74–76
Anti-Semitism. *See* Race and racism
Anzaldúa, Gloria, 80–82
Aotearoa/New Zealand, 227–28
Apartheid, 70
Arab and Muslim women, 28–29, 34

Barkley Brown, Elsa, 201–2
Bemba population (Zambia), 26–27
Berman, Edward, 181
Bhabha, Homi, 255 n.3
Bhachu, Parminder, 156, 158
Biculturalism, 227–28
Binaries, 2, 31, 38–39, 41, 57, 80–81, 224, 227
Boggs, Grace Lee, 235, 249
Borders, 1–2, 10, 121, 134, 171, 185–89, 223–24, 226, 234–38, 248, 250–51
Bourne, Jenny, 262 n.3
British empire, 59–64. *See also* Colonialism and colonization; United Kingdom
Brown, Beverly, 36
Bulkin, Elly, 86–87
Bureaucratization: of gender and race, 60–65. *See also* Capitalism; Corporatism

Capitalism, 2–10, 45, 53, 58, 66–67, 125, 139–68, 171–74, 182–86, 196–97, 225, 229–31, 233–51; and consumer-citizens, 141, 173–74, 177–84, 235; feminist critique of, 3–10, 45; naturalizations within, 6, 9, 141–42, 229–30, 250; and patriarchy, 4. *See also* Corporatism; Globalization
Caste, 149–50, 158
Cavanagh, John, 147
Chowdry, Prem, 62
Citizenship, 140–41, 175–76, 182–84. *See also* Capitalism
Class: as class conflict, 143, 158; as class struggle, 142; formation of, 63–64. *See also* Caste; Labor
Collectivity and collective action, 5–10, 18, 80–83, 105, 122, 140, 144, 155, 201–2, 204–7, 209, 213–16, 233, 254 n.14. *See also* Unions
Colonialism and colonization, 1, 7, 17–19, 26–27, 30, 39–42, 45, 52–53, 58–64, 75, 110, 141–42, 147, 227, 229, 233, 241, 246; of histories, 125; various denotations of, 18. *See also* Globalization; Imperialism

"Communities of resistance," 47. *See also* "Imagined communities"
Comparative feminist studies, 238, 242–45. *See also* Pedagogy; Solidarity
Connell, R. W., 64–66
Consciousness, 45, 56, 76–84, 91, 104, 163
Corporatism, 6, 44, 71–74, 144, 147, 173–77, 216, 221, 229, 232–34. *See also* Capitalism; Globalization
Cowie, Elizabeth, 27–28
Culture, discourses of, 20
Cutrufelli, Maria, 25–27, 30, 38

Daily life. *See* Everyday life
Daly, Mary, 256 n.7
Davis, Angela, 172, 246
Dean, Jodi, 7
Decolonization, 2, 5, 7–10, 57, 71, 106, 127, 200–7, 224, 237, 254 n.14; of the academy, 200, 204–7, 216–17. *See also* Colonialism and colonization
De la Luz Reyes, Maria, 212–13
De Lauretis, Teresa, 103, 108–9
Democracy, 4, 10
Dent, Gina, 246
Development, 5, 23, 29–30, 144
Difference: as object of discourse, 193–94, 224–26, 229, 244
Dirlik, Arif, 226, 235, 244
Division of labor, 34–36, 61, 64–65, 141, 144, 146
Du Bois, W. E. B., 187

Economic reductionism, 28–29
Eisenstein, Zillah, 85, 172, 214–15, 235, 245
Environmental racism, 232, 235, 248, 272 n.17
Essentialism, 6, 46, 90–91, 97, 107
Esteva, Gustavo, 227
Ethnocentrism, 21, 40–41, 119. *See also* Eurocentrism
Etzkowitz, Henry, 172–73
Eurocentrism, 4–5, 9, 40, 77, 222–30, 239, 244. *See also* Ethnocentrism; Feminism
European Economic Union (EEU), 180, 187–89, 229
Everyday life, 4–5, 48, 52, 55–56, 73, 77–78, 81, 83, 104, 109, 162, 216, 225, 232, 236, 254 n.14
Experience: feminist theorizations of, 108–14, 118–19, 200–3, 209, 216, 233, 238, 242, 248

Fanon, Frantz, 61, 254 n.12
Feldman, Jonathan, 172
Feminism: in the academy, 6, 10; antiracist, 2, 124; definitions of, 44–50, 54–57; differences within, 106; guilt reactions within, 93; history of, 53–55; and imperialism, 4; as politics, 3, 10, 18–21, 37–42; in scholarship, 10, 18–33, 37–42, 192–94, 221–24, 237, 248, 267 n.2, 270 nn.4, 5; second wave of, 4, 45, 54–55; self-normativization of Western women, 18, 21–22, 42, 89, 110, 193, 222; theoretical frames for, 4, 113; and Third World women, 5, 8, 17, 44–47, 53–57, 66, 72, 80, 83–84, 87, 128–29, 229; as Western hegemonic discourse, 17, 21, 37–42, 222–24, 237, 270 n.4
Feminist osmosis thesis, 109, 112
Fertility, 48
Ford, Yance, 205–7, 269 n.14
Ford-Smith, Honor, 79–80, 82
Foucault, Michel, 38, 41, 104, 225
Free trade zones (FTZ), 163–64

Genital mutilation, 24
Giroux, Henry, 184
Globalization, 45, 124, 147, 171–73, 175–78, 183–89, 230–51; antiglobalization initiatives, 230, 232, 235–50; defi-

nitions of, 172, 272 n.19; gender as central to, 234–38, 273 n.30. *See also* Capitalism; Colonialism and colonization; Corporatism; Imperialism; Labor
Gramsci, Antonio, 117
Grassroots movements, 10, 136, 165, 266 n.2
Gutmann, Amy, 174–75, 184; and democratic education, 174–75

Halcon, John J., 212–13
Hamilton College, 205–7, 269 n.18
Harlow, Barbara, 78–79
Hegemony, 52–53, 65, 183, 185, 216, 225, 229, 237, 241, 245–47. *See also* Power
Heterosexism, 2–5, 8, 241. *See also* Lesbianism
Higginbotham, Elizabeth, 65–66
Home, 85–86, 90–92, 98–105, 124–28, 134–36, 141–42, 240
hooks, bell, 269 n.20
Hooper, Charlotte, 247, 250
Hosken, Fran, 23–24, 30, 33–34
Hossfeld, Karen, 152–57
Humanism, Western discourse of, 19, 41–42, 224
Hurtado, Aida, 51, 54
Huston, Perdita, 30–31

Identity, 5–6, 8. 19, 77–84, 90–91, 93–105, 118, 142–45, 151, 160–63, 225, 238, 245, 250–51; of nations, 52; negations as basis for, 90–91, 95, 100–2; as politics, 107, 118, 120
"Imagined communities," 46–47. *See also* "Communities of resistance"
Immigration, 5, 57, 66–71, 121–23, 126–30, 136, 152–56, 189, 246; British immigration laws, 69–70; U.S. Exclusion acts against Asians, 68–69. *See also* Labor
Immigration and Naturalization Service (INS), 130
Imperialism, 5, 20–21, 41, 49, 52, 58–59, 110–11, 121, 129, 236, 241. *See also* Colonialism and colonization; Globalization
India, 62–64, 125, 130–36, 149–52, 164–66, 233; Narsapur region, 149–52, 223; religion in, 131–34; sex ratio in, 133; women's labor movement in, 164–66
Internationalism, 253 n.1
International Monetary Fund (IMF), 133, 172, 177, 234, 248
Internet, 172, 229

Jardine, Alice, 260 n.2
Jayawardena, Kumari, 51–52
Jhabvala, Renana, 165–66
Jonasdottir, Anna G., 161–62, 166
Jones, Gayl, 80

Kamuf, Peggy, 260 n.2
Katz, Naomi, 152–56
Kemnitzer, David, 152–56
King, Katie, 108–9
Kinship structures, 26–28

Labor: common interests of, 161–66; in family businesses, 157–60; as home work, 74, 149–60, 164–65; by migrant women, 156–60; and Third World women, 71–74, 139–68, 245–46. *See also* Capitalism; Corporatism; Globalization; Unions
Lazreg, Marnia, 29, 192, 194, 257 n.17; and intersubjectivity, 192, 194
Lesbianism, 4, 68, 86, 93, 100–2, 108–9
Lévi-Strauss, Claude, 26
Lindsay, Beverly, 24–25
Loomba, Ana, 272 n.26
Lorde, Audre, 43, 256 n.7
Lugones, Maria, 93

Marchand, Nancy, 247, 250
Marriage contract, 26–27
Marxism(s), 4, 18, 22, 231, 271 n.9
Materialism, historical, 223, 229, 231–32, 244
Matthaei, Julie, 148
"Mestizo consciousness" (Anzaldúa), 80
Methodology, 33–37, 231–38
Mies, Maria, 31–33, 146, 149–52, 154, 223, 225
Migration, 44, 52
Minces, Juliette, 28, 30, 38
Minh-ha, Trinh T., 75–76
Misogyny, 3, 8
Mohanram, Radhika, 227–28
Mohanty, Satya P., 257 n.17, 262 n.3
Momsen, Janet Henshall, 48
Morgan, Robin, 107–17, 120–22; as theorist of experience, 110–14. *See also* Sisterhood
Morrison, Toni, 80
Multinational Agreement on Investments (MAI), 234
Multinational capitalism. *See* Capitalism; Corporatism; Globalization
Mumbai (Bombay). *See* India.

Narsapur. *See* India
Nationalism, 3, 5, 63, 246
National liberation movements, 57–58
National Organization for Women (NOW), 101
Neoliberalism, 45, 229
New Right, 85, 99, 197, 199
Noble, David, 180
Nonrepression, 174–75, 184
North American Free Trade Agreement (NAFTA), 140

Oberlin College, 208, 269 n.20
O'Hanlon, Rosalind, 82–83
Okri, Ben, 169, 176
Omvedt, Gail, 38
One Third/Two Thirds World, 226–27, 243. *See also* Third World/South
Ong, Aihwa, 72–73
Organizing, political, 4, 18, 24, 32, 73, 76–77, 83, 110, 139, 143, 145–47, 160–68, 170, 207–9, 223, 236–38
Ortiz, Alicia Dujovne, 121

Passports, 130–31
Patriarchy, 61, 111, 129, 143, 147, 151, 164
Pedagogy, 5, 10, 194–217, 236–45, 248, 272 n.20; black, women's, and ethnic studies, 194, 197–200, 202, 213, 228–29, 238–45, 271 n.13; against globalization, 236–45; and subjectivity, 195–96; of Third World vs. white students, 202–4; workshops in diversity/prejudice reduction, 194, 207–12. *See also* Universities
Pluralism, 196–97, 199–200, 204, 207–8, 211, 216, 244, 268 n.7
Postcoloniality, 72, 120, 133, 228, 272 n.26; and postcolonial studies, 45, 107, 228, 244, 272 n.26
Postmodernism, 6, 81, 225–26, 244, 271 n.9. *See also* Poststructuralism
Postpositivist realism, 231, 244, 271 n.9
Poststructuralism, 89. *See also* Postmodernism
Power, 21–26, 31, 38–41, 43, 47, 55–56, 59, 64, 73, 78, 99, 104, 118, 171, 183, 187, 191, 199, 201–2, 204, 209, 216, 225, 231–2, 239–42, 244–47, 254 n.14, 255 n.3, 262 n.4. *See also* Hegemony
Pratt, Minnie Bruce, 85–105; and cultural impersonation, 102; father, relationship to, 94–98, 103–5; home as theme for, 90, 92, 98–105; and lesbianism, 86, 93, 97, 100; narrative technique of, 88, 94, 100–3, 105; politicized geography in, 89–90, 99–101, 104–5
Privatization. *See* Corporatism

Public/private distinction, 51, 63, 71, 142, 145
Purdah, 29, 32–34, 150. *See also* India

Race and racism, 3–4, 53, 61, 65–71, 86, 98, 104, 107, 129–31, 241, 250, 258 n.11; anti-Semitism, relation to, 86, 104; racial formation, 65–71, 130; racialized gender, 170–71, 188, 231, 250; racialized individuals, 190–92
Readings, William, 180–81
Reagan, Ronald. *See* New Right
Reagon, Bernice Johnson, 86–87, 107–8, 117–22; and coalition, 117
Relational communities, 5
"Relations of ruling" (Smith), 56–57
Relativism, 230–31, 240–41, 244
Religious fundamentalism, 131–34, 147, 229, 246
Reproductive rights, 54
Rich, Adrienne, 120, 261 n.1
Rosa, Kumudhini, 163–64
Runyon, Anne, 247

Sanchez, Rosaura, 198–99, 208
Sangari, Kumkum, 58, 61–63
Self-Employed Women's Association (SEWA), 164–66, 168
Shiva, Vandana, 232–35, 249
Shohat, Ella, 241
Silicon Valley, 152–56, 159, 265 n.15
Sisterhood, 109–17; as transcendence, 111, 116, 122. *See also* Morgan, Robin; Solidarity
Sivanandan, A., 52–53, 70–71, 209
Smith, Barbara, 86–87, 107–8
Smith, Dorothy, 56–58
Smith, Joan, 264 n.6
Socialism, 4
Social justice, 2, 9, 174–75, 178, 205, 210, 216, 231, 240, 243, 250
Solidarity, 3, 7, 10, 128, 140–45, 157, 171, 193, 223–26, 234–38, 242–45, 251; definition of, 7; sisterhood, contrasted to, 7, 24, 36, 110–11, 193. *See also* Sisterhood; Unions
Sommer, Doris, 81–82
Spelman, Elizabeth, 93
Standpoint epistemology, 5, 56, 231–32
Sudarkasa, Niara, 199
Support Committee for Maquiladora Workers, 140, 264 n.2
Suri Prakash, Madhu, 227
Sweatshops, 73–74, 248

Tate, Jane, 164–65
Temporality of struggle, 120–22
Third World/South: as term of designation, 2, 29–30, 44, 143–44, 226–27, 255 n.1, 267 n.5; and "Third World Difference," 19, 40, 240. *See also* One Third/Two Thirds World; "Third World Woman"
"Third World Woman": as category construction, 17, 19, 22–23, 36–37, 40, 42, 46–49, 76. *See also* Feminism; Labor; Women
Tijuana, 140
Torres, Lourdes, 81
Townsend, Janet G., 48

Unions, 143, 155, 163–66; Third World women's alternatives to, 163
United Kingdom, 69, 156–60, 164–65, 215; ideas of blackness in, 50, 156–57. *See also* British empire; Immigration
Universities, 169–217, 221; commoditization of knowledge in, 171, 173, 177–78, 180; commoditization of race in, 196, 212–17; corporatization of, 169–70, 173–78, 181–89, 196; demographics of, 179, 266 n.3; feminist struggle within, 169–70, 175–76, 185–86, 189, 194. *See also* Corporatism; Pedagogy
Urry, John, 172

Vaid, Sudesh, 58, 61–63

Walby, Sylvia, 223–24
Wekker, Gloria, 254 n.14
West, Cornel, 207
Westwood, Sallie, 156–57
West Yorkshire Homeworking Group, 164–65
Widow remarriage, 62. *See also* India
Wittig, Monique, 108–9
Women: as category of analysis, 21–33, 36, 38–39; constructed as "Woman," 19, 23, 36, 118; in dependency relationships, 24–25; as material subjects, 19, 23; victims, representations as, 23–26, 31–32, 39, 98–99, 111, 248; violence against, 24. *See also* Feminism; "Third World Woman"
Women, Immigration and Nationality Group (WING), 70
Women in International Development (WID), 23
"Women of color": as term, 49. *See also* "Third World Woman"
Women's work, 74, 141–42, 144, 146, 149–60, 233
Work. *See* Labor; Women's Work
Working Women's Forum (WWF), 164–65
World Bank, 133, 172, 177, 234, 248
World Trade Organization (WTO), 172, 229, 232–34
Writing and memory: testimonial genre, 78–79; by Third World women, 52, 57, 77–84, 86; *See also* Pratt, Minnie Bruce; Reagon, Bernice Johnson

Young, Iris Marion, 175–76

Zed Press Women in the Third World series, 21, 37–41, 255 n.5

Chandra Talpade Mohanty is Professor of Women's Studies

at Hamilton College.

Library of Congress Cataloging-in-Publication Data
Mohanty, Chandra Talpade.
Feminism without borders : decolonizing theory,
practicing solidarity / Chandra Talpade Mohanty.
p. cm.
Includes bibliographical references and index.
ISBN 0-8223-3010-5 (cloth : alk. paper) —
ISBN 0-8223-3021-0 (pbk. : alk. paper)
1. Feminism—Developing countries. 2. Women—
Developing countries—Social conditions. I. Title.
HQ1870.9 .M64 2003
305.42—dc21 2002013266